À la recherche du bonheur

LaVyrle Spencer

À la recherche du bonheur

traduit de l'américain

Super Sellers

Données de catalogage avant publication (Canada)

Spencer, LaVyrle

À la recherche du bonheur

(Super Sellers)
Traduction de : Morning glory

ISBN 2-89077-134-2

I. Titre.
PS3569.P36M614 1995   813'.54   C95-941515-7

Titre original de l'ouvrage : Morning Glory
Éditeur original : G.P. Putnam's Sons

Copyright © 1989 by LaVyrle Spencer
© 1995, les éditions Flammarion ltée
pour la traduction française

Traduction :
Chapitres 1 à 7, Désirée Szucsany
Chapitres 8 à 23, Patrick Walter

Révision :
Paulette Villeneuve

Tous droits réservés

ISBN 2-89077-134-2

Dépôt légal : 4e trimestre 1995
Photographie de couverture : David de Lossy/Image Bank

À mes auteurs favoris
Tom et Sharon Curtis
dont les œuvres m'ont enseigné ce qu'est l'écriture
et m'ont inspirée.
Avec ma profonde admiration.

Remerciements

À Mariam Smith Collins et à Bob Collins pour les rensei-gnements qu'ils m'ont fournis sur la ville de Calhoun et ses lois...

Au sergent d'artillerie Richard E. Martelli, du Corps des *Marines* des États-Unis, pour les informations qu'il m'a données sur l'histoire de ce corps d'élite...

Et à Carol Gatts, sage-femme et apicultrice, pour avoir su garder vivantes les traditions ancestrales et nous en avoir offert un large aperçu...

Prologue

1917

Sous un ciel de plomb, le train entra en gare à Whitney, en Géorgie, un après-midi de novembre. Des nuages tournoyaient et les premières gouttes de pluie s'abattirent lourdement sur le toit de cuir d'une voiture à cheval qui attendait devant la gare. Les vitres étaient voilées de noir. Le train s'arrêta dans un bruit métallique, un store fut levé à la dérobée et un œil apparut dans la fente.

— Elle est là, dit la voix d'une femme. Vas-y !

La porte de la voiture s'ouvrit et un homme en descendit. Il était vêtu de noir. Ses habits, ses souliers et son chapeau étaient poussiéreux. Il jeta un coup d'œil à droite et à gauche et marcha d'un pas déterminé vers le train quand une jeune femme portant un bébé émergea d'un wagon.

— Papa ! dit-elle d'une voix hésitante en lui souriant.

— Amène ton bâtard et suis-moi.

Il la prit rudement par le coude et l'entraîna vers l'attelage sans jeter un coup d'œil à l'enfant. Dès qu'ils atteignirent le véhicule, la portière voilée par un rideau s'ouvrit brusquement. La jeune femme recula d'un bond pour se protéger, le bébé contre son épaule. Ses doux yeux noisette croisèrent ceux, verts et durs, d'une femme vêtue d'habits de deuil, au visage encadré par un bonnet noir.

— Maman...

— Monte !

— Maman, je...

— Monte avant d'étaler notre honte devant toute la ville !

L'homme donna un coup de coude à sa fille. Elle trébucha en

montant dans la voiture, voyant à peine à travers ses larmes. Il la suivit rapidement, s'empara des rênes, qui étaient passées à travers un judas diffusant une lumière glauque. « Albert, dépêche-toi ! » ordonna la femme, assise raide comme un piquet. Il fouetta les chevaux qui partirent au trot.

— Maman, c'est une fille. Ne veux-tu pas la voir ?

— La voir ?

Les lèvres pincées, la femme regardait droit devant elle.

— Je la verrai tout le reste de ma vie, et les gens chuchoteront que Satan a fait son œuvre et que tu as amené le malheur chez nous.

La jeune femme serra l'enfant plus fort. Il pleurnichait. Puis un coup de tonnerre retentit et le bébé se mit à hurler.

— Fais-le taire, entends-tu !

— Elle s'appelle Eleanor, maman et...

— Fais-la taire avant que toute la rue ne l'entende !

Le bébé hurla tout le long du parcours entre la gare et la maison, en longeant le square et sur la route menant à l'extrémité sud de la ville. Enfin ils atteignirent une rangée de maisons et devant l'une d'elles, encadrée de gloires du matin qui envahissaient la véranda, la voiture pénétra dans une allée profonde, traversa le jardin et s'arrêta derrière la maison. La femme en noir entraîna la mère et l'enfant à l'intérieur et aussitôt les rideaux furent tirés l'un après l'autre jusqu'à ce que chaque fenêtre de la maison soit masquée. On ne vit jamais plus sortir la jeune mère de la maison et jamais plus les rideaux ne furent ouverts.

1

Août 1941

À midi la sirène retentit et les scies se turent. Will Parker recula, souleva son chapeau trempé de sueur et s'essuya le front du revers de sa manche. Les autres ouvriers l'imitèrent et se hâtèrent vers l'ombre, pestant contre la chaleur, critiquant le sandwich que leurs femmes avaient préparé en guise de casse-croûte. Will Parker avait appris à ne pas se plaindre. La chaleur ne l'incommodait pas trop, et il n'avait ni femme ni casse-croûte. Seulement trois pommes volées dans un jardin, des pommes vertes, tellement vertes qu'il lui en cuirait plus tard, et un litre de petit-lait trouvé dans un puits. Assis à l'ombre du moulin à scie, le dos appuyé contre les pins aux troncs écaillés, les hommes palabraient en mangeant. Will Parker s'assit à l'écart ; il n'était pas liant, plus maintenant.

— Dieu tout-puissant ! Quelle chaleur ! se plaignit Elroy Moody, qui épongeait son cou ridé avec un mouchoir rouge.

— Quelle poussière, ajouta Blaylock qui toussa deux fois et cracha dans les aiguilles de pin. J'ai assez de bran de scie dans les poumons pour en bourrer tout un matelas.

Le contremaître, Harley Overmire, faisait son numéro comme tous les midis. Il se dévêtit jusqu'à la taille, glissa sa tête sous la pompe et rugit pour attirer l'attention de tous. Overmire était un nabot mal dégrossi avec un gros nez, rond et retroussé, de petites oreilles et un cou trapu. Ses cheveux courts et noirs, frisés comme des ressorts, descendaient le long de sa nuque et de son dos, lui donnant l'air hirsute d'un singe lorsqu'il allait torse nu. Overmire adorait se promener torse nu. De petite taille, il semblait penser que

11

sa toison le rendait imposant. Il ne ratait pas une occasion de se montrer. Il se sécha avec sa chemise et traversa la cour pour rejoindre les hommes. Il ouvrit son sandwich et marmonna contre sa femme :

— Salope, elle a encore oublié la moutarde. Combien de fois devrai-je lui répéter ? Pas de moutarde avec le porc et moutarde avec le bœuf ! ajouta-t-il en refermant le sandwich avec dégoût.

— Tu dois la dresser, Harley, railla Blaylock. Donne-lui une bonne taloche derrière la tête.

— La dresser ! Diable, après dix-sept ans de mariage, elle devrait bien savoir si je veux de la moutarde ou non.

D'un coup de talon, il enfonça le sandwich dans les aiguilles de pin en jurant.

— Tiens, prends un des miens, lui offrit Blaylock. Salami de Bologne et fromage.

Will Parker mordit dans une pomme. Le jus acide gicla dans sa bouche, si acide que ses mâchoires se crispèrent. Il évita de lorgner du côté d'Overmire et de Blaylock en essayant de penser à autre chose qu'au bœuf, au salami de Bologne et au fromage : la jolie pelouse de la cour fraîchement tondue où il avait chapardé du lait mis à rafraîchir au puits, les jolies fleurs roses qu'il avait vues dans une bouilloire émaillée déposée sur une souche d'arbre près de la porte arrière ; la voix d'un bébé pleurant à l'intérieur de la maison ; une corde à linge où étaient suspendus des couches, des torchons immaculés, des pantalons en denim et des chemises en batiste. Une de plus ou de moins n'y paraîtrait pas. D'un geste noble, il avait décroché celle qui avait un accroc au coude. Au milieu de l'arc-en-ciel de serviettes, il avait choisi la verte parce qu'au fond de sa mémoire, une femme aux yeux verts avait été gentille avec lui, lui faisant aimer le vert plus que toute autre couleur. Il avait enveloppé le pot de lait dans la serviette mouillée. Il la déplia, dévissa le couvercle de métal et but en s'efforçant de ne pas grimacer. Le petit-lait lui donnait la nausée ; même mouillée, la serviette n'avait pas suffi à lui conserver un peu de fraîcheur. La tête renversée contre le tronc d'un pin, Parker vit Overmire se lever en le cherchant de ses petits yeux jaunes. Parker déposa lentement le pot à lait et essuya ses lèvres. Overmire se pavanait. Il se campa à côté de Will, les poings sur les hanches. Parker travaillait au moulin depuis quatre jours, seulement quatre, mais il lut dans le regard du contremaître qu'il était fichu.

— Parker! fit Overmire à voix haute afin que tous puissent entendre.

Will se raidit, il s'écarta de l'arbre et déposa le pot à tâtons. Le contremaître releva son chapeau de paille, découvrant son front plissé. Il n'avait rien de plus à faire, les autres hommes comprirent.

— Je croyais que tu venais de Dallas. C'est ce que tu avais dit.

Will savait se taire. Il effaça toute expression de son visage et leva les yeux vers Overmire en mâchant une bouchée de pomme.

— Cela veut-il dire que c'est de là que tu sors?

Will roula sur une fesse comme s'il allait se lever. Overmire posa une botte sur son entre-jambes et poussa fort.

— Je te parle, fiston, fit-il brusquement, puis il laissa ses yeux errer sur ses sous-fifres s'assurant que personne ne manquait la scène. Les paumes plaquées contre le sol, Parker luttait contre la douleur.

— J'y étais, répondit-il, stoïque.

— Tu es allé à Huntsville aussi, n'est-ce pas, fiston? continuait l'autre.

Parker sentit la bile lui brûler la gorge. Il avait le sentiment d'être piégé, il était sur le point de s'étrangler. Une sensation familière. Dégradante. Les hommes le toisaient avec une moue méprisante. Il avait appris à ne pas répliquer à ce ton de supériorité et particulièrement au mot fiston. Une sueur froide coula le long de sa poitrine. Réduit à l'impuissance devant l'homme qui l'écrasait, il parvint à réprimer l'horrible besoin de laisser libre cours au dégoût qui l'envahissait. Il s'enferma dans un cocon, affectant l'indifférence. Overmire appuya encore plus fort.

— C'est seulement les durs qu'on enferme là-dedans, n'est-ce pas, Parker? dit-il.

Will ne broncha pas. D'une main, il agrippa la cheville de l'autre, glissa la botte de côté. Sans quitter le contremaître des yeux, il se leva, ramassa son vieux Stetson, le claqua contre sa cuisse et remit son chapeau sur ses yeux. Overmire pouffa de rire, croisa ses gros bras et fixa l'ex-détenu avec ses yeux de fouine.

— On dit que tu as tué une femme dans un bordel au Texas et que tu viens tout juste de sortir de prison. Je ne pense pas qu'on veuille d'un type comme toi ici. Nous avons des femmes et des filles, pas vrai, les gars ?

Il jeta un coup d'œil aux hommes. Les ouvriers avaient interrompu leur repas.

— Alors tu n'as rien à dire pour ta défense, fiston ?

Will tenta de ravaler la pelure de pomme qui lui remontait de l'estomac.

— Non, monsieur, si ce n'est que j'ai une paye de trois jours et demi qui m'attend.

— Trois jours, corrigea Overmire. On ne compte pas les demi-journées ici.

Will essaya de glisser la pelure de pomme entre ses incisives. Ses mâchoires se durcirent et Harley Overmire serra les poings, prêt à tout. Will se contentait de le fixer en silence sous le bord de son piteux chapeau de cow-boy. Il n'avait pas besoin de baisser les yeux pour savoir qu'Overmire avait des poings énormes.

— Trois, accepta Will doucement. Mais il cracha les pépins de pomme dans les aiguilles de pin avec une telle violence que les hommes recommencèrent à farfouiller dans leur casse-croûte. Puis il vida son pot de lait et suivit Overmire jusqu'au bureau. Lorsqu'il revint, les hommes étaient groupés près du mur où était affiché l'horaire de travail. Il passa parmi eux, l'air glacial, plia ses neuf dollars dans la poche de sa chemise, regardant droit devant lui, évitant de voir leur air satisfait de bien-pensants.

— Hé, Parker, dit l'un d'entre eux, tu devrais aller chez la veuve Dinsmore. Elle est tellement dure qu'elle accepterait probablement de s'installer avec un oiseau de ton genre, pas vrai, les gars ?

Les sarcasmes et les rires pleuvaient. Une autre voix s'éleva :

— Une femme qui a l'audace d'annoncer dans un moulin à scie qu'elle cherche un mari doit être prête à accepter n'importe qui.

Et finalement, une troisième voix :

— Tu aurais dû lui écraser les boules, Harley, comme ça les femmes dormiraient en paix.

Au pied des arbres, Will aperçut les restes d'un sandwich, laissés parmi les aiguilles de pin pour les oiseaux; la faim surpassa l'orgueil. Il le ramassa entre deux doigts comme s'il s'agissait d'une cigarette, et se tournant avec nonchalance, il demanda :

— Ça n'embête personne que je mange ça?

— Diable, non, fit Overmire. C'est ma tournée.

Les rires fusèrent.

— Écoute, Parker. Cette folle d'Elly Dinsmore aura peut-être de la chance avec toi. Sans blague, vous feriez un beau couple. Elle cherche un homme et toi tu viens tout juste de sortir du pénitencier. Tu y récolteras peut-être plus que des miettes de pain.

Will pivota et tout en marchant il pétrit le pain en boule et l'envoya sur le tapis d'aiguilles. Les yeux ronds, il fit taire la douleur et s'imagina loin de là, dans un endroit qu'il n'avait jamais vu, où on lui adressait de larges sourires, où les assiettes étaient pleines, et où les gens étaient gentils les uns envers les autres. Depuis longtemps, il ne croyait pas qu'un tel lieu existât mais cette image le hantait de plus en plus souvent. La réalité lui apparut de nouveau : une pinède poussiéreuse nichée dans le nord-ouest de la Géorgie, une route étrange s'étalant devant lui. Et maintenant? pensa-t-il. Toujours la même connerie partout où il allait. Il ne servait à rien d'avoir purgé sa peine; ça n'était jamais fini. Bah, qu'est-ce que ça pouvait lui faire? Il n'avait aucune attache dans ce misérable bled. Qui avait jamais entendu parler de Whitney, en Géorgie? Ce n'était rien qu'une chiure de mouche sur la carte et il était libre d'y rester ou d'en partir.

Un kilomètre plus loin, il passa devant la coquette ferme où il avait dérobé le petit-lait, la serviette et les vêtements; une douce nostalgie l'envahit. Sur le perron arrière, une femme secouait un tapis. Ses cheveux étaient cachés par un torchon noué sur son front. Elle était jeune et belle et portait un tablier rose. L'odeur de cuisine qui émanait de l'intérieur de la maison fit rugir l'estomac de Will. Elle le salua de la main et, pris de remords, Will cacha la serviette sur son côté gauche. Il éprouvait l'intense désir de remonter l'allée, de lui remettre ses effets et de s'excuser. Mais il lui infligerait une peur du diable s'il le faisait. D'autre part, la serviette lui serait utile, et le pot aussi, s'il devait marcher jusqu'à la prochaine ville. Les vêtements qu'il portait constituaient ses seules hardes.

Il dépassa la ferme, marchant péniblement vers le nord sur une route de gravier couleur de rouille. L'odeur des pins était invitante. Les arbres verts et crépus contrastaient avec la terre d'argile rouge. Il y avait tellement de rivières, de cours d'eau dévalant rapidement vers la mer. Il avait même vu des cascades où les eaux se précipitaient des contreforts de Blue Ridge jusqu'à la plaine côtière vers le sud. Et partout des vergers où murissaient pêches, pommes, coings et poires. Dieu, qu'est-ce que ça devait être beau quand les arbres étaient en fleurs ! Des nuages roses, et parfumés, aussi. Will avait découvert en lui-même un profond besoin de goûter aux douceurs de la vie depuis qu'il était sorti de ce trou. Des choses qu'il n'avait jamais remarquées auparavant : le velouté d'une pêche, le soleil capté par une goutte de rosée dans une toile d'araignée, le tablier rose d'une femme aux cheveux enveloppés d'un torchon immaculé.

Il atteignit la lisière de Whitney, à peine une percée à travers les arbres laissant entrevoir une ville somnolant sous le soleil d'un après-midi paisible, troublé seulement par le mouvement des mouches qui butinaient autour des fleurs de chicorée. Il dépassa une glacière aux abords du village, une gare peinte en jaune pâle, une plateforme en bois encombrée de cageots vides d'où émanait une odeur de volaille ravivée par le soleil brûlant. Il y avait une maison abandonnée envahie par des gloires du matin derrière une clôture délabrée, puis une rangée de maisons de brique rouge, ou grise, mais elles avaient toutes, en avant, une véranda et des chaises berçantes révélant le nombre de leurs occupants. Il arriva devant une école, fermée en cette saison, et déboucha enfin sur une place typique du sud, où dominaient une église baptiste et l'hôtel de ville. Puis des boutiques s'égrenaient, séparées par des terrains vagues : la pharmacie, l'épicerie, le café, et la forge flanquée d'une pompe à essence couronnée d'un aigle en verre. Il s'arrêta, rêvassant devant son reflet dans la vitrine du journal local. Il effleura les précieux billets dans sa poche, se tourna et jeta un coup d'œil au Café Vickery, situé de l'autre côté de la place, abaissa son chapeau et s'y dirigea à grandes enjambées.

La porte moustiquaire du café portait une plaque de métal rouge et blanche annonçant Coca-Cola. Le métal était chaud sous la main de Will et le ressort chanta lorsqu'il poussa la porte. Il attendit que ses yeux s'habituent à la pénombre. Attablés au comptoir, deux hommes se tournèrent vers lui et le regardèrent d'un air indolent, les coudes lourdement appuyés devant leur café. Une jeune femme rondelette trottina le long du comptoir et dit d'une voix traînante :

— Bonjour... Qu'est-ce que je peux faire pour toi, mon chou ?

Will promena ses yeux sur le visage de la femme, résistant à l'envie de regarder les tartes aux cerises et aux pommes fort appétissantes.

— Vous n'auriez pas le journal ? J'aimerais y jeter un coup d'œil.

Elle sourcilla à la vue de la guenille qui pendait le long de sa cuisse puis se pencha pour prendre un journal. Will savait pertinemment qu'elle l'avait vu hésiter devant le journal, en face, avant de décider d'entrer dans le café.

— Merci beaucoup, dit-il en prenant le journal.

Elle s'appuya sur sa hanche ronde et le toisa en mâchant bruyamment du chewing-gum.

— Tu es nouveau dans les parages ?

— Oui, madame.

— Tu travailles au moulin ?

Will se retint de froisser le journal. Tout ce qu'il voulait c'était le lire et déguerpir. Les deux types le dévisageaient encore par-dessus leurs épaules. Il sentait leur regard interrogateur peser sur lui et adressa un bref signe de la tête à la serveuse.

— Ça ne vous ennuie pas si je reste un instant pour y jeter un coup d'œil ? répéta-t-il.

— Pas du tout, installe-toi. Est-ce que je te sers un café ou autre chose ?

— Non, madame, je vais m'asseoir là-bas...

Avec le journal, il lui indiqua la rangée des banquettes, et courba sa maigre silhouette en se glissant sur l'une d'elles. Du coin de l'œil, il vit que la serveuse avait sorti un miroir de poche et qu'elle se mettait du rouge à lèvres. Il plongea le nez dans le *Whitney Register*. Les manchettes parlaient de la guerre en Europe ; on y divulguait que le président Roosevelt et le premier ministre Churchill avaient tenu une réunion secrète pour discuter du Pacte atlantique ou de quelque chose comme ça ; Joe Di Maggio frappait des coups sûrs à la chaîne ; au Gem, on jouait *Citizen Kane,* mettant en vedette Orson Welles. Il lut les annonces. Une fête avait lieu lundi ; l'annonce d'un réparateur d'automobiles côtoyait celle d'un réparateur de harnais ; sous la rubrique nécrologique, on annonçait qu'Idamae Dell Randolph, née en 1879 à Burnt Corn, Alabama, était morte dans la maison de sa fille, Elsie Randolph Blythe, le 8 août 1941. Les offres étaient faciles à repérer à la page huit : un avocat itinérant serait en ville les premier et troisième lundis de chaque mois, à la salle 6 de l'hôtel de ville ; quelqu'un avait un bon matelas usagé à vendre ; quelqu'un cherchait un mari... Un mari ! Will relut l'annonce. C'était la même qui était épinglée sur le mur au moulin.

> **On demande un mari. Homme de n'importe quel âge, en**
> **bonne santé, disposé à travailler dur et à partager les tâches.**
> **Voir E. Dinsmore, sur le sommet de Rock Creek Road.**

Un homme de n'importe quel âge, en bonne santé ! Voilà pourquoi les ouvriers du moulin la traitaient de folle. Il poursuivit sa lecture : tapis à vendre, faits à la main ; une ville voisine cherchait un dentiste et un comptable pour une entreprise. Mais personne n'avait besoin d'un bagnard fraîchement émoulu du pénitencier de Huntsville qui avait cueilli des fruits, voyagé en train de marchandises, s'était frotté au bétail et avait erré la moitié de la journée dans ce patelin. Il relut l'annonce de E. Dinsmore. Elle cherchait un mari... *Homme de n'importe quel âge, en bonne santé, disposé à travailler dur et à partager les tâches.* Il plissa les yeux sous l'ombre de son chapeau et étudia la question. Diable, quel genre de femme était-elle ? Quel genre d'homme pouvait répondre à cette annonce ?

Les deux compères avaient pivoté sur leur tabouret et l'examinaient ouvertement. Appuyée sur le comptoir, la serveuse jacassait avec eux, ses yeux brillaient en regardant Will. Quand il se leva, elle le suivit avec nonchalance jusqu'au comptoir à tabac en avant. Il lui tendit le journal, porta la main à son chapeau sans toutefois le retirer et la remercia.

— Pas de quoi. C'est la moindre des choses qu'on puisse faire pour un nouveau voisin. Je m'appelle Lula, dit la serveuse en lui tendant mollement la main.

Ses longues griffes d'un rouge semblable à celui de ses lèvres et la forme aguichante de sa hanche livraient un message sans équivoque. Les cheveux décolorés étaient crêpés haut et ramenés sur le front, imitant la coiffure de la nouvelle coqueluche de Hollywood, Bette Grable. Will lui serra brièvement la main en hochant la tête. Mais il évita de se nommer et se contenta de lui demander où se trouvait Rock Creek Road.

— Rock Creek Road ? répéta Lula.

— Oui, fit-il.

Les hommes hennirent doucement. Le sourire tomba des lèvres sensuelles de Lula.

— Après le moulin, prenez la première route au sud, et de là, suivez la première route à gauche.

Will recula, toucha le bord de son chapeau et la remercia avant de sortir. Lula l'observa par la fenêtre.

— Eh bien, quel homme bourru ! dit-elle d'un ton offusqué en le regardant s'éloigner.

— Il n'a pas succombé à ton sourire, hein, Lula ?

— Quel sourire ? Espèce de crétin, je ne lui ai même pas souri !

Elle essuyait le comptoir à grands coups de torchon.

— Tu croyais bien l'avoir au bout de ta ligne celui-là ? dit Orlan Nettles, en se penchant par-dessus le comptoir pour lui pincer une fesse.

— Espèce de salaud, ôte tes sales pattes de là ! hurla Lula, en lui fouettant le poignet d'un coup de torchon humide.

Orlan se libéra, les sourcils soulevés par la surprise.

— Oh là là ! regarde-moi ça, Jack.

Jack Quigley examina le couple avec un air comique.

— Je ne savais pas que Lula repoussait la main d'un homme maintenant, et toi, Jack ?

— Tu n'es qu'une mauvaise langue, Orlan Neetles, glapit Lula.

Orlan sourit nonchalamment, souleva sa tasse de café et épia la réaction de Lula.

— Jack, qu'est-ce que tu crois qu'un type pareil fait dans les parages ?

Jack répliqua d'une voix traînante :

— Peut-être va-t-il chez la veuve Dinsmore ?

— Peut-être bien. Je ne vois pas ce qu'il aurait trouvé d'autre dans le journal, hein, Lula ?

— Comment pourrais-je savoir ce qu'il fait à Rock Creek Road ? Il n'a même pas dit son nom, répondit la serveuse.

Orlan avala bruyamment le reste de son café.

— Ouais.

Du revers de la main, il essuya lentement les commissures de ses lèvres et ajouta :

— Il doit être allé faire un tour chez Eleanor Dinsmore.

— Chez cette vieille dinde ? cracha Lula. On va le voir revenir comme s'il avait le feu aux trousses !

— Lula... Tu n'espères pas ça ? ricana Orlan qui se leva du tabouret et laissa tomber cinq cents sur le comptoir.

Lula rafla son pourboire, le glissa dans sa poche et jeta la tasse dans l'évier sous le comptoir.

— Va-t-en ! Sortez d'ici tous les deux ! Vous me faites perdre mon temps, vous n'êtes bons qu'à siroter du café.

— Viens Jack, allons fureter au moulin, voir ce qu'on pourrait y apprendre.

Lula le fixa sans ciller. Elle n'allait pas lui demander de revenir et de lui raconter ce qu'il aurait appris sur le bel étranger. Le village était petit. Elle-même l'apprendrait bientôt.

Le soir tombait quand Will trouva la maison de Mme Dinsmore. Il fit d'abord un brin de toilette dans le ruisseau, suspendit sa serviette à une branche et rangea son pot à l'abri. La route – si on pouvait appeler ça une route – était escarpée, rocailleuse et pleine d'ornières. Quand il atteignit le sommet, il était de nouveau trempé de sueur. Il se dit que ça n'avait pas d'importance ; elle ne l'embaucherait sans doute pas. Il quitta le chemin et se faufila à travers le bosquet. Caché par les arbres, il étudia les lieux. Le désordre régnait : des fientes de poulet, des tas de ferraille rouillée, une chèvre qui ruminait sur le toit d'une remise sur le point de s'effondrer ; la peinture des dépendances s'écaillait et les bardeaux semblaient racornis, des outils étaient éparpillés, une vieille bouilloire pendait à la corde à linge. Le jardin était envahi de mauvaises herbes. Will Parker se sentit chez lui. Il sortit de l'ombre ; il n'attendit pas longtemps. Une femme apparut dans l'entrée de la maison, un enfant sur la hanche et un autre qui suçait son pouce, accroché à ses jupes. Elle allait pieds nus, sa jupe était fanée, l'ourlet s'effilochait et sa blouse était délavée comme tout le reste.

— Qu'est-ce que je peux faire pour vous ? demanda-t-elle d'une voix lasse.

— Je cherche la maison de Mme Dinsmore.

— Vous l'avez trouvée.

— Je viens à propos de l'annonce.

Elle remit l'enfant sur sa hanche.

— L'annonce ? répéta-t-elle, en lui jetant un regard oblique.

— À propos du mari.

Il ne bougea pas d'un pouce, restant au bord de la clairière. Eleanor Dinsmore gardait ses distances, incapable de se faire une idée. L'homme portait un chapeau de cow-boy enfoncé sur ses yeux et se tenait debout, bien campé sur ses jambes maigres, les pouces enfoncés dans ses poches arrière. Elle aperçut ses bottes éculées, sa chemise usée et tachée de sueur aux aisselles et un jean usé beaucoup trop court pour lui. Il n'y avait rien à en espérer, pensa-t-elle en décidant tout de même d'aller y voir de plus près. De toute façon, il ne resterait pas. Il la regarda contourner la chèvre, descendre les marches et avancer dans la clairière, sans le quitter des yeux, le marmot sur la hanche, l'autre dans ses jupes, pieds nus, eux aussi. Elle approchait lentement, ignorant la poule qui caquetait sur son passage.

— Voulez-vous la place? demanda-t-elle sans sourire.

Il baissa les yeux sur son ventre. Elle était enceinte jusqu'aux yeux. Elle attendait qu'il tourne les talons et se sauve en courant. Au lieu de ça, il leva les yeux sur son visage. Du moins le devina-t-elle en suivant le mouvement du chapeau.

— Je souhaite l'avoir, dit-il sans broncher.

— C'est moi qui ai placé l'annonce.

— C'est ce que j'ai compris.

— Nous sommes trois... bientôt quatre.

— C'est ce que je pensais.

— L'endroit a besoin d'être retapé.

Elle attendit. Il ne dit rien, ne jeta même pas un regard sur les débris dans la cour.

— Ça vous intéresse vraiment? reprit-elle.

Elle n'avait jamais vu personne demeurer si tranquille. Vraiment. Il flottait dans son pantalon, si ample qu'elle s'attendait à tout moment à le voir tomber. Son ventre était plat. Mais il avait des bras nerveux, qui semblaient aussi forts en extension qu'au repos, avec des veines parcourant la peau tendre. Il était peut-être mince mais pas chétif. Il ferait un bon travailleur. Elle lui demanda :

— Retirez votre chapeau que je puisse vous voir le bout du nez.

Will Parker n'aimait pas enlever son chapeau. Lorsqu'on l'avait libéré, on lui avait remis ses bottes et son chapeau. C'était tout. Le Stetson était crasseux, déformé, mais c'était son vieux copain. Sans lui, il se sentait tout nu. Cependant, il répondit poliment :

— Oui, madame.

Il resta debout sans bouger, la laissant étudier sa mine à loisir. Un visage long et maigre, comme le reste de sa personne, des yeux bruns qui semblaient s'efforcer de ne rien laisser transparaître, comme sa voix, d'ailleurs; sans relief mais respectueuse. Il ne souriait pas mais il possédait une belle bouche dont la lèvre inférieure avait une jolie forme avec deux renflements bien nets, ce qui lui plaisait. Ses cheveux blond sale, comme les poils d'un colley, étaient longs sur la nuque et autour des oreilles. Son toupet était aplati par le port du chapeau.

— Une coupe de cheveux vous ferait du bien, se contenta-t-elle de dire.

— Oui, madame.

Il remit son chapeau, cachant à nouveau ses yeux, et dans l'ombre il nota les vêtements de coton usés, les manches retroussées jusqu'aux coudes, la jupe tachée sur son ventre enflé. Elle avait peut-être été jolie mais son visage semblait prématurément vieilli. Peut-être était-ce seulement à cause de ses cheveux qui voltigeaient autour de sa tête comme des herbes folles. Il lui donna trente ans, mais, pensa-t-il, si elle souriait, ça la rajeunirait de cinq années.

— Je suis Eleanor Dinsmore... Madame Glendon Dinsmore.

— Will Parker, répondit-il, en touchant le bord de son chapeau, et en enfonçant son pouce dans sa poche arrière.

Il n'était pas causeur ; ça lui allait parfaitement. Même si elle lui tendait la perche, il ne posait pas de questions contrairement aux autres hommes. Alors elle reprit :

— Êtes-vous arrivé depuis longtemps ?

— Depuis quatre jours.

— Où êtes-vous allé ?

— Au moulin.

— Avez-vous travaillé pour Overmire ?

Il hocha la tête.

— Il est moche. Vous feriez mieux de travailler ici, dit-elle en regardant la cour. J'ai passé toute ma vie à Whitney, ajouta-t-elle d'un seul souffle.

Il perçut la lassitude dans sa voix pendant qu'elle parcourait des yeux la cour lugubre. Ses yeux tombèrent à nouveau sur lui et elle posa une main noueuse sur son ventre. Elle reprit d'une voix légèrement troublée :

— Monsieur, j'ai placé cette annonce il y a trois mois et vous êtes le premier homme assez fou pour venir voir de quoi il retourne. Je sais ce qu'est cet endroit et je sais qui je suis. En bas, ils me traitent de folle. Saviez-vous cela ? ajouta-t-elle en relevant le menton.

— Oui, madame, répondit-il doucement.

Son visage exprima la surprise, puis elle pouffa :

— Eh bien, vous êtes honnête ! Je me demande seulement comment il se fait que vous n'ayez pas encore pris vos jambes à votre cou.

Il se croisa les bras et s'appuya sur l'autre jambe. Elle se mettait le doigt dans l'œil. Une fois qu'elle saurait son passé, il déguerpirait plus vite qu'un cafard sous la lumière. Lui raconter sa vie équivalait à signer son arrêt de mort. Mais elle finirait bien par tout découvrir ; mieux valait en finir maintenant.

— Peut-être est-ce vous qui devriez vous enfuir.

— Comment cela ?

Will Parker la regarda droit dans les yeux.

— J'ai purgé une peine en prison. Il vaut mieux que vous le sachiez tout de suite.

Il s'attendait à la voir reculer. Au lieu de cela, Eleanor Dinsmore pinça les lèvres et dit d'un ton péremptoire :

— Enlevez encore ce chapeau, que je puisse voir à quel genre d'homme j'ai affaire.

Il obéit lentement, révélant un visage dénué d'émotions.

— Pourquoi vous a-t-on enfermé ?

Son chapeau battait contre sa cuisse. Elle voyait bien qu'il était pressé de le remettre. Cela lui plut qu'il ne le fasse pas.

— On dit que j'ai tué une femme dans un bordel du Texas.

Sa réponse l'abasourdit mais elle demeura impassible comme lui.

— Est-ce vrai ? répliqua-t-elle, épiant son regard dénué d'expression.

Il gardait son sang-froid. Il déglutit et sa pomme d'Adam remua.

— Oui, madame.

Elle réprima un mouvement de surprise.

— Aviez-vous une raison valable ?

— C'est ce que je croyais à l'époque.

De but en blanc, elle poursuivit :

— Eh bien, Parker, avez-vous l'intention de faire la même chose avec moi ?

La question décontenança Will dont la bouche s'affaissa.

— Non, madame, répondit-il doucement.

Elle plongea son regard dans le sien, esquissa quelques pas. Il n'avait pas l'air d'un tueur, non, décidément, elle ne trouvait pas. Il n'était certes pas menteur, il avait des bras de travailleur et il n'allait pas lui arracher la tête. Ça lui allait.

— D'accord, dit-elle, vous pouvez entrer dans la maison. De toute façon, ils disent que je suis folle, aussi bien leur en donner pour leur argent.

Elle souleva le bébé, guida le bambin d'une main derrière la tête et s'avança vers la maison. L'enfant se retourna pour voir si Will suivait ; le bébé le regardait par-dessus l'épaule de sa mère ; elle-même ne se retourna pas, l'air de dire à Will, fais ce que tu veux. Elle marchait gauchement comme un pélican, se balançant à chaque pas. Ses cheveux étaient ternes, ses épaules voûtées et ses hanches larges.

La maison formait un ensemble étrange. Elle semblait construite en échafaudage, légèrement inclinée, chaque partie soufflée par le vent. Le bâtiment principal était axé nord-est, flanqué d'une aile à l'ouest et d'une véranda à l'est. Les fenêtres étaient mal équarries, des plaques de tôle bouchaient le toit et les planches du perron étaient pourries. Mais ça sentait le pain dans la maison. Will aperçut la miche en train de refroidir sous un torchon dans l'armoire de la cuisine. Il dut faire un effort pour entendre ce que lui disait Eleanor Dinsmore pendant qu'elle installait l'enfant dans une chaise haute. Elle lui offrait un café. Il accepta silencieusement, sans franchir le paillasson. Il la suivit des yeux tandis qu'elle prenait une cafetière qui chauffait sur le poêle de fonte et remplissait deux tasses fêlées. L'enfant blond se blottissait dans ses jupes et entravait ses pas.

— Laisse-moi, Donald Wade, je sers un café à M. Parker, lui dit-elle.

L'enfant se cramponna à elle, suçant son pouce jusqu'à ce qu'elle s'accroupisse pour le reprendre.

— Voici Donald Wade, dit-elle. Il est un peu timide. Il n'a pas vu beaucoup d'étrangers dans sa vie.

Will restait sur le seuil de la porte.

— Bonjour, Donald Wade, murmura-t-il.

L'enfant enfouit sa tête dans le cou de sa mère. Elle s'assit sur une chaise bancale près de la table recouverte d'une toile cirée à grandes fleurs rouges.

— Resterez-vous près de la porte toute la nuit ? demanda-t-elle à Will.

— Non, madame.

Il s'approcha prudemment, tira une chaise et s'assit assez loin d'Eleanor Dinsmore. Son chapeau tombait sur ses yeux. Elle attendait mais il sirotait le café en silence, promenant son regard sur elle, sur le bébé et sur quelque chose derrière elle.

— Vous vous posez sans doute des questions à mon sujet, dit-elle enfin.

Elle caressait le dos de Donald Wade de la paume de la main attendant des questions qui ne fusaient pas. Dans la cuisine, on entendait seulement le bébé marteler le plateau de bois de la chaise haute. Elle se leva, prit un biscuit sec et le déposa sur le plateau. Le bébé le prit dans sa menotte et commença à le grignoter en gazouillant. Elle se tenait derrière lui, lui caressait les cheveux. Elle espérait que Will lui accorde un regard, qu'il enlève son chapeau et qu'ils puissent enfin discuter. Donald Wade l'avait suivie et s'agrippait encore à ses jupes. Tout en continuant à caresser les cheveux du bébé, de sa main libre elle trouva la tête de Donald Wade. Elle se décida à parler.

— Le bébé s'appelle Thomas. Il a près d'un an et demi. Donald Wade a presque quatre ans. Celui-ci naîtra peu avant Noël d'après mes calculs. Leur père s'appelait Glendon.

Will gardait les yeux sur son ventre sur lequel elle avait posé une main. Il pensa qu'il existait peut-être plus d'une sorte de prison.

— Où est le père ? s'enquit-il, levant ses yeux sur son visage.

Elle désigna l'ouest.

— Dans le verger. Je l'ai enterré là-bas.

— Je pensais... dit-il.

Il se tut.

— Vous avez une drôle de façon d'éluder les questions, monsieur Parker. Comment le corps peut-il s'habituer à être enfermé comme vous l'avez été ?

Will réfléchit. Il trouvait difficile de parler librement après cinq ans en prison, particulièrement devant une femme entourée de ses enfants.

— Allez-y, dites-le, insista doucement Eleanor Dinsmore.

— Je croyais que votre homme s'était enfui. Il y en a plusieurs qui le font depuis le début de la crise.

— Alors, je ne chercherais pas un mari.

D'un air coupable, il regarda son café.

— En effet, reconnut-il.

— Glendon ne rêvait pas de s'enfuir. Il n'avait pas besoin de le faire. Il avait la tête si pleine de rêves, que de toute façon, il était ailleurs. Tous les deux nous avions beaucoup de rêves.

À sa façon de le regarder, Will comprit qu'elle avait renoncé à ses rêves.

— Depuis combien de temps est-il mort ?

— Oh, ne vous inquiétez pas, l'enfant est bien de lui.

Will rougit.

— Je ne parlais pas de ça.

— Bien sûr que si. J'ai vu vos yeux lorsque vous êtes entré. Il est mort en avril. Ce sont ses rêves qui l'ont tué. Cette fois-ci c'étaient les abeilles et le miel. Il croyait devenir riche rapidement en récoltant le miel dans le verger, mais un jour, les abeilles ont commencé à essaimer et il était trop pressé pour agir comme il faut. Je lui ai dit d'abattre la branche d'un coup de fusil mais il ne m'a pas écoutée. Il est monté sur la branche, évidemment elle est tombée et lui aussi. Il ne m'écoutait pas souvent.

Son regard était perdu dans le vague. Will regardait ses doigts qui parcouraient les cheveux du bébé.

— Il y a des hommes comme ça, dit Will.

Ces paroles lui parurent étranges. Il n'était pas habitué à l'idée de recevoir ou de donner du réconfort.

— Nous étions heureux, il est vrai. Il avait sa façon d'être, affirma-t-elle.

À son expression, Will devina qu'elle caressait les cheveux de

Glendon Dinsmore de cette façon. Elle agissait comme si elle avait oublié la présence de Will. Il ne pouvait s'empêcher de regarder ses mains. C'était une autre de ces douceurs qui lui déchiraient les tripes – la voir effleurer les cheveux duveteux du bébé pendant que l'enfant grignotait son biscuit en gazouillant. Il fouillait dans sa mémoire, se demandait si quelqu'un avait déjà fait ces gestes pour lui, peut-être avant qu'il ait des souvenirs, mais il ne se rappelait pas avoir été touché de cette façon. Eleanor Dinsmore revint au présent et surprit le regard de Will sur ses mains.

— Alors, qu'en pensez-vous, monsieur Parker?

Il releva la tête et dit avec sérieux :

— Les enfants, ça ne me dérange pas.

— Ça ne vous dérange pas?

— Je veux dire, ça ne me dérange pas que vous ayez des enfants. L'annonce ne le mentionnait pas.

— Vous aimez les enfants, n'est-ce pas? demanda-t-elle avec espoir.

— Je ne sais pas. Je n'en ai pas vu souvent. Les vôtres semblent assez gentils.

Elle sourit à ses garçons et leur fit un câlin.

— Ils peuvent être des amours, dit-elle.

Il ne saisissait pas son raisonnement. Elle était déjà mère de deux enfants, presque trois, et apparemment, bien fatiguée.

— Monsieur Parker, ajouta-t-elle, une chose est claire, trois enfants c'est beaucoup. Je ne vous laisserai pas lever la main sur eux quand ils seront difficiles à supporter. Ce sont les fils de Glendon et je ne peux imaginer qu'on les touche.

Pour qui le prenait-elle? Il rougit. Mais que pouvait-elle s'imaginer après avoir entendu ce qu'il lui avait révélé dans la cour?

— Je vous en donne ma parole.

Elle le crut. Peut-être à cause de la façon dont ses yeux erraient sur les cheveux de Thomas. Elle aimait ses yeux, et leur douceur lorsqu'ils regardaient les garçons. Les garçons n'étaient pas son seul souci.

— Je dois vous dire que j'ai aimé Glendon ardemment. Cela prend du temps à oublier un homme comme lui. Je n'aurais pas cherché un homme si je n'y avais pas été obligée. Mais l'hiver arrive et le bébé aussi. J'étais dans le pétrin, monsieur Parker. Vous comprenez, n'est-ce pas ?

Will hocha la tête solennellement, remarquant l'absence d'apitoiement dans sa voix.

— Il y a autre chose, dit-elle en se concentrant sur les cheveux de Thomas qu'elle caressait distraitement, le rouge aux joues. Avoir trois enfants de moins de quatre ans, eh bien, comprenez-moi bien, je les adore, mais je ne veux pas en avoir d'autres. Trois, c'est assez pour moi.

Dieu tout-puissant ! L'idée ne lui avait pas traversé l'esprit. Elle était mal en point, et enceinte. Il avait besoin d'un lit propre mais de préférence sans elle dedans. Lorsqu'elle releva les yeux, Will baissa les siens.

— Madame...

Sa voix s'enroua. Il s'éclaircit la gorge et reprit :

— Madame, je ne suis pas venu ici pour...

Il avala sa salive, la regarda, baissa les yeux et poursuivit :

— J'ai seulement besoin d'une place. Je suis fatigué de rouler ma bosse.

— Vous avez beaucoup voyagé ? lui demanda-t-elle.

— Depuis toujours.

— D'où êtes-vous parti ?

Il lui adressa un regard perplexe.

— Voulez-vous dire que vous ne vous en souvenez pas ?

— Quelque part dans le Texas.

— C'est tout ce que vous savez ?

— Oui, madame.

— Peut-être avez-vous de la chance après tout.

Il lui jeta un coup d'œil sans rien dire. Elle ajouta simplement :

— Je suis née à Whitney dans la vallée. Je ne suis jamais allée plus loin que le sommet de cette montagne. Mais vous, vous avez beaucoup voyagé.

Il approuva silencieusement. Son air farouche, son côté rude plurent à Eleanor. Et puis il était discret. Elle pensa qu'elle pourrait assez bien s'entendre avec lui.

— Alors vous ne voulez qu'un lit propre et une assiette pleine ?
lui demanda-t-elle.

— Oui, madame.

Elle l'étudia un moment, assis sur le bout de la chaise ; il ne
tenait rien pour acquis, s'abritait sous son chapeau pour protéger un
secret. Bah, tout le monde a des secrets. Il garderait les siens et elle
également. Mais à coup sûr, elle ne pourrait s'entendre avec un
individu dont elle ne voyait pas les yeux. Et d'ailleurs, il était possible qu'il ne veuille pas d'elle. C'était un ancien détenu en cavale ;
elle était pauvre, enceinte et pas très jolie. Qu'avait-elle à perdre ?

— Monsieur Parker, cette maison n'est pas un palace, mais
j'apprécierais que vous enleviez votre chapeau lorsque vous y
entrez.

Il souleva lentement son chapeau. Elle alluma la lampe au
kérosène et la poussa de côté afin qu'ils puissent se voir bien en
face. Ils s'observèrent longuement. Il avait les lèvres gercées et des
joues émaciées, mais ses yeux étaient d'un beau brun. Brun noisette,
avec de minces cils noirs et une paire de rides entre des sourcils
bien dessinés. Un nez aquilin – certaines l'auraient trouvé beau – et
une bouche fine. Mais ce pli amer... Eh bien, peut-être parviendrait-
elle à le faire sourire. Il parlait doucement. Elle aimait ça. Ses bras
étaient maigres mais ils étaient rompus au travail. C'est ce qui
comptait par-dessus tout. S'il y avait une chose à faire ici pour un
homme, c'était de travailler. Elle décida qu'il lui convenait.

Elle avait une peau fine, une allure solide et d'assez jolis traits.
Ses pommettes étaient légèrement proéminentes, sa lèvre supérieure
un peu mince et ses cheveux négligés. Mais ils avaient le reflet du
miel, et Will se demandait si un lavage ne les pâlirait pas davantage. Il continua de l'étudier. Elle avait des yeux verts. Il ne s'en
était pas aperçu tout de suite. Une femme aux yeux verts qui caressait ses enfants comme tous les enfants le méritent. Il décida qu'elle
lui convenait.

— Je voulais vous montrer ce que vous aurez, lui dit-elle. Ce
n'est pas beaucoup.

Will Parker n'avait pas l'habitude de broder longtemps. Néanmoins, il dit :

— C'est à moi d'en juger.

Elle ne prit pas mouche, ni ne rougit, elle se leva de sa chaise :

— Je vais vous chercher un autre café, monsieur Parker.

Elle remplit de nouveau les tasses, puis le rejoignit. Il enveloppa la tasse de ses deux mains et surveilla le jeu de la lumière sur la surface du liquide noir.

— Comment se fait-il que vous n'ayez pas peur de moi?

— Peut-être que j'ai peur.

Ses yeux se relevèrent.

— Ça se voit pas.

— On ne le laisse pas toujours voir.

— Avez-vous peur?

Il avait besoin de connaître la réponse. Sous la lumière de la lampe, ils s'observèrent encore. Tout était tranquille à l'exception de Donald Wade qui frottait ses orteils nus contre les barreaux de la chaise et du bébé qui suçait ses doigts poisseux.

— Qu'arrivera-t-il si je vous dis que oui?

— Alors je reprendrai la route.

— Vous le feriez?

Il n'avait pas l'habitude de parler librement. La prison lui avait enseigné qu'il était plus simple de se taire. Cela était étrange, d'être prié de parler en toute liberté.

— Non, je ne crois pas.

— Voulez-vous rester même si tout le monde me croit folle?

— L'êtes-vous?

Il ne voulait pas dire ça, mais elle avait le don de lui tirer les vers du nez.

— Peut-être un peu. Ce que je suis en train de faire me semble un peu fou. Vous ne trouvez pas?

— Eh bien...

Elle comprit qu'il était assez fin pour ne pas acquiescer. À ce moment, Will ressentit une crampe – les pommes vertes – mais il chassa la douleur, se disant que c'était seulement les nerfs. On ne postule pas tous les jours la fonction de mari.

Eleanor poursuivit :

— Demain, dès qu'il fera jour, vous examinerez les lieux. Et vous vous ferez une idée. Vous pouvez passer la nuit ici, dans la grange, précisa-t-elle.

— Oui, madame.

La douleur redoublait. Il grimaça. Elle crut que c'était à cause de ce qu'elle venait de dire, mais il lui fallait du temps avant de le laisser dormir dans la maison en toute confiance. Et par ailleurs, elle était peut-être folle mais pas de mœurs légères.

— Les nuits sont encore chaudes. Je vous y installerai un lit de camp.

Il approuva silencieusement, palpant le bord de son chapeau, pressé de le remettre. Elle dit à son fils aîné :

— Donald Wade, va chercher l'oreiller de papa.

Le petit garçon l'étreignit timidement en regardant Will. Elle lui prit la main.

— Viens, allons le chercher ensemble.

Will les regarda s'éloigner, main dans la main, et sentit lui percer les tripes une douleur qui ne devait rien aux pommes vertes.

Quand Eleanor revint dans la cuisine, Will Parker était parti. Thomas était dans sa chaise haute, mécontent parce qu'il n'avait plus de biscuit. Elle éprouva une curieuse pointe de déception – il s'était enfui. *Eh bien, qu'est-ce que tu espérais ?* Puis un bruit s'éleva dehors. Le soleil avait disparu derrière les pins. Eleanor sortit sur le perron vermoulu et entendit Will vomir.

— Reste ici, Donald Wade.

Elle poussa le garçon dans la maison et referma la porte. Il se mit à pleurer mais elle l'ignora et avança au bord des marches.

— Monsieur Parker, êtes-vous malade ?

Elle ne voulait pas d'un type malade.

— Non, madame, répondit-il en se redressant péniblement, tout en gardant le dos tourné.

— Non, mais vous avez vomi.

Il aspira une bouffée d'air frais, rejeta la tête en arrière et s'essuya le front du revers de sa manche.

— Ça va aller. Ce sont ces pommes vertes.

— Quelles pommes vertes ?

— J'ai mangé des pommes vertes à l'heure du casse-croûte.

— Un adulte devrait avoir plus de jugeote que ça! répliqua-t-elle.

— Le bon sens n'a rien à y voir, madame. J'avais faim.

Dans la pénombre, elle ne bougeait pas, étreignant l'oreiller de Glendon Dinsmore contre son gros ventre, attentive. Un autre spasme souleva Will Parker et il se pencha à nouveau. Mais il n'avait plus rien dans le ventre. Elle déposa l'oreiller sur la rampe du perron et traversa la terre battue pour le soutenir, silhouette voûtée. Les mains appuyées sur les genoux, il essayait de reprendre son souffle. Ses vertèbres se cabraient. Elle tendit la main pour l'appuyer sur son dos mais après réflexion, elle se croisa les bras. Il se redressa peu à peu, pouce par pouce, le souffle court.

— Pourquoi n'avez-vous rien dit? demanda-t-elle.

— Je croyais que ça passerait.

— Vous n'avez pas soupé?

Il ne répondit pas.

— Pas dîné non plus?

Il gardait le silence.

— Où avez-vous pris ces pommes?

— Je les ai volées chez quelqu'un. Une jolie petite place en bas le long de la route entre ici et la scierie, avec des fleurs roses sur une souche d'arbre.

— Chez Tom Marsh. Ce sont de bonnes gens. Eh bien, que ça vous serve de leçon.

Elle se retourna vers les marches.

— Rentrez, je vais vous préparer quelque chose.

— Ce n'est pas la peine, madame, je ne suis pas...

La voix d'Eleanor devint tranchante :

— Rentrez, Will Parker, avant que votre orgueil idiot ne vous étouffe!

Will massa son pauvre estomac et la regarda gravir les marches du perron avec prudence, posant les pieds sur les planches qui étaient encore bonnes. La porte moustiquaire claqua derrière elle. À l'intérieur, Donald Wade cessa de pleurer. Des oiseaux de nuit commencèrent à chanter.

Il jeta un coup d'œil par-dessus son épaule. L'ombre envahissait lentement les lieux d'une riche couleur, comme un rideau de velours noyant la clairière lugubre, masquant la ferraille, le fumier et les mauvaises herbes. Il se souvenait combien cela avait l'air désolé en plein jour. La maison était en ruines. Eleanor Dinsmore semblait fourbue. Et puis, elle ne laisserait pas un ancien prisonnier dormir dans sa maison. Que diable faisait-il ici ? se demandait Will en regagnant la maison.

2

C'était l'heure de coucher les enfants. Eleanor laissa Will seul dans la cuisine. Assis sur une chaise, il regardait la pièce. Un établi recouvert de linoléum craquelé, avec en dessous des étagères pour la vaisselle et les chaudrons, servait de placard. Ici et là, des carreaux manquaient. L'évier était vieux, rayé et taché mais il avait un renvoi. L'eau s'écoulait dans un seau. Il n'y avait pas de pompe. À la place, une louche trempait dans une cuve de métal posée sur le lino. Usé à la corde, le motif de vignes qui ornait les carreaux s'effaçait. Le plafond avait besoin d'être lavé. Au-dessus du fourneau, il était gris de suie. Apparemment quelqu'un avait projeté de colmater les murs et avait arraché le plâtre sur un mur lépreux et découvert la moitié d'un autre, laissant les lattes à nu, comme les os d'un squelette. Will s'étonnait qu'une pièce aussi délabrée puisse sentir si bon. Ses yeux se posèrent sur le pain et il s'efforça de demeurer tranquille et d'attendre. Quand Eleanor Dinsmore revint dans la cuisine, il avait déposé son chapeau sur la nappe. Avec peine il se leva de la chaise, en se tenant le ventre.

— Inutile de vous lever, dit-elle. Reposez-vous pendant que je prépare à manger.

Il se laissa tomber de tout son poids sur la chaise alors qu'elle soulevait une trappe dans le plancher et disparaissait dans une cage étroite aux marches abruptes. Sa main réapparut, déposant un chaudron couvert sur le plancher, puis elle émergea, grimpant maladroitement.

Alors qu'elle se baissait pour empoigner l'anneau de fer, il rabaissa la trappe pour elle. Il lut dans son regard étonné qu'elle n'était pas habituée à recevoir l'aide d'un homme. Ça faisait long-temps que Will n'avait eu l'occasion de se montrer courtois, mais il trouvait intolérable de la voir s'échiner sans lui donner un coup de main. Pendant un instant ni l'un ni l'autre ne sut quoi dire. Fina-lement elle le remercia et avoua n'avoir jamais vu un homme ouvrir ou fermer une porte pour elle. Glendon n'avait jamais appris à le faire. Elle se sentait un peu ridicule.

— Et puis, je vous ai demandé de rester assis, il me semble. Vous devez avoir mal au ventre après toutes ces pommes, dit-elle.

Cette expression chaleureuse le fit sourire et il retourna s'as-seoir. Elle mit du bois dans le poêle et posa le chaudron dessus.

— Je suis désolé de ce qui est arrivé dans le jardin, s'excusa Will. Cela a dû vous gêner.

Elle remuait la cuillère dans son chaudron.

— Vous avez réagi naturellement, monsieur Parker. Vous savez, il n'y a pas grand-chose qui me gêne. Après tout, vous avez vomi *avant* de goûter à ma cuisine, dit-elle d'un ton ironique en le menaçant de sa cuillère.

Cela dit, elle lui adressa un sourire enjôleur et, fait rarissime, en reçut un de lui. Il essayait de se souvenir s'il avait déjà rencontré une femme ayant le sens de l'humour ; il ne s'en souvenait pas. Il regardait Eleanor se déplacer gauchement, se balançant, plaçant une main sur son ventre lorsqu'elle étirait le bras ou se penchait. Il se demanda si elle n'était pas folle, et lui aussi. Mauvaise affaire que de prendre une femme bizarre comme épouse. Enceinte par-dessus le marché. Diable, que savait-il des femmes enceintes ? Autrefois, il en avait laissé quelques-unes dans son sillage.

— Vous vous sentiriez plus à l'aise si vous vous laviez, suggéra-t-elle.

Comme d'habitude il ne répondit pas ni ne bougea. Elle lui montra où se trouvait la bassine et se tourna discrètement. Il jeta un long regard sur la bassine, le savon et la serviette blanche suspen-due au crochet de l'évier. Au bout d'une minute, elle se tourna et demanda :

— Qu'est-ce qui ne va pas ? Vous avez trop mal au ventre pour vous lever ?

— Non, madame.

Il n'était pas habitué à la liberté et il avait peine à y croire. C'était comme si tout ce qu'il allait toucher lui serait enlevé. En prison, un homme apprend vite qu'il n'y a rien d'acquis. Pas même les petites choses. C'était *sa* maison, *son* savon, *son* eau. Elle ne pouvait comprendre ce que cela signifiait pour un homme qui sortait de prison. Impatiente, Eleanor demanda :

— Qu'y a-t-il donc ?

— Rien.

— Alors prenez la bouilloire et remplissez la bassine.

Prudemment, il passa derrière elle et trouva la bassine propre dans le fond de l'évier et, au clou, la serviette blanche. Tellement blanche. Il n'en avait jamais vu de plus blanche. En prison, les serviettes étaient vertes et sentaient le moisi. Eleanor lui jeta un coup d'œil pendant qu'il remplissait la bassine d'eau froide et y trempait les mains.

— Ne voulez-vous pas réchauffer l'eau ?

Il la regarda par-dessus son épaule, l'air interrogateur.

— Oui, madame, répondit-il. Mais lorsqu'il eut secoué ses mains, il ne se tourna pas vers la bouilloire. Elle la souleva et versa l'eau chaude pour lui puis lui tourna le dos, vaquant à ses occupations. Elle l'épia subrepticement, troublée par son étrange hésitation. Il était penché au-dessus de l'eau, tête basse, les paumes au fond de la bassine. Il semblait cloué sur place. Qu'est-ce qu'il fabriquait là ? Elle se pencha de côté et le regarda : il avait les yeux fermés, la bouche ouverte. Enfin il prit de l'eau et s'aspergea le visage en frissonnant de plaisir. Dieu merci, c'était donc ça ! Elle comprit. La chaleur envahit son corps, une émotion étrange, la joie lui inondait le cœur.

— Ça fait combien de temps ? lui demanda-t-elle doucement.

Il releva la tête sans se tourner ni parler. L'eau s'égouttait de son visage et de ses mains dans la bassine. Elle insista avec douceur.

— Depuis combien de temps n'avez-vous pas eu d'eau chaude ?

— Longtemps.

— Combien de temps ?

Il ne voulait pas de sa pitié.

— Cinq ans.

— Vous avez passé cinq ans en prison ?

— Oui, madame.

Il enfouit sa tête dans la serviette qui sentait la lessive et le vent, et il prit le temps de savourer sa douceur et son odeur.

— Voulez-vous dire que l'eau est froide là-bas ? demanda-t-elle.

Il accrocha la serviette sans mot dire. Toute sa vie, il n'avait connu que l'eau froide des ruisseaux, des lacs ou des étangs. Et souvent, il séchait ses membres avec sa chemise ou, quand la chance lui souriait, sous le soleil.

— Depuis combien de temps êtes-vous sorti de prison ?

— Quelques mois.

— Depuis combien de temps avez-vous mangé un vrai repas ?

Toujours en silence, il boutonna sa chemise, regardant par une fenêtre invisible au-dessus de l'évier.

— Monsieur Parker, je vous ai posé une question.

À sa gauche, sur une étagère rudimentaire, une petite glace ronde reflétait son image. Elle avait l'air obstinée.

— Ça fait un bon bout de temps, répondit-il catégoriquement dans le miroir.

C'était le genre d'homme à relever un défi au lieu d'accepter la charité d'autrui. Eleanor effaça toute trace de compassion dans sa voix. Tout en soutenant son regard dans le miroir, elle s'approcha de lui.

— Je pensais qu'un homme qui a vécu à la dure aurait besoin d'un brin de savon, dit-elle en le contournant, puis en prenant une barre de savon pour la lui mettre dans les mains.

Elle demeurait là, les mains sur les hanches.

— Vous n'êtes plus en prison, monsieur Parker. Le savon est gratuit et il y a toujours de l'eau chaude. La seule chose que je vous demande c'est de jeter l'eau dehors et de rincer la bassine lorsque vous en aurez terminé.

Il la dévisageait dans le miroir et sentit sa poitrine se libérer d'un poids. Elle le défiait comme un lutteur. Mais sous son apparence coriace, il devinait un esprit généreux. Il acquiesça en se retournant doucement. Avant de se pencher au-dessus de l'eau il enleva sa chemise. Mon Dieu ! Comme il était maigre. On pouvait lui compter les côtes. Il commença à se savonner les mains, puis la poitrine, les bras, le cou et aussi loin qu'il le pouvait sur son torse. Il se pencha en avant et les yeux d'Eleanor tombèrent sur son dos bronzé. À la taille, sa peau blanche apparaissait sous la bande élastique de ses sous-vêtements. Elle n'avait jamais vu un autre homme que Glendon en train de se laver. Même lorsqu'elle vivait chez son grand-père. Ce dernier ne se serait jamais déshabillé devant une femme. Pendant que Will Parker procédait à ses ablutions, Eleanor se rendit subitement compte que c'était là un geste intime, et se détourna vite avec honte.

— La serviette est pour vous, servez-vous-en, dit-elle avant de sortir de la pièce.

Elle revint au bout de quelques minutes et le trouva le visage luisant, en train de boutonner sa chemise. Elle tenait une brosse à dents.

— J'ai trouvé ceci. C'était à Glendon, mais je vais la nettoyer avec du bicarbonate de soude, si ça ne vous ennuie pas qu'elle ait déjà servi.

Ça ennuyait Will. Il fit courir sa langue sur ses dents puis accepta. Elle prit une tasse, la remplit l'eau bouillante, y ajouta du bicarbonate et y plongea la brosse à dents.

— Tout le monde doit avoir une brosse à dents, déclara-t-elle, en lui donnant aussi une boîte de dentifrice en poudre.

Elle l'observait pendant qu'il en versait au fond de sa paume. Will n'aimait pas ça. On l'avait surveillé pendant cinq ans et maintenant il voulait vivre sans sentir le regard des autres sur lui. Il avait le dos tourné et elle l'examinait attentivement. Le dentifrice avait bon goût et il avait envie de l'avaler plutôt que de le cracher. Lorsqu'il eut terminé, elle lui ordonna de s'asseoir à table. Elle lui servit de la soupe aux légumes, chaude et odorante, épaisse, avec de l'okra, de la tomate et du bœuf. Les mains de chaque côté du bol, Will luttait contre le réflexe de tout gober comme un animal. Son estomac se tordait, suppliant, mais Will savourait l'arôme, étirait le plaisir; il avait tout le temps – pas de cloches, pas de gardiens.

— Allez-y! Mangez!

Ça le changeait d'entendre la voix de cette femme plutôt que celle des gardiens. Elle était tout simplement amicale. Elle ne le quittait pas des yeux pendant qu'il portait la cuillère à ses lèvres. C'était la meilleure soupe qu'il avait jamais goûtée.

— Je vous ai demandé à quand remonte votre dernier repas. Allez-vous me le dire enfin?

Il battit des paupières.

— Quelques jours.

— Quelques jours!

— Je me suis arrêté dans un restaurant en ville pour lire les annonces classées. La serveuse ne me disait rien qui vaille, alors je suis parti sans avoir mangé.

— Lula Peak. En voilà une qu'il vaut mieux éviter. Elle est aux trousses de tous les hommes depuis qu'elle a l'âge de les reluquer. Ça fait vraiment plusieurs jours que vous ne mangez que des pommes vertes?

Il secoua les épaules en dardant le pain du regard.

— Il n'y a pas de honte à avouer que vous avez faim, vous savez.

Pourtant, c'est ce que ressentait Will Parker. À peine libérée des crocs de la dépression, l'Amérique était envahie par des clochards, des vagabonds, des bons à rien qui avaient abandonné leurs familles, errant sans but, mendiant au seuil des maisons. Durant les deux derniers mois, Will avait vu, côtoyé même, des douzaines d'entre eux. Il n'avait jamais pu se résoudre à mendier. Voler, oui, mais seulement dans une situation désespérée. Elle l'observa en train de manger, ses yeux restaient baissés presque tout le temps. Chaque fois qu'il les relevait, ils semblaient attirés par quelque chose derrière elle. Elle se tourna sur sa chaise et vit ce dont il s'agissait. Le pain. Comme elle était stupide!

— Pourquoi n'avez-vous pas dit que vous désiriez du pain frais? le gronda-t-elle en se levant pour aller le chercher.

Il avait appris à ne rien demander. En prison, demander voulait dire être hué ou tourmenté comme un animal et poussé à commettre des actes hideux qui rendaient un homme aussi ignoble que les geôliers. Demander, c'était remettre le pouvoir entre les mains d'un sadique ou de ceux qui déshumanisaient tous les êtres qu'ils rencontraient. Une femme qui avait cuit trois miches de pain frais ne pouvait comprendre pareilles choses. Il repoussa les mauvais souvenirs en la regardant se dandiner jusqu'à l'armoire et saisir un couteau dans un pot de terre rempli d'ustensiles. Elle appuya la miche contre sa hanche, retourna à la table et coupa une large tranche de pain. Will sentit sa bouche se remplir de salive. Ses narines se dilatèrent. Ses yeux étaient rivés à la tranche de pain blanc découpée. Elle piqua la tranche et la lui tendit à la pointe du couteau.

— La voulez-vous?

Oh, Dieu non, pas encore. Ses yeux affamés la dévisagèrent, de l'air d'un animal traqué. Contre son gré, sa mémoire ravivait l'image de Weeks, le gardien de prison, aux yeux reptiliens, à la voix onctueuse et au rire pervers. *Tu en veux Parker? Alors hurle comme un chien!* Et il avait hurlé comme un chien. Eleanor Dinsmore le ramena au présent.

— Voulez-vous du pain? répéta-t-elle doucement.

— Oui, madame, murmura-t-il, la gorge nouée.

— Alors vous n'avez qu'à le dire. Rappelez-vous ça.

Elle déposa le pain à côté du bol de soupe.

— Ce n'est pas une prison ici, monsieur Parker. Le pain ne disparaîtra pas et personne ne vous écrasera la main si vous en prenez. Mais il faut le demander. Je ne lis pas dans les pensées, vous savez.

Il respira avec soulagement mais il avait encore les épaules raides, s'interrogeant sur l'attitude qu'il adopterait avec Eleanor Dinsmore, autoritaire et revêche, mais parfois si rêveuse. Elle avait remué de mauvais souvenirs, soit, mais elle n'était pas Weeks et elle ne lui ferait pas payer la nourriture qu'il avait prise. Le pain était chaud et moelleux, le plus beau cadeau qu'il ait jamais reçu.

Il ferma les yeux en mastiquant la première bouchée. Eleanor grogna. Il rouvrit les yeux aussitôt. Troublé, il la vit lui tourner le dos et traverser la pièce. Elle allait chercher une terrine de beurre, d'un jaune magnifique. Elle l'apporta et la maintint loin de lui.

— Dites-le.

Il déglutit. Ses épaules se raidirent et la méfiance réapparut sur son visage. À contrecœur, il dit :

— J'aimerais avoir du beurre.

— Voilà, dit-elle sans cérémonie en posant la terrine sur la table. Ça ne vous a pas fait mal de le demander, ajouta-t-elle agitant l'index pour l'avertir :

— Ici, les choses sont tellement à l'envers que la seule façon d'obtenir ce que vous voulez c'est de le demander. Eh bien, allez-y, beurrez votre pain et mangez-le.

Les mains de Will obéissaient aux ordres mais ses émotions tardaient à s'ajuster à l'humeur changeante d'Eleanor. Il se pencha au-dessus de la soupe. Elle continuait :

— Ne mangez pas trop. Allez-y lentement, ça vaudra mieux. Votre estomac doit s'habituer à recevoir de la bonne nourriture.

Il voulait lui dire combien c'était bon, non, meilleur que tout ce dont il pouvait se souvenir. Il voulait lui dire qu'il n'y avait pas de beurre en prison, que le pain était dur et sec et certes jamais chaud. Il voulait lui dire qu'il ne se rappelait pas la dernière fois où il avait été invité à s'asseoir à la table de quelqu'un. Il voulait lui dire ce que cela signifiait pour lui que d'être invité à la sienne. Mais les compliments lui étaient aussi étrangers que la douceur du beurre, alors il mangea sa soupe et son pain en silence. Elle prit son ouvrage et commença à crocheter quelque chose de duveteux et rose. À sa main gauche, son alliance brillait sous la lumière de la lampe, au rythme du crochet. Ses mains étaient agiles mais usées par le travail. Elle tirait le fil rose d'un doigt calleux.

— Qu'est-ce que vous regardez ?

Il prit un air coupable. Elle ajusta le fil et sourit. Le sourire transformait son visage.

— N'avez-vous jamais vu une femme crocheter auparavant ?

— Non, madame.

— Je fais un châle pour le bébé. Là, c'est le motif d'une coquille. Elle étala l'ouvrage sur ses genoux. C'est joli n'est-ce pas ?

— Oui, madame.

Une fois de plus, il était assailli par un besoin de tendresse, éprouvant le désir de toucher la douce chose rose qu'elle était en train de créer. La frotter entre ses doigts comme les cheveux d'une femme.

— J'ai choisi le rose parce que je suis sûre qu'il s'agit d'une fille. Ça serait chouette pour les garçons, vous ne trouvez pas ?

Qu'est-ce qu'il savait des bébés, garçons ou filles ? Rien sinon qu'il les terrorisait. Les filles ? Il ne les trouvait pas particulièrement agréables sauf quand il s'enfonçait dans l'une d'elles. Pendant quelques minutes, elles cessaient de rabâcher, de menacer ou de tourmenter et alors, il les trouvait chouettes.

Le crochet d'argent de Mme Dinsmore brilla.

— Le bébé aura besoin d'une couverture chaude. Cette vieille maison est très froide en hiver. Glendon voulait tout arranger, remplir les fissures et le reste, mais il n'y est jamais parvenu.

Will regarda les trous dans le plâtre.

— Je pourrais colmater les trous, dit-il.

Elle sourit et tira sur le fil dans son panier.

— Peut-être, monsieur Parker. Ça serait très gentil. Glendon avait de bonnes intentions mais il avait toujours un nouveau projet en tête.

Quelle que soit son humeur, chaque fois elle prononçait le nom de Glendon avec tendresse, esquissant même un sourire. Will se disait qu'aucune femme au monde ne murmurait son nom avec un air aussi attendri.

— Aimeriez-vous avoir encore de la soupe ? Juste un peu, si vous voulez.

Il mangea jusqu'à ce que son estomac soit dur comme une balle. Puis il s'appuya contre le dossier, se frotta le ventre et soupira :

— Vous pouvez enlever le reste.

Elle rangea son ouvrage dans le panier et débarrassa la table.

Il la regardait marcher dans la cuisine. Il n'oublierait jamais ce repas, dût-il vivre jusqu'à deux cents ans, ni la satisfaction d'être assis là à la regarder crocheter son fil rose en forme de coquille. Il espérait que le lendemain à son réveil, il n'aurait pas à partir. Elle prit l'oreiller et la courtepointe de Glendon Dinsmore et conduisit Will à la grange. Il se surprit à être courtois, lui portant la lanterne, ouvrant la porte moustiquaire, la laissant passer la première dans la cour jonchée de détritus. La lune était levée. Elle chevauchait les arbres à l'est comme une citrouille dérivant sur l'eau sombre. Les poules étaient perchées quelque part dans le bric-à-brac. Il se demanda comment elle faisait pour trouver les œufs.

— Je vais vous dire quelque chose, monsieur Parker, dit-elle alors qu'ils marchaient sous le clair de lune. Demain matin, vous verrez les lieux et vous déciderez peut-être que ce n'est pas une bonne idée de rester ici. Je n'essaierai pas de vous convaincre de changer d'avis malgré ce que vous avez dit lorsque vous êtes arrivé.

Elle marchait comme un canard devant lui, serrant contre son ventre l'oreiller de son mari et la courtepointe.

— Moi non plus, madame Dinsmore, répondit-il.

Juste avant d'atteindre la grange, elle l'avertit :

— Attention, il y a un tas de débris ici.

Un tas ? Elle plaisantait ! Elle évita un truc qui ressemblait à un piquet de fer et ouvrit la porte de la grange. Les charnières grincèrent. À l'intérieur il n'y avait pas d'animaux, mais son nez l'avertit qu'il y en avait déjà eu.

— Cette grange ne serait pas mal une fois nettoyée, dit-elle alors qu'il élevait la lanterne au-dessus de sa tête et regardait les lieux sous le halo de lumière.

— Demain je le ferai.

— J'en serais heureuse et Madame aussi.

— Madame ?

— Ma mule. Suivez-moi.

Elle le conduisit vers une échelle.

— Vous dormirez là-haut.

Elle s'apprêtait à grimper. Il lui agrippa le bras.

— Il vaut mieux que j'y aille le premier. Cette échelle ne me semble pas solide.

Il glissa la poignée de la lanterne à son bras et commença à gravir les échelons. Le troisième barreau céda et il se retrouva suspendu comme une marionnette au fil cassé. Eleanor poussa un cri aigu.

— Monsieur Parker! cria-t-elle en le saisissant par les jambes alors qu'il pédalait pour reprendre pied.

— Reculez! ordonna-t-il.

Elle bondit, retint son souffle. La lanterne se balançait dans le vide. Enfin il trouva un appui et s'assura de la solidité des autres échelons avant d'y poser le pied. Elle pressa la main sur son cœur alors qu'il se soulevait sur les coudes et se hissait dans le fenil.

— Mon Dieu, vous m'avez fait peur. Soyez prudent.

Sa tête disparut dans l'obscurité, puis la lanterne éclaira le bord de son chapeau.

— Vous aussi. Si j'étais tombé, je vous entraînais avec moi.

— J'avoue que cette échelle est aussi délabrée que tout le reste.

— J'arrangerai ça demain.

Il souleva la lanterne et examina le grenier. Il aperçut du foin. Alors il disparut et elle écouta ses pas au-dessus de sa tête.

— Je suis désolée de l'odeur.

— Ce n'est pas mal ici. Ça ira.

— J'aurais nettoyé les lieux si j'avais su que j'aurais de la compagnie ce soir.

— Ne vous en faites pas. J'ai dormi dans des endroits plus moches que celui-ci.

Il réapparut, s'agenouilla et déposa la lanterne devant lui.

— Pouvez-vous me lancer l'oreiller?

Elle réussit du premier coup, mais dut s'y reprendre trois fois pour la couverture. Il souriait.

— Vous n'êtes pas très musclée, n'est-ce pas?

C'était la première fois qu'il disait quelque chose de drôle. Les poings sur les hanches, elle le regarda pendant qu'il tenait la courte-pointe. Ça ne serait pas désagréable de l'avoir dans les parages s'il s'égaillait ainsi de temps à autre.

— N'ai-je pas réussi à vous l'envoyer?

— De justesse.

Le visage d'Eleanor s'était adouci. L'insolence ravivait les traits de Will. Pour la première fois ils se sentaient à l'aise l'un avec l'autre. Il s'allongea sur le ventre et tendit les bras.

— Prenez la lanterne.

— Ne soyez pas ridicule. J'ai marché dans cette grange avant même que vous ne possédiez cette chose que vous appelez un chapeau de cow-boy.

— Il ne vous plaît pas, mon chapeau?

— On dirait qu'il a fait la guerre.

— C'est tout ce que j'ai, ça et mes bottes, dit-il en agitant la lanterne. Tenez, prenez-la.

Voilà donc pourquoi il tenait tant à garder ce truc sur la tête.

— Gardez-la, dit-elle avant de disparaître.

Il s'accroupit et tendit l'oreille pour suivre ses pas; elle était pieds nus.

— Madame Dinsmore?

— Oui, monsieur Parker? dit-elle du fond de la grange.

— Ça vous ennuie si je vous demande votre âge?

— J'aurai vingt-cinq ans le 10 novembre. Et vous?

— Environ trente ans.

Elle digéra cette réponse en silence avant de dire :

— Environ?

— On m'a laissé sur les marches d'un orphelinat quand j'étais petit.

Will n'avait pas révélé cela à beaucoup de gens. Il attendit la réaction avec un brin d'incertitude.

— Voulez-vous dire que vous ignorez la date de votre naissance?

— Eh bien, oui.

Le silence envahit la grange. Dehors les grenouilles coassaient. Un engoulevent cria. Eleanor s'arrêta, la main sur le loquet. Will s'agenouilla, les mains sur les cuisses.

— Nous choisirons une date pour votre anniversaire si vous décidez de rester. Un homme doit avoir un anniversaire.

Will sourit à cette idée.

— Bonne nuit, monsieur Parker.

— Bonne nuit, madame Dinsmore.

La porte de la grange grinça.

— Madame Dinsmore ?

La porte cessa de grincer.

— Quoi ?

Après cinq secondes de silence, il glissa :

— Merci beaucoup pour le souper. Vous êtes une bonne cuisinière.

Le cœur de Will battait joyeusement. Ça n'avait pas été si difficile après tout. Eleanor sourit dans l'obscurité. C'était agréable d'avoir de nouveau un homme à sa table. Elle se rendit à la maison, prépara son lit et s'y glissa avec délices. En se redressant, une légère crampe lui traversa le ventre. Elle roula sur le côté. Elle avait fendu du bois aujourd'hui même si elle savait qu'elle ne devait pas le faire. Mais Glendon effectuait rarement ces tâches quotidiennes, laissant les piles pour le lendemain. Le bois sec devait être fendu, et la provision de l'an prochain aussi afin de sécher. Et puis il n'y avait pas que le bois à transporter. Il fallait de l'eau. Tellement d'eau. Et il en faudrait davantage quand le bébé naîtrait ; elle aurait deux enfants aux couches. Elle s'allongea sur le dos et posa un poignet sur son front, s'imaginant les bras de Will Parker, ses veines parcourant ses muscles. Elle se souvint combien ses jambes étaient dures lorsqu'elle l'avait agrippé pendant qu'il pendait à l'échelle. *Restez, Will Parker. Je vous en prie, restez.*

Dans le fenil, Will enfonça sa tête dans l'oreiller bourré de plumes et s'allongea sous la couverture faite à la main. Son estomac était plein, ses dents étaient propres, sa peau sentait le savon. Et là-bas, il y avait une mule, des ruches, des poules et une maison à retaper. Un endroit où un homme pourrait demeurer un bout de temps en effectuant quelques durs travaux. Diable, le travail dur ne manquait pas. *Donnez-moi une chance, Eleanor Dinsmore, et je vous montrerai ce dont je suis capable.* Il se la rappela debout dans la cour avec ses deux garçons, son ventre rond comme un melon, le regard inquiet. Son air détaché lorsqu'elle lui posait des questions et le choc qu'elle avait ressenti lorsqu'il lui avait parlé de Huntsville. Elle était probablement en train de ruminer ça, réfléchissant deux fois plutôt qu'une avant de décider de garder un ancien détenu chez elle. Au matin elle aurait décidé que c'était trop dangereux. Il lui montrerait que non. Avant qu'elle n'ait le temps de le renvoyer, il lui montrerait combien il tenait à garder cette place.

3

Lula Peak habitait un petit bungalow dans la rue Pecan où elle avait grandi. Les meubles que sa mère lui avait laissés étaient confortables même s'ils étaient anciens. De plus, il y avait un Frigidaire électrique flambant neuf dans la cuisine, une salle de bains avec de l'eau chaude et une radio de marque Philco dans le salon. À huit heures ce soir-là, la Philco captait Atlanta, hurlant *Oh, Johnny, Oh*. Vêtue d'un peignoir en soie moulant de couleur orange, armée d'une pince, Lula arrachait le moindre poil qui avait l'audace de pousser autour de ses sourcils dessinés au crayon *Johnny, oh, Johnny, how you can love...* Elle abandonna ses sourcils et fit courir ses paumes le long de ses bras recouverts de soie comme elle avait vu Bette Grable le faire dans les films. *Oh, Johnny, oh, Johnny, heaven's above...* Elle fit une moue à son image dans le miroir, puis fléchit ses genoux, ses paumes caressant le galbe de ses seins. Ses mamelons se dressèrent au contact de la soie. Lula aimait s'exciter, seule ou avec quelqu'un d'autre – peu importait qui. Mais pour la calmer, il lui fallait un homme. Lula avait toujours besoin d'un homme et à Whitney il n'y en avait pas assez. Lorsque ça la démangeait, elle avait besoin qu'on la gratte. Et ça la démangeait toujours.

Elle déboucha une bouteille d'eau de Cologne *Soir de Paris* et pirouetta sur elle-même en s'aspergeant, regardant son visage briller dans le miroir de la salle de bains. Après une dernière arabesque, elle posa le bout de son escarpin sur le couvercle de la cuvette et effleura sa touffe de poils blonds sous le peignoir entrouvert. Elle déposa son pied sur le sol et caressa son ventre en donnant un baiser, la bouche en cœur, au miroir, laissant l'empreinte de ses lèvres carminées sur la glace.

— Lula! Qu'est-ce qui se passe? vociféra Harley Overmire dans le salon. La musique est bigrement forte! N'importe quel voyou pourrait entrer ici sans que tu t'en aperçoives.

— Harley! Est-ce toi mon chou?

La musique se calma soudainement et Lula vola hors de la salle de bains en faisant la moue :

— Harley! Hausse le volume! C'est ma chanson préférée!

Flamboyante dans son peignoir de soie, elle se précipita vers la Philco et tourna le bouton. *Oh, Johnny, oh, Johnny, oh...* Harley baissa immédiatement le volume.

— Lula, mon chou, je ne suis pas venu ici pour me faire défoncer les tympans.

— Ah oui? Alors pourquoi es-tu venu, mon loup?

Lula augmenta le volume. *Oh, Johnny...* Elle s'avançait vers lui, les hanches souples, les seins dressés et son peignoir s'ouvrit sur ses jambes nues. Les lèvres tendues voluptueusement, elle se frotta contre lui, leva sa cuisse et l'enjamba. Les yeux de Harley s'embuèrent, ses lèvres prirent une expression lascive pendant qu'il glissait son genou contre elle.

— Oh là là, mon bébé, ma tarte au sucre, tu sais comment t'y prendre avec un homme.

— Et si on commençait tout de suite? Je parie que ça te plairait, hein?

Il l'empoigna par les hanches.

— Je suis là pour ça, mon bébé.

Elle prit ses mains et les posa sur ses seins.

— Sens-tu ça? Rien qu'à y penser, j'ai les seins durs. Veux-tu savoir la suite, mon chou?

— Ouais, grogna Harley d'un air lubrique en lui frottant le pubis.

Ils se collèrent l'un contre l'autre, ivres de désir. Le membre de Harley avait jailli, un véritable champignon après deux semaines de pluie. Elle l'enlaça par le cou, colla ses lèvres à son oreille et lui murmura des mots vulgaires, pour la forme. Il poussa un rire guttural et dit :

— Ah oui ? C'est ce qu'on va voir.

D'une main il atteignit la touffe de poils blonds et il glissa un doigt dans son vagin.

— Oh là là, Lula mon chou, tu as grandement besoin de remplir ton tiroir-caisse.

Elle déboutonna sa chemise jusqu'à la taille, guidant sa main qui enserrait sa cuisse. Elle passa les bras autour de son cou, le mordilla, lui lécha le fond de l'oreille et suggéra :

— Ce dont j'ai besoin, c'est d'un de ces ventilateurs électriques qui pivotent sur eux-mêmes. J'en ai vu un à la quincaillerie la dernière fois que je suis allée visiter ma sœur Junie à Atlanta.

Elle se baissa et fit courir ses lèvres sur la poitrine de Harley tout en écartant les doigts à travers sa toison noire.

— Mmm, j'aime les hommes velus. Ça m'excite.

Harley était sur le point d'éclater.

— Chérie, je ne suis pas cousu d'or.

Elle lui mordit le mamelon, et le pinça. Il glapit et se dégagea en frottant son mamelon pour apaiser la douleur. Elle plongea son regard dans le sien, feignant l'innocence tout en se tortillant contre lui.

— Je parie que ta femme a déjà un ventilateur, hein, Harley ?

— Lula, allons au lit. Je n'en puis plus, chérie.

— Et mon ventilateur ?

— Peut-être à la prochaine paie.

Elle avança ses lèvres rouges en glissant un doigt entre ses seins.

— Ce sera trop tard. Il fait si chaud que je peux à peine dormir la nuit.

Elle passa son doigt enduit de sueur sous le nez d'Overmire.

— Lula, sois raisonnable. Je t'ai déjà offert le Frigidaire et la Philco et j'ai fait transformer cette penderie en salle de bains. Il a fallu que j'invente des drôles d'explications pour dire à Mae où était passé l'argent.

Elle le repoussa brusquement, levant les bras au ciel :

— Mae! Mae! Mae! C'est tout ce que j'entends, Harley Overmire! Eh bien, si tu ne me rapportes pas un ventilateur, je connais
quelqu'un d'autre qui le fera. Pas plus tard qu'aujourd'hui Orlan
Nettles est venu au café et je n'avais qu'à lever le petit doigt pour
qu'il soit ici ce soir à ta place.

— As-tu pensé à une autre façon de faire? demanda Harley
d'un air misérable.

Le dos tourné, elle examina ses ongles.

— Oui, dit-elle, et une fameuse.

Maintenant la radio diffusait *Paper Doll*. Elle jouait à tue-tête.
Harley s'approcha derrière Lula et planta ses dents dans son cou;
il devenait persuasif. Mais Lula avait le don de se faire obéir. Elle
fléchit les genoux pour se soustraire aux élans de Harley; elle ne
céderait pas avant d'obtenir ce qu'elle voulait et c'était certainement
plus qu'un orgasme. Si elle devait demeurer toute sa vie dans ce
bled, elle vivrait dans le luxe. Le ventilateur, la salle de bains et la
Philco n'étaient qu'un début. Avant d'en finir avec Harley, elle voulait une Ford, une moquette dans le salon et un phonographe R.C.A.
Victor. Derrière elle, Harley haletait comme un cheval. Son membre gonflait son pantalon. Elle revint sur ses pas pour aider Harley
à prendre une décision. Il capitula en grognant dans son cou :

— D'accord mon chou. Je t'achèterai un ventilateur.

— Demain, Harley? minauda-t-elle.

— Demain. J'inventerai un prétexte pour aller à Atlanta.

Lula ne faisait rien pour rien. Le changement s'opéra immédiatement et comme elle était inspirée, elle commença à déshabiller
Harley, léchant sa poitrine tout en le faisant reculer dans la cuisine.

— Quelle sorte de sandwich préfères-tu, mon chou?

Il s'empêtra dans son pantalon et rit.

— Au bœuf et à la moutarde, répondit-il.

— Hmm... rôti de bœuf et moutarde. Tu aimes beaucoup la
moutarde, n'est-ce pas, Harley?

Elle savait qu'il aimait la moutarde. Elle savait tout sur Harley
Overmire et utilisait chaque parcelle de son savoir à son avantage.

— Tu as diablement raison. Mae oublie toujours la moutarde.

— C'est ça le problème, susurra Lula, en baissant son boxershort. Mae ne sait pas ce qu'un homme aime. Mais moi je le sais.

Harley pouffa de rire en se promettant de trouver le plus gros ventilateur d'Atlanta.

— Et où est-ce qu'un homme pourrait manger un sandwich au rôti de bœuf avec moutarde, Harley?

Elle le caressa jusqu'à ce que son membre durcisse et palpite.

— Sur la table de la cuisine?

Oh, bonté divine, pensa-t-il. *Ça promet d'être bon.*

— Oui, mon agneau. Il y a du bon rôti de bœuf qui t'attend dans le Frigidaire avec toute la moutarde que tu désires et je vais te servir tout ça à la table de la cuisine et ensuite toi et moi allons plonger dans cette magnifique baignoire neuve et faire couler de cette eau chaude et affriolante qui vient du chauffe-eau tout neuf et nous allons y verser des sels de bain et nous perdre dans les bulles, et chaque fois que tu ouvriras ton casse-croûte et que tu apercevras ton sandwich sans moutarde, tu te rappelleras qui prend bien soin de toi, n'est-ce pas, Harley?

Ils passèrent quarante minutes sur la table et Lula ajouta quelques ingrédients qui auraient favorisé la vente de milliers de pots de moutarde si le manufacturier en avait eu l'idée.

Plus tard dans la baignoire étincelante, Lula caressa la poitrine velue de Harley du bout de l'orteil. Il avait les yeux clos et ses gros bras reposaient sur le large bord de la baignoire.

— Harley?

— Hmm?

— Un étranger est entré au café aujourd'hui.

— Hmm, répéta Harley, l'air désintéressé.

Deux minutes s'écoulèrent en silence. Lula se reposait patiemment, les yeux fermés. Si elle posait trop de questions, cela éveillerait les soupçons de Harley. S'il s'imaginait qu'il était le seul à calmer ses démangeaisons, il se mettait le doigt dans l'œil.

— Il n'y a pas beaucoup d'étrangers ici, murmura-t-elle, comme dans un demi-sommeil.

Harley leva la tête.

— Un grand gaillard? Maigre? Portant un vieux chapeau de cow-boy?

— Oui, c'est lui, répondit-elle rêveusement en laissant échapper un rire. Hé, Harley, comment se fait-il que tu saches toujours tout avant moi ?

Il gloussa et renversa la tête.

— Tu devras te lever tôt pour en remontrer au vieux Harley.

— Il n'a fait que lire le journal puis il est parti.

— Il feuilletait probablement les annonces classées. Je l'ai renvoyé du moulin aujourd'hui.

— Qu'avait-il fait ?

— Il a passé cinq ans au pénitencier de Huntsville pour avoir tué une putain dans un bordel.

Lula laissa tomber son pied dans l'eau en éclaboussant Harley et se redressa carrément.

— Mon Dieu ! Harley ! Il n'a pas fait ça ?

Le sang affluait dans ses veines à l'idée de s'être trouvée dans la même pièce qu'un homme comme celui-là.

— Seigneur, les femmes ne seront pas en sécurité dans les rues !

— C'est ce que je lui ai dit. Je lui ai dit : « Parker, on ne veut pas de toi par ici. Ramasse ta paye et dégage ».

Ainsi, il se nommait Parker.

— Tu as bien fait, Harley.

Elle s'allongea et caressa les parties génitales de Harley avec son talon. Sous l'eau pleine de bulles, elles étaient lisses. En touchant Harley, l'excitation envahissait Lula de nouveau mais elle pensait au grand et taciturne cow-boy qui parlait si peu et qui se cachait sous son chapeau. Je mouille encore, pensa-t-elle et son cœur battait la chamade. Coucher avec un homme comme lui devait être très excitant ; elle imaginait les plus vifs détails, le danger, le défi, l'appétit sexuel d'un homme qui avait été privé de femme pendant cinq ans. Dieu tout-puissant, ce serait sans doute inoubliable.

— Je parie que je sais quelque chose que tu ignores, Harley.

Ses orteils grimpaient le long de son torse comme une chenille.

— Quoi donc ?

— Il est allé chez Elly Dinsmore après avoir vu l'annonce de cette folle.

— Quoi ! fit Harley en se redressant et en faisant déborder l'eau de la baignoire.

— Je sais fort bien qu'il y est allé parce qu'au début il a demandé à voir le journal. Ensuite il a voulu savoir où se trouve Rock Creek Road et une fois que je le lui ai dit, il est parti dans cette direction. Que peut-il être allé faire d'autre par là ?

Overmire éclata de rire et retomba dans l'eau.

— Attends que je dise ça aux gars. Mon Dieu, ils vont rire. Elly Dinsmore, la folle... ha, ha, ha !

— Elle est vraiment folle, n'est-ce pas ?

— Une vraie punaise. Elle cherche un mari.

— Évidemment. Que peut-on espérer quand on a passé sa vie enfermée dans la même maison ? frissonna Lula.

— Je suis allé à l'école avec sa mère, tu sais. Avant qu'ils ne l'enferment pour son histoire de polichinelle dans le tiroir.

— Ah oui ?

Lula s'assit et tendit le bras vers une serviette. Puis elle se leva et commença à se sécher. Harley fit de même.

— Elle passait son temps à fixer le mur et à dessiner. Un jour elle a dessiné le portrait d'un homme nu sur le store d'une fenêtre. La maîtresse n'avait rien vu et lorsqu'elle a baissé le store, la classe est devenue folle. On n'a jamais prouvé que c'était bien Lottie See qui avait fait ça, mais elle dessinait tout le temps, alors... Qui d'autre aurait été assez dingue pour faire ça ?

Harley sortit de la baignoire et commença à se sécher les jambes. Soudainement, il s'arrêta et fixa ses cuisses glabres.

— Diable, Lula, comment vais-je expliquer ces taches de moutarde à Mae ?

Lula examina la situation, rigola et se tourna vers le miroir, ajustant un des peignes qui retenaient sa coiffure.

— Dis-lui que tu as attrapé la jaunisse.

Harley éclata de rire et lui tapota les fesses.

— Hé Lula, tu es chouette, toi.

Il redevint subitement sérieux.

— Tu es certaine que ça allait ce soir, dis ? Tu ne peux pas tomber enceinte, n'est-ce pas ?

— Il est un peu tard pour me demander ça, ne crois-tu pas, Harley? répondit Lula d'un air froissé.

— Ma foi, Lula, ça dépend de toi. Si je dois utiliser quelque chose, j'aimerais que tu me le dises.

Elle mit quelques gouttes de *Soir de Paris* derrière son oreille.

— Tu me crois vraiment stupide, hein, Harley?

Elle reboucha la bouteille et la déposa bruyamment. Il posait toujours la même question, comme si elle était ignorante au point de ne pas utiliser le calendrier. Elle lui avait répondu des milliers de fois mais cela lui laissait toujours un sentiment de vide et de colère. Elle n'était pas sa femme, et puis? Alors, elle ne porterait pas ses bébés. Qui en voudrait? Elle avait vu ses rejetons, des petits monstres qui ressemblaient à des singes. Si jamais elle avait des enfants, diable, ça ne serait pas de lui. Ça serait plutôt ceux d'un type comme Parker, quelqu'un qui lui ferait des amours aux yeux bruns que les autres femmes lui envieraient. À cette pensée, un sentiment d'urgence s'empara d'elle. Elle avait déjà trente-six ans et pas de mariage en vue. Elle vivrait le reste de sa vie dans ce bled pourri et elle y mourrait probablement, tout comme sa mère. Et quand elle serait trop vieille, Harley n'aurait plus envie de l'entraîner sur la table, il ne le pourrait plus, il se confinerait à se bercer sur la véranda en compagnie de sa chère et ennuyeuse Mae. Et tous ces petits singes insignifiants deviendraient encore plus insignifiants et grand-papa Harley serait aussi heureux qu'un pacha. Et elle, Lula, elle vieillirait ici. Elle engraisserait. Elle mangerait des sandwiches au bœuf et à la moutarde toute seule. Eh bien non, ça ne se passerait pas comme ça! Que diable, si je le veux, je peux changer cela, se dit Lula.

4

Eleanor s'éveilla par un beau lever de soleil rose. Les rayons glissaient sur le rebord de la fenêtre. Elle entendait le son d'une hache fendant le bois. Elle écarta l'oreiller et jeta un coup d'œil au réveille-matin. Six heures et demie. Il fendait du bois à six heures et demie? Pieds nus, elle se faufila jusqu'à la fenêtre de la cuisine et, en retrait, regarda Will près du tas de bois. Depuis combien de temps était-il levé? Il avait déjà fendu une corde. Il avait enlevé sa chemise et son chapeau. Vêtu de son jean et de ses bottes de cowboy, il semblait aussi décharné qu'un épouvantail. Il balançait la hache et elle le regardait, fascinée malgré elle par les muscles de ses bras et de sa poitrine bandés par l'effort. Il savait fendre du bois et travaillait de façon mesurée, épargnant son énergie pour conserver son endurance, balançant une bûche sur la souche, reculant, atteignant d'un coup sec le cœur et l'achevant en deux coups nets. Enfin, du bois de chauffage. Elle ferma les yeux. Seigneur, ne le laissez pas partir. Une main sur son ventre elle songea à sa propre maladresse quand elle effectuait elle-même cette tâche, à l'effort qu'il lui en coûtait, et au temps que ça lui prenait. Elle ouvrit la porte arrière et marcha sur le perron.

— Vous êtes aussi matinal que les poules, monsieur Parker.

Will laissa tomber la hache et se tourna vers elle.

— Bonjour, madame Dinsmore.

— Bonjour, répondit-elle. Il n'y a pas à dire, ça fait plaisir d'entendre quelqu'un couper du bois.

Elle était vêtue d'une chemise de nuit qui lui descendait aux

57

chevilles et accentuait sa grossesse. Ses cheveux tombaient librement sur ses épaules ; elle était pieds nus, et à cette distance elle paraissait plus jeune et plus heureuse que la veille. Pendant un moment Will Parker s'imagina être Glendon Dinsmore : il était chez lui, elle était sa femme et les enfants, même celui qu'elle portait, étaient les siens. Cette brève fantaisie ne lui était pas inspirée par la présence d'Eleanor Dinsmore mais par le manque qui avait dominé son existence. Soudainement, il s'aperçut qu'il la dévisageait. Il s'appuya sur la hache, prit sa chemise et son chapeau.

— Ça ne vous ennuierait pas d'apporter une brassée de bois pour que j'allume un feu ?

— Non, madame, ça ne m'ennuierait pas du tout.

— Vous n'aurez qu'à le déposer dans la boîte à bois.

— Oui, madame.

La porte moustiquaire claqua et elle disparut. Il grimaça à l'idée d'interrompre son travail même si ce n'était que le temps d'aller porter un peu de bois dans la maison. En prison, il avait travaillé à la blanchisserie, respirant l'odeur nauséabonde de la sueur des autres hommes qui s'élevait de la vapeur alors qu'il étendait les vêtements dans une pièce surchauffée où la lumière ne pénétrait jamais. Être sous le soleil du matin, les pieds dans la rosée, sous la voûte lavande du ciel que se disputaient des douzaines d'oiseaux qui nichaient autour de la maison, ah ! c'était le paradis. Agripper le manche d'une hache, la soupeser, éprouver la résistance de l'outil, entendre le choc du bois tombant par terre, ça, c'était la liberté. Et l'odeur piquante de la sève sur ses poings, il ne pouvait s'en lasser. Ni de bouger et d'étirer ses muscles à l'extrême limite. Il était devenu mou en prison, mou et blanc, presque émasculé à force d'accomplir des tâches habituellement réservées aux femmes.

Madame Dinsmore se réjouissait d'entendre le bruit d'une hache fendant le bois et pour Will ce bruit était synonyme de liberté. Il s'agenouilla et prit une brassée de bois, du bon bois, aux pointes acérées qui s'incrustaient dans la peau de ses avant-bras ; les morceaux plats et noueux s'entrechoquaient et l'écho se répercutait dans la clairière. Will en avait jusqu'au menton, jusqu'à ce qu'il ne puisse voir par-dessus. Il testait ses capacités. C'était du travail d'homme.

Honnête. Satisfaisant. Il poussa un grognement et souleva l'énorme fardeau. Il frappa à la porte moustiquaire. Eleanor courut vers lui et le gronda :

— Au nom du ciel, pourquoi frappez-vous à la porte ?

— Je vous apporte le bois, madame.

— Je le vois bien. Mais il n'est pas nécessaire de frapper, dit-elle en ouvrant la porte. Et vous devez savoir qu'il ne faut pas rester longtemps sur le perron avec tout ce poids. Vous passerez au travers.

— J'ai pris le soin de marcher sur le bord.

Il glissa le bout de sa botte sur le seuil, entra dans la cuisine et déversa le bois. Il s'épousseta les bras.

— Voilà, ça devrait vous permettre de...

Il resta bouche bée. Eleanor Dinsmore était derrière lui, vêtue d'une blouse jaune et d'une jupe de la même couleur, elle se brossait les cheveux et les nouait en queue de cheval. Le menton appuyé contre la poitrine, elle retenait un ruban à carreaux entre ses dents. Depuis quand n'avait-il pas vu une femme en train de se coiffer le matin ? Ses coudes étaient gracieusement tournés vers le plafond. D'un geste vif, elle noua étroitement ses cheveux à l'aide du ruban. Will était ébahi.

— Qu'est-ce que vous regardez ?

— Rien.

Honteusement, il cherchait la porte, le visage rougissant.

— Monsieur Parker ?

— Oui, madame ?

Il s'arrêta sans se tourner, refusant qu'elle le voie rougir.

— J'ai besoin d'un peu de petit bois. Ça ne vous ennuierait pas d'en couper ?

Il hocha la tête et sortit.

Will ne s'attendait pas à réagir comme il l'avait fait devant Mme Dinsmore. Elle n'était pas directement en cause, diable. Avec n'importe quelle femme il aurait eu probablement la même réaction. Les femmes étaient des créatures rondes et douces, et il n'en avait plus côtoyé depuis très longtemps. Quel homme n'aurait pas voulu la regarder ? Il s'agenouilla près d'un morceau de chêne pour en débiter l'écorce tout en songeant au bout de ruban qu'elle tenait entre ses dents, à la blancheur de son sous-vêtement sous sa blouse. Tout cela l'avait fait rougir. *Qu'est-ce qu'il te prend, Will Parker ? Cette femme est enceinte de cinq mois. Ramène-lui du petit bois et pense à autre chose.*

Elle n'aimait pas qu'il frappe à la porte, aussi réfléchit-il avant d'entrer. Il ne lui était pas arrivé souvent de trouver des portes ouvertes. De plus, le souvenir des barreaux était encore trop vif pour qu'il entre tout bonnement comme ça chez une femme. Au lieu de frapper, il s'annonça :

— Voilà votre bois d'allumage !

Elle était en train de découper des tranches de bacon. Elle releva la tête et lui dit :

— Mettez-le dans le poêle.

Il ne se contenta pas de mettre le petit bois dans le poêle, il alluma également le feu. Une tâche de ce genre était un véritable plaisir. De toute sa vie, il n'avait jamais eu de poêle. Il avait encore moins profité de celui des autres. Il disposa soigneusement les éclats, frotta une allumette et surveilla le feu qui prenait. Une fois que les flammes furent hautes, il ajouta une lourde bûche, et bien que la matinée fût chaude, il se chauffa les doigts au-dessus de la chaleur. Allumer le feu était une véritable corvée pour Eleanor. En le voyant si heureux d'accomplir cette tâche, elle resta songeuse. Il avait mené une vie de reclus. Elle se demandait à quoi il pensait pendant qu'il fixait les flammes. Elle ne le saurait probablement jamais. À contrecœur, il se détourna du poêle et épousseta ses cuisses.

— Avez-vous besoin d'autre chose ?

Il promena son regard sur elle, s'arrêtant à la couleur de sa blouse, jaune comme un bouton-d'or, et sur le ruban qui ornait sa coiffure. Elle avait revêtu un tablier qui ressemblait à une chasuble attachée dans le dos. Étudiant le nœud dans le creux de ses reins, il se sentait à la fois déchiré de n'avoir jamais eu de foyer et de ne pouvoir s'approcher d'une femme. Il n'osait même pas frôler le coude d'Eleanor. Assurément elle s'éloignerait aussitôt de lui avec frayeur. Il s'approcha à une distance respectueuse et murmura :

— Excusez-moi, madame.

Elle releva la tête et lui dit en souriant :

— Merci pour le petit bois, monsieur Parker.

Puis elle continua à trancher le bacon. Il prit le seau d'eau et traversa la pièce. Jamais il ne s'était senti aussi bien depuis des années. À la porte, il s'arrêta et lui dit :

— Madame, je me demandais si...

Elle planta le couteau dans la couenne de bacon et le regarda par-dessus son épaule. Il poursuivit :

— Est-ce que vous trayez cette chèvre, là-bas ?

— Non, je trais la vache.

— Vous avez une vache ?

— Elle s'appelle Hubert. Elle est probablement près de la grange.

— *Hubert ?* fit-il du coin de la bouche.

Elle haussa les épaules et la bonne humeur alluma son visage.

— Ne me demandez pas pourquoi elle est affublée d'un nom pareil. Elle répond toujours à ce nom.

Will ne put s'empêcher de sourire.

— Je vais traire Hubert si vous me dites où je peux trouver un autre seau.

Elle coupa une tranche de bacon et essuya ses mains sur son tablier. Elle-même arborait un coquin sourire.

— Eh bien, voilà un sourire qui en dit long.

Will goûtait ces quelques secondes en tête à tête. Le matin s'annonçait heureux, c'était tant mieux. Il détourna les yeux pendant qu'elle allait chercher un autre seau.

— Il y a un tabouret du côté sud de la grange, dit-elle.

— Je le trouverai, dit-il en faisant claquer la porte mousti-quaire.

— Oh, monsieur Parker ? l'interpella-t-elle.

— Oui, madame ? répondit-il en se retournant dans le sentier.

Elle l'observait à travers la moustiquaire. Il avait la plus belle paire de lèvres qu'elle avait jamais vues et plus encore quand il avait le culot de sourire.

— Après le petit déjeuner, je vous couperai les cheveux.

— Oui, madame, dit-il doucement en touchant le bord de son chapeau alors que son sourire fondait. En revenant avec le seau qui se balançait à sa main, il se demanda s'il avait déjà été plus heureux. L'avenir semblait prometteur. *Elle allait le garder!*

Hubert était une bête amicale, têtue comme une mule, avec de grands yeux marron et un pelage blanc et brun. Elle semblait bien s'entendre avec la chèvre. Toutes deux échangeaient des coups de museau. La mule aussi se trouvait derrière la grange, les yeux mi-clos, face au mur. Will décida de traire la vache dehors ; la grange empestait. Il l'attacha à un poteau de clôture, enleva sa chemise, et s'accroupit sur le tabouret. Le soleil lui chauffait le dos. Ça ne lui ferait pas de mal après cinq ans à l'ombre. Tout près, la chèvre les observait en mâchant son licou. La vache ruminait lentement. Agréable. Will suivait le rythme de l'animal. C'était apaisant d'appuyer son front contre le pelage chaud, le dos au soleil, d'écouter tous ces bruits familiers et de sentir la chaleur se répandre dans ses bras. Ses muscles lui faisaient mal, une bonne fatigue émanait de son corps. Il accéléra le rythme et redoubla d'ardeur. Les poules étaient sorties de leurs nids et gloussaient bruyamment en picorant le sol. Il jeta un coup d'œil à la cour en s'imaginant qu'elle était propre. Il regarda les poules et les imagina dans leur enclos. Il regarda la pile de bois et imagina les cordes bien alignées. Ça représentait un vrai défi mais il était impatient de le relever. Une chatte apparut, suivie de ses chatons, des boules de poils hérissés. La chatte se frotta contre la cheville de Will et il la caressa. Il murmura : Comment vous appelez-vous, madame ? Elle se dressa et posa ses pattes antérieures sur ses cuisses, mendiant de la nourriture. Sa fourrure était douce et chaude sous ses doigts. Tu nourris ces trois-là, hein ? Besoin d'un coup de main ? Il trouva une boîte de sardines vide dans l'entrée de la grange, la remplit de pâtée et regarda les quatre chats manger. Un des chatons avait posé la patte... dans la boîte. Will pouffa. L'écho de son rire tinta à ses oreilles et fit battre son cœur comme un marteau. Il pencha la tête en arrière, les yeux vers le ciel, laissant la liberté et la joie l'envahir. Il éclata de rire encore une fois, sentant le son merveilleux monter de sa gorge. Depuis quand n'avait-il pas entendu ça ? Depuis combien de temps ?

Quand il revint avec le lait à la maison, il capta rapidement l'odeur du bacon. Son estomac grogna alors qu'il s'apprêtait à frapper à la porte. Dans la cuisine, Eleanor leva les yeux et croisa son regard. Il laissa retomber sa main.

— J'ai fait connaissance avec les animaux, dit-il, en posant le seau sur le comptoir. La mule est un peu plus revêche que les autres.

— Ma foi, voilà que vous parlez, glissa Eleanor.

Il recula, se frotta les mains sur les cuisses.

— Je ne suis pas très enclin à bavarder.

Elle l'avait remarqué.

— Cependant, vous devriez essayer avec les garçons, suggéra-t-elle.

Les gamins étaient levés, vêtus de leurs pyjamas froissés. Ils jouaient avec des bobines de bois. Le plus vieux leva la tête vers eux et fixa Will.

— Bonjour, Donald Wade, risqua Will.

Donald Wade se mit à sucer son pouce et gonfla ses joues.

— Dis bonjour, Donald Wade ! dit Eleanor d'un ton péremptoire.

Donald Wade se contenta de montrer son frère du doigt et de baragouiner :

— Lui, c'est Thomas.

Thomas bavait sur son pyjama en regardant Will et il fit claquer les bobines entre ses mains. Will ne se souvenait pas avoir parlé à un jeune enfant. Il se sentait ridicule d'attendre une réponse et ne savait plus que faire de ses mains. Alors il empila trois bobines. Thomas renversa la tour et appaudit en riant aux éclats. Will leva les yeux vers Eleanor qui le regardait tout en remuant quelque chose dans le chaudron.

— J'ai sorti le rasoir de Glendon, sa tasse et son blaireau. Je vous invite à vous en servir.

Il se redressa, jeta un coup d'œil aux objets de toilette et la regarda à nouveau. Elle s'était détournée. Il se rasait toujours à la ·

lame, sans savon, s'arrachant la peau ; la tasse, le blaireau étaient les bienvenus ainsi que l'eau chaude, mais il hésitait à les prendre. Il fallait qu'il s'habitue à l'idée : ils allaient partager cette cuisine tous les matins. Il devait se laver et se raser et elle, elle devait se peigner, préparer le petit déjeuner et prendre soin des bébés. Il allait souvent la frôler. Elle ne l'évitait pas jusqu'à présent.

— Excusez-moi, dit-il près de son épaule. Elle jeta un coup d'œil à la tasse et changea de place, lui cédant de l'espace pour qu'il puisse atteindre la bouilloire.

— Avez-vous bien dormi ?

— Oui, madame.

Il versa de l'eau chaude dans la tasse et dans la bassine, se savonna le visage et se rasa en lui tournant le dos.

— Comment aimez-vous vos œufs ?

— Cuits.

— Cuits ? répéta-t-elle en se retournant et captant son regard dans la glace.

— Oui, madame.

Il inclina la tête en se rasant la joue gauche.

— Voulez-vous dire que vous mangez habituellement des œufs crus ?

— J'ai cette réputation.

— Autrement dit, frais de la ferme ?

Il continua à se raser en évitant son regard. Elle éclata de rire. Elle rit longtemps et sans retenue, se tenant les côtes. Sous la mousse, les yeux noisette de Will semblaient amusés.

— Vous trouvez ça drôle ? demanda-t-il en rinçant le rasoir.

Elle s'efforçait de se calmer.

— Je suis désolée, dit-elle.

Elle ne paraissait pas désolée du tout. Le rire lui allait bien. En taillant ses favoris, il expliqua :

— Les fermiers croient que ce sont les renards. Ils n'y voient que du feu.

Elle l'étudia un moment, se demandant combien de kilomètres il avait parcourus, combien de poulaillers il avait pillés et combien de temps cela prendrait pour qu'il laisse tomber cette froideur à laquelle il tenait tant. Elle avait réussi à trouver la faille mais il se repliait vite sur lui-même, comme un hérisson se roule en boule devant un éventuel danger. Eleanor était contente. Ça lui faisait chaud au cœur de sentir l'odeur de la mousse à raser flotter à nouveau dans la maison. Quand il eut terminé, elle pensa : Voilà le visage de l'homme que je verrai tous les matins... s'il décide de rester. Fascinée par cette idée, elle regardait la forme du menton de Will, la ligne droite de son nez, ses joues minces, ses yeux sombres. Il leva les yeux et elle se tourna vers le poêle.

— Des œufs au miroir ? demanda-t-elle.

Il resta pantois. En prison les œufs étaient toujours brouillés et avaient un goût de papier mâché. Mon Dieu, on lui donnait le choix !

— Légèrement cuits, répondit-il.

Il termina sa toilette en écoutant les œufs crépiter dans la poêle, un bruit peu commun dans les wagons de marchandises où il se réfugiait quand il était en cavale. Les bruits. Sa vie avait été peuplée de grincements de roues et des ronflements des autres hommes. Grincements du métal, grincements de dents et grincements des machines à laver. Derrière lui les enfants riaient et les bobines roulaient sur le sol. Les couvercles des chaudrons tintaient. Les braises s'effondraient. Une bûche s'affaissait. La bouilloire sifflait. La mère dit :

— C'est l'heure du déjeuner, les garçons. À table !

L'odeur qui se répandait dans la cuisine aurait suffi à le rendre fou. En prison, les seules odeurs étaient celles du désinfectant et de l'urine ; quant aux aliments, ils n'avaient aucun goût. Lorsqu'il s'assit à table, Will détailla l'abondante portion servie dans son assiette : trois œufs ! Trois œufs... parfaitement cuits. Il y avait aussi du gruau, du bacon, du café noir, du pain grillé et de la confiture. Elle vit qu'il hésitait, les mains sur les cuisses comme s'il avait peur.

— Mangez ! lui ordonna-t-elle, puis elle commença à hacher un œuf pour le bébé. Comme la veille, Will était sidéré, ayant peine à croire à sa chance. Il avait déjà englouti la moitié de son repas quand il s'aperçut qu'Eleanor n'avait pris qu'un bout de pain grillé. Il demeura là, la fourchette dans les airs.

— Qu'y a-t-il? N'est-ce pas assez cuit? demanda-t-elle.

— Non, non! s'empressa-t-il de dire. C'est le meilleur déjeuner que j'aie jamais mangé mais... où est le vôtre?

— Je ne supporte pas très bien la nourriture le matin, lui expliqua-t-elle. C'est comme ça quand une femme est enceinte.

— Oh, fit-il.

Ses yeux se posèrent brièvement sur son ventre puis il détourna la tête. « *Ma foi, il rougit* », se dit Eleanor avec joie.

Après le petit déjeuner, elle le fit asseoir sur une chaise installée au milieu de la cuisine et noua une serviette autour de son cou. C'était la première fois qu'elle le touchait. Des frissons descendirent jusqu'aux mollets de Will. Il écouta les ciseaux cliqueter; le peigne lui grattait le crâne et il ferma les yeux pour savourer chaque seconde. Eleanor lui frôlait la tête. Cette sensation le fit frémir et il laissa retomber mollement ses mains sur ses cuisses recouvertes d'un torchon. Elle s'aperçut qu'il avait fermé les yeux.

— Ça fait du bien? demanda-t-elle.

— Oui, madame, répondit-il en ouvrant rapidement les yeux.

— Inutile de vous énerver. Détendez-vous, dit-elle en lui tapotant l'épaule.

Puis elle poursuivit son travail silencieusement, le laissant savourer ce moment. Ses paupières s'abaissèrent lourdement. Il fondait sous la première caresse d'une femme depuis six ans. Elle épousseta ses oreilles, son cou. Il somnolait, enfermé dans sa bulle. Seigneur, comme c'était bon! Lorsqu'elle eut terminé, elle dut le réveiller. Il releva brusquement la tête :

— Oh... j'ai dû m'endormir, murmura-t-il.

— C'est fini, dit-elle.

Elle enleva la serviette et il se leva pour jeter un coup d'œil à la glace près de l'évier. Ses cheveux étaient plus courts d'un côté que de l'autre, mais en général la coupe lui convenait mieux que la brosse qu'on lui infligeait en prison.

— C'est bien, dit-il en touchant ses favoris avec son poing. Merci pour le déjeuner aussi, ajouta-t-il en regardant par-dessus son épaule.

Chaque fois qu'il lui disait merci elle faisait comme si de rien n'était. Elle balayait le plancher sans lever les yeux.

— Vous avez des cheveux sains, monsieur Parker. Glendon avait les cheveux minces. Je lui coupais toujours les cheveux. Ça m'a fait plaisir de couper vos cheveux et de sentir à nouveau l'odeur du savon à raser.

Vraiment ? Il croyait être le seul à se réjouir. Peut-être voulait-elle simplement le mettre à l'aise. Il ne savait comment lui rendre la pareille.

— Je peux le faire, dit-il en s'agenouillant pour ramasser ses mèches de cheveux.

— J'ai presque terminé. Cependant vous me rendriez un service si vous alliez nourrir les porcs.

Leurs yeux se croisèrent. Il lut l'incertitude dans les siens. C'était la première fois qu'elle lui demandait d'effectuer une tâche pas très agréable. Mais ce qui était en général désagréable pour les autres représentait la liberté pour Will Parker. Elle lui avait préparé un petit déjeuner, lui avait prêté le rasoir de son mari, le laissait jouir de la chaleur de son foyer et avait réussi à l'endormir avec un coup de peigne. Il entrouvrit les lèvres et à l'intérieur de lui, une voix le fit hésiter : « *Parker, tu as peur qu'elle pense que tu n'es pas un homme si tu le dis.* »

Enfin, il articula :

— Cette coupe de cheveux est la meilleure chose qui pouvait m'arriver.

Elle le comprenait. Elle aussi, elle avait passé la plupart de sa vie dans un monde sans amour, sans être touchée. C'était étrange, mais cela les rapprochait.

— J'en suis heureuse.

— En prison... commença-t-il.

Elle le regarda à nouveau.

— En prison, quoi ?

Il n'aurait pas dû commencer mais sa façon d'agir le déconcertait, et il allait jusqu'à lui livrer les choses qui l'avaient le plus fait souffrir.

— En prison, reprit-il, on vous tond la tête, si bien qu'on se sent...

Il hésitait à le dire. Il détourna les yeux, jugeant superflu de poursuivre sa phrase. Elle l'encouragea.

— On se sent comment ?

Il baissa les yeux sur ses cheveux dans le porte poussière.

— Nu, avoua-t-il.

Ni l'un ni l'autre ne bougeait. Devinant combien cela avait dû être difficile à avouer, Eleanor eut envie de poser la main sur son bras. Mais avant même qu'elle puisse esquisser ce geste, il s'empressa de ramasser le porte poussière et de le vider dans le poêle.

— Je vais voir les cochons, dit-il.

Donald Wade était d'accord pour accompagner Will à la porcherie. Eleanor leur confia un seau de lait.

— Du lait pour les cochons ! protesta Will.

Lui qui avait crevé de faim toute sa vie, il n'en revenait pas.

— Hubert donne plus de lait qu'il n'en faut. D'ailleurs, le camion de lait ne peut monter l'allée pleine d'ornières. De toute façon, je n'ai envie de voir personne rôder ici. Il faut le donner aux cochons, expliqua-t-elle à Will.

Ça lui brisait le cœur de donner tout ce bon lait aux porcs.

Donald Wade le conduisit près des animaux bien qu'il fût facile de repérer la porcherie. En traversant la cour, Will examina l'allée plus attentivement. C'était vraiment désolant. Mme Dinsmore avait une mule et il devait bien y avoir de quoi l'atteler. Sinon, il prendrait une pelle. L'allée devait être élargie pour sortir la ferraille de là. Il estimait que la ferraille pouvait rapporter de l'argent. Le métal ferait bientôt grimper le dollar car l'Amérique s'apprêtait à fournir l'Angleterre en matériel militaire. Cette femme était assise sur une mine d'or et n'en savait rien. L'allée n'était pas le seul endroit qui fût dans un piètre état ; la cour aussi faisait pitié. Les dépendances semblaient sur le point de s'écrouler au moindre choc. Certaines pouvaient encore durer quelques années à condition qu'on leur donne un coup de pinceau. Le silo était rempli de barils, de cages, de rouleaux de barbelés rouillés, et de tuyaux tordus. Quant au poulailler, sa porte tenait à peine. L'odeur qui s'en dégageait était tout simplement infecte. Pas étonnant que les poules choisissaient de nicher ailleurs. Il dépassa une pile de pièces mécaniques et de pots de peinture vides, se demandant bien à quoi avait servi la peinture. La litière de la chèvre se trouvait dans un camion abandonné. Elle avait mangé toute la bourrure des banquettes. Seigneur, se dit Will, il y a assez de travail pour qu'un homme y consacre vingt-quatre heures par jour pendant un an. Sautillant à ses côtés, Donald Wade interrompit ce monologue intérieur.

— Là, dit le gamin en montrant du doigt une cabane qui semblait être un séchoir à tabac.

— Là, quoi ? demanda Will.

— C'est là que se trouve la porcherie.

Il pénétra dans la remise remplie de toutes sortes de choses, un intéressant fourbi. Apparemment, Dinsmore faisait plus que ramasser des cochonneries. Faisait-il du troc ? Était-il marchand de chevaux ? Will trouva des pots de peinture neufs, des rouleaux de barbelés, des meubles, des outils, des selles, une presse, des cages à poules, des poulies, des perches, le pare-chocs d'une automobile Ford modèle A, un buste, un baril rempli de pistons, des paniers de Pâques, une chaudière, des cruches d'eau-de-vie, des ressorts... et quoi encore ?

Donald Wade lui montra sur le sol le sac de jute avec une boîte de conserve rouillée à côté.

— Deux, dit-il.

Il avait trois doigts en l'air et s'efforçait d'en replier un.

— Deux ? répéta Will.

— Maman en met deux fois dans le lait.

Will se courba au-dessus de Donald Wade, ouvrit le sac et sourit à l'enfant qui gardait les deux doigts en l'air.

— Veux-tu m'aider ?

Donald Wade accepta en secouant ses boucles. Il remplit la boîte de conserve sans réussir toutefois à la sortir du sac. Will vint à sa rescousse. Les grains tombèrent dans le lait, répandant une odeur de céréale. Après avoir versé une deuxième boîte, Donald Wade trouva un bout de latte dans un coin.

— Tu dois mélanger avec ça.

Les mains glissées sous sa bavette, Donald Wade observait Will au travail. Au bout de quelques minutes, il dit :

— Moi aussi, je sais faire ça.

Will sourit.

— Vraiment?

Donald Wade agita sa tête bouclée.

— C'est bien, car je commence à être fatigué.

Le garçon s'y prit à deux mains. Will eut un large sourire en voyant que l'enfant mordillait sa lèvre inférieure tout en s'efforçant de remuer le bâton de ses petites mains. Will s'agenouilla, passa les bras autour de l'enfant et tous les deux travaillèrent ensemble.

— Est-ce que tu fais ça tous les jours?

— J'aide maman presque tout le temps. Quand elle est fatiguée. Je ramasse aussi les œufs.

— Où ça?

— Partout.

— Partout?

— Dans la cour. Je sais où les poules aiment se cacher. Je peux te montrer.

— Pondent-elles beaucoup d'œufs?

— Oui, fit Donald Wade.

— Est-ce que ta maman les vend?

— Ouais.

— En ville?

— Sur la route. Maman les laisse là et les gens mettent l'argent dans une boîte. Elle n'aime pas aller en ville.

— Pourquoi? demanda Will.

L'enfant hocha la tête.

— A-t-elle des amis?

— Seulement mon papa, mais il est mort.

— Ouais, je sais. C'est triste.

— Sais-tu qu'est-ce que Thomas a fait un jour?

— Quoi donc? demanda Will.

— Il a mangé un ver.

Jusque-là Will n'aurait jamais cru qu'aux yeux d'un bambin de quatre ans, manger un ver était plus important que la mort de son père. Il pouffa de rire et ébouriffa les cheveux du garçon. Ils étaient très doux. « *Je crois que je vais aimer celui-là.* »

Après avoir nourri les porcs, ils s'arrêtèrent à la pompe pour rincer le seau. Ils n'avaient d'autre choix que de patauger dans la gadoue ; pas même une planche de bois pour s'y rendre sans risquer de s'éclabousser. Naturellement, Donald Wade avait les bottes crottées en rentrant à la maison. En apercevant cela, sa mère le gronda :

— Mon garçon, nettoie tes semelles avant de rentrer !

Will lança aussitôt :

— C'est de ma faute, madame. Je l'ai amené près de la pompe.

— Ah vraiment ? Eh bien, alors dans ce cas...

Elle masqua son irritation et regarda dehors. Elle semblait abattue.

— Ça ferait reculer n'importe qui, je sais. Mais j'imagine que vous avez pu vous en rendre compte vous-même.

Will garda les lèvres serrées, enfonça son chapeau sur ses yeux, glissa ses mains dans les poches arrière de son pantalon. Du coin de l'œil, Eleanor l'observait. Son cœur battait d'inquiétude. « *Il va s'enfuir maintenant. Il va déguerpir après avoir vu tout ça.* » Il laissa ses yeux errer longtemps sur le domaine. Il voyait que cette belle terre verte regorgeait de possibilités. Pour rien au monde il ne renoncerait à y rester à moins qu'elle ne s'y oppose, pensait-il. Aussi répondit-il simplement de sa belle voix basse :

— En effet, la basse-cour a grand besoin d'être nettoyée.

5

Plus tard ils allèrent se promener. Le soleil du matin s'élevait au-dessus des arbres et annonçait une journée verdoyante et dorée, fleurant l'été. Will ne s'était jamais promené en compagnie d'une femme et de ses enfants. C'était étrange et attirant à la fois. Eleanor savait s'y prendre avec les petits; elle portait Thomas sur sa hanche, son talon glissé dans son tablier. Alors qu'ils s'apprêtaient à descendre les marches du perron, elle invita Donald Wade à passer le premier. Puis elle l'aida à franchir la dernière marche. Elle le regardait galoper devant elle, souriant comme si c'était la première fois qu'elle voyait sa jolie tête bouclée et sa culotte bouffante. Une main contre le dos de Thomas, l'autre sur sa taille, elle aspira une longue bouffée d'air et s'adressant au ciel, elle dit :

— Mon Dieu, quelle belle journée ! Attention à ce câble dans l'herbe ! lança-t-elle à Donald Wade.

Puis elle arracha une feuille et la tendit à Thomas, lui chatouillant le bout du nez pour le faire rire. Will s'extasiait. Seigneur, une vraie petite mère. Elle parlait toujours d'une voix douce et trouvait toujours le bon côté des choses. Toujours attentionnée envers ses garçons, elle leur montrait combien elle les chérissait. Jamais personne n'avait agi de la sorte avec Will.

Il l'étudia à la dérobée notant surtout la courbe de son ventre accentuée par la jambe du bébé. Donald Wade avait dit qu'elle se fatiguait vite. En se souvenant de ces paroles, il voulut offrir de porter l'enfant mais il ne savait comment s'y prendre avec Thomas. Il ne saurait pas lui chatouiller le nez ou papoter avec lui. D'ailleurs elle ne verrait pas d'un bon œil qu'un étranger porte les fils de Glendon Dinsmore. Ils se rendirent à l'arrière de la grange. Le torchon s'agitait sur la corde à linge précairement tendue entre des perches. Là s'amoncelaient encore des tas de ferraille jusqu'à l'orée de la forêt où se dressaient des pins, des chênes, des noyers et bien d'autres arbres. Des oiseaux voletaient de l'un à l'autre et Eleanor les montrait du doigt à ses fils en leur disant : Regardez ! Ce sont des moineaux ! L'un d'entre eux passa devant eux et se percha sur une branche morte. Le soleil brillait sur les têtes blondes des enfants et faisait resplendir la robe de leur mère. Ils marchèrent le long d'un sentier tracé par les roues d'une charrette. Parfois Donald Wade courait en balançant les bras. Le plus jeune renversait la tête et regardait le ciel, la main sur l'épaule de sa mère. Ils étaient si heureux ! Will n'avait pas souvent rencontré des gens heureux. C'était saisissant. Non loin de la maison ils débouchèrent sur une colline dont le versant est était couvert de rangées d'arbres fruitiers.

— Voici le verger, dit Eleanor en contemplant l'étendue de la terre.

— C'est immense, dit Will.

— Et vous n'en voyez pas la moitié. Ici ce sont les pêchers. Plus loin, il y a des pommiers et des poiriers... et des orangers aussi. Glendon avait eu l'idée d'essayer les orangers mais ça n'a pas donné grand-chose, ajouta-t-elle en souriant avec nostalgie. On est trop au nord.

Will sortit du sentier et examina les fruits.

— Ils ont peut-être besoin d'un coup de pulvérisateur.

— Je sais, dit-elle en caressant distraitement le dos du bébé avant de poursuivre : Glendon y avait songé, mais il est mort en avril, alors il n'en a pas eu le temps.

« *Dans le sud, on pulvérise les arbres avant le mois d'avril,* » pensa Will. Ils poursuivirent leur promenade.

— Quel âge ont ces arbres ? demanda-t-il.

— Je ne sais pas au juste. Le père de Glendon les a presque tous plantés, à l'exception, bien sûr, des orangers. Il y a des pommiers aussi, toutes les sortes imaginables mais je n'ai jamais appris leurs noms. Le père de Glendon en savait long là-dessus mais il est mort avant que je n'épouse Glendon. Il ramassait de tout lui aussi, comme Glendon. Il allait aux encans et échangeait avec le premier venu. Comme ça, sans but précis apparent.

— Avez-vous déjà goûté aux coings? demanda-t-elle brusquement. En voici.

— C'est sur comme de la rhubarbe.

— Ça fait de très bonnes tartes.

— Je n'en sais rien.

— Je parie que vous aimeriez en savourer une.

— En effet, reconnut-il en lui adressant un sourire en biais.

— Vous n'avez que la peau et les os. Ça ne vous ferait pas de tort d'engraisser.

Il regarda les arbres et enfonça son chapeau sur ses yeux. Ainsi il ne pouvait voir l'horizon. Heureusement, elle changea de sujet.

— Alors, où en avez-vous déjà mangé?

— En Californie.

— Vous êtes allé là-bas? demanda-t-elle en relevant la tête.

— J'y ai ramassé des fruits durant un été quand j'étais petit.

— Avez-vous vu des stars de cinéma?

Il l'aurait parié! Elle ne devait pas connaître grand-chose sur la vie des vedettes.

— Non, répondit-il. Et vous?

— Comment le pourrais-je? dit-elle en riant. Je n'ai même jamais vu un film.

— Jamais?

— Cependant, j'en ai entendu parler à l'école, répondit-elle en hochant la tête.

Il aurait aimé lui promettre de l'emmener au cinéma un de ces jours mais où trouverait-il l'argent? Même s'il en avait eu, il n'y avait pas de cinéma à Whitney. D'ailleurs Eleanor évitait la ville.

— Les stars habitent à Hollywood. Là-bas, il fait froid dans les montagnes. L'océan est sale. Ça pue.

Ce serait moins pénible si elle réussissait à effacer tout ce pessimisme, pensait Eleanor.

— Toujours aussi joyeux? lui lança-t-elle.

Il aurait enfoncé son chapeau encore plus profondément s'il l'avait pu, mais il n'aurait plus vu où mettre les pieds.

— Eh bien, la Californie n'est pas aussi rose que vous pensez.

— Vous savez, ça ne m'ennuierait pas de vous voir sourire plus souvent.

Il lui jeta un regard maussade.

— À propos de quoi ?

— Monsieur Parker, peut-être faut-il que vous le découvriez vous-même, dit-elle en laissant glisser le bébé sur sa hanche. Thomas, tu deviens aussi lourd qu'un boulet. Viens, donne la main à maman. Je vais te montrer quelque chose.

Elle lui montra des choses que Will n'avait pas remarquées : une branche en forme de patte de chien. « Un homme, déclara Eleanor, pourrait passer sa vie à sculpter cette branche sans parvenir à faire quelque chose d'aussi beau. » Plus loin, elle se pencha sur un tas de graines vides laissées par un petit animal qui avait fait son nid au milieu de l'herbe. « Si j'étais une souris, j'aimerais vivre dans ce joli verger odorant. Pas toi ? » Devant une sauterelle camouflée par un brin d'herbe, elle expliqua qu'il faut la regarder de tout près pour voir qu'elle sait faire du bruit avec ses ailes. Dans le bois adjacent se dressait un magnolia. Très haut, dans un embranchement qui formait un creux, un autre arbre prenait racine : un robuste petit chêne, droit et sain.

— Comment est-il arrivé ici ? demanda Donald Wade.

— Devine ?

— Je ne sais pas.

Elle s'accroupit à côté des garçons, levant les yeux vers l'arbre qui en portait un autre sur son dos.

— Eh bien, un vieil hibou très sage habite ces bois. Il apparaît au crépuscule et l'autre soir je lui ai posé la question. Comment ce petit chêne peut-il pousser dans le magnolia ? Veux-tu savoir ce qu'il m'a dit ?

Donald Wade fit signe que oui en fixant attentivement sa mère d'un air médusé. Eleanor s'assit alors par terre, à l'indienne, en épluchant l'écorce d'une brindille avec l'ongle de son pouce et poursuivit son histoire.

— Il y a bien des années, deux écureuils habitaient ici. L'un d'entre eux travaillait très fort, passant ses jours à ramasser des glands et à les enfouir dans ce petit creux que tu vois dans l'arbre là-haut. L'autre écureuil, lui, était paresseux. Couché sur le dos sur cette branche là-bas, dit-elle en montrant un pin, il se servait de sa queue comme d'un oreiller et, les jambes croisées, il regardait l'autre écureuil travailler et se préparer pour l'hiver. Il attendit que la provision de glands déborde. Quand l'écureuil travailleur partit à la recherche du dernier gland, le paresseux grimpa dans le creux de l'arbre et mangea, mangea, mangea. Il mangea tous les glands jusqu'au dernier. Il s'était tellement gavé, qu'il dut s'asseoir sur une branche. Il poussa alors un si énorme rot qu'il tomba à la renverse.

Eleonor prit une courte inspiration, croisa ses mains autour de ses genoux, rota bruyamment puis se laissa tomber en arrière, les bras ouverts. Will sourit. Donald Wade riait. Thomas poussait des cris perçants.

— Mais au fond, reprit Eleanor en contemplant le ciel, ce n'était pas drôle.

Donald Wade cessa de rire et se pencha au-dessus d'elle pour mieux scruter son visage.

— Pourquoi?

— Parce que dans sa chute, il se fendit la tête sur une branche et se tua net.

Donald Wade se tapa la tête et se laissa tomber en arrière sur l'herbe à côté d'Eleanor, les paupières fermées, frémissantes. Elle roula sur le côté, prit Thomas sur ses genoux et poursuivit :

— Quand l'autre écureuil revint avec le dernier gland entre les dents, il grimpa à l'arbre et vit que toute sa récolte avait disparu. Il ouvrit la bouche pour crier et laissa tomber le dernier gland qui atterrit dans le nid sur les cupules laissées par l'écureuil glouton.

Donald Wade s'assit, vivement intéressé de connaître la suite de l'histoire.

L'écureuil savait qu'il ne pouvait demeurer là pour l'hiver parce qu'il avait déjà ramassé tous les glands sur des kilomètres à la ronde. Alors il quitta son nid douillet et ne revint que lorsqu'il fut vieux. Il lui était pénible de grimper dans les chênes comme avant.

Il se souvint du petit nid dans le magnolia où il était au chaud et au sec. Il y monta. Et que crois-tu qu'il y trouva ?

— Le chêne ? devina l'aîné.

— C'est ça, dit-elle en écartant les cheveux du front de Donald Wade. Un robuste petit chêne avec assez de glands pour que l'écureuil n'ait plus à monter et à descendre parce que les glands poussaient à profusion autour de lui, dans son nid douillet.

— Raconte-moi une autre histoire ! lança Donald Wade.

— Non, non. On doit montrer le reste du domaine à M. Parker. Elle se remit debout et prit la main de Thomas.

— Venez, les garçons. Donald Wade, prends l'autre main de Thomas. Venez, monsieur Parker, dit-elle par-dessus son épaule. Le jour avance.

Will restait en arrière pour mieux les voir gambader dans l'allée, les trois de front, se tenant par la main. L'humidité de l'herbe avait froissé la jupe d'Eleanor mais elle ne s'en souciait pas. Elle était occupée à montrer les oiseaux, riant doucement, parlant aux garçons avec sa voix chantante du Sud. Will sentit un pincement au cœur. Lui, il n'avait jamais connu sa mère, n'avait jamais tenu sa main, et on ne lui avait jamais raconté d'histoires. Pendant un moment, il s'imagina avoir eu une maman comme Eleanor Dinsmore. Tous les enfants devraient en avoir une comme elle. *Peut-être est-ce à vous, monsieur Parker, de le découvrir.* Tout en cheminant, les paroles d'Eleanor résonnaient dans son esprit. Will se surprit à se retourner pour jeter un coup d'œil au chêne qui poussait sur le magnolia, se rendant compte à quel point c'était une chose rare.

Finalement ils parvinrent à une double rangée de ruches, patinées, usées par les intempéries, mal entretenues et semées à l'orée du verger. Il se creusa la tête en vain : il ne connaissait rien aux abeilles, non, rien de rien. Il pensait que les ruches pourraient devenir une éventuelle source de revenus mais comme Eleanor les évitait soigneusement, il se rappela ses paroles. Son mari était mort en prenant soin des abeilles et il était enterré quelque part dans le verger. Mais il ne vit aucune tombe et elle ne lui en montra aucune. En dépit de la façon dont était mort Glendon Dinsmore, Will se sentait attiré par les ruches, par les quelques insectes qui bourdonnaient autour d'eux et par l'odeur des fruits, entiers ou véreux, sous la chaleur du soleil de onze heures. Il s'interrogeait sur l'homme qui avait été là avant lui, un homme qui n'entretenait rien, qui ne finissait jamais rien et ne s'en souciait apparemment pas. Comment un homme pouvait-il laisser les choses se dégrader ainsi ? Comment un homme ayant la chance de posséder tant de choses se souciait-il si peu de leur état ? En dix secondes, Will pouvait énumérer les choses qu'il n'avait jamais possédées : un cheval, une selle, des vêtements, un rasoir. Allongeant le pas pour rejoindre Eleanor Dinsmore, il se demanda si elle était, comme son mari, une incorrigible rêveuse.

Ils arrivèrent près d'un bosquet de pacaniers dont la production semblait prometteuse, et dont les branches ployaient sous le poids de noix vertes. Sur le sentier de la colline voisine, un tracteur bloquait le chemin.

— Qu'est-ce que c'est que ça ? demanda Will dont les yeux s'allumèrent.

— C'est la vieille mule de Glendon, expliqua Eleanor en tournant lentement autour de la carcasse rouillée. C'est là qu'elle a cessé de fonctionner et c'est donc là qu'il l'a laissée.

C'était une vieille Bates, modèle G. Will n'aurait su dire de quelle année exactement, 26 ou 27 peut-être. Les roues de la machine étaient enfoncées dans des ornières. Will jeta un coup d'œil au moteur et douta qu'il puisse jamais émettre le moindre hoquet.

— Je ne connais pas grand-chose aux moteurs mais je pense que celui-ci est vraiment fichu.

Ils continuèrent d'avancer, et lorsqu'ils atteignirent les limites du domaine, ils retournèrent à la maison par un autre sentier. Ils passèrent devant des champs hérissés d'éteules et des bouquets d'arbres surmontant une élévation où Will s'arrêta, à bout de souffle ; repoussant son chapeau en arrière, il resta bouche bée « Ça alors ! » murmura-t-il. Sous leurs yeux s'étalait un véritable cimetière de poêles de fonte rouillant dans l'herbe haute qui ployait sous la brise.

— Il y en a tout un tas, hein? dit Eleanor en s'arrêtant près de lui. Glendon en ramenait un chaque semaine. Je lui demandais ce qu'il comptait faire avec ça alors que tout le monde choisissait des poêles à gaz ou au kérosène. Mais il continuait à aller les chercher chaque fois que quelqu'un s'en débarrassait.

Il devait y en avoir près de cinq cents, rongés par la rouille.

— Ça alors, répéta Will, levant son chapeau, se grattant la tête, imaginant la corvée de les hisser une fois de plus pour les sortir de là.

Elle observa son profil, clairement dessiné contre l'azur, son chapeau repoussé sur son front. Oserait-elle lui parler du reste? Aussi bien, décida-t-elle. Il le découvrirait de toute façon.

— Attendez d'avoir vu les automobiles.

Will se retourna. Après tout ce qu'il avait vu, plus rien ne pouvait l'étonner.

— Les automobiles?

— Des épaves, rien que des épaves. En aussi piètre état que le tracteur.

Les mains sur les hanches, il regarda les poêles pendant un moment. Enfin il soupira, abaissa son chapeau et dit :

— Bon, eh bien, finissons-en.

Les autos étaient abandonnées derrière la bande de forêt qui entourait les dépendances – elles encerclaient presque le domaine, créant un encombrement de portières entrebâillées et de toits affaissés dans les hautes herbes. Ils approchèrent de l'épave d'une Whippet 1928 sans vitres. Le chèvrefeuille montait le long des roues et du pare-chocs avant. Sur le marchepied un oiseau avait fait son nid à l'abri du vent.

— Est-ce que je peux conduire? demanda Donald Wade avec entrain.

— Certainement. Veux-tu emmener Thomas avec toi?

— Viens, Thomas.

Donald Wade prit la main de son frère, entraîna celui-ci à travers les herbes et l'aida à monter. Ils grimpèrent et s'assirent côte à côte, sautant sur la banquette en lambeaux. Donald Wade tourna le volant à gauche, à droite en imitant le bruit d'un moteur. Quand

Eleanor et Will s'approchèrent, il tourna le volant vigoureusement. Imitant son frère, Thomas tira la langue et souffla, projetant des postillons sur une toile d'araignée accrochée au tableau de bord.

Eleanor riait, debout près de la portière ouverte. Plus elle riait, plus les garçons en rajoutaient. Ils bondissaient, sifflaient et Donald Wade tournait le volant. Elle croisa les bras sur la portière, et appuya son menton sur ses poignets :

— Où allez-vous les amis ?

— À Atlanta ! hurla Donald Wade.

— 'lanta ! répéta Thomas.

— À Atlanta ? taquina la mère. Qu'allez-vous faire là-bas ?

— Je ne sais pas.

Donald Wade conduisait à un train d'enfer, ses mains tavelées de taches de rousseur agrippées au volant.

— Voulez-vous emmener une jolie dame ?

— Je ne peux pas arrêter... ça va trop vite.

— Et si je sautais sur le marchepied pendant que vous filez ?

— D'accord, madame !

— Aïe ! s'écria Eleanor qui fit un bond en arrière et saisit son pied, vous avez roulé sur mon orteil, jeune homme !

Aussitôt Donald Wade appliqua les freins, imitant le bruit en appuyant à fond sur la pédale.

— Montez, madame.

Eleanor fit mine d'être outrée. Le nez en l'air, l'air hautain, elle se détourna.

— Je ne crois pas que je veuille vous accompagner puisque vous m'avez écrasé le pied. Je vais trouver quelqu'un de moins casse-cou. Mais vous pourriez demander à M. Parker s'il a besoin d'aller en ville. Il a beaucoup marché et il en a probablement assez, n'est-ce pas, monsieur Parker ?

Elle lui jeta un coup d'œil avec un pauvre sourire.

Will n'avait jamais joué de tels jeux. Il se sentait à court d'imagination. Cependant les autres l'observaient et attendaient sa réplique. Il chercha frénétiquement quoi répondre et finalement il eut un trait de génie :

— La prochaine fois, les gars, dit-il en leur montrant sa botte éraflée. Je viens tout juste de me procurer une nouvelle paire de bottes et je dois les faire à mon pied avant d'aller au bal samedi soir.

— D'accord, monsieur ! Vroum, Vroum !

Les enfants postillonnaient et Eleanor s'esclaffait. Elle et Will se tenaient dans les taches d'ombre d'un grand chêne, les pieds dans l'herbe, le chèvrefeuille montant jusqu'à leurs genoux. Will se sentait redevenir un enfant lui-même, un délice qu'il n'avait jamais connu. La journée était tiède et odorante et pendant cette minute, plus rien ne semblait urgent. Ce n'était pas le moment de planifier, ou de s'inquiéter. Il se contentait de regarder les deux têtes blondes dans une Whippet 1928 filant jusqu'à Atlanta.

Eleanor cessa de rire mais en regardant Will un doux sourire réapparut sur ses lèvres. Il s'appuyait sur le flanc de la voiture, en équilibre sur un pied, les bras croisés mollement sur sa poitrine. Le soleil faisait briller le bout de son nez. Un vrai sourire se dessinait sur ses lèvres.

— Voudriez-vous regarder par ici, chuchota-t-elle.

Il leva les yeux. Elle regardait sa bouche. Oui, il souriait. C'était aussi réjouissant que d'avoir l'estomac bien rempli et il ne se déroba pas, reconnaissant qu'elle avait réussi.

— Ça fait du bien, non ? demanda-t-elle doucement. Ses yeux bruns s'adoucirent en croisant les yeux verts d'Eleanor.

— Oui, madame.

Eleanor lut le plaisir dans ses yeux et elle frémit de joie en voyant que ses garçons et elle avaient réussi à le dérider. Ciel ! quel changement procurait un sourire au visage de Will Parker. Ses yeux s'agrandissaient, les rides disparaissaient, les lèvres s'adoucissaient, laissant paraître l'émotion. *Je pourrai bien m'entendre avec lui maintenant que je sais que je peux le faire sourire.*

Il continuait à sourire en regardant sa bouche puis son ventre. Elle ne broncha pas, se demandant toutefois ce qu'il pensait. *Pour la vie,* c'était long. Laisse-le regarder, laisse-le décider. Elle ferait de même. Elle ne s'était jamais souciée de l'apparence des gens. Mais Will Parker, détendu et souriant, était attirant, il n'y avait pas de doute. À cette pensée, elle se sentit mal à l'aise sous son regard qui l'examinait attentivement. Lorsqu'il leva les yeux et croisa les siens, Eleanor rougit dans son for intérieur.

— Vous savez, madame Dinsmore...

Ils furent interrompus par Thomas qui criait. Will regarda par-dessus son épaule.

— Diable ! Qu'est-ce qui...

Donald Wade criait de douleur et de peur. Will réagit en lançant :

— Bon Dieu ! Sortons-les de là !

Il s'allongea dans l'automobile et attrapa Donald Wade par le bras.

— Courez ! Sortez de là ! Les abeilles !

Une demi-douzaine d'entre elles bourdonnaient autour de la tête de Will. L'une d'elles se posa sur son cou, l'autre sur son poignet alors qu'il agrippait Thomas qui braillait. Les insectes sortaient de partout. Ignorant les dards qui le piquaient, il chassa à coups de chapeau les abeilles posées sur Thomas. Eleanor et Donald Wade se mirent à courir mais quand Will les rejoignit, Donald Wade tomba face contre terre en hurlant. Will le ramassa et continua à courir. Il avait de grandes jambes et devança rapidement Eleanor. Il s'arrêta un peu plus loin, et se retourna. Derrière lui, elle avançait péniblement d'un pas étrange, se tenant le ventre d'une main, éventant son visage de l'autre. L'essaim d'abeilles avait grossi et bourdonnait furieusement.

— Madame Dinsmore ! appela-t-il.

— Prenez les garçons et courez ! ordonna Eleanor. Ne m'attendez pas !

Will vit la terreur dans ses yeux et s'arrêta, ne sachant que faire, indécis.

— Partez ! cria-t-elle.

Une abeille se posa sur le bras de Thomas. Il cria et commença à donner des coups. Will se tourna et remonta l'allée précipitamment avec les garçons ballottant et bondissant à ses côtés. Lorsqu'il fut assez loin, il s'arrêta, haletant et se tourna juste au moment où Eleanor roulait par terre. Le cœur sembla lui remonter dans la gorge. Il laissa les garçons au milieu de l'allée et leur ordonna d'attendre là. Puis il se précipita vers Eleanor, ignorant les cris derrière lui. Il courut plus vite que jamais dans sa vie vers la femme qui se relevait tranquillement sur une hanche, les yeux fermés, se berçant, serrant son ventre. Will proféra quelques jurons, suppliant le ciel qu'elle ne soit pas blessée. Il s'agenouilla près d'elle.

— Madame Dinsmore, souffla-t-il.

Elle ouvrit les yeux.

— Les garçons ! Sont-ils sains et saufs ?

— Ils ont eu plus de peur que de mal.

Il enleva son chapeau et frappa deux abeilles qui tournoyaient autour de la tête d'Eleanor.

— Allez-vous-en, sales bêtes !

Au loin, dans le sentier, les cris des garçons continuaient encore. Will luttait contre la panique, jetant un coup d'œil dans leur direction et puis à Eleanor. Il la prit par le bras et l'obligea à s'étendre. Allongez-vous une minute. Les abeilles sont parties.

— Mais... les garçons...

— Ils n'ont subi que quelques piqûres, laissez-les hurler. Allongez-vous. Elle cessa de résister et se coucha sur le sol. Tenez, posez votre tête là-dessus. Il glissa son chapeau sous sa tête. Elle obéit mais de petites crampes couraient dans son ventre.

— Vous êtes-vous fait mal en tombant ? demanda Will avec inquiétude, agenouillé à ses côtés.

Que ferait-il si elle perdait le bébé en plein champ ? Son ventre se soulevait, s'abaissait. Devait-il y toucher ? L'examiner ? Mais pourquoi ? Il s'accroupit sur les talons, les mains posées sur ses cuisses. Il hésitait.

— Ça va... le rassura-t-elle. Je vais bien. S'il vous plaît... occupez-vous des garçons.

— Mais... vous êtes...

— Je vais demeurer allongée ici quelques minutes. Emmenez les garçons près du puits et mettez de la boue sur leurs piqûres aussi vite que vous le pourrez. Cela diminuera l'enflure.

— Mais je ne peux pas vous laisser comme ça.

— Mais si ! Allez, faites ce que je vous dis, Will Parker ! Ces abeilles pourraient tuer Thomas s'il a reçu trop de piqûres et j'ai déjà perdu leur papa à cause des abeilles... ne comprenez-vous pas ?

Ses yeux se remplirent de larmes et, à contrecœur, Will se releva. Les garçons hurlaient à tue-tête. Will regarda leur mère et l'index levé, il lui dit d'un ton autoritaire :

— Ne bougez pas de là avant mon retour.

Puis il se précipita vers les deux garçons qu'il saisit et il se remit à courir.

— Maman ! Je veux ma maman !

Donald Wade avait plusieurs marques sur le visage et sur les mains. Une de ses oreilles était rouge et gonflée. Il enfonçait ses poings dans ses yeux.

— Votre maman ne peut pas courir aussi vite que nous. Accrochez-vous et je vais vous mettre un baume qui calmera ces piqûres.

Thomas avait des piqûres partout dont plusieurs sur le cou. Elles avaient déjà commencé à enfler. À l'idée que l'enfant puisse s'asphyxier, Will courait plus fort. Il essayait de se raisonner et de se souvenir où Mme Dinsmore rangeait son couteau à pain. L'image de la longue lame d'argent apparut dans son esprit et il s'imagina en train de la glisser dans la trachée du bébé, cette douce peau rose. Son estomac se souleva à cette idée. Il n'était pas certain d'y parvenir. « Diable, ne laisse pas cet enfant s'étouffer, m'entends-tu ? N'y pense pas, Will Parker. Cours ! Aussi longtemps qu'il crie, il ne s'étouffe pas ! »

Thomas hurla jusqu'à ce qu'ils arrivent dans la cour. Will se précipita dans la boue qui s'étalait au pied de la pompe. Il atterrit sur les fesses au beau milieu de la mare. Il se retrouva assis avec les deux garçons qui pleuraient de plus belle. Une bulle sortait de la narine droite du bébé. Des larmes coulaient le long des joues de Donald Wade, mouillant les piqûres d'abeilles. Will saisit le poing de Donald Wade et lui ordonna de ne pas se frotter les yeux. Il étala aussitôt de la boue froide sur les plaies des garçons. Thomas se rebiffait à coups de dents et d'ongles, agitant la tête, repoussant les mains de Will. Entre-temps, celui-ci réussit à couvrir les piqûres. Les hurlements s'apaisèrent et les sanglots cessèrent pour devenir des reniflements de surprise quand les garçons s'aperçurent qu'ils étaient assis près de la pompe et couverts de boue. Will abaissa les bretelles de Donald Wade, lui retira sa chemise. Il soigna plusieurs piqûres sur son dos et sur son ventre. Il fit de même avec le bébé. Les abeilles ne l'avait pas manqué. Will examina l'enfant pour s'assurer qu'il n'avait oublié aucune piqûre.

— Est-ce qu'ils vont bien?

Will releva le menton en entendant la voix d'Eleanor. Elle était près de la flaque, son chapeau aplati à la main.

— Je croyais vous avoir dit de rester là-bas jusqu'à mon retour.

— Est-ce qu'ils vont bien? répéta-t-elle.

— Je pense que oui. Et vous?

— Je crois que ça va.

— Maman... gémit le bébé en marchant vers sa mère.

Will le retint.

— Assieds-toi, l'ami. Tu vas salir ta maman avec la boue.

Soudainement le visage d'Eleanor se plissa et un énorme rire sortit de sa gorge. Will la fusilla du regard.

— Pourquoi riez-vous?

— Oh, Seigneur, si vous pouviez vous voir tous les trois! dit-elle en se couvrant la bouche et riant de plus belle. Ça vient juste de me frapper.

Une colère soudaine fit bouillir Will. Comment osait-elle s'esclaffer? Son cœur bondissait, lui martelant les tempes. Il était assis au beau milieu d'une mare et la boue transperçait son jean. À cause d'elle et de ses garçons!

— Il n'y a vraiment rien de drôle, alors cessez vos moqueries!

Il planta les garçons sur leurs pieds comme des piquets. Maladroitement, il s'extirpa de la boue, les jambes arquées comme s'il portait une couche pleine. Pendant ce temps, elle continuait à rire derrière sa main. Elle riait, bon Dieu, alors qu'elle avait failli avorter! Il était de plus en plus fâché. Il bondit.

— Êtes-vous devenue folle?

— En effet, parvint-elle à dire à travers ses rires. D'ailleurs, c'est ce qu'on prétend, n'est-ce pas?

La bonne humeur d'Eleanor ne faisait qu'intensifier la colère de Will. Furieux il ordonna:

— Rentrez à la maison et... et...

Il bafouillait. Diable, était-il une sage-femme?

— J'y vais, j'y vais, monsieur Parker, répliqua Eleanor d'un air insouciant.

Elle redressa le chapeau de Will d'un coup de poing et le mit sur sa tête. Il lui descendait jusqu'aux oreilles.

— Comment pouvais-je passer devant vous sans remarquer que vous êtes assis dans la boue?

Elle se pencha pour prendre le bébé et Will aboya:

— Je vais m'occuper d'eux! Rentrez à la maison et occupez-vous de vous!

Elle tourna les talons en pouffant de rire et remonta le sentier.

Sacrée bonne femme! Pas plus de cervelle qu'un oiseau. Elle ne comprenait pas qu'elle devrait être couchée et se reposer après avoir fait une chute pareille. Ça lui prendrait du temps à s'habituer à vivre avec une femme obstinée, qui se moquait de lui à la première occasion. Ne savait-elle pas combien elle lui avait fait peur? Il se sentait les jambes en coton. Ça aussi, ça le rendait furieux. Avoir les jambes molles pour la femme d'un autre, un étranger par-dessus le marché! Assez abruptement, il lui cria:

— Combien de temps doit-on garder la boue?

Du bout du sentier, elle répondit:

— Dix minutes environ. Je vais préparer quelque chose qui calmera la douleur.

Elle laissa tomber le chapeau sur le perron et disparut à l'intérieur de la maison. Will déchaussa les garçons et les laissa jouer dans la boue. Lui-même se sentait alourdi de dix kilos avec toute cette boue collée dans son dos. De temps à autre, il jetait un coup d'œil à la maison. Eleanor n'apparaissait toujours pas. Il ne savait pas s'il voulait ou non qu'elle vienne. Étrange femme qui se contentait de rire pendant qu'il essayait de calmer ses enfants en pleurs. Et personne ne mettait son chapeau. Personne!

À la maison, Eleanor commença à piler des feuilles de plantain dans un mortier. On ne connaît jamais vraiment une personne avant de l'avoir vue en colère. Lorsque Will Parker était en boule, ça n'allait pas jusqu'à l'excès. C'était bon signe. Quelle tête il faisait, assis dans la boue, les yeux étincelants. S'il restait, ils en riraient pendant des années. Elle leva les yeux et vit une scène qui l'immobilisa. « Eh bien, regardez-moi ça, » murmura-t-elle. Will Parker avançait fièrement vers la maison avec ses deux fils nus dans les bras. Leur derrière rose et potelé contre les bras hâlés de Parker, leurs menottes posées sur ses épaules noueuses. Il marchait à grandes enjambées, lentement. Tête nue, la chemise déboutonnée, avec les pans volant au vent, l'air profondément renfrogné. Quel spectacle que de voir ses garçons à nouveau en compagnie d'un homme ! Les étrangers leur faisaient peur mais en moins d'une journée, ils s'étaient habitués à Will Parker. Entre-temps, elle avait constaté qu'il ferait un bon père pour les garçons même s'ils n'étaient pas les siens. Il serait doux avec eux et attentionné. Dans l'ombre de la cuisine, elle le regardait s'approcher de la maison et s'arrêter, hésitant au pied des marches. Elle sortit dehors et vit que son pantalon et sa chemise étaient trempés.

— Vous êtes-vous lavé à l'eau froide ?

— Je croyais que vous étiez couchée, dit-il d'un air mécontent.

— J'ai eu une crampe ou deux mais rien de grave.

— Ne devriez-vous pas voir le médecin ?

— Le médecin ? Qu'ai-je besoin d'un médecin ?

— Je pourrais aller en ville et essayer d'en trouver un.

— La ville ne me vaut rien. Je n'y vais jamais. Ça ira comme ça.

Dieu du ciel, elle était enceinte de cinq mois et elle n'avait jamais consulté de médecin ? Il baissa les yeux sur l'écuelle qu'elle tenait.

— Qu'est-ce que c'est ?

— Des feuilles de plantain contre les piqûres. Mais nous devons d'abord sécher les garçons. Ça ne vous ennuie pas ?

Elle rentra dans la maison avant que Will puisse répondre. Elle revint aussitôt avec deux serviettes, en tendit une à Will et s'assit sur la dernière marche. Pendant qu'elle séchait Donald Wade, Will se balançait sur les talons, Thomas entre les genoux. « Une autre première, » se dit-il, attirant l'enfant plus près de lui, gauchement. Thomas avait les joues roses et le regard pétillant et son petit zizi était dressé en l'air. Il regardait Will droit dans les yeux en silence. Will sourit. « Je dois te sécher, bout de chou, » prononça-t-il doucement. Il ne se sentait plus aussi gêné en parlant au petit garçon. Thomas ne se débattait pas, ne criait pas, alors il se dit qu'il s'y prenait bien. Il comprit rapidement que les bébés ne sont pas d'une grande aide à l'heure du bain. Thomas le fixait, la lèvre pendante. Will devait lui lever les bras, écarter ses doigts, tourner son corps d'un côté et de l'autre. Will essuya toutes les parties du corps, asséchant doucement les piqûres. Le cou du bébé était si petit et si fragile. L'enfant avait une peau douce d'où émanait le plus doux parfum que Will ait senti chez les humains qu'il avait pu approcher. Un plaisir inattendu envahit l'homme. Il leva les yeux et aperçut Eleanor qui l'observait en souriant paresseusement.

— Comment vous débrouillez-vous ?

— Pas trop mal.

— C'est la première fois ?

— Oui, madame.

— Vous n'avez pas d'enfants ?

— Non, madame.

— Vous ne vous êtes jamais marié ?

— Non, madame.

Ils retombèrent dans le silence tout en continuant leur tâche. La douceur envahit Will et estompa son courroux envers Eleanor.

— Vous m'avez fait une peur bleue lorsque vous êtes tombée.

— J'ai eu diablement peur moi aussi.

— Je ne voulais pas crier après vous.

— Ça va, je comprends. Vous frissonnez, votre pantalon est mouillé, ajouta-t-elle.

— Ça va sécher.

Thomas se tenait entre les genoux de Will arborant un air suffisant et tout à coup, Will sentit quelque chose de chaud couler à l'intérieur de sa cuisse. Il baissa les yeux, cria et se dressa. Thomas, indifférent, continuait à faire pipi en arrosant copieusement les lieux.

— Thomas ! Regarde ce que tu as fait ! dit Eleanor en poussant Donald Wade de côté. Oh ! Monsieur Parker ! Je suis désolée.

Thomas n'est pas encore habitué et voyez-vous, parfois, eh bien, parfois... Je suis vraiment désolée, répétait-elle, rougissante, confuse.

Will écarta les jambes en constatant les dégâts.

— Eh bien, comme vous le disiez, je suis trempé.

— Je serai heureuse de laver votre pantalon. Je vous prêterai un de ceux de Glendon en attendant que celui-là sèche, proposa-t-elle.

Il leva la tête et leurs yeux se croisèrent. Eleanor était consternée ; Will avait un regard amusé. Un sourire en coin se dessinait lentement, décrivant un joli croissant sur ses lèvres. Il riait dans son for intérieur. Le fou rire s'empara de lui. Le chagrin d'Eleanor se dissipa aussitôt et elle éclata de rire à son tour. Sous le soleil ils riaient de bon cœur pour la première fois. Les enfants les contemplaient. Enfin un léger changement s'était produit. Ils gardaient le sourire, l'air rêveur.

— Alors, dit-il finalement, est-ce de cette façon que vous initiez tous les hommes qui répondent à votre annonce ?

— On ne sait jamais à quoi s'attendre avec deux petits.

— Je m'en souviendrai.

— Je vais aller chercher les vêtements de Glendon. Prenez un seau d'eau chaude et portez-le à la grange.

— Merci, madame.

Ni l'un ni l'autre ne bougeait. La surprise et la curiosité les paralysaient. Ils se voyaient sous un nouveau jour. Eleanor rayonnait. Il eut envie de lui toucher le visage rien que pour connaître la texture de sa peau – était-elle aussi douce et chaude que celle de Donald Wade sous le soleil ? Il se pencha, ramassa son chapeau et le remit sur sa tête. Sous cette ombre rassurante, il lui dit :

— J'ai décidé de rester si vous voulez de moi.

— Je le veux, affirma-t-elle.

Il frémit jusque dans ses entrailles. D'aussi loin qu'il pouvait se souvenir, personne n'avait jamais voulu de Will Parker. Debout sous le soleil, un pied posé sur les marches du perron, avec les enfants nus près de lui, il se promit de faire tout ce qu'il pourrait pour elle.

— En ce qui a trait au mariage, nous le ferons lorsque vous

vous sentirez prête. Et si ça n'arrive jamais, eh bien, je me contenterai de la grange. Qu'en dites-vous ?

— À la bonne heure ! approuva-t-elle nerveusement en lui adressant un bref sourire.

Il se demandait si elle était aussi émue que lui. Il n'en aurait rien su si à ce moment même elle n'avait baissé les yeux et vérifié sa coiffure en relevant ses cheveux sur sa nuque d'un geste coquet.

« Je suis dingue, pensa Will. Elle me fera tourner en bourrique. »

6

Durant la première semaine, Eleanor ne vit pas Will très souvent sauf à l'heure des repas. Il travaillait, travaillait et travaillait. Du matin au soir, il n'arrêtait pas. Dès le premier jour, ils avaient tacitement établi une routine. Will fendait le bois, le transportait et allumait un feu. Puis il remplissait le seau d'eau et allait traire les vaches, la laissant seule dans la cuisine. À son retour, elle était habillée et préparait le petit déjeuner pendant qu'il se rasait et se lavait. Après avoir mangé, il allait nourrir les cochons et disparaissait, vaquant aux tâches qu'il avait prévues pour la journée.

D'abord il construisit un caillebotis autour de la pompe et répara l'échelle dans la grange. Eleanor n'avait jamais vu la grange si propre : les toiles d'araignée, les fenêtres, tout y passait. Il transporta le fumier dans le verger et répandit de la chaux dans les rigoles. Puis il s'attaqua au poulailler, balaya les fientes et répara les perchoirs brisés, posa des moustiquaires à la porte et aux fenêtres. Une fois cette tâche accomplie, il demanda de l'aide pour y faire entrer les poules. Ils passèrent une heure fort amusante à essayer de les capturer. Du moins, Eleanor trouvait ça drôle. Will trouvait cela exaspérant. Il frappait les poules à coups de chapeau quand l'une d'elles se dérobait. Eleanor appelait les poules et les attirait avec du maïs. Parfois elle imitait leur cri et inventait des histoires, la plus curieuse étant celle d'un criquet qui refusait de se faire avaler par une poule. Certes, les poules n'étaient pas les animaux favoris de Will. Il les traitait de stupides volailles. Quand la dernière fut dans le poulailler, Eleanor réussit à lui arracher un sourire.

Cependant, Will s'entendait bien avec la mule. Elle s'appelait Madame et Will aimait voir son museau et ses barbiches dans la porte de la grange quand il trayait les vaches le soir. Madame ne sentait pas très bon et dès que Will eut fini de nettoyer la grange, il décida que la mule devait être nettoyée à son tour. Il la mena au puits et la lava avec du savon. Il la brossa à fond puis la rinça à l'aide d'un seau d'eau et d'un chiffon.

— Que diable faites-vous là? demanda Eleanor sur le perron.

— Je donne un bain à Madame.

— Au nom du ciel, pourquoi?

— Elle en a besoin.

Eleanor n'avait jamais vu ça. Laver un animal avec du savon! Glendon n'avait jamais réussi à tirer quoi que ce soit de cette vieille bique entêtée, et voilà qu'après le bain, Madame obéissait à Will au doigt et à l'œil. Elle le suivait partout comme un petit chien. Parfois, Eleanor surprenait Will en train de regarder Madame dans les yeux et de lui chuchoter des choses à l'oreille, comme s'ils partageaient des secrets.

Un soir Will surprit tout le monde en amenant Madame harnachée.

— Qu'est-ce que c'est que ça?

Eleanor sortit, suivie de Donald Wade et de Thomas. Will souriait et souhaitait n'avoir pas l'air ridicule.

— Madame et moi... eh bien, nous allons à Atlanta et nous prenons les passagers qui veulent bien nous accompagner.

— À Atlanta!

Eleanor fut saisie de panique. Atlanta était à soixante kilomètres de là. Qu'est-ce qu'il voulait faire à Atlanta? Puis elle vit un sourire sur ses lèvres.

— Elle veut voir un film avec Claudette Colbert, expliqua-t-il.

Soudainement Eleanor comprit la plaisanterie. Soulagée, elle éclata de rire pendant que Will caressait le museau de Madame. Il ne lui était pas facile de faire de l'humour, c'était évident, et Eleanor apprécia d'autant plus son effort. Elle se tenait sur le seuil, une main posée sur la tête de Donald Wade et demanda :

— Qui veut monter sur Madame ? Puis s'adressant à Will : Vous êtes certain que c'est prudent ?

— Elle est douce comme un agneau.

Sur le perron, Eleanor regarda Will qui faisait faire aux enfants épatés le tour de la cour sur le dos de la mule, un dos si large que leurs jambes étaient parallèles au sol. Donald Wade était assis derrière Thomas, les bras croisés autour de la taille du bébé. Même le bébé n'avait pas peur, c'était étonnant. Il agrippait la crinière de Madame et gargouillait de plaisir.

Les jours suivants, Donald Wade se mit à suivre Will partout où il allait, comme la mule. Il se mettait en colère quand Eleanor refusait en prétextant que c'était l'heure de la sieste, ou encore que Will faisait quelque chose de dangereux. Presque toujours, Will s'interposait, en disant :

— Laissez-le venir avec moi. Il ne me dérange pas.

Un matin, alors qu'elle préparait un gâteau aux épices, Will et Donald Wade apparurent sur le perron arrière avec des scies, des clous et du bois.

— Qu'est-ce que vous allez fabriquer ? demanda Eleanor, à travers la porte moustiquaire tout en remuant la pâte dans le bol qu'elle tenait contre son ventre.

— Nous allons réparer le perron ! annonça fièrement Donald Wade. N'est-ce pas, Will ?

— Bien sûr, bout de chou. J'aurais besoin d'un chiffon de laine, dit Will en regardant Eleanor.

Elle alla chercher le chiffon puis les observa. Assis sur une marche, Will montrait patiemment à Donald Wade comment nettoyer une lame de scie rouillée à l'aide de laine d'acier, d'huile et d'un chiffon de laine. Elle remarqua qu'il s'agissait d'une scie miniature. Où l'avait-il dénichée, elle n'en savait rien mais elle devint celle de Donald Wade. Will avait la sienne, plus grande, qu'il avait nettoyée et affûtée quelques jours plus tôt. Lorsque la petite scie fut prête, Will serra la lame entre ses genoux, prit une lime dans sa poche arrière et montra à Donald Wade comment affûter la lame.

— Es-tu prêt ? demanda-t-il au garçon.

— Oui.

— Alors, commençons.

Donald Wade n'arrêtait pas d'embêter Will. Mais la patience de Will était inépuisable à l'endroit du petit garçon. Il lui donna un morceau de bois pour l'occuper et l'installa sur le banc de traite, lui montra comment le stabiliser en posant un genou dessus et il commença enfin à scier. Il se mit à l'œuvre lui-même, scia du bois pour remplacer les planches du perron. Lorsque la scie de Donald Wade se coinçait, Will interrompait son travail, se penchait au-dessus du petit garçon, agrippait sa menotte et sciait jusqu'à ce que le bois cède. Eleanor sentit son cœur se gonfler de joie en entendant Donald Wade rire et dire avec un regard plein de fierté :

— On a réussi, Will !

— Bien sûr ! Maintenant, approche-toi et donne-moi des clous.

Les clous étaient rouillés et le bois légèrement gauchi. Mais au bout de quelques heures, le perron avait l'air solide. Ils l'étrennèrent en s'asseyant sur les marches neuves sous le soleil en mangeant du gâteau aux épices couronné de crème fouettée.

— Vous savez, dit Eleanor en souriant à Will, ça me fait plaisir d'entendre le bruit d'une scie et d'un marteau résonner à nouveau.

— C'est comme l'odeur du pain d'épices pendant que je travaille.

Le lendemain, ils peignirent le perron, le plancher en rouge brique et la rampe en blanc. Pour célébrer l'événement, Eleanor servit du gâteau au gingembre et de la crème fouettée. Will mangea pour deux, ce qui réjouit Eleanor. Il avala trois portions, se frotta le ventre et soupira avant de déclarer que le gâteau était fameux. Il n'oubliait jamais de dire merci, sans toutefois trop parler. Il disait simplement « le souper était délicieux, madame » ou « merci beaucoup pour le souper, madame.» Cela la remplissait du sentiment d'avoir accompli quelque chose ; ses efforts semblaient comblés comme jamais auparavant.

Il aimait ses desserts et ne semblait jamais s'en lasser. Un jour, elle omit d'en faire. Il baissa les yeux sans mot dire, l'air déçu. Une heure après le déjeuner, elle trouva un panier rempli de coings mûrs sur les marches du perron.

Elle avait oublié la tarte. Elle sourit et regarda dans la cour. Il n'était pas dans les environs. Elle ramassa le panier, rentra dans la maison et commença à préparer la pâte.

Ces premières semaines chez Eleanor Dinsmore furent paradisiaques pour Will Parker. Le travail ? Diable, il avait le privilège de choisir ses tâches lui-même chaque jour. Il pouvait couper du bois, réparer un perron, nettoyer la grange ou laver la mule. Et personne ne murmurait dans son dos : « Qu'est-ce que tu fais ici ? » Ou encore : « Hé, toi, qui t'a dit de faire ça ? » Madame était une bête charmante. Il aimait simplement tout de cette mule, ses barbiches, son museau et ses cils. La nuit venue, il la faisait entrer dans la grange et installait son propre lit à côté d'elle dans une des stalles récemment nettoyées, pleines de paille fraîche.

Puis un nouveau jour se levait, toujours plus beau que le précédent. Donald Wade était toujours derrière lui, lui tenant compagnie et répétant chacune de ses paroles. L'enfant était étonnant. Qu'est-ce qu'il pouvait raconter ! Un jour, alors qu'il tenait le marteau pendant que Will déroulait un grillage autour de l'enclos à poules, il fixa une des poules et, l'air songeur, il demanda : « Hé, Will, pourquoi les poules n'ont pas de dents ? » Un autre jour, alors qu'ils fouillaient dans un tas de débris, cherchant des gonds dans un abri de jardin très sombre, une drôle d'odeur envahit l'air. Donald Wade se redressa soudainement et dit : « Oh, oh, l'un de nous a pété ! »

Donald Wade n'était pas seulement drôle. Il était curieux, brillant et copiait le moindre mouvement de Will. Il imitait sa démarche, il le suivait partout, en disant : « Je vais t'aider, Will ! » Il avait toujours le nez dans ses affaires, marchait sur le tournevis, faisait tomber des clous dans l'herbe. Mais Will ne se serait pas passé de lui une seule minute. Il découvrait qu'il aimait enseigner des trucs au garçon. Il apprenait lui-même comment s'y prendre en observant les gestes d'Eleanor. Seulement, Will enseignait des choses différentes. Le nom des outils, la façon de les utiliser, comment poser un rivet dans le cuir, comment solidifier une moustiquaire, comment tailler les sabots de la mule.

Le travail et la présence de Donald Wade n'étaient qu'une part des choses qui auréolaient ses journées. La nourriture, Dieu, la nourriture ! Tout ce qu'il avait à faire était d'entrer dans la maison, couper un morceau de pain d'épices, ou beurrer une tartine. Ce qu'il préférait avant tout c'était déguster une douceur en déambulant vers un des chantiers qu'il avait entrepris ce jour-là. Une douceur comme la tarte aux coings. Diable, cette femme-là savait faire de la tarte aux coings comme personne. Elle pouvait tout faire. Un vrai cordon-bleu.

Il prenait du poids. Déjà son jean était serré et il se sentait plus à l'aise dans le bleu de Glendon Dinsmore. Étrangement, elle lui offrait ce qui avait appartenu à son mari sans broncher à l'idée que Will utilise ses effets – brosse à dents, rasoir, vêtements. Elle allongeait même le bas des pantalons. Will éprouvait une gratitude sans bornes. Eleanor stimulait la confiance, la fierté, l'enthousiasme chaque jour. Elle partageait ses enfants. Cela ajoutait une nouvelle dimension au bonheur de Will. Elle lui avait redonné le sourire. Will sentait qu'il n'y avait rien qu'il ne puisse faire. Il voulait tout accomplir, tout essayer. Il voulait tout faire tout de suite.

Les jours passaient et peu à peu les choses s'amélioraient. La cour était plus dégagée ainsi que le perron arrière. Il était facile de trouver les œufs car les poules étaient confinées dans le poulailler et, lentement mais sûrement, la pile de bois changeait de forme. Eleanor Dinsmore aussi. Elle portait des chaussures, un tablier propre et une robe chaque matin avec un ruban clair dans ses cheveux. Elle lavait ses cheveux deux fois par semaine. Will avait deviné juste. Ses cheveux avaient le reflet du miel.

Parfois, quand ils se croisaient dans la cuisine, il la regardait et se surprenait à la trouver jolie. Mais il ne le disait jamais, de crainte qu'elle se méprenne sur ses intentions. À vrai dire, même si ça faisait très, très longtemps, il gardait toujours en mémoire le fait qu'il avait été en prison. À cause de cela, il gardait ses distances.

De plus, il avait beaucoup à faire avant d'avoir fait ses preuves. Il voulait terminer de plâtrer les murs, donner une couche de peinture à la maison, améliorer l'état de l'allée, se débarrasser des autos rouillées, soigner le verger et les abeilles... La liste se déroulait à l'infini. Will prit rapidement conscience qu'il ne savait pas du tout comment s'y prendre avec les abeilles.

Un jour au début de septembre, il demanda à Eleanor s'il y

avait une bibliothèque à Whitney. Eleanor abandonna son ouvrage et leva les yeux.

— À l'hôtel de ville. Pourquoi ?

— Il faut que je lise sur les pommes et sur les abeilles.

— Les abeilles ? demanda-t-elle d'un air méfiant.

Il fixa les yeux sur elle et laissa son regard parler. Il avait compris que c'était la meilleure façon de discuter avec elle lorsqu'ils n'étaient pas d'accord.

— Vous savez à quoi ressemble une bibliothèque ?

— En prison, j'ai lu tout ce qui me tombait sous la main. Il y avait une bibliothèque là-bas.

— Oh !

Il évoquait rarement la prison. Néanmoins, il poursuivit :

— Votre mari avait-il un chapeau d'apiculteur et des objets pour s'occuper des abeilles ?

Il n'en savait pas beaucoup sur les abeilles mais il savait qu'il fallait un équipement spécial pour s'en occuper.

— Peut-être.

— Pourriez-vous les dénicher pour moi ? Peut-être pourriez-vous les trouver ?

La peur brillait dans les yeux d'Eleanor. Elle déclara obstinément :

— Je ne veux pas vous voir rôder près des abeilles.

— Je n'en ferai rien tant que je ne saurai pas de quoi il retourne.

— Non !

Il ne voulait pas discuter avec elle. Elle avait peur des abeilles. Il le comprenait. Mais ç'aurait été insensé de laisser les ruches vides quand le miel pouvait rapporter de l'argent sonnant et trébuchant. La meilleure façon d'attendrir Eleanor était d'être tendre lui-même.

— Enfin, je serais heureux que vous les trouviez, lui dit-il gentiment avant de sortir de table. Prenant son chapeau, il ajouta : je vais aller faire un tour à la bibliothèque cet après-midi. Si vous le voulez, je pourrais vendre les œufs.

Il transporta un seau d'eau chaude et son nécessaire à raser à la grange. Il revint au bout d'une demi-heure proprement vêtu et rasé de frais. Il la retrouva dans la cuisine, l'air toujours aussi obstinée.

— J'y vais. Et les œufs?

Elle refusa de lui parler mais du pouce lui montra cinq douzaines d'œufs rangées dans une caisse en bois.

S'il voulait aller en ville vendre ces œufs à ces salauds, étudier les abeilles et devenir avide d'argent, eh bien, qu'il y aille! Elle fit semblant de ne pas le voir soulever la lourde caisse, mais sa curiosité l'emporta quand il la reposa sur le sol et disparut derrière la maison. Il revint au bout d'une minute en tirant le chariot de bois de Donald Wade. Il chargea la caisse dessus et découvrit que la courroie du chariot était trop courte pour lui. Elle l'observait, s'amusant méchamment de voir que ses talons se cognaient au chariot. Cinq minutes plus tard, tout en gardant obstinément le silence, elle le regarda se diriger vers la route en tirant le chariot grâce à un câble de métal qu'il avait attaché à la poignée. « Eh bien, vas-y! Cours en ville écouter tous les ragots! Reviens avec de la monnaie plein les poches! Et lis tout ce que tu veux sur les abeilles et sur les pommes! Mais ne t'attends pas à ce que je te rende les choses faciles! »

Gladys Beasley était assise à son bureau, tassant le haut des fiches de la bibliothèque dans leur boîtier. Elles étaient déjà bien rangées, mais elle les tassait de toute façon. Elle aligna un tampon de caoutchouc avec la veine du bois verni et plaça la plaque qui portait son nom, bien en vue sur le bord du bureau : Gladys Beasley, bibliothécaire en chef. Elle ramassa une pile de revues et remit sa chaise en place avec un soin minutieux, tout à fait inutile.

Le souci de l'ordre caractérisait la vie de Gladys Beasley. L'ordre et la discipline. Elle dirigeait la bibliothèque municipale Carnegie de Whitney depuis quarante et un ans, soit depuis la fondation même de la bibliothèque réalisée grâce à une subvention de M. Carnegie. Mlle Baesley avait commandé les premiers titres avant même que les étagères soient installées et elle travaillait dans l'édifice consacré depuis ce temps. Au cours de ces quarante et une années, elle avait renvoyé, en larmes, plus d'une assistante maladroite qui n'avait pas su aligner l'épine des livres avec le bord des étagères. Elle marchait comme un soldat hessois, à vive allure, sans perdre de temps, chaussée de souliers à semelle de gomme qui étouffait les bruits de ses pas sur le plancher de bois. Si une chose hérissait Gladys davantage que des étagères mal rangées c'était le claquement de talons ! Quiconque voulait remettre les pieds dans *sa* bibliothèque devait s'assurer de choisir un autre genre de chaussures !

Elle s'élança vers le classeur à magazines, son imposante poitrine la précédant comme une lourde artillerie, le tronc maintenu droit par une gaine. Sa robe de lainage, d'une couleur navrante, pendait comme un tuyau de poêle de ses hanches arrondies et tombait sur ses épais mollets. Elle rangea trois exemplaires du *Saturday Post Evening,* tassa la pile, l'aligna avec le bord de l'étagère et marcha le long de l'allée bordée de larges fenêtres, vérifiant les montants de bois entre les vitres pour s'assurer que Levander Sprague, le gardien, n'avait pas été trop tire-au-flanc. Levander vieillissait. Sa vue n'était plus aussi bonne et dernièrement, elle avait dû le réprimander de n'avoir pas soigné l'époussetage. Aujourd'hui, toutefois, elle était satisfaite et elle retourna à ses tâches au bureau central situé en face des portes en érable qui donnaient sur un vaste escalier au pied duquel se trouvait l'entrée principale.

Des avis de retard – ah ! cela ne devrait pas exister. Quiconque ne rendait pas un livre à temps ne devrait tout simplement plus avoir le privilège d'utiliser les services de la bibliothèque. Cela mettrait rapidement un terme à l'envoi de ces avis.

Les lèvres serrées, Gladys écrivait les adresses sur les envois. Elle entendit des pas dans l'escalier. Un étranger entra, un homme grand, de taille élancée, habillé comme un cow-boy. Ses yeux firent le tour de la pièce et lorsqu'il aperçut Gladys à son bureau, il la salua silencieusement en touchant son chapeau. Gladys desserra les lèvres et lui rendit son salut. On n'enlevait plus son chapeau pour saluer. La galanterie se perdait. Où le monde s'en allait-il ?

L'homme passa un long moment à examiner les lieux avant de bouger. Quand il s'y décida, il ne fit pas de bruit en marchant. Il se rendit directement au fichier, ouvrit le tiroir B, feuilleta les fiches, en parcourut quelques-unes. Il ferma le tiroir sans bruit, examina la pièce ensoleillée avant de se diriger vers les lourdes tables de chêne. Il y avait des habitués de la bibliothèque, qui, mal à l'aise de se retrouver seuls dans cette vaste pièce en compagnie de Mlle Beasley, sifflotaient entre leurs dents en scrutant les étagères. Will choisit un livre dans le rayon des sciences appliquées, puis un autre et les apporta au comptoir.

— Bonjour, chuchota Gladys.

— Bonjour, madame, répondit Will à voix basse, en touchant le bord de son chapeau.

— Je vois que vous avez trouvé ce que vous cherchiez.

— Oui, madame. Je voudrais emprunter ces livres.

— Avez-vous une carte ?

— Non, madame, mais j'aimerais m'en procurer une.

Gladys se déplaça avec une précision toute militaire, ouvrit un tiroir d'un coup sec, sortit une carte vierge qu'elle fit claquer sur le bureau du bout de ses ongles proprement taillés. Will était certain qu'elle ne vernissait jamais ses ongles. Elle repoussa le tiroir avec son buste caparaçonné tout en serrant les lèvres comme si elles sertissaient un diamant de cinq carats. Lorsqu'elle bougeait, il émanait d'elle une fragrance d'œillet et de clou de girofle. La lumière d'une des grandes fenêtres frappait ses lunettes et se reflétait sur ses frisettes argentées entre lesquelles on distinguait la peau rose de son crâne. Elle trempa sa plume dans l'encre et la maintint au-dessus de la carte.

— Votre nom ?

— Will Parker.

— Parker, Will, répéta-t-elle à voix haute en inscrivant son nom sur la fiche. Puis elle demanda : Vous habitez à Whitney, n'est-ce pas ?

— Oui, madame.

— Quelle est votre adresse ?

— Ah... fit Will en se frottant le nez. Rock Creek Road.

Elle leva des yeux ronds comme des boutons de bottine, et continua à écrire en lui disant :

— J'ai besoin d'une pièce d'identité.

Comme il ne bougeait pas et ne répondait pas, elle releva la tête en spécifiant :

— N'importe quelle pièce fera l'affaire. Il suffirait d'une lettre affranchie et oblitérée adressée à votre nom.

— Je n'ai rien de tout cela.

— Rien du tout ?

— J'habite ici depuis peu.

Elle posa sa plume d'un air navré.

— Eh bien, monsieur Parker, vous comprendrez que je ne peux pas prêter des livres au premier venu à moins d'être sûre qu'il habite ici à titre de résidant. Ici, c'est une bibliothèque municipale, ce qui explique en soi le genre de personnes qui peuvent avoir accès à ce service. La bibliothèque est entretenue par les habitants de Whitney et *pour* les habitants de Whitney. Dès lors, il serait irresponsable de ma part de ne pas vous demander une pièce d'identité, n'est-ce pas ?

Elle rangea soigneusement la carte puis croisa les mains sur le bureau, l'air de penser qu'elle avait gaspillé une carte et perdu son temps.

Elle s'attendait à ce qu'il discute comme le font généralement les gens en pareille situation. Mais non, il recula d'un pas, abaissa son chapeau et la regarda sans mot dire pendant quelques secondes. Il hocha la tête, ramassa les livres en les appuyant contre sa hanche et retourna s'asseoir. Il s'installa dans un des fauteuils en chêne, ouvrit un livre et commença à lire. Gladys Beasley jugeait ses lecteurs selon plusieurs critères : leur façon de marcher, le volume de leur voix, leur discrétion et leur façon de traiter les lieux et les livres. M. Parker les respectait tous. Elle n'avait pas vu souvent de lecteur aussi concentré. De temps en temps, il tournait une page et la marquait d'un doigt, fermant les yeux, mémorisant un passage.

De plus, il ne déplaçait pas la chaise en face de lui pour s'en servir comme repose-pieds. Il était assis, le chapeau calé sur la tête, les coudes sur la table, les genoux détendus mais les bottes sur le plancher. Il avait posé le livre bien à plat sur la table au lieu de l'appuyer sur son ventre en lui imprimant une torsion particulièrement dommageable pour l'épine. Il ne mouillait pas son doigt avant de tourner les pages – une habitude malpropre et nuisible !

Quand les gens entraient et demandaient du papier et un crayon, Mlle Beasley leur servait un sermon sur la responsabilité et sur l'importance d'être prévoyant. Mais devant la concentration et la tenue de Will Parker, elle regrettait d'avoir dû lui refuser une carte. Alors, elle flancha.

— J'ai pensé que vous auriez peut-être besoin de ça, chuchota-t-elle en déposant un crayon et du papier près de son coude.

Will sursauta et releva la tête. Ses épaules se raidirent.

— Merci beaucoup, madame.

Elle croisa les mains sur son ventre proéminent.

— Ah! vous lisez sur les abeilles.

— Oui, madame. Et sur les pommes aussi.

— Dans quel but, monsieur Parker?

— J'aimerais élever des abeilles.

Elle leva les sourcils et réfléchit un instant :

— Je dois avoir quelques brochures qui pourraient vous être utiles.

— Peut-être la prochaine fois, madame. J'ai déjà pas mal de choses à mémoriser aujourd'hui.

Elle lui adressa un sourire pincé et s'éloigna, laissant dans son sillage son lourd parfum, épais à couper au couteau.

On était au milieu de l'après-midi. Les mouches s'agitaient sur la cuillère à crème glacée. Lula s'ennuyait, assise sur un tabouret dans le Café Vickery désert. La bretelle de son soutien-gorge pendait et elle la remontait machinalement en glissant la main sous son uniforme noir et blanc. Dieu, que cette ville était donc d'un ennui mortel! Elle passerait l'arme à gauche avant que ça change. Elle pouvait mourir sur ce tabouret, les clients viendraient souper et lui diraient « Bonsoir Lula, je prends le menu du jour, » et ça leur prendrait une demi-heure avant de s'apercevoir qu'elle ne revenait pas avec leur repas.

Elle bâilla, la main glissée sous son vêtement, frottant distraitement son épaule. Lula était sensuelle et aimait se toucher. Diable, personne dans ce misérable patelin ne savait s'y prendre. Harley, cet imbécile, n'avait pas la moindre finesse lorsqu'il touchait une femme. Finesse. Lula aimait ce mot. Elle venait justement de lire un article à ce sujet. Ouais, de la finesse, voilà ce dont Lula avait besoin, un homme plein de finesse, meilleur au plumard que cet imbécile de Harley Overmire.

Lula étouffa un bâillement, étira ses bras en pivotant du côté de la fenêtre. Soudain, elle bondit de son siège.

Mon Dieu, c'était lui, il marchait dans la rue en tirant un chariot d'enfant. Elle parcourut du regard sa mince silhouette, se concentrant sur ses hanches étroites et son corps souple pendant qu'il déambulait près de la place, saluant de la tête les frères Norris et Nat McGready, de vieux célibataires qui égrenaient le temps sur les bancs de l'autre côté de la rue. Lula se précipita à la porte moustiquaire et prit une pose « Regarde par ici, Parker, ça vaut mieux que de regarder ces vieux boucs. »

Mais il poursuivait son chemin sans jeter un regard vers le café. Lula empoigna un balai et sortit au soleil en faisant mine de balayer le trottoir tout en regardant les fesses du jeune homme alors qu'il contournait la place. Il laissa le chariot à l'ombre de l'escalier de l'hôtel de ville et y pénétra.

Lula rentra dans le café et rangea le balai. Elle regarda impatiemment l'horloge. Il était deux heures et demie. Ses longs ongles orange tambourinaient sur le comptoir. Assise sur le premier tabouret elle attendit cinq minutes. Agitée. Irritée. Personne n'allait venir ici sauf pour commander un thé glacé. Pas avant cinq heures et demie. Le vieux Vickery serait fou de colère s'il découvrait qu'elle s'était éclipsée en laissant le café sans surveillance, mais elle pourrait lui raconter qu'elle était partie une minute pour aller chercher une revue à la bibliothèque. Décidée, elle pivota sur le tabouret et envoya promener son tablier. Elle sortit son miroir, mit du rouge à lèvres, vérifia les coutures de ses bas de soie et sortit.

Gladys vit la porte s'ouvrir une deuxième fois. Elle serra les lèvres et rentra le menton.

— Bon après-midi, mademoiselle Beasley, dit gaiement Lula. Sa voix retentit sous les plafonds élevés.

— Chut ! Lisez l'écriteau !

Lula regarda l'écriteau sur le bureau de Mlle Beasley et lut :
LE SILENCE EST D'OR.

— Oh ! Désolée, chuchota-t-elle, couvrant ses lèvres en riant.

Elle regarda les plafonds, les murs et les fenêtres comme si elle n'avait jamais vu l'endroit auparavant. C'était sans doute le cas. Lula était du genre à lire *True Confessions* et Gladys ne dépensait pas l'argent des contribuables pour de telles cochonneries. Lula s'avança en faisant claquer ses talons.

— Chut !

— Oh ! Désolée. Je vais marcher sur la pointe des pieds.

Will Parker leva les yeux, regarda Lula d'un air détaché et continua à lire.

La bibliothèque était disposée en U et se déployait autour de l'escalier. Le bureau de Mlle Beasley, à l'arrière duquel se trouvait sa pièce de travail, séparait la salle en deux sections. À droite, se trouvaient les œuvres de fiction. Lula n'était jamais allée dans la section de gauche où se trouvait Will Parker. Non sans finesse, elle passa d'abord à droite, frôlant les étagères, regardant de haut en bas, comme si elle examinait les titres, à la recherche d'un livre intéressant. Elle choisit un livre à couverture émeraude, exactement la couleur d'une robe qu'elle avait vue dans une boutique à Cartersville. Une couleur chic qui irait bien avec son vernis à ongles flamme tropicale. Elle écarta les doigts sur la couverture et mesura l'effet en hochant la tête. Il fallait qu'elle pense à un truc pour inciter Harley à lui acheter cette petite folie.

Lula finassa une dizaine de minutes dans la section fiction et finalement se dirigea de l'autre côté en marchant sur la pointe des pieds devant Mlle Beasley. Elle serra ses mains derrière son dos pour mettre sa poitrine en valeur.

Gladys, les fesses serrées, passa derrière Lula et rangea onze livres que cette dernière avait déplacés. La section de gauche était disposée comme celle de droite, une pièce spacieuse bordée de grandes fenêtres donnant sur la rue. Des étagères remplissaient l'espace entre les fenêtres et le plancher et couvraient les trois autres murs. Le centre de la pièce était occupé par de lourdes tables et des chaises en chêne. Lula se faufila et fit le tour de la pièce sans jeter trop de coups d'œil du côté de Will. Elle effleura le bord d'une étagère puis suça son doigt. Elle tourna le coin, se dirigea vers une rangée d'étagères perpendiculaires au mur et se glissa entre elles, offrant son profil à Will qui ne pouvait manquer de le voir s'il se tournait. Les mains dans le dos, elle l'observait subrepticement pour voir s'il la regardait. Au bout de quelques minutes, voyant qu'il n'en faisait rien, elle prit une biographie de Beethoven et tout en tournant les pages, elle étudia Will discrètement.

Dieu qu'il était beau ! Et ce chapeau l'émouvait profondément, notamment la façon qu'il avait de le porter, pour abriter ses yeux de la lumière de l'après-midi ensoleillé. « Je mouille encore, » pensa-t-elle, séduite par la façon dont il était assis, un doigt marquant une page, si immobile qu'elle souhaita être une mouche et se poser sur son nez. Quel nez ! Un beau long nez. Pas comme le pif de quelqu'un qu'elle connaissait bien. Une belle bouche aussi. Oh ! comme elle aimerait y goûter !

Il se pencha sur sa feuille pour écrire et elle contempla sa poitrine fuselée, puis ses hanches minces jusqu'à ses bottes de cow-boy sous la table, et remonta jusqu'à son entre-jambes. Il déposa son crayon, s'adossa, lui offrant un profil encore plus net.

Lula sentit la vieille démangeaison la reprendre. Il était assis là, à lire comme les premiers de classe lisaient à l'école pendant que Lula ne pensait qu'à se faire belle. N'en pouvant plus, elle prit le livre sur Beethoven et le posa sur la table en face de lui.

— Est-ce que cette place est occupée ? miaula-t-elle les mains appuyées sur la table, poignets renversés pour faire saillir sa poitrine.

Il leva le menton lentement. Sous le rebord du chapeau, elle put voir ses yeux bruns aux longs cils et sa bouche qui excita sa convoitise.

— Non, madame, répondit-il doucement, continuant à lire.

— Ça ne vous ennuie pas si je m'assois ici ?

— Allez-y.

Il était concentré sur sa lecture.

— Qu'est-ce que vous étudiez ?

— Les abeilles.

— Eh bien moi aussi, j'étudie, dit-elle levant son livre : Beethoven.

À l'école elle aimait la musique et prononça le nom correctement. Elle poursuivit :

— Savez-vous qu'il écrivait de la musique à l'époque où les hommes portaient perruques et tout le tralala ?

— Ouais, je sais, répondit Will sans lever les yeux.

— Eh bien... continua Lula en tirant la chaise qui grinça sur le parquet, puis en s'asseyant bruyamment, croisant les jambes, ouvrant le livre en le feuilletant rapidement tout en battant du pied. Alors ? On ne vous voit pas souvent dans les environs ? Où vous cachez-vous ?

Il l'examina d'un air détaché, se demandant s'il devait prendre la peine de lui répondre. La pauvre, elle était d'une extrême vulgarité. Elle avait les cheveux ramenés sur le front. Ses lèvres étaient peintes de vermillon et elle avait étalé trop de rouge sur ses joues. Elle posa ses mains sur la table et appuya sa poitrine dessus. Ses seins débordèrent et Will en reçut plein la vue. Il s'empressa de montrer que ça ne l'intéressait pas.

— J'habite chez Mme Dinsmore.

— Chez cette folle ? Ah bon. Comment va-t-elle ?

Comme Will ne répondait pas, Lula s'approcha davantage et demanda :

— Savez-vous pourquoi on dit qu'elle est folle ? Elle a dû vous le raconter, non ?

Malgré lui, Will sentit sa curiosité piquée au vif, mais il garda le silence au lieu d'encourager Lula à parler davantage, ce qui lui aurait paru une offense pour Mme Dinsmore. Toutefois, Lula poursuivit :

— Ils l'ont enfermée dans cette maison quand elle était bébé et ils ont baissé tous les stores sans jamais la laisser sortir de là jusqu'à ce que la loi les y oblige, pour l'envoyer à l'école. Ils la libéraient six heures par jour et l'enfermaient à nouveau pour la nuit.

Elle s'assit et d'un air suffisant, elle ajouta :

— Ah ! ainsi, vous ne saviez pas. Eh bien ! demandez-lui. Demandez-lui si elle n'a pas déjà vécu dans cette maison déserte près de l'école. Vous savez, celle qui est bordée d'une clôture en perches. Il y a des chauves-souris qui volent à la fenêtre du grenier. Si j'étais vous, je ne traînerais pas longtemps chez elle. C'est mauvais pour votre réputation, si vous voyez ce que je veux dire. Cette femme n'a pas toute sa tête.

Lula s'adossa nonchalamment, les paupières baissées, jouant distraitement avec la couverture du livre sur Beethoven, la soulevant et la laissant retomber plusieurs fois.

— Je sais que c'est difficile quand on vient tout juste d'arriver en ville, continua-t-elle. Vous devez vous ennuyer à mourir dans un endroit comme celui-ci? Si vous avez besoin de quelqu'un pour vous montrer les environs, je serais heureuse de le faire. J'ai un petit bungalow à quatre maisons après la place, dans la rue Pecan et...

Will se leva lorsqu'il sentit qu'elle lui caressait le mollet du bout de l'orteil, sous la table.

— J'ai des œufs à vendre. Je dois y aller, dit-il.

Lula sourit d'un air narquois en le regardant s'éloigner. Il avait compris le message. Oh, ça c'était sûr. Elle l'avait vu tressaillir quand elle avait touché sa jambe. Il rangea un livre et s'accroupit pour ranger l'autre. Avant qu'il ne s'échappe, elle se faufila derrière lui. Il était coincé dans l'allée. Il se releva. Elle eut le plaisir de le voir rougir.

— Si mon offre vous intéresse, je travaille au Café Vickery. Je finis ma journée à huit heures.

Elle glissa un doigt entre les boutons de sa chemise et le fit courir sur sa peau. Prenant un air de poupée, elle chuchota :

— À bientôt, Parker.

Elle vira de bord en tortillant des hanches. Will jeta un coup d'œil à travers la pièce ensoleillée, s'aperçut que la bibliothécaire avait observé toute la scène et lut la désapprobation dans son regard. Il tremblait, se sentant presque violé. Les femmes comme Lula n'apportaient que des problèmes. Par le passé, il aurait accepté son offre et aurait joui de ses charmes. Mais plus maintenant. Tout ce qu'il désirait, c'était vivre en paix et cette paix il l'avait trouvée chez Eleanor Dinsmore. Il avait hâte de retourner chez elle. Lula était partie en faisant claquer ses talons sur le plancher. Will s'approcha du bureau.

— Merci pour le papier et le crayon, madame.

Gladys Beasley releva promptement la tête. Le mécontentement se lisait sur son visage.

— Il n'y a pas de quoi, dit-elle.

Will fut pris au dépourvu par cette rebuffade muette. Un homme n'a même pas à faire le moindre geste envers une femme au sang bouillant, comme Lula, pour être rangé dans le même panier. Particulièrement, songeait Will, si cet homme avait purgé une peine pour avoir tué une putain dans un bordel au Texas. En ville, tous le savaient. Il roula ses feuilles et il interpella Gladys d'un ton décidé :

— Dites-moi, madame...

— Oui ? fit-elle sèchement, la bouche pas plus grande qu'un trou de serrure.

— Je travaille chez Mme Dinsmore. Si elle venait confirmer que je travaille pour elle, cela suffirait-il pour que j'obtienne ma carte de bibliothèque ?

— Elle ne viendra pas.

— Pourquoi pas ?

— Je ne le crois pas. Depuis qu'elle s'est mariée, elle vit comme une recluse. Je suis désolée, je ne peux déroger au règlement.

Elle prit sa plume, fit un crochet sur une liste, puis s'attendrit.

— Toutefois, si elle pouvait confirmer par écrit que vous travaillez chez elle en mentionnant votre embauche et la durée de votre séjour, cela suffirait comme preuve de résidence.

Will Parker sourit avec soulagement, glissa un pouce dans sa poche comme un gamin, faisant fondre le cœur de Gladys Baesley.

— Je veillerai à lui demander de l'écrire. Merci beaucoup, madame, dit Will.

Il se dirigea vers la porte, s'arrêta et revint sur ses pas.

— Au fait, jusqu'à quelle heure la bibliothèque est-elle ouverte ?

— En semaine, jusqu'à huit heures. Le samedi, jusqu'à cinq heures. Naturellement, c'est fermé le dimanche.

Il toucha le bord de son chapeau et promit de revenir. Comme il tournait la poignée, elle l'interpella.

— Oh, monsieur Parker?

— Madame?

— Comment va Eleanor?

Sa question ne résonnait pas comme celles de Lula. Il restait sur le seuil, essayant de se faire une impression de Gladys Beasley avant de répondre :

— Elle va bien, madame. Elle est enceinte de cinq mois. Elle attend un troisième enfant, elle est en bonne santé et heureuse, je crois.

— Son troisième? Ma foi! Je me souviens d'elle lorsqu'elle était en classe de cinquième avec Mlle Buttry, ou était-ce en sixième avec Mlle Natwicvks? Elle semblait être une enfant brillante et curieuse. Saluez-la de ma part.

C'était la première marque d'amitié que Will avait reçue depuis son arrivée à Whitney. Cela effaça l'amertume provoquée par Lula. Cela lui fit chaud au cœur.

— Je le ferai. Merci, madame Beasley.

— Mademoiselle Beasley, précisa-t-elle.

— Entendu, mademoiselle Beasley. Oh, en passant, j'ai quelques douzaines d'œufs à vendre. Où devrais-je aller?

Gladys n'aurait su dire au juste pourquoi, peut-être simplement à cause de son sourire quand il avait su qu'il pourrait obtenir une carte de bibliothèque, ou parce qu'il avait supposé qu'elle avait un mari ou parce qu'il avait repoussé les avances de Lula, peu importe la raison, toujours est-il que Gladys répondit :

— Je vous en prends une douzaine, monsieur Parker.

— Vous en voulez? Eh bien... parfait!

— Vous pourriez aller porter le reste chez le marchand général, chez Purdy, juste en face de la place.

— Chez Purdy. Bon. Eh bien, j'y vais sur-le-champ. Ah, j'y songe, fit-il en sortant son pouce de sa poche, la main pendant le long de la hanche : les œufs sont dans la même caisse.

— Mettez-les là-dedans, dit-elle en lui tendant une boîte en carton.

Il la prit, hocha la tête et sortit en silence. À son retour, elle demanda le prix des œufs tout en fouillant dans son sac à main noir. Comme il ne répondait pas, elle releva les yeux et répéta :

— Combien vous dois-je, monsieur Parker ?

— Eh bien, je ne sais pas exactement.

— Vous ne savez pas ?

— Non, madame. Ce sont les œufs de Mme Dinsmore et c'est la première fois que j'en vends.

— Ils coûtent habituellement vingt-quatre cents la douzaine. Je vous en donne vingt-cinq cents étant donné qu'ils sont certainement plus frais que ceux de Calvin Purdy et parce que vous les livrez vous-même.

Elle lui tendait la pièce mais il hésitait à la prendre, comprenant que c'était au-dessus du prix du marché.

— Eh bien ! fit-elle. Prenez ! Et si vous en avez davantage la semaine prochaine, j'en prendrai une autre douzaine.

Il prit la pièce et la remercia.

— Mme Dinsmore sera contente. Je n'oublierai pas de la saluer de votre part.

Lorsqu'il fut parti, Gladys referma son sac à main et demeura songeuse, les yeux fixés sur le plancher. Voilà un gentil jeune homme. Elle ne savait pas pourquoi mais il lui plaisait. Eh bien non, elle ne savait pas pourquoi. Elle se croyait fine mouche pour juger les caractères, particulièrement quand il s'agissait d'esprits curieux. Apparemment, il savait se servir du fichier, trouvait facilement ce qu'il cherchait, bref, il savait étudier, sans parler de son engouement à s'inscrire à la bibliothèque. Et puis il retournait à Rock Creek Road malgré les ragots colportés par Lula. Gladys en avait suffisamment entendu pour comprendre ce que cette courtisane tramait. Comment aurait-elle pu manquer cette conversation qui résonnait dans tout l'édifice ? Et Will Parker avait fait preuve de force de caractère en tournant le dos à cette traînée. Gladys n'avait jamais réussi à comprendre ce que gagnaient les gens à répandre des ragots. Pauvre Eleanor, personne n'avait été charitable avec elle dans cette ville, pas même sa famille. Sa grand-mère, Lottie McAllister, une excentrique, fanatique de religion, se rendait à toutes les réunions du renouveau de la foi à cinquante kilomètres à la ronde. On disait qu'elle tombait à genoux, en proie à des crises d'extase religieuse. On disait aussi qu'elle se faisait baptiser chaque fois qu'un prêcheur appelait les pécheurs à se purifier. Finalement elle épousa Albert See qui se disait homme de Dieu, promettait aux pécheurs tous les tourments de l'enfer. Il lui fit un enfant, l'installa dans une maison à l'extrémité du village et partit en tournée, la laissant seule la plupart du temps à élever leur fille Chloé.

Chloé était une fillette silencieuse aux grands yeux, spectrale, dominée par une mère fanatique. Comment cette fille, toujours sous l'œil vigilant de sa mère, était-elle tombée enceinte? Cela demeurait un mystère. Cependant, c'est ce qui était arrivé. Par la suite, Lottie ne s'était plus jamais montrée, et ne permit plus à Chloé de sortir, ni à son enfant, Eleanor, jusqu'à ce qu'un fonctionnaire l'oblige à inscrire Eleanor à l'école, la menaçant d'emmener l'enfant et de la confier à une famille d'accueil à moins que Lottie ne se soumette à la loi.

La bibliothécaire se souvenait avec précision d'Eleanor, une enfant intimidée par la bibliothèque spacieuse, mais heureuse de s'y promener en toute liberté sans risquer d'être réprimandée. Elle s'installait près des fenêtres sans jamais se lasser du soleil. Pauvre petite! Qui pouvait le lui reprocher?

Gladys n'était pas douée d'une grande imagination mais elle ne put s'empêcher de frissonner à l'idée de la vie qu'avait menée Eleanor, cette pauvre bâtarde, prisonnière de cette maison aux stores verts baissés, lorsqu'elle était enfant.

Gladys avait été tentée de donner une carte d'emprunt à Will Parker à cause de l'amitié qu'il témoignait à Eleanor, comme elle venait de s'en rendre compte. Lorsqu'elle retourna dans la salle de lecture, elle trouva la biographie de Beethoven sur la table, mais les livres sur les abeilles et les pommes étaient soigneusement rangés. Gladys comprit alors qu'elle ne se trompait pas au sujet de Will.

7

Calvin Purdy acheta tous les œufs à vingt-quatre cents la douzaine. L'argent revenait à Mme Dinsmore, mais Will possédait lui-même neuf dollars rangés soigneusement dans la poche de sa chemise. Il palpa le tissu d'un air rassuré et songea à lui offrir un cadeau. Parce que les gens la traitaient de folle alors qu'elle ne l'était pas. Parce qu'elle avait vécu enfermée dans une maison la majorité de sa vie. Et parce qu'ils s'étaient querellés avant son départ. Mais que lui achèterait-il? Elle n'était pas le genre de femme à porter du parfum. Par ailleurs, c'était trop personnel. Il avait entendu dire que les hommes achetaient des rubans pour les dames, mais il se sentait ridicule à l'idée de demander à Purdy de couper un morceau de ruban de couleur assortie à la robe de maternité d'Eleanor. Des friandises? Eleanor supportait mal la nourriture. Elle mangeait comme un oiseau.

À la fin, il choisit une figurine, celle d'un oiseau bleu aux couleurs gaies. Elle aimait les oiseaux et il n'y avait pas tellement d'objets qui décoraient sa maison. L'oiseau bleu lui coûta vingt-neuf cents et il dépensa dix cents pour l'achat de barres de chocolat pour les garçons. En rangeant la monnaie dans sa poche, il sentit l'excitation le gagner. Il avait hâte de rentrer à la maison.

En route vers la sortie de la ville, il passa devant une maison à la clôture chambranlante comme la carcasse d'un animal mort. Il s'arrêta malgré lui, fasciné par l'apparence sinistre des lieux. L'herbe envahissait les marches, des gloires du matin s'enroulaient autour de la poignée de porte et le long d'un treillis en ruine bordant le perron. Des stores verts effilochés couvraient les fenêtres. Il frissonna et eut envie de s'approcher pour en savoir plus long. Mais les stores baissés semblaient lui en interdire l'accès.

Ils l'avaient enfermée là-dedans ? Et ils avaient baissé les stores ? Une femme comme Eleanor qui aimait les oiseaux et les sauterelles, le ciel et le verger ? Encore une fois, Will frissonna et se hâta d'aller porter les barres de chocolat et l'oiseau bleu en porcelaine, souhaitant lui avoir acheté davantage. C'était un sentiment curieux pour cet homme qui n'avait jamais rien donné ni rien reçu. L'échange de cadeaux impliquait qu'une personne ait des amis et de l'argent, mais Will avait rarement connu les deux à la fois ! Cependant il s'imaginait combien ça devait être excitant de recevoir des cadeaux, et il ne s'attendait pas à être exalté à l'idée d'en offrir. Mais maintenant qu'il connaissait le passé d'Eleanor Dinsmore, il brûlait d'impatience de lui donner la tendresse dont elle avait été privée.

Eleanor se sentait misérable depuis le départ de Will. Elle avait été grossière à son égard. Il était parti depuis bientôt trois heures alors que le trajet ne prenait que la moitié de ce temps. Elle était sûre qu'il ne reviendrait pas. *C'est de ta faute, Elly. Tu ne peux pas traiter un homme libre de cette façon et espérer le voir revenir.*

Elle commença à préparer le souper, jetant un coup d'œil à la porte arrière toutes les trois minutes. Pas de Will à l'horizon. Elle revêtit une robe propre, peigna ses cheveux en les ramenant sur sa tête en bandeaux lisses. Elle se mira dans la petite glace sur l'étagère de la cuisine, constata son désarroi, tout en songeant au visage de Will plein de mousse à raser. *Il ne reviendra pas, idiote. À l'heure qu'il est, il doit être rendu à vingt kilomètres d'ici. Qui va fendre le bois le matin ? Et comment vas-tu te sentir en regardant sa chaise vide à l'heure des repas ? Et tu n'auras personne d'autre à qui parler à part les enfants.* Fermant les yeux, les poings serrés sur sa bouche, elle pria : *J'ai besoin de vous, Parker. Je vous en prie, revenez.*

Will se hâtait de gravir l'allée pleine d'ornières. Son cœur bat-

116

tait la chamade. En atteignant la clairière, il ralentit le pas : elle était sur le perron. Elle l'attendait, lui, Will Parker. Vêtue de sa robe jaune, les cheveux bien coiffés, les enfants à ses pieds, et le fumet d'un souper flottait dans la cour. Elle le salua de la main.

— Pourquoi avez-vous été si longtemps parti ? J'étais inquiète.

Elle l'avait attendu. Elle s'était inquiétée. Il exultait. Il sourit et allongea le pas.

— Étudier, ça prend du temps.

— Will ! C'est Will ! s'exclama Donald Wade.

L'enfant courut vers lui, s'agrippa à ses genoux, la tête renversée, faisant voler ses boucles. Will ébouriffa les cheveux soyeux du garçon.

— Salut, bout de chou. Quoi de neuf par ici ?

— Il a fait beau.

Il suivit Will, l'aidant à tirer le chariot.

— Qu'as-tu fait pendant que j'étais parti ?

— Maman m'a fait faire la sieste, dit-il en grimaçant.

— Une sieste ?

Au pied des marches, Will laissa tomber la poignée du chariot et leva les yeux vers Eleanor.

— Est-ce qu'elle a dormi elle aussi ?

— Non, répondit Donald Wade. Elle a pris un bain.

— Donald Wade, ça suffit maintenant, tu m'entends ? protesta Eleanor, rougissante. Ça s'est bien passé ? demanda-t-elle.

— Très bien, dit-il en tendant l'argent. Mlle Baesley, la bibliothécaire, a pris une douzaine d'œufs à vingt-cinq cents et j'ai vendu le reste à Calvin Purdy, à vingt-quatre cents la douzaine. Le compte y est, un dollar et vingt et un cents. Mlle Beasley vous fait dire bonjour.

— C'est vrai ? demanda Eleanor, la main dans les airs, oubliant l'argent.

— Elle dit se souvenir de vous quand vous alliez à la bibliothèque avec Mlle Buttry dans la classe de cinquième ou de sixième avec Mlle Natwicvks.

— Eh bien ! Voyez-vous ça ! dit Eleanor, les yeux grands

ouverts d'étonnement, et souriant à pleines dents. Qui aurait cru qu'elle se souviendrait de moi ?

— Pourtant oui !

— Je croyais qu'elle ne savait même pas mon nom.

— Je ne crois pas que cette femme ignore grand-chose, dit Will en souriant.

Eleanor rit en se souvenant de la bibliothécaire.

— Je parie que c'était beau dans la bibliothèque, n'est-ce pas ?

— Oh oui ! Il y a de grandes fenêtres jusqu'au plafond qui éclairent toute la pièce. Ça sent bon aussi.

— Avez-vous eu votre carte ?

— Non. Sans vous, je ne peux l'obtenir. Mlle Baesley dit que vous devez confirmer que je travaille pour vous.

La joie d'Elly disparut subitement. Elle dit d'une voix calme :

— Voulez-vous dire qu'il faut que j'aille là-bas ? Je ne pense pas que je pourrai.

La veille, il lui aurait demandé la raison de son refus.

— Vous pouvez lui écrire, se borna-t-il à dire. Elle est d'accord et je peux lui porter votre lettre la prochaine fois que j'irai à la bibliothèque. Mlle Baesley a dit qu'elle prendrait une autre douzaine d'œufs.

— Elle a dit ça ?

La joie anima de nouveau les traits d'Eleanor.

— Oui. Et, vous savez, j'ai réfléchi. Je pourrais vendre de la crème aussi, si vous remplissiez les pots. Cela rapportera un peu plus d'argent.

Elle ne put réprimer l'envie de le taquiner :

— N'êtes-vous pas en train de vous attacher à l'argent, monsieur Parker ?

Il savait que cette plaisanterie masquait son aversion pour la ville. Une recluse, voilà ce qu'avait dit Mlle Baesley. L'était-elle vraiment ? Au point d'éviter tout contact avec les gens même pour des questions d'argent ? Elle n'était même pas pressée de compter l'argent qu'il lui avait remis. Il se dit qu'ils devraient en parler un jour.

— Non, madame, répondit-il. Seulement, je ne vois pas pourquoi je raterais une occasion de faire de l'argent.

Donald Wade avait découvert le sac en papier brun et tirait Will par la manche.

— Hé, Will! Qu'y a-t-il là-dedans?

À contrecœur, Will cessa de parler à Eleanor, posa un genou par terre près du chariot en passant un bras autour de la taille du garçon.

— Eh bien, qu'en penses-tu? Tu ferais mieux de regarder ce qu'il contient.

Les yeux de l'enfant brillaient d'excitation en fouillant dans le sac dont il retira deux barres de chocolat.

— Des bonbons! souffla-t-il, ébahi.

— Du chocolat, dit Will en croisant les bras sur son genou et en souriant. Pour toi et pour ton petit frère.

— Du chocolat, répéta Donald Wade. Se tournant vers sa mère, il déclara : Maman! Regarde! Will nous a apporté du chocolat!

Reconnaissante, Eleanor chercha les yeux de Will dont le cœur se serra.

— C'est gentil d'avoir pensé à cela. Donald Wade, dis merci à monsieur Parker.

— Merci, Will!

Will se tourna vers le garçon.

— Tu en donneras une à ton frère, d'accord?

Souriant, il regarda les garçons assis côte à côte sur une marche, se barbouillant rapidement de chocolat.

— Merci d'avoir pensé à eux, monsieur Parker.

Il se redressa lentement et regarda Eleanor bien en face. Ses lèvres étaient ourlées délicatement, ses cheveux étaient noués et avaient la couleur des blés. Ses yeux, du jade. Comment avait-on pu l'enfermer?

— Les enfants doivent recevoir des friandises de temps à autre. Je vous ai apporté quelque chose.

— Pour moi? fit-elle en posant une main sur son cœur.

Il lui tendit le sac entre deux doigts.

— Ce n'est pas grand-chose.

— Peu importe ce que c'est...

Avec excitation, Elly plongea la main dans le sac sans perdre une seconde. Elle en sortit la figurine qu'elle leva en l'air et poussa une exclamation de joie :

— Oh, monsieur Parker ! C'est magnifique...

— J'ai un peu d'argent, précisa-t-il, car elle n'avait toujours pas compté l'argent et il ne voulait pas qu'elle pense qu'il avait dépensé le sien. Elle ne pensait pas du tout à cela. Elle souriait en regardant l'œil de l'oiseau. Ses yeux brillaient.

— Un oiseau bleu... Voyez-vous cela. Comment savez-vous que j'aime les oiseaux ?

Il savait. Il savait.

Son contentement grandissait ; elle examinait l'oiseau sous tous les angles.

— J'en raffole, dit-elle. C'est le plus beau présent que j'aie jamais reçu. Merci.

Il hocha la tête.

— Avez-vous vu ? fit-elle en s'accroupissant près des garçons pour leur montrer l'objet. M. Parker m'a apporté un oiseau bleu. N'est-ce pas la plus jolie chose que vous ayez vue ? Où devrais-je le placer ? J'ai pensé à la table de la cuisine. Non, sur ma table de chevet, et même n'importe où, n'est-ce pas ? Aidez-moi à trouver un endroit où le poser ! Vous aussi, monsieur Parker.

Elle bouscula la porte moustiquaire, oubliant de la tenir ouverte pour permettre à Thomas de rentrer. Will souleva l'enfant dans ses bras et tacha sa chemise de chocolat, mais cela représentait si peu pour un homme si heureux. Il se tint sur le seuil, le bébé dans les bras, regardant Eleanor aller de la table à l'armoire, puis vers le pot de biscuits en demandant à Donald Wade : « Où devrais-je le poser, hein ? » Le petit garçon se sentait important. Will également. Donald Wade suggéra :

— Sur l'appui de la fenêtre pour que les oiseaux le voient et s'approchent.

— Mmm... sur le bord de la fenêtre. À l'est ? Au sud ? À l'ouest ? À l'ouest, bien sûr ! Comment n'y avais-je pas pensé ?

Elle plaça l'oiseau à l'ouest donnant sur la cour arrière où les piquets de la corde à linge avaient été réparés. Elle se pencha en arrière, applaudit et joignit les mains sous son menton et déclara :

— Oh oui ! C'est l'endroit rêvé !

Ce n'était qu'une vulgaire figurine mais en voyant Eleanor danser à travers la pièce pour venir lui serrer le bras, Will avait l'impression d'avoir offert une pièce de collection.

Si Will était pressé d'améliorer les lieux avant sa première visite en ville, après il travailla encore plus fort, fouetté par le désir d'expier le passé d'autrui. Il passa des heures à imaginer les gens qui avaient enfermé Eleanor dans cette maison aux stores verts. Combien de temps était-elle restée là-bas ? Et pourquoi ? Et l'homme qui l'avait tirée de là ? Elle disait l'aimer encore. Combien de temps s'écoulerait-il avant que cet amour s'estompe ?

Pendant ces jours, Will prit conscience de certains détails : Eleanor ne mettait pas de rideaux aux fenêtres ; Eleanor remerciait le soleil chaque fois qu'elle mettait le pied dehors ; elle trouvait toujours le temps beau, qu'il pleuve ou qu'il fasse soleil, s'émerveillait d'un rien, et le soir, quand Will sortait de la grange pour aller uriner, peu importe l'heure... sa chambre était toujours éclairée. Il prit du temps à s'apercevoir que ce n'était pas pour se lever et aller voir si les garçons dormaient bien. La lampe était allumée et elle dormait.

Qu'est-ce que sa famille lui avait fait ?

Will respectait l'intimité des gens. Il n'avait pas besoin de réponse pour accepter le fait qu'il ne travaillait pas uniquement dans le but d'avoir un toit au-dessus de la tête, mais c'était pour lui plaire, à elle.

Il entreprit une grosse corvée : restaurer l'allée. Il huila les harnais et attela Madame à une sorte de charrue qu'il dirigeait grâce à des poignées comme celles d'une brouette, un appareil assez difficile à manier. Madame tirait, Will poussait en guidant la pelle. Il abattit ainsi promptement la besogne, aplanissant le sol, remplissant les ornières, roulant les grosses pierres sur les côtés et déplaçant quelques souches.

Donald Wade accompagnait Will partout. Il s'assoyait sur un

tas de branches, écoutait, observait, apprenait. Parfois, Will lui donnait une pelle et le laissait jeter des pierres sur le côté, n'oubliant pas de le remercier comme il avait vu Eleanor le faire.

Un jour Donald Wade lui dit :

— Mon père ne travaillait pas beaucoup. Pas comme toi !

— Que faisait-il alors ?

— Il bricolait. C'est ce que dit maman.

— Il bricolait, hein ?

Will réfléchit un moment et demanda :

— Il traitait bien ta maman, n'est-ce pas ?

— Je pense que oui. Elle l'aimait bien. Mais il ne lui achetait pas d'oiseau bleu.

Pendant que Will réfléchissait à cela, Donald Wade posa une *autre* question surprenante.

— Est-ce que c'est toi mon père, maintenant ?

— Non, Donald Wade, je ne suis pas ton père, malheureusement.

— Est-ce que tu vas le devenir ?

Will ignorait la réponse. Cela dépendait d'Eleanor Dinsmore.

Elle les rejoignait deux fois par jour, le matin et l'après-midi, transportant Thomas et une cruche de nectar aux framboises. Ils s'asseyaient à l'ombre d'un vinaigrier et elle savourait la boisson avec eux tout en regardant les oiseaux. Elle semblait tous les connaître : tourterelles, faucons, fauvettes et pinsons. Les arbres aussi : le vinaigrier sumac, le tulipier, le tilleul, les saules et d'autres essences que Will n'avait pas encore remarquées. Elle connaissait les herbes sauvages, et reconnaissait les baies du sureau, et du sumac, et une fleur qui portait un joli nom, l'aster, qu'elle prononçait avec un séduisant mouvement des lèvres qui attirait l'attention de Will davantage que l'aster elle-même.

C'étaient les plus beaux moments de la vie de Will.

— Ma foi, disait-il, ça va être un vrai chemin.

Puis il se remettait à l'ouvrage en redoublant d'ardeur.

Une fois la corvée achevée, Will chuchota un merci à l'oreille de Madame, lui donna une carotte fraîche du jardin et un bon bain. Après le souper, il invita Eleanor à faire un tour de carriole dans l'allée fraîchement nivelée, bordée d'arbres, et qui reliait leur maison à la route du comté.

— C'est magnifique, Will, dit-elle.

Il souriait de satisfaction.

Le lendemain, il répara la charrette en remplaçant deux planches, attela Madame et effectua le premier voyage de ferraille au dépotoir de Whitney. Il prit également une lettre d'Eleanor, plusieurs douzaines d'œufs dont une destinée à Mlle Beasley, et cinq pots de crème, dont l'un resterait sans doute à la bibliothèque.

— De la crème! s'exclama Mlle Beasley. J'avais une envie folle de manger un gâteau aux fraises et sans crème, que vaut un gâteau aux fraises? Elle pouffa de rire et sortit son porte-monnaie.

Will emprunta ses premiers bouquins grâce à la carte qu'elle lui remit. Juste avant qu'il ne sorte, elle se souvint :

— Ah, j'ai trouvé les brochures sur l'apiculture en triant la paperasse. Vous pouvez les garder.

Elle sortit une enveloppe jaune moutarde adressée à Will et la posa sur le bureau.

— Elles sont publiées tous les cinq ans, figurez-vous, alors que l'abeille est la seule créature de Dieu qui n'a pas changé ses habitudes depuis que l'homme a appris à se tenir debout! Lorsque les brochures neuves nous parviennent, il faut jeter les anciennes. J'ai bien envie d'écrire au député du comté au sujet d'un tel gaspillage de l'argent des contribuables! dit-elle en fulminant, occupant ses mains, évitant soigneusement le regard de Will.

Will était enchanté.

— Merci, mademoiselle Baesley.

Elle ne le regardait pas.

— Ne me remerciez pas. Tout cela allait à la poubelle de toute façon.

Malgré cet écran de fumée, il devina que cette femme avait du mal à se lier d'amitié avec les hommes et son cœur se réchauffa.

— À la semaine prochaine!

Elle leva les yeux lorsqu'il tourna la poignée et il crut voir que ses pommettes étaient rouges. Souriant dans son for intérieur, Will dévala les marches d'escalier avec ses livres et son enveloppe contre la hanche.

— Eh bien! N'est-ce pas monsieur Parker?

Will s'arrêta net en voyant Lula Peak deux marches plus bas, lui souriant d'un air racoleur. Toujours coiffée à la Bette Grable, les lèvres trop rouges, tortillant des hanches.

— Bonjour, madame.

Il tenta de la contourner mais elle se déplaça adroitement, l'empêchant de passer.

— Pourquoi êtes-vous si pressé?

Elle mastiquait son chewing-gum comme un alligator en train de croquer une proie.

— Je transporte de la crème. Il vaut mieux ne pas la laisser au soleil.

Elle passa la main dans ses cheveux puis relevant le menton, glissa deux doigts dans l'encolure de son uniforme.

— Qu'est-ce qu'il fait chaud...

Une marche plus bas que Will, Lula lui arrivait presque au nombril. Ses yeux coururent paresseusement de sa chemise à son jean et tombèrent sur l'enveloppe sur laquelle Mlle Baesley avait inscrit son nom.

— Alors tu t'appelles Will? miaula-t-elle.

Elle mit du temps à relever les yeux.

— Will Parker, susurra-t-elle en touchant la boucle de sa ceinture du bout de l'ongle. Joli nom... Will.

Il dut se contrôler et demeurer poli.

— Alors, Will Parker. Pourquoi ne viens-tu pas faire un tour au café. Je préparerai un thé glacé rien que pour toi. C'est bon par une journée comme aujourd'hui, non?

Horrifié il crut pendant un moment qu'elle allait enfoncer son ongle dans son entre-jambes.

— Je ne pense pas que j'aie le temps, madame. J'ai à faire.

Il sentit qu'elle le suivait du regard alors qu'il remontait dans la carriole, prenait les rênes pour se diriger chez Purdy. Cette femme était un problème avec un P majuscule et il n'en voulait pas. Il ne voulait rien savoir. Il évita de regarder vers la place lorsqu'il entra chez le marchand général. Purdy lui acheta la crème et les œufs, enchanté de recevoir des denrées fraîches.

— Ça se vend comme des petits pains chauds, dit-il à Will.

Lula n'était plus là lorsque Will sortit du magasin. Depuis qu'elle lui avait fait son numéro, il se sentait sali et avait hâte de retourner à la maison.

Eleanor et les garçons l'attendaient sous le vinaigrier. Will se sentait attiré par eux comme par un aimant. Il se sentait bien dans le décor, avec cette femme dont la simplicité et la plénitude contrastaient avec l'effronterie de Lula. Il avait peine à croire que par le passé il avait choisi une femme comme *ça* au lieu d'une femme comme Eleanor. Elle se leva, époussetant sa jupe lorsqu'elle le vit arriver. Il tira sur les rênes.

— Vous voilà !

— Ouais !

Ils se sourirent et un subtil plaisir flottait entre eux. Elle pressa les garçons de monter dans la carriole et Will les fit grimper en les faisant rire.

— Assoyez-vous à l'arrière et tenez-vous pour ne pas culbuter.

Ils obéirent et Will tendit la main à leur mère. Il agrippa sa main et pendant un moment ni l'un ni l'autre ne bougea. Elle demeurait immobile, le pied sur le marchepied, les yeux dans les siens. Puis brusquement, elle se hissa et s'assit comme si de rien n'était.

Il ne put s'empêcher d'y penser les jours suivants, alors qu'il continuait à rénover l'endroit, finissant de plâtrer les murs et peignant les plafonds qui n'avaient jamais reçu un coup de pinceau. Il posa des portes aux armoires de la cuisine et en fabriqua d'autres. Il troqua un vieil évier contre un morceau de linoléum (il était de plus en plus rare d'en avoir du neuf) et recouvrit le dessus du comptoir. Il était jaune comme le soleil, un jaune selon les goûts d'Eleanor, lui semblait-il, et qui s'harmonisait avec ses yeux verts.

Elle s'arrondissait de plus en plus et se déplaçait avec lenteur. Jour après jour il la regardait transporter de lourds seaux d'eau sale et les jeter dans la cour. Elle lavait les couches d'un enfant mais bientôt il y en aurait deux. Il creusa une fosse d'aisances, installa un drain reliant l'évier à la fosse, éliminant ainsi le transport des seaux.

Elle rayonnait de gratitude et s'empressa d'y faire couler l'eau d'une bassine, trouvant qu'elle était éliminée comme par magie. Elle dit qu'il était sans importance de ne pas trouver assez de lino pour le plancher. La pièce reluisait plus que jamais.

Will, lui, était déçu. Il voulait une pièce parfaite mais le lino, les baignoires et les autres sources de confort étaient de plus en plus difficiles à obtenir car les usines de toutes sortes fabriquaient plutôt des outils de guerre. En prison Will lisait les journaux mais maintenant il ne suivait plus les événements mondiaux sauf quand il se rendait à la bibliothèque. Cependant il savait qu'il se tramait quelque chose en Europe et se demandait combien de temps l'Amérique allait fournir des avions et des tanks à l'Angleterre et à la France sans être mêlée elle-même au combat. Il frissonna à cette idée même s'il avait déjà gagné un dollar pour cent kilos du métal amassé par Glendon, et qu'il venait de livrer.

En Amérique on parlait de l'entrée en guerre probable des États-Unis, bien que les membres de l'organisation isolationniste, dont faisait partie Charles Lindbergh, se déclaraient contre. Mais Roosevelt solidifiait les défenses américaines. Le projet prenait forme et Will avait la santé et l'âge requis pour la conscription, de plus, il était célibataire. Eleanor ignorait complètement l'état du monde qui s'étendait au-delà de son jardin ou de son allée.

Puis un jour, Will dénicha une radio dans un des abris de jardin. Il eut de la peine à trouver une pile, ces pièces étant très prisées par l'Angleterre pour les talkies-walkies. Mais il en obtint une en la troquant contre un pot de peinture. La radio refusait de fonctionner. Mlle Baesley lui trouva un livre qui expliquait comment la réparer.

Quand enfin elle fut prête, Ma Perkins, une émission populaire, était diffusée. Les garçons faisaient la sieste et Eleanor repassait le linge. Quand la radio crépita dans la cuisine, ses yeux s'allumèrent comme le tube fluorescent de la RCA Victor.

— Ça alors ! Ça fonctionne ! dit Will d'un air emballé.

— Chut !

Eleanor tira une chaise, Will s'agenouilla sur le sol et ensemble ils écoutèrent la dernière aventure d'une veuve qui dirigeait un entrepôt de bois de sciage à Rushville Center aux États-Unis, où elle habitait, et dont la règle d'or était d'aimer ses trois enfants, John, Evey et Fay. « Si on pouvait en dire autant de tout le monde... » disait Eleanor. Will comprit que Ma Perkins venait d'acquérir une fidèle auditrice.

Au cours de la soirée, ils se réunirent tous autour de la boîte magique alors que Will et Eleanor observaient les garçons dont les yeux brillaient en écoutant parler The Lone Ranger en compagnie de Tonto, son fidèle ami indien qui l'appelait *kemo sabe*. À partir de ce jour, Donald Wade ne marchait plus, il galopait partout en hennissant, imitant le bruit des sabots avec sa langue, et attachant *Silver* près de la porte chaque fois qu'il rentrait. Un jour, Will l'appela gentiment kemo sabe après quoi Donald Wade mit les nerfs de tout le monde à rude épreuve en appelant chacun par ce nom, cent fois par jour.

La radio n'annonçait pas que des merveilles. Edward R. Murrow prenait l'antenne à l'heure des nouvelles. Chaque soir Will captait son émission à l'heure du souper. La voix grave de Murrow remplissait la cuisine : « Ici... Londres. » En arrière-fond, on entendait le vrombissement des bombardiers allemands, les sirènes annonçant les raids aériens et le tonnerre des tirs de la D.C.A. Mais Will pensait être le seul, dans la maison, à vraiment croire à cette réalité.

Même si Elly refusait d'en parler, les États-unis allaient se mettre en guerre et un jour Will serait appelé sous les drapeaux. Il travailla donc encore plus dur. Il fit des provisions de bois, arracha le vieux lino de la cuisine, ponça et vernit le parquet et décida qu'il installerait une salle de bains s'il pouvait trouver les pièces nécessaires.

En secret, il lisait des ouvrages sur les abeilles. Elles exerçaient sur lui une indéniable fascination. Il passa des heures à observer les ruches à bonne distance ; elles n'étaient pas abandonnées contrairement à ce qu'il avait d'abord cru. Il les connaissait de mieux en mieux. Quelques abeilles à l'entrée ne signifiaient rien, car la plupart étaient soit au sein de la ruche au service de la reine, soit dans les champs à récolter le pollen, le nectar et l'eau.

En lisant, il en apprit davantage. Les butineuses transportaient le pollen sur leurs pattes arrière ; elles buvaient de l'eau salée tous les jours ; le miel était fabriqué dans des alvéoles que l'abeille gardienne superposait à mesure qu'elles se remplissaient ; les abeilles se nourrissaient de leur propre miel pour survivre à l'hiver ; en été, saison de production intense, si les cloisons d'alvéoles n'étaient pas enlevées, parfois le miel envahissait tout, forçant les abeilles à essaimer.

Will tenta une expérience en remplissant une assiette d'eau salée. Le lendemain il la trouva vide et comprit que la ruche était en activité. Il observa les butineuses quitter la ruche. Quand elles revenaient, les poils de leurs pattes étaient couverts de pollen. Will conclut qu'il n'était pas nécessaire d'ouvrir la ruche et de regarder à l'intérieur. Il en savait assez. Glendon Dinsmore était mort en avril. Si d'autres alvéoles n'avaient pas été construites depuis, les abeilles pouvaient essaimer d'un jour à l'autre. Si aucune cloison d'alvéoles n'avait été enlevée depuis, la ruche devait être pleine de miel. Beaucoup de miel. Will Parker avait en tête de le vendre.

Eleanor et lui n'avaient plus abordé le sujet. Comme elle ne lui avait pas fourni le chapeau d'apiculteur ou l'enfumoir, il s'en passerait. Dans tous les livres et brochures sur l'apiculture, on disait que, pour être apiculteur, il fallait d'abord savoir si on était immunisé contre les piqûres d'abeilles.

Will voulait en avoir le cœur net. Par une tiède journée d'octobre, il suivit les indications à la lettre : il se lava et effaça toute trace de l'odeur de Madame, se frotta le corps ainsi que ses pantalons avec de la menthe dont il avait dérobé quelques branches au bouquet d'Eleanor. Il remonta son col, baissa ses manches, pinça le bas de ses pantalons et se dirigea vers la vieille guimbarde pour savoir ce que les abeilles pensaient de Will Parker.

À proximité de l'auto, il sentit ses mains devenir moites. Il les essuya sur son pantalon, ralentissant le pas. Vas-y lentement... les abeilles n'aiment pas les mouvements brusques.

Il entra peu à peu dans l'auto, s'assit sur la banquette et agrippa

128

le volant. Il avait la gorge serrée. Ce ne fut pas long. Les premières abeilles apparurent derrière lui, puis d'autres, et assez rapidement l'essaim au complet, lui semblait-il. Il s'efforça de demeurer calme alors qu'une abeille se posait sur ses cheveux en bourdonnant alors que les autres voletaient autour de son visage. Il en vit une sur sa main et crut qu'elle allait le piquer mais le faux bourdon se promenait simplement à travers les poils couvrant le poignet de Will. L'insecte sauta sur sa jointure et s'envola, visiblement désintéressé.

« Bon. J'ai de la veine ! » Will n'en revenait pas.

C'est lorsqu'il raconta l'histoire à Eleanor, que les aiguillons le dardèrent.

— Vous avez fait ça !

Tournée vers le placard, elle fit volte-face, les mains sur les hanches, les yeux remplis de colère.

— Je me suis assis dans la Whippet pour savoir si j'étais immunisé contre les abeilles.

— Sans chapeau et sans voile !

— J'ai pensé que vous n'en aviez pas trouvé.

— Je ne voulais pas que vous alliez là-bas !

— Mais je vous l'avais dit. Je me suis frotté de menthe pour effacer l'odeur de Madame.

— Madame ! Que diable vient faire Madame dans cette histoire ?

— Les abeilles détestent l'odeur des animaux, particulièrement celles des chevaux ou des chiens. Ça les met en colère.

— Elles auraient pu vous piquer au sang ! Eleanor était livide.

— Les livres disent que les apiculteurs se font piquer parfois. Ce sont les risques du métier. Peu à peu, on s'y habitue.

— Oh ! Et cela devrait me rassurer ? ironisa-t-elle en agitant la main.

— Eh bien, d'après la brochure, c'est la bonne façon de commencer. Et dans le livre...

— Le livre ! Ne me parlez pas de livres ! Aviez-vous des gants ? s'étouffa-t-elle.

— Non. Je voulais trouver...

— Pas d'enfumoir non plus ?

— Je l'aurais volontiers utilisé si vous me l'aviez donné.

— Will Parker ! Ne rejetez pas le blâme sur moi. Vous avez été stupide ! C'était de la folie et vous le savez !

Elle était tellement en colère qu'elle ne put se contenir davantage. Elle retourna vers le gâteau qu'elle préparait, empoigna un œuf et le heurta contre le bol, écrabouillant la coquille.

— Voyez ce que vous me faites faire !

— Eh bien, si j'avais su que cela vous mettrait en colère...

— Je ne suis pas en colère !

Elle repêcha un bout de coquille et le rejeta plus loin.

— Soit. Vous n'êtes pas en colère, dit-il sèchement.

— Non !

— Alors, pourquoi criez-vous ?

— Je ne crie pas ! cria-t-elle en faisant volte-face. Seulement je ne sais pas ce qui se passe dans la tête des hommes, c'est tout ! Donald Wade aurait plus de bon sens. Il n'irait pas près d'une ruche parce qu'il s'est protégé avec de la *menthe* !

Elle le dévisagea, les joues tremblantes, la bouche serrée et retraita, incapable de l'affronter plus longtemps.

— Sortez ! ordonna-t-elle d'une voix sifflante. Sortez de ma cuisine !

Elle cassa un autre œuf, pulvérisant la coquille.

Il était à quelques mètres d'elle, l'épaule appuyée nonchalamment contre la porte, les bras croisés, admirant son visage empourpré, son menton volontaire et le frémissement de ses seins alors qu'elle fouettait les œufs.

— Vous savez, pour quelqu'un qui n'est pas en colère, vous menez un train d'enfer !

Il reçut un œuf en plein front.

— Qu'est-ce que...

Il se pencha en avant, le jaune d'œuf dégoulina sur son nez alors que le blanc tombait sur ses bottes.

— Si vous croyez que c'est drôle, allez vous mettre la tête dans la ruche. Les abeilles prendront soin de vous savonner les oreilles ! Dehors ! Vous m'entendez ? Dehors ! Sortez de ma cuisine !

Il s'apprêtait à obéir mais avant même d'atteindre la porte, il fut pris de fou rire. Le premier œuf clapota sur lui alors qu'il atteignait la porte moustiquaire, la glaire du second glissa sur son visage lorsqu'il dévala les marches. Avant d'atteindre la cour, il se tordait de rire.

— Allez-vous-en !

Il secoua la tête comme un chien qui sort de l'eau en gloussant joyeusement. La porte moustiquaire s'ouvrit, il tendit la main pour intercepter un autre œuf qui s'écrasa au fond de sa paume à la hauteur de sa hanche.

— Bravo ! C'est Joe DiMaggio en personne !

— Parker ! vociféra-t-elle.

— Ha ! Ha ! Ha !

Il riait encore en s'approchant du puits. Il se débarrassa de sa chemise, la lava et se rinça le torse. Il pouffait encore en suspendant sa chemise à un des piquets. Puis soudain il comprit : elle tenait à lui ! Il reçut le choc comme un coup de poing sur le menton. Il se figea sur place et regarda vers la maison.

Elle tient à toi ! Et tu tiens à elle !

Son cœur commençait à battre très fort pendant qu'il demeurait immobile sous le soleil qui lui chauffait le visage et la poitrine. *Tu tiens à elle ? Avoue-le, Will, tu l'aimes.* Il se passa la main sur le visage, la laissa retomber et continua à fixer la maison, sentant son cœur se serrer en se rappelant que celle qu'il aimait venait de lui lancer des œufs à la tête, qu'elle était enceinte de sept mois d'un autre homme, qu'il l'avait à peine touchée, jamais embrassée, ni désirée. Jusqu'à maintenant.

Il marcha vers la maison, en longues foulées mais sans se presser, ses tempes résonnant comme un tambour, tout en se demandant ce qu'il allait lui dire. Lorsqu'il ouvrit la porte moustiquaire, elle était à genoux et frottait déjà le plancher à l'aide d'un torchon. Il referma la porte doucement. Elle frottait, frottait, sans lever les yeux du plancher. Les garçons faisaient la sieste. La radio était muette. Il attendit, planté là. perplexe.

Vas-y Will ! Relève-la et regarde dans ses yeux pour savoir si tu as raison, Parker !

Il s'avança mais elle frottait de plus belle.

131

— Eleanor ?

Il ne l'avait jamais tutoyée, ni même appelée par son prénom.

— Allez-vous-en.

— Tu m'en veux, Eleanor ? dit-il encore plus doucement en lui touchant le bras.

Elle redressa la tête et ses yeux verts brillaient de larmes.

Elle était fâchée, si fâchée. Et la douceur de la voix de Will intensifiait sa colère, elle ne savait pourquoi. Elle refoula ses larmes et regarda Will, sa taille, son torse mouillé, son visage et ses cils humides. Il avait le regard ému. Sa peau était hâlée par le soleil et le travail, il avait pris des forces. Cette vision de lui l'émut jusqu'aux entrailles. Il était tout ce que Glendon n'était pas. Mais un homme de sa trempe accepterait-il l'affection d'une simple femme que l'on traitait de folle, enceinte de sept mois, grosse comme un melon d'eau ?

Eleanor baissa le menton. Il le releva du bout du doigt en lui disant avec un sourire au coin des lèvres :

— Dis, c'était un lancer formidable !

Elle détourna le menton et sentit l'effet de son charme courir dans ses membres, mais rien dans sa vie ne pouvait l'amener à croire qu'elle pouvait attirer un homme comme lui ; elle crut donc qu'il la taquinait :

— Ce n'est pas drôle, Will.

Il ressentit une profonde déception. Il s'accroupit, ses yeux tombèrent sur les mains d'Eleanor posées sur le bord d'une bassine.

— Non, ce n'est pas drôle, dit-il doucement. Je pense que nous devrions en parler.

— Il n'y a rien à dire.

— Tu crois ?

Soudainement, elle mit ses bras devant son visage. Elle pleurait.

— Ne pleure pas !

— Je ne pleure pas.

Qu'est-ce qui lui prenait ? Elle ne pleurait jamais, c'était gênant de pleurer devant Will Parker, comme ça, sans raison.

Il attendit mais elle sanglotait doucement, son estomac se soulevait.

— Non... chuchota-t-il, le cœur meurtri.

Elle redressa la tête, essuya ses larmes et renifla.

— Les femmes enceintes pleurent parfois. C'est tout.

— Pardonne-moi d'avoir ri.

— Je sais. Je suis désolée d'avoir lancé des œufs, dit-elle en s'essuyant le visage avec un bout de tablier. Mais Will, tu dois comprendre, les abeilles...

— Non. C'est toi qui dois comprendre.

— Mais, Will...

Il leva les mains.

— Non. Attends une minute. Je ne te cache pas que je suis allé dans le verger... souvent. Mais je ne suis pas lui, Eleanor, je ne suis pas Glendon. Je fais attention et il ne m'arrivera rien.

— Qu'est-ce que tu en sais ?

— D'accord, je l'ignore. Mais tu ne peux pas passer ta vie à craindre ce qui va arriver. Il est possible que rien n'arrive. Elly, il y a des abeilles partout. Et du miel à profusion. Je veux le récolter et le vendre.

— Mais...

— Écoute-moi, laisse-moi parler. Tu n'as pas tout entendu. Je vais avoir besoin de ton aide. Les ruches, je m'en occuperai et toi tu pourrais extraire le miel et le mettre en pots.

Elle détourna les yeux.

— Pour de l'argent, je suppose.

— Pourquoi pas ?

Elle le regarda à nouveau et ouvrit les mains.

— Mais je me moque de l'argent !

— Moi, non. Pas tant pour moi-même mais pour cet endroit, pour toi et les enfants. Il y a des choses que j'aimerais améliorer ici. L'électricité... et une salle de bains peut-être. Avec le bébé qui arrive. J'ai pensé que tu aimerais certaines choses toi aussi. Et le bébé ? Où vas-tu trouver l'argent pour le médecin ?

— Je te l'ai déjà dit, je n'ai pas besoin de médecin.

— Tu n'en as pas eu besoin heureusement le jour où les garçons se sont fait piquer, mais tu en auras besoin quand tu accoucheras.

— Je ne veux pas de médecin, déclara-t-elle avec obstination.

— Mais c'est ridicule ! Qui va t'aider ?

Elle leva le menton et le regarda droit dans les yeux.

— Je croyais que tu voudrais le faire.

— Moi ? s'écria Will en écarquillant les yeux. Mais je n'y connais absolument rien.

— Il n'y a rien à savoir, se hâta-t-elle de dire. Je te dirai tout ce qu'il faut avant ce jour-là. Tout ce que tu auras à faire sera d'attacher le...

— Attends une minute !

Il se leva brusquement, les mains en l'air pour arrêter le flot de paroles. Les yeux rivés sur lui, elle se leva maladroitement.

— Tu as peur, n'est-ce pas ?

Il enfonça ses mains dans ses poches et prit une mine grave. Deux plis se creusaient au milieu de son front.

— Une peur bleue. C'est insensé, alors qu'il y a un médecin en ville qui peut faire ça.

— Je te l'ai déjà dit, la ville ne me vaut rien. Je n'en ai pas besoin.

— Mais c'est... commença-t-il.

Elle termina la phrase à sa place :

— ... fou ?

— Je ne voulais pas dire ça, pesta-t-il. C'est risqué. Toutes sortes de choses peuvent arriver. Qu'arrivera-t-il si l'enfant naît avec le cordon ombilical autour du cou, ou si c'est un siège ?

— Ça n'arrivera pas. J'ai eu les deux autres et ça allait. Tout ce que tu devras faire, ce sera de...

— *Non !* cria-t-il en s'éloignant d'elle. Je ne suis pas une sage-femme !

C'était la première fois qu'elle le voyait dans cet état et elle ne savait pas quoi faire. Ils se faisaient face, se regardant en chiens de faïence, rouges comme des coqs en colère. Eleanor sentit le doute s'installer. Elle avait besoin de lui mais il n'avait pas l'air de comprendre ça. Elle avait peur mais ne pouvait le montrer. Et si ça devait casser, elle serait la femme la plus malheureuse du comté de Gordon.

— Alors, tu ferais mieux de prendre tes affaires et de t'en aller.

La flèche l'atteignit en plein cœur. Voilà pour l'amour. Combien de fois dans sa vie avait-il vécu cette situation ? *Désolé, mon gars, on n'a plus besoin de toi. On aimerait te garder mais...*

Peu importe qu'il s'échine au travail, il revenait à la case départ inévitablement. Il aurait dû le savoir depuis le temps. Il souffrait. Vraiment. Elle n'était pas raisonnable d'exiger cela de lui. Il aspira une longue bouffée d'air. Il avait l'estomac chaviré.

— Pouvons-nous en parler, Elly ?

Elle aimait entendre son prénom rouler dans sa bouche. Mais ce n'était pas d'un beau parleur qu'elle avait besoin. S'il restait, il fallait qu'il comprenne ça. Obstinée, elle s'agenouilla et recommença à laver le plancher.

— Je me débrouillerai seule. Je n'ai pas besoin de toi.

Non, personne n'avait besoin de lui. Il avait cru que ce serait différent cette fois-ci. Eleanor Dinsmore pouvait se passer de lui comme sa mère et les autres jusqu'au Texas. Il pouvait tout abandonner et s'en aller tout simplement, loin d'elle, qu'elle l'aime ou non n'y changeait rien, il était heureux ici, plus heureux qu'il ne l'avait jamais été, heureux d'accomplir un tas de choses. Ça valait la peine d'essayer.

Il refréna son orgueil, traversa la cuisine, s'accroupit près d'elle, les coudes posés sur les genoux :

— Je ne veux pas m'en aller... mais je n'ai pas été embauché ici pour accoucher des bébés, dit-il en avalant sa salive. C'est un peu... personnel, ne trouves-tu pas ?

— Je suppose que ça te dérangerait, répliqua-t-elle durement tout en nettoyant le plancher, se déplaçant de quelques mètres pour ne pas voir ses yeux.

Il s'écoula quelques secondes avant qu'il réponde :

— Oui.

— Glendon l'a fait deux fois.

— C'est différent. C'était ton mari.

— Tu pourrais le devenir toi aussi.

Une bouffée de chaleur envahit Will. Avait-il bien entendu ? Il soupesa ces paroles, en déséquilibre sur les talons, pendant qu'elle étendait de l'eau sur le plancher. Elle rougit et tenta d'expliquer :

— J'ai réfléchi et ça m'irait si nous nous mariions maintenant. Je pense que nous pourrions nous entendre. Les garçons t'aiment, tu leur fais du bien et... je ne lance pas des œufs à la tête très souvent.

Tout en parlant elle gardait les yeux baissés. Il réprima un sourire, le cœur affolé :

— Est-ce vraiment ce que tu désires ?

— Je crois que oui.

Alors, regarde-moi, laisse-moi voir tes yeux.

Quand elle releva les yeux, il n'y lut que de la gêne. Pense donc, elle avait demandé quelque chose. Alors... ce n'était pas de l'amour. Elle était seulement dans le pétrin et il lui était utile, côté pratique. Mais n'est-ce pas ce qu'il avait compris dès les premiers jours ?

Le silence s'intensifiait. Il se redressa et s'approcha de la fenêtre, jetant un coup d'œil à la cour arrière qu'il avait nettoyée et aux piquets de la corde à linge qu'il avait redressés en se disant combien il aurait souhaité faire plus pour elle. Beaucoup plus.

— Tu sais, Eleanor, c'est fou de faire ça juste parce que tu as placé une annonce et que j'y ai répondu. Est-ce une raison pour lier deux personnes pour la vie ?

— N'est-ce pas ce que tu souhaites ?

Il lui jeta un coup d'œil par-dessus l'épaule. Elle le regardait, le visage plein de colère.

— Et toi ?

Je suis enceinte, pas très futée et pas très jolie, pensait-elle.

De son côté, Will se disait :

Je suis un ancien meurtrier, ex-détenu.

Et ni l'un ni l'autre ne laissait parler son cœur.

Finalement, les yeux tournés vers la fenêtre, il dit :

— Il me semble qu'il devrait y avoir quelque chose de plus... entre deux personnes.

C'était à son tour de rougir mais il ne voulait pas le lui montrer.

— Je t'aime beaucoup Will. Et toi?

Elle devait parler d'autre chose, sa voix était dénuée de toute émotion.

— Ouais, dit-il d'une voix rauque. Je t'aime bien.

— Alors je crois que nous devrions nous marier.

Comme ça, pas de musique céleste, pas de baisers sous les étoiles. Elly, enceinte de sept mois, se levant péniblement et s'essuyant les mains sur son tablier. Et Will, à deux mètres d'elle, qui regardait dans la direction opposée. C'était aussi excitant que les programmes du président Roosevelt. Eh bien, assez, c'est assez. Avant d'accepter, Will voulait en avoir le cœur net. Il se tourna résolument vers elle :

— Il y a quelque chose qui m'intrigue.

— Quoi?

— Où dormirai-je?

Vraiment, il se posait la question. Ce serait difficile de dormir à côté d'une femme enceinte sans frôler son corps. Mais il se sentait seul, à la longue. Il reprit simplement :

— Les nuits sont de plus en plus fraîches dans la grange.

— La seule autre place pour dormir est celle qu'occupait Glendon.

— Je sais. Alors?

— Tu serais mon mari.

— Ouais, dit-il, sans expression, voyant que ça ne semblait pas la réjouir.

— Je dors avec la lampe allumée.

— Je sais.

Elle battit des paupières.

— Comment le sais-tu?

— Je l'ai remarqué quand je me suis levé l'autre jour.

— Cela t'empêchera de dormir probablement.

Pourquoi persistait-elle à lutter contre cette idée qui l'étouffait. Il réfléchit avant de lui dévoiler une faille.

— En prison, il ne faisait jamais tout à fait noir.

Son visage se radoucit et il se demanda si un jour il pourrait lui faire suffisamment confiance pour admettre qu'il était vulnérable.

— Eh bien... alors.

Le silence les enveloppait. Ni l'un ni l'autre ne savait quoi dire. Les émotions tardaient à se manifester comme cela aurait dû se produire dans pareille situation, en toute intimité. Au contraire, la tension augmentait.

— Eh bien, dit-il en se frottant le nez, riant nerveusement.

— Oui... Eh bien, répéta-t-elle en croisant les mains sous son ventre. Je ne sais pas comment on doit procéder.

— On doit se rendre au palais de justice à Calhoun. Là-bas, nous obtiendrons une dispense de bans.

— Tu veux y aller demain, alors ?

— Oui, ça serait parfait.

— À quelle heure ?

— Nous devrions partir tôt. Nous prendrons la carriole et emmènerons les garçons. Et comme tu le sais, Madame n'est pas très rapide.

— À neuf heures ? suggéra-t-elle.

— D'accord.

Pendant un moment, ils s'étudièrent, réalisant ce qu'ils venaient de faire. Étrange. Incroyable. Ils en prirent conscience soudainement. Il eut le réflexe d'abaisser son chapeau sur son front, s'aperçut qu'il l'avait oublié sur un des piquets. Il enfonça son pouce dans sa poche arrière et recula d'un pas.

— Eh bien... J'ai du travail à finir.

— Moi aussi.

Il recula de deux pas, se demandant ce qu'elle ferait s'il changeait d'avis et l'embrassait. Mais il revint à sa première idée et tourna les talons.

8

Ce soir-là, allongée sur son lit, Eleanor ne parvenait pas à trouver le sommeil. Elle évoqua la journée écoulée, celle du lendemain, les années à venir. Will et elle vivraient-ils en bonne intelligence ou passeraient-ils leur temps à se quereller ? Les querelles, c'était quelque chose de nouveau pour elle. Durant les années de son mariage avec Glendon, il n'y avait jamais eu de dispute, peut-être parce que Glendon était trop paresseux...

Dans le milieu où elle avait grandi, on ne se querellait pas. Mais on ne riait pas non plus. En revanche, quelle tension nerveuse constante ! Aussi loin qu'elle pouvait remonter dans ses souvenirs, cette tension avait toujours existé comme un monstre menaçant prêt à fondre sur elle. Elle se manifestait dans le maintien de sa grand-mère, comme si cette dernière craignait d'offenser le Seigneur en marchant le dos courbé ; dans le comportement discret de sa mère, qui obéissait aux ordres sans se plaindre et sans jamais croiser le regard de grand-mère. Mais la tension atteignait son paroxysme quand son grand-père rentrait à la maison. C'était alors qu'il fallait prier, car la « purification » commençait.

Eleanor s'agenouillait sur le dur plancher du salon – c'était un ordre – tandis que son grand-père, levant les bras au ciel, la barbe grise tremblante et les yeux révulsés, en appelait au pardon du Tout-Puissant. Auprès d'elle, sa grand-mère gémissait ou grognait comme un ours en cage, puis, tremblant de tout son être, se mettait à prononcer des paroles inintelligibles. Alors sa mère, la pécheresse, fermait les yeux, serrait les doigts à s'en rompre les articulations puis se laissait glisser à deux genoux, pitoyable, tout en récitant une prière muette. Eleanor, elle, le fruit du péché, se cachait le visage dans ses mains, sans pourtant manquer d'observer furtivement toute la scène, et se demandait ce que sa mère et elle avaient bien pu faire au ciel.

Il lui semblait impossible que sa mère eût pu faire quelque chose de mal. Elle était douce comme un agneau, ne prenait presque jamais la parole, sauf quand grand-père exigeait qu'elle priât à haute voix pour demander à Dieu de lui pardonner sa dépravation. Mais qu'était-ce donc que la dépravation ? Eleanor, enfant, se l'était souvent demandé. Et pourquoi était-elle un fruit du péché ?

Quand Eleanor était petite, sa mère lui parlait, parfois, dans l'intimité de la chambre qu'elles partageaient toutes deux. Mais avec le temps, elle était devenue plus taciturne, plus distante. Elle travaillait dur, grand-mère y veillait. Elle devait s'occuper de tous les travaux du jardin tandis que grand-mère, dans l'ombre, montait la garde. Si quelqu'un passait sur la route, grand-mère se hâtait vers la porte de derrière et, dans l'entrebâillement, sifflait un : « Pssst, Viens ici, Chloe ! ». Chloe finit par ne plus attendre l'ordre et se précipitait dans la maison dès qu'elle apercevait un être humain.

Trois personnes seulement, et pas une de plus, avaient la permission de la voir, mais pour des raisons pratiques : le laitier qui déposait ses bouteilles sur les marches du perron ; le commis de Raleigh auquel ils achetaient les provisions ; et un vieil homme répondant au nom de Dinsmore qui livrait les pains de glace destinés à la glacière. Son fils, Glendon, prit un jour la relève. Si quelqu'un d'autre frappait à la porte, le directeur de l'école, un clochard en quête de nourriture ou le percepteur, ils percevaient seulement le mouvement d'un store que l'on écartait pour les observer de l'intérieur, à la dérobée.

Plus tard, le *truant officer*[1] commença à venir. Il tambourinait impérieusement à la porte pour exiger qu'on la lui ouvrît. Avait-on

---

1. N de T : Fonctionnaire chargé de faire respecter les règlements de la scolarisation.

une enfant en ces lieux ? Si c'était le cas, il fallait qu'elle fréquentât l'école : c'était la loi.

Grand-mère se tenait en retrait, derrière les stores baissés, pâle comme la mort, et murmurait :

— Silence, Eleanor. Pas un mot !

Mais un jour, le *truant officer* passa lorsque grand-père se trouvait à la maison. Cette fois-ci, il hurla :

— Albert See ? Nous savons qu'il y a ici une enfant en âge d'aller à l'école. Si vous n'ouvrez pas cette porte, je vais aller chercher un mandat officiel qui me donnera le droit de l'enfoncer et d'emmener l'enfant ! C'est ce que vous voulez, See ?

Alors, pour Eleanor commença le temps de l'école. Mais ce fut bien pénible pour la fillette pâlichonne qui avait un an de plus que les autres enfants de sa classe et les dépassait tous d'une bonne tête. Ses camarades la traitaient comme une curiosité qu'elle était d'ailleurs, une godiche maladroite et muette qui ne connaissait aucun jeu, même le plus simple, n'avait aucune idée de la vie de groupe et regardait tout et tous de ses grands yeux verts. Elle ne faisait rien avec spontanéité et quand par hasard elle montrait une certaine jubilation, en sautant ou en applaudissant, elle le faisait toujours avec brusquerie, retombant ensuite dans son silence coutumier, comme si on lui avait coupé le courant. Quand les instituteurs tentaient de se montrer gentils avec elle, elle reculait comme sous l'effet d'une menace. Si ses camarades se moquaient d'elle, elle répondait en leur tirant la langue. Et ils ne se privaient pas de le faire avec une cruelle régularité.

Aller à l'école équivalait, aux yeux d'Eleanor, à troquer une prison pour une autre. Alors elle se mit à faire l'école buissonnière. La première fois que cela lui arriva, elle eut peur que Dieu ne l'aperçût et allât tout raconter à grand-mère. Mais comme Il n'en fit rien, elle recommença, passant la journée à parcourir les bois et les champs, pour découvrir enfin la magie de la véritable liberté. Elle savait comment passer inaperçue. Là-bas, à la maison, derrière les stores verts, elle avait été à bonne école. Pour la première fois, cela s'avérait positif. Les animaux apprirent à lui faire confiance, à vaquer à leurs occupations comme si elle était l'une d'entre eux, qu'ils fussent serpents, araignées, écureuils ou oiseaux. Surtout les oiseaux. Pour Eleanor, ces merveilleuses créatures possédaient la liberté la plus pure.

Elle se mit alors à les étudier. Lorsque la classe de cinquième année de Mlle Buttry se rendit à la bibliothèque, Eleanor découvrit un livre d'Audubon contenant des planches en couleur et des commentaires sur la vie des oiseaux, leurs nids, leurs œufs et leurs chants. Dans la nature, elle commença à les reconnaître : le roitelet couronné, une miniature pleine d'entrain au chant féerique ; les jaseurs qui arrivent par volées, semblent toujours affectueux et parfois s'enivrent de fruits trop mûrs ; le geai bleuté, vaniteux et arrogant, mais plus beau à ses yeux que le cardinal ou le tangara.

Elle avait toujours dans ses poches des miettes de pain et les jetait à la volée autour d'elle ; puis elle s'asseyait par terre, silencieuse comme son amie la chouette rayée, si bien qu'un jour un pinson vint se percher sur la branche d'un pin avoisinant pour lui faire entendre son chant mélodieux. À la longue, il finit par descendre sur une branche basse et tendit le cou pour l'étudier de plus près. Alors elle attendit patiemment qu'il s'approchât pour picorer les miettes. Elle le revit une deuxième fois – convaincue que c'était le même oiseau – puis une troisième, et lorsqu'elle eut appris à imiter son chant, elle l'appelait comme les autres enfants sifflent leurs chiens. Un jour, enfin, elle prit la pose de la statue de la Liberté, les miettes dans la main, et le pinson vint s'y poser pour les manger.

Peu de temps après, à l'école, alors qu'un groupe d'enfants échangeaient des rodomontades, une petite fille aux tresses noires s'exclama :

— Moi, je peux faire la roue trente-sept fois sans avoir la tête qui tourne.

Une autre, qui était la plus grosse de la classe, affirma :

— Eh ben moi, je peux avaler quatorze biscuits en même temps !

Une troisième, considérée comme la plus belle menteuse de la classe, s'écria :

— Moi, mon père va faire un safari en Afrique l'année prochaine et il va m'emmener avec lui !

Eleanor s'approcha de ce cercle restreint et osa timidement :

— Moi je suis capable d'appeler les oiseaux et de les faire manger dans ma main.

Ses camarades la regardèrent, ébahis, convaincus qu'ils avaient affaire à une folle, puis ils se mirent à ricaner bêtement et refermèrent leurs rangs. Après quoi, on murmura quelques sarcasmes suffisamment fort pour qu'elle les entendît : Elly See, la folle, parle aux oiseaux et habite là-bas dans la maison aux stores baissés, avec sa piquée de mère et ses grands-parents débiles.

Ce fut lors d'une de ses escapades qu'elle adressa pour la première fois la parole à Glendon Dinsmore. Elle rentrait chez elle, en retard, et sortait des bois en courant, dévalant un raidillon escarpé. Des pierres roulèrent sous ses pieds jusqu'à la route qui passait en contrebas, effarouchant au passage une mule qui se mit à braire et à ruer, manquant de faire verser la carriole de Dinsmore.

— Hé là ! hurla-t-il alors que la bête donnait de violents coups de sabot.

Lorsqu'il eut réussi à maîtriser l'animal, il ôta son chapeau de feutre poussiéreux et se mit à en frapper frénétiquement le siège de sa charrette.

— Par le Tout-Puissant, ma fille, pourquoi sors-tu du bois de cette manière ?

— Je suis en retard. Faut que je sois à la maison avant que les écoliers passent devant.

— Ben, t'as fichu une de ces trouilles à ma pauvre Madame ! Faudrait faire plus attention aux animaux.

— Je suis désolée, répliqua-t-elle, apaisée.

— Mouais... J'imagine que tu n'as pas eu le temps de réfléchir. Fais attention, la prochaine fois, tu m'entends ? Mais, dis-moi, tu fais l'école buissonnière, hein ? J'ai l'impression que je te connais, non ?

Elle croisa les bras derrière son dos et se mit à se dandiner d'un pied sur l'autre.

— C'est vous qui apportiez la glace à la maison quand j'étais petite.

— C'est vrai ?

Elle opina tandis qu'il se grattait la tête en rejetant son chapeau en arrière.

— Comment tu t'appelles, déjà ?

— Elly See.

— Elly See... Ah, j'y suis ! Je m'en souviens, maintenant. Moi, c'est Glendon Dinsmore.

— Je sais.

— Tu le sais ? Comment est-ce possible ? Je ne fais plus de livraisons chez vous, pourtant.

Du bout du pied, Elly gratta un peu de boue.

— Je sais. Grand-père a acheté un réfrigérateur électrique pour ne plus avoir à se faire livrer de la glace. Ils n'aiment pas que les gens viennent chez nous.

— Ah... bon... je me disais aussi.

Du pouce, il désigna la route et proposa :

— Je vais dans ta direction. Tu veux que je t'emmène ?

Elle secoua la tête en serrant plus étroitement les mains derrière son dos. « C'est un adulte, maintenant, se dit-elle, il a au moins dix-sept ou dix-huit ans. » Si grand-mère la voyait rentrer à la maison dans sa carriole, elle allait devoir passer des heures à genoux.

— Eh bien ! Pourquoi pas ? Ça ne lui fait rien à Madame de transporter deux personnes.

— Ça me gêne un peu. Normalement, je suis censée rentrer directement de l'école à la maison et... pas de parler à des étrangers.

— Ben, je ne voudrais pas te causer d'ennuis. Mais ça t'arrive souvent ?

Elle le considéra avec circonspection.

— Seulement... quelquefois.

— Et qu'est-ce que tu fais là-bas dans les bois ?

— J'étudie les oiseaux.

Puis après avoir réfléchi, elle ajouta :

— C'est pour l'école, vous savez.

Il redressa le menton et hocha la tête de façon entendue comme pour dire, « Ah, je vois ».

— C'est beau, les oiseaux, admit-il en prenant les rênes. Eh bien, peut-être qu'un de ces jours je passerai par chez toi. Mais il est préférable que je ne te raccompagne pas aujourd'hui. Salut, Elly.

Elle le regarda partir, perplexe. C'était la première personne qui, au cours de ses douze années d'existence, ne l'avait traitée ni comme une folle ni comme le fruit d'un péché. Elle ne cessa de penser à lui par la suite, notamment lors des séances de prière, afin d'oublier la douleur qui lui meurtrissait les genoux. Il était d'apparence plutôt crasseuse, vêtu d'une salopette et de vieilles bottes et avait tout juste assez de barbe pour se donner l'air viril. Mais ce n'était pas cela qui lui importait : il l'avait traitée avec respect.

Lorsqu'elle s'évada dans les bois, la fois suivante, elle découvrit une cachette située bien au-dessus du talus rocheux, derrière un buisson de genévriers d'où, tout en restant invisible, elle pouvait apercevoir la route. Depuis son perchoir secret, elle attendit qu'il apparût. Comme il ne passait pas, elle s'étonna de sa déception. Au bout de trois jours, elle abandonna, sans vraiment savoir ce qu'elle attendait d'une telle rencontre. Elle désirait bavarder avec lui, sans doute. Cela faisait tant de bien de simplement parler à quelqu'un.

Il se passa d'ailleurs près d'un an avant qu'elle le croisât de nouveau. C'était en automne, par une chaude journée aux teintes vives sous un ciel bistre. Elly traquait des cailles blanches, ces petites souveraines des haies dont elle adorait le chant. Incapable d'en lever aucune, elle se dirigea vers les sous-bois pour en chercher dans des fourrés plus épais où elles se posaient en bandes sur le sol, la tête hors des frondaisons. Elle les appelait en sifflant lorsqu'elle aperçut Glendon Dinsmore au sommet d'une colline avoisinante. Elle s'arrêta net et le regarda s'approcher, un fusil sur le bras. Il lui fit signe et l'appela :

— Hé ! Oh ! Elly !

Elle ne bougea pas, attendant qu'il la rejoigne. En s'arrêtant devant elle, il reprit :

— Salut, Elly.

— Salut, Glendon, répondit-elle.

— Comment ça va?

— Pas mal, je pense.

Ils restèrent un moment sans rien dire. Elle le regardait, le visage grave alors qu'il paraissait tout heureux de l'avoir retrouvée. Il avait la même allure que la première fois : la même salopette, la même barbe peu soignée, le même chapeau poussiéreux. Finalement, il changea de posture, se frotta le nez et demanda :

— Alors, comment que ça va tes oiseaux?

— Quoi, les oiseaux?

Les oiseaux, c'étaient ses affaires à elle, pas celles des autres.

— Tu m'as dit que tu étudiais les oiseaux. Qu'est-ce que tu apprends maintenant?

Ainsi, un an après, il se rappelait qu'elle étudiait les oiseaux. Elly se radoucit.

— J'essaie d'appeler les cailles blanches pour les faire sortir.

— Tu arrives à les appeler? Mince alors!

À la différence des filles de l'école, il avait l'air très impressionné.

— Parfois. Et parfois ça ne marche pas. Qu'est-ce que vous fabriquez avec ce fusil?

— Je chasse.

— Vous chassez? Vous voulez dire que vous tirez sur des bêtes?

— Oui. Sur les chevreuils.

— Je ne pourrais jamais tirer sur un animal.

— Mon père et moi, on les mange, les chevreuils.

— Eh bien, j'espère que vous n'en trouverez pas.

Il se redressa et se mit à rire, d'un petit rire bref, puis il reprit :

— Dis donc, fillette, t'es pas ordinaire, toi. Oui, je me rappelle, t'étais pas ordinaire. Alors, t'en as vu des cailles blanches?

— Non. Pas encore. Et vous, vous avez vu des chevreuils?

— Non. Pas encore.

— Moi, j'en ai vu un. Mais je ne vous dirai pas où. Je le vois presque tous les jours.

— Alors, tu viens par ici tous les jours?

— À peu près.

— Moi aussi. Pendant la période de la chasse.

Elle réfléchit un instant, mais toute éventualité de le rencontrer de nouveau lui sembla ridicule. Après tout, elle n'avait que treize ans et lui cinq ans de plus.

Effrayée à cette simple pensée, elle tourna subitement les talons.

— Il faut que j'y aille.

Et elle partit en courant.

— Hé, Elly, attends.

— Quoi ?

Elle s'arrêta à quelques mètres et se retourna.

— Peut-être qu'on se reverra quelquefois par ici. Je veux dire, eh bien, que la saison de la chasse va durer encore plusieurs semaines.

— Peut-être.

Elle le considéra, sans dire un mot, puis répéta :

— Il faut que j'y aille. Si je ne suis pas à la maison à quatre heures cinq, ils vont m'obliger à prier pendant une demi-heure de plus.

Elle tourna de nouveau les talons et partit en courant aussi vite que ses jambes le lui permettaient, surprise de la gentillesse du jeune homme, d'autant plus qu'il semblait ne pas la trouver cinglée. Il était pourtant déjà entré chez eux, là-bas ; il savait d'où elle venait, connaissait ses parents. Malgré cela, il voulait être son ami.

Le lendemain, elle revint au même endroit mais se cacha afin qu'il ne pût l'apercevoir. Elle le vit s'approcher par la même colline, son fusil dans une main, un gros sac de toile dans l'autre. Il s'assit près d'un arbre, posa le fusil sur ses genoux et le sac à côté de lui. Il repoussa en arrière son chapeau couvert de poussière, tira une pipe de sa bavette, la bourra et l'alluma avec une allumette. De sa vie, pensa-t-elle, elle n'avait vu quelqu'un d'aussi heureux.

Il fuma jusqu'à la dernière bouffée, les jambes croisées, une main sur le ventre. Lorsqu'il vida le fourneau de sa pipe de son contenu qu'il écrasa de son pied, elle sentit la panique l'envahir. Dans un instant, il allait s'en aller !

Elle sortit de sa cachette et resta là, sans bouger, attendant d'être remarquée. Dès qu'il la vit, son visage s'illumina d'un sourire.

— Eh! salut!

— Salut à vous.

— Belle journée, n'est-ce pas?

Pour elle, tous les jours se ressemblaient. Elle jeta un coup d'œil vers le ciel tout en gardant le silence.

— Je t'ai apporté quelque chose, dit-il en se levant.

— Pour moi?

Son regard se fit plus méfiant. Chez elle, personne ne se montrait gentil avec personne.

— Pour tes oiseaux.

Il s'accroupit et ramassa le gros sac de toile fermé par une ficelle.

Elle le dévisagea, incapable de parler.

— Alors, tes études sur les oiseaux, ça avance?

— Oui... pas mal. Pas mal du tout.

— L'année dernière tu les étudiais pour l'école. Alors, pourquoi tu continues cette année?

— Simplement pour le plaisir. J'aime les oiseaux.

— Moi aussi, dit-il en déposant le sac à ses pieds. Tu es en quelle classe?

— En septième année.

— Et ça te plaît?

— Moins que l'année dernière. L'an passé, j'étais avec Mlle Natwicvks.

— Je l'ai eue, moi aussi. Je n'aimais pas beaucoup l'école, tu sais. J'ai arrêté en fin de huitième année. Et puis j'ai travaillé avec mon père. Lui et moi, on habite là-bas derrière, au-dessus de Rock Creek Road.

Elle tourna la tête dans cette direction mais ses yeux en revinrent bien vite au sac déposé dans l'herbe.

— Qu'est-ce qu'il y a là-dedans?

— Du maïs.

Les timides gros becs bleus devaient aimer le maïs. Avec ça, elle pourrait peut-être les approcher. Elle devrait remercier Glendon, mais elle n'avait jamais su comment faire. Alors, faute de

148

mieux, elle lui offrit ce qu'elle avait, un aperçu de sa connaissance des oiseaux.

— Ceux que je préfère, ce sont les loriots. Ils ne mangent pas de maïs. Rien que des insectes et du raisin. Mais les gros becs aimeront certainement ça.

Il hocha la tête et elle se rendit compte que sa réponse était tout ce qu'il attendait. Il continua à lui poser des questions sur l'école et elle lui répondit qu'il lui arrivait d'étudier les oiseaux à la bibliothèque. Parfois elle emportait les livres dans les bois. D'autres fois, elle n'emportait qu'un cahier et des crayons pour faire des dessins qu'elle rapportait à la bibliothèque afin d'identifier les oiseaux.

— À ta place, lui dit-il, j'utiliserais des calebasses en guise de cabanes à oiseaux.

— Des calebasses ?

— Les oiseaux aiment ça. Tu n'as qu'à y creuser un trou et ils s'y installent.

— Un trou gros comment ?

— Ça dépend de la taille des oiseaux. Et de la calebasse.

Finalement il tira une montre de sa poche et dit :

— Il va être quatre heures. Tu ferais bien de rentrer.

Elle tourna la tête vers l'horizon, au-delà de la colline avoisinante, avant de se laisser tomber à genoux et de desserrer la ficelle d'une main tremblante. Elle regarda dans le sac et son cœur se mit à battre plus vite. Elle plongea la main dans les grains dorés et les laissa couler entre ses doigts. Ce genre d'émotion était pour elle quelque chose de nouveau. Jamais, auparavant, elle n'avait eu à attendre quoi que ce fût.

Le lendemain, il ne se montra pas. Mais près du buisson de sumacs où ils s'étaient rencontrés à deux reprises, il avait déposé trois grosses calebasses rayées jaune et vert. Dans chacune d'elles, il avait creusé un trou de taille différente. De plus, ils les avait munies d'une ficelle pour les suspendre.

Un cadeau. Il lui avait offert un second cadeau !

Toute la saison de chasse s'écoula avant qu'elle ne le revît, le dernier jour. Il se baladait sur la colline, le fusil à la main, tandis qu'elle attendait, bien en vue, droite comme un I, petite fille sans attrait dont les yeux semblaient plus sombres qu'ils ne l'étaient en réalité dans son visage pâle et rempli de taches de rousseur. Elle ne sourit ni ne trembla mais l'appela tout de go.

— Vous voulez voir où j'ai accroché les calebasses ?

Jamais de sa vie Elly n'avait mis à ce point sa confiance en quelqu'un.

Par la suite, ils se revirent souvent. C'était un compagnon agréable car il comprenait comme elle les bois et ses occupants. Et chaque fois qu'ils se promenaient ensemble, il restait à distance respectueuse, les pouces dans les poches arrière de sa salopette, légèrement penché en avant.

Elle lui fit découvrir les loriots, les gros becs bleus et les bruants indigo. Ensemble ils observaient les oiseaux venus élire domicile dans les trois calebasses rayées, deux nichées de moineaux et, au printemps, un oiseau bleu. Mais c'est seulement au bout de plusieurs mois qu'elle prit une poignée de maïs et lui dévoila son art d'appeler les oiseaux et de les inciter à venir manger dans sa main.

L'année suivante, alors qu'elle venait d'avoir quatorze ans, elle le rejoignit un jour, une expression mélancolique sur le visage. Ils s'assirent sur un tronc abattu pour contempler le creux d'un arbre où nichait un opossum.

— On ne va plus pouvoir se voir, Glendon.

— Et pourquoi ça ?

— Parce que je suis malade. Je vais sûrement mourir.

Inquiet, il se tourna vers elle.

— Mourir ? Qu'est-ce que tu as ?

— Je ne sais pas, mais c'est grave.

— Euh... est-ce qu'ils t'ont emmenée chez le docteur ?

— Ce n'est pas la peine. Je saigne déjà... Qu'est-ce qu'il pourrait bien y faire ?

— Tu saignes ?

Elle opina de la tête, les lèvres serrées, résignée, les yeux fixés sur le creux de l'arbre.

150

Le regard de Glendon glissa furtivement sur sa robe sous laquelle pointaient de petits seins.

— Tu en as parlé à ta mère?

Elle secoua la tête.

— Ça ne servirait à rien. Elle est toujours de mauvaise humeur. C'est comme si elle ne me connaissait plus.

— Et ta grand-mère?

— J'ai peur de lui en parler.

— Pourquoi?

Elly baissa les yeux.

— Parce que.

— Parce que quoi?

Elle haussa les épaules, ayant vaguement le sentiment que tout cela avait quelque chose à voir avec le fruit du péché.

— Tu saignes par où les filles font pipi? demanda-t-il.

Elle fit oui de la tête et rougit.

— Ils ne t'ont jamais parlé de rien, n'est-ce pas?

— Parlé de quoi? répondit-elle en lui lançant un regard effarouché.

— Toutes les femmes ont ça. Sinon, elles ne peuvent pas avoir d'enfants.

Elle détourna la tête tandis qu'il concentrait son attention sur un rayon de soleil qui venait de frapper le tronc d'un vieux chêne.

— Ils auraient dû te le dire. Tu aurais su à quoi t'en tenir. Maintenant tu vas rentrer chez toi et en parler à ta grand-mère : elle te dira ce qu'il faut faire.

Mais Eleanor n'en fit rien. Elle accepta l'explication de Glendon : c'était quelque chose de naturel. Lorsque cela se produisit à intervalles réguliers, elle commença à compter les jours entre chaque période afin de s'y préparer.

Lorsqu'elle eut quinze ans, elle demanda à Glendon ce que signifiait « fruit du péché ».

— Pourquoi?

— Parce que c'est ce que je suis. Ils m'appellent tout le temps comme ça.

— Ils t'appellent comme ça!

Le visage du jeune homme se rembrunit. Il ramassa un bout de bois, le brisa en quatre morceaux qu'il jeta au loin.

— Ça ne veut rien dire, ajouta-t-il sèchement.

— C'est quelque chose de méchant, n'est-ce pas?

— Ce n'est pas possible. Tu n'es pas méchante, pas vrai?

— Je leur désobéis et je m'enfuis de l'école.

— Ça ne fait pas de toi un fruit du péché.

— Alors c'est quoi?

Comme il gardait le silence, elle insista.

— Tu es mon ami, Glendon. Si tu ne me le dis pas, qui le fera?

Il s'assit dans l'herbe, les coudes appuyés sur ses genoux, les yeux fixés sur les morceaux de bois qu'il venait de briser.

— Bon, d'accord, je vais te le dire. Tu te rappelles quand on a vu les cailles s'accoupler? Tu te souviens de ce qui s'est passé quand le mâle est monté sur le dos de la femelle? C'est comme ça que les humains s'accouplent aussi, mais seulement, d'habitude, s'ils sont mariés. S'ils le font quand ils ne le sont pas et qu'ils ont un bébé, les gens comme ta grand-mère l'appellent le fruit du péché.

— Alors, j'en suis un.

— Non, ce n'est pas vrai.

— Mais si...

— Non, c'est faux! Maintenant, je ne veux plus en entendre parler!

— Mais, je n'ai pas de papa.

— Et ce n'est pas de ta faute, que je sache. Alors, qui est responsable?

Tout à coup, elle comprit les causes des purifications et pourquoi on appelait sa mère la pécheresse. Mais alors, qui était son père? Le saurait-elle jamais?

— Glendon?

— Qu'est-ce qu'il y a?

— Est-ce que je suis une bâtarde? À l'école, elle avait entendu le mot murmuré dans son dos.

— Elly, tu as appris à ne pas te préoccuper de choses sans importance. L'essentiel, c'est qu'au fond de toi tu sois quelqu'un de bien.

Ils restèrent silencieux durant de longues minutes à écouter une volée de moineaux gazouiller dans les buissons de bourdaine où elle avait suspendu les calebasses. Eleanor leva les yeux vers les lambeaux de ciel bleu qu'elle apercevait au-dessus d'elle parmi les branches.

— Est-ce que tu as déjà souhaité la mort de quelqu'un, Glendon ?

Il la regarda calmement avant de répondre.

— Non. Et j'espère que ça n'arrivera jamais.

— Parfois il m'arrive de souhaiter que mes grands-parents meurent pour que ma mère et moi, on n'ait plus à prier, que je puisse relever les stores de la maison et que ma mère puisse enfin sortir. Une personne qui a un bon fond ne devrait pas avoir ce genre de désir. Ça, je ne le crois pas.

Il tendit le bras et posa une main consolante sur son épaule. C'était la première fois qu'il la touchait délibérément.

Eleanor fut exaucée l'année de ses seize ans. Albert See mourut... dans le lit d'une femme qui s'appelait Mathilde King. Mathilde King, d'après ce qu'on sut, était noire et dispensait ses faveurs pour de l'argent.

Elly annonça le décès à Glendon sans montrer la moindre trace de chagrin. Lorsqu'il lui caressa la joue, elle dit seulement :

— Tout va bien, maintenant, Glendon. C'était lui le vrai pécheur.

Le choc et la honte des circonstances qui avaient entouré la mort de son époux rendirent Lottie See incapable désormais de regarder en face sa fille et sa petite-fille.

Elle lui survécut moins d'une année dont elle passa la plus grande partie assise dans un fauteuil inconfortable, le regard fixé sur un des coins du salon dont on avait collé les stores verts sur les cadres des fenêtres avec du ruban adhésif. Elle ne parlait plus sinon pour prier ou obliger Chloe à se repentir, et se contentait de regarder le mur jusqu'au jour où sa tête s'affaissa sur sa poitrine et ses mains s'effondrèrent le long de son corps.

Lorsque Elly raconta à Glendon la fin de sa grand-mère, il n'y eut ni pleurs ni lamentations. Il lui prit la main et la garda dans la sienne tandis qu'ils s'asseyaient sur un tronc, tout en écoutant les murmures de la forêt.

— Des gens comme eux... ils sont certainement plus heureux sous terre, dit-il. Ils n'avaient aucune idée de ce qu'est le bonheur.

Elly regardait droit devant elle.

— À partir de maintenant je pourrai te voir quand je voudrai. Maman ne m'en empêchera pas. Je vais abandonner l'école et rester à la maison pour m'occuper d'elle.

Eleanor enleva les rubans adhésifs des cadres des fenêtres mais, lorsqu'elle releva les stores, Chloe poussa des cris stridents et se recroquevilla sur elle-même, comme pour se protéger d'une gifle. Sa terreur maniaque l'avait totalement coupée de la réalité. La mort de ses parents, au lieu de la libérer, l'avait un peu plus enfoncée dans la folie. Elle ne savait rien faire par elle-même si bien qu'Eleanor dut désormais la nourrir, la vêtir et s'occuper de tous ses besoins quotidiens.

Lorsque Elly eut dix-huit ans, le père de Glendon mourut. La douleur de Glendon contrastait singulièrement avec l'absence d'émotion qu'avait manifestée Elly à la mort de ses grands-parents. Les jeunes gens s'étaient retrouvés dans les bois et Glendon pleurait à fendre l'âme. Elly avait ouvert les bras et, pour la première fois, l'avait serré contre elle.

— Oh non, Glendon, ne pleure pas... ne pleure pas.

Mais secrètement, elle trouvait merveilleux que quelqu'un pût pleurer sur la mort d'un de ses proches. Elle le berça contre son sein et, lorsqu'il cessa de pleurer, il déversa ce qui restait de son chagrin dans le corps virginal de la jeune fille. Pour Elly, il s'agissait non d'un acte charnel, mais de la preuve d'un amour spirituel. Elle ne priait ni ne prierait plus, plus jamais. Cependant, consoler un être si affligé d'une telle façon lui semblait une prière plus profonde que toutes celles qu'elle avait été obligée de dire à genoux, là-bas, dans cette sinistre maison.

Lorsque tout fut consommé, elle resta allongée sur le dos à contempler les couleurs pâles du couchant à travers les rameaux que terminaient de tendres bourgeons printaniers.

— Je ne veux pas de fruits du péché, Glendon, dit-elle subitement.

Il lui prit la main et la serra très fort.

— Mais tu n'en auras pas. Tu vas m'épouser, n'est-ce pas Elly ?

— Mais je ne peux pas. Il faut que je m'occupe de maman.

— Tu pourrais t'en occuper chez moi de la même façon, tu ne crois pas ? Ça doit être horrible de vivre seules là-bas. Eh ! on pourrait prendre soin d'elle tous les deux. Ça ne me gênerait pas qu'elle vive avec nous, et puis elle doit se souvenir de moi, hein ? Du temps où je venais livrer la glace chez vous.

— Je ne lui ai jamais parlé de toi, Glendon. Elle ne comprendrait pas. Elle est folle, tu sais. Elle a peur de la lumière du jour. Depuis que mes grands-parents l'y ont ramenée, elle n'a plus jamais quitté la maison et je crains que, si j'essaie de l'en faire sortir, elle ne meure de peur.

Chloe mourut, la même année que ses parents, sans souffrir, durant son sommeil. Le jour de l'enterrement de sa mère, Elly ramassa ses pauvres hardes, referma la porte, laissant tous les stores fermés, monta dans la carriole de Glendon et partit sans se retourner. Ils se rendirent à Calhoun et s'y marièrent tout de suite. Leur mariage était l'union naturelle de deux solitudes. Leur vie de couple fut tissée de camaraderie et non de grande passion.

Et voici qu'Elly se mariait pour la seconde fois, dans des circonstances analogues, et pour la même raison. Allongée sur son lit, pensant au lendemain, elle eut une boule dans la gorge. Comment se faisait-il qu'Elly See n'ait jamais réussi à faire un mariage qui fût autre chose qu'un mariage de raison ? Elle était sensible, elle aussi, elle pouvait souffrir, désirer, vouloir, comme n'importe qui. Mais ces sentiments, n'avaient-ils pas été enfouis au plus profond d'elle-même au point d'avoir fini par s'étioler au cours des longues années qu'elle avait passées forcée à la soumission et au silence derrière les murs de la sinistre demeure de ses grands-parents ? Personne ne lui avait appris la manière de se comporter avec un homme. Aimer les garçons, cela n'avait rien de difficile. Mais faire comprendre à un homme ce que vous pensez de lui, c'était bien différent.

Pourquoi n'avait-elle pas pu dire à Will qu'elle avait eu peur qu'il ne se fît piquer par les abeilles ? Au lieu de cela, elle lui avait lancé un œuf à la figure. Un œuf, quelle pitié, alors qu'il avait tant fait pour elle et que son seul désir était d'en faire davantage. Des larmes de honte lui montèrent aux yeux et, tout en se remémorant la scène, elle se couvrit le visage de son bras. Quelque chose de singulier s'était produit lorsqu'il était sorti en riant au lieu de se mettre en colère. Oui, là, au creux de son estomac. Et c'était toujours là lorsqu'il est revenu pour le souper, comme une sensation qu'elle n'avait jamais connue auparavant, pas même avec Glendon. Intense, si on peut dire. Et en y réfléchissant bien, cela lui avait serré la gorge.

Cela revenait, de manière plus incisive, lorsqu'elle se représentait Will mentalement, maigre, hâve et si différent de Glendon. Rasé tous les matins. Lavé trois fois par jour. Et un pantalon propre au lever du soleil. Il lui apportait plus de linge sale en une semaine que Glendon en un mois. Mais cela n'avait pas d'importance. Aucune. Parfois, en repassant ses vêtements, elle pensait à lui et la sensation revenait. Elle en avait l'estomac noué et son pouls battait plus fort.

Lorsque, tout à l'heure, il était entré dans la cuisine torse nu, hâlé et encore humide de la douche qu'il venait de prendre, et lui avait pris le bras, elle en avait presque perdu la tête. Pauvre Elly qui désirait tant que Will Parker l'embrassât ! Pendant une fraction de seconde, elle avait cru qu'il allait le faire, mais finalement il s'en était abstenu. Et le bon sens lui avait dit pourquoi : parce qu'elle était enceinte, moche et stupide.

Elle se mit en boule sur son lit, malheureuse, parce que le lendemain serait le jour de son mariage et que c'était elle qui avait dû faire la demande.

9

Le jour de son mariage, Will s'éveilla très excité. Il avait un secret. Quelque chose qu'il avait préparé depuis deux semaines et terminé la nuit précédente vers deux heures du matin. En sortant de la grange, il contempla le ciel, couvert, couleur d'argent terni et qui promettait une sinistre journée humide. Les femmes, se disait-il, aiment se marier sous le soleil, mais la surprise qui attendait Elly devrait lui rendre le sourire. Il savait exactement quand et comment il allait la lui offrir, juste avant de partir.

Ils se rejoignirent dans la cuisine, angoissés de se retrouver ensemble. Curieux début pour un jour de noces, la fiancée vêtue d'une robe de chambre bleue et le fiancé portant la salopette de la veille. Ils se jetèrent d'abord des regards furtifs, assez gênés.

— Bonjour.

— Bonjour.

Il apportait pour le bain deux seaux d'eau qu'il posa sur le poêle, puis il entreprit de faire du feu.

— Tu espérais sans doute qu'il allait faire beau, dit-il en lui tournant le dos.

— Ç'aurait été bien.

Riant intérieurement, fier de son secret, il ajouta :

— Peut-être que ça va se lever avant qu'on parte.

— Ça n'a pas l'air d'en prendre le chemin. Et puis, je ne sais pas ce que je vais faire des enfants s'il pleut. Bon, eh bien, s'il pleut, on pourrait peut-être remettre ça à demain.

Il lui jeta un coup d'œil par-dessus son épaule.

— C'est ce que tu veux?

Leurs regards se croisèrent brièvement.

— Non.

Cette réponse le fit de nouveau sourire intérieurement tandis qu'il retournait à ses occupations. Mais à l'heure du petit déjeuner, la tension monta d'un cran. Après tout, c'était le jour de leur mariage et, à la fin de cette journée, il leur faudrait partager le même lit. Mais ce n'était pas cela qui ennuyait Will. Il différa le moment d'aborder le sujet jusqu'à la fin du repas, lorsque Elly recula sa chaise comme pour commencer à débarrasser la table.

— Elly... je... balbutia-t-il en se séchant les mains sur ses cuisses.

— Qu'y a-t-il?

Elle s'arrêta, les deux assiettes à la main.

Il n'était pas homme à aimer l'argent mais, soudainement, il comprit quelle en était l'importance avec une clarté désarmante. Il s'appuya fermement sur ses genoux et laissa échapper :

— Je ne sais pas si j'ai assez d'argent pour payer la licence.

— Il y a les économies et ce que tu as obtenu en vendant la ferraille.

— Mais c'est à toi.

— Ne sois pas bête. Quelle importance ça va avoir à partir d'aujourd'hui?

— C'est à l'homme de payer la licence, insista-t-il, et une bague.

— Oh... une bague.

Debout à côté de la table, elle tenait toujours la vaisselle sale. Il regarda sa main gauche et elle se sentit stupide de ne pas avoir pensé à retirer son alliance.

— Eh bien...

En hésitant, elle proposa :

— Je... je pensais utiliser la même.

Will se leva, le visage rembruni. Il tira son chapeau sur ses yeux et traversa la pièce jusqu'à l'évier.

— Ça ne serait pas bien.

Elle le regarda ramasser le savon, les serviettes et le seau d'eau chaude puis se diriger vers la porte, les épaules droites et la démarche fière.

— Qu'est-ce que ça peut faire, Will ?

— Ce ne serait pas bien, répéta-t-il en ouvrant la porte de derrière.

Il allait sortir lorsqu'il se retourna pour demander :

— À quelle heure veux-tu partir ?

— Il faut que je me prépare et que j'habille les garçons. Et puis il y a la vaisselle. J'imagine qu'il faudra aussi que je prépare quelques sandwiches.

— Alors, dans une heure ?

— Eh bien...

— Une heure et demie ?

— Ce serait parfait.

— Je viendrai te chercher. Attends-moi dans la maison.

Il se sentait stupide. Il lui faisait un brin de cour, le matin de son mariage. Mais il n'avait en poche, pour être précis, que huit dollars et soixante et un cents... et un anneau d'or valait sacrément plus cher que ça. Et puis, il manquait quelque chose, ce matin-là. Les caresses, les sourires... et le désir.

Et les baisers. Est-ce qu'une fiancée et son promis ne devraient pas avoir honte de s'ignorer dans un moment comme celui-ci ? Il n'aurait jamais pensé que cela pût se passer de cette façon. Et pourtant, ils avaient à peine osé se regarder, avaient parlé de la pluie et du beau temps et de sa situation financière, à lui, qui s'avérait plutôt précaire.

Dans la grange, il se frotta la peau à s'en faire saigner, se peigna les cheveux et passa des vêtements fraîchement lavés : un jean, une chemise blanche, une veste en jean et son chapeau de cow-boy déformé que, pour l'occasion, il avait brossé. Cela ne ressemblait pas à un habit de noce, mais il pouvait difficilement faire mieux. Au dehors, l'orage grondait dans le lointain. Eh bien, pour la pluie, elle n'aurait pas à s'en faire. Il avait au moins ça à offrir à sa fiancée ce matin-là, bien que l'état d'excitation dans lequel il se trouvait un peu plus tôt eût presque complètement disparu.

Dans la maison, à genoux, Eleanor cherchait sous le lit un des souliers de Donald Wade tandis qu'au-dessus, Thomas et lui imitaient Madame en ruant et brayant.

— Allons, les garçons, descendez de là ! On ne va quand même pas faire attendre Will.

— Est-ce qu'on va vraiment y aller avec la grande carriole ?

— Je te l'ai déjà dit, non ? On file à Calhoun. Mais lorsqu'on arrivera au palais de justice, vous vous tiendrez tranquilles. Mes petits garçons seront sages comme des images pendant le mariage, vous m'avez bien comprise ?

— Et qu'est-ce que c'est un mariage, maman ?

— Voyons, je te l'ai déjà dit, mon chéri. Will et moi, on va se marier.

— Et qu'est-ce que c'est se marier ?

— Se marier, c'est... Se marier, c'est quand deux personnes disent qu'elles veulent vivre ensemble pour le reste de leurs vies. C'est ce que Will et moi allons faire.

— Oh !

— Tu as compris maintenant ?

Donald Wade sourit et hocha vigoureusement la tête.

— J'aime bien Will.

— Et Will aussi t'aime beaucoup. Et puis toi aussi mon petit bonhomme, poursuivit-elle en pinçant le nez de Thomas. Rien ne va changer quand on sera mariés, sauf que... Sauf que, vous savez, de temps en temps, je vous permettais de venir dans mon lit, le soir... Eh bien, à partir de maintenant, ce ne sera plus possible parce que Will va dormir avec moi.

— C'est vrai ?

— Oui, oui.

— On ne pourra plus venir quand il y aura de l'orage et des éclairs ?

Elle les imaginait tous les quatre, les uns à côté des autres, sous l'édredon, et se demandait comment Will allait se plier aux exigences de la paternité.

— Ben, peut-être quand il y aura de l'orage et des éclairs. Allons ! Will va arriver d'une minute à l'autre. Seigneur, j'ai bien l'impression qu'on va être trempés avant d'arriver au palais de justice.

Elle passa leurs paletots aux enfants, mit son manteau et eut à peine le temps de prendre la boîte à sandwiches dans le placard de la cuisine que le tonnerre grondait à nouveau, long, tenace. Elle se retourna, jeta un regard vers la porte en dressant l'oreille. Était-ce vraiment l'orage ? Le bruit était trop continu, trop aigu et il se rapprochait. Elle se dirigeait vers la porte de derrière lorsque Donald Wade l'ouvrit : une vieille Ford Model A rouillée pénétrait dans la clairière, Will au volant.

— Grand Dieu ! s'écria Eleanor.

— C'est Will ! Il a une voiture ! s'exclama Donald Wade en partant comme un fou, claquant la porte derrière lui. Où tu l'as trouvée, Will ? Est-ce qu'on va partir avec ?

Will s'arrêta en bas du chemin et descendit de voiture. Debout, une main posée sur la portière, il ignora Donald Wade pour sourire à Eleanor qui apparut sur le seuil, vêtue de sa robe jaune préférée, sous un court manteau brun qu'elle ne parvenait pas à fermer sur son ventre rebondi. Ses cheveux tirés en arrière formaient une grosse tresse et son visage brillait de surprise.

— Voilà, cria-t-il, tu n'auras pas de bague mais tu as un bus pour aller à ton mariage. On y va ?

La boîte de sandwiches dans une main et le petit Thomas sur son bras, elle se mit à descendre.

— Mais où as-tu trouvé ça ? lui demanda-t-elle en s'avançant vers Will comme une somnambule, prenant de la vitesse au fur et à mesure qu'elle approchait.

Un petit sourire apparut aux commissures des lèvres du jeune homme.

— Là-bas, dans les champs. Je travaillais dessus dès que je pouvais grappiller une heure par-ci par-là.

— Tu veux dire que c'est une de ces vieilles ferrailles ?

— Eh bien... pas exactement.

D'un petit coup sur le bord arrière de son chapeau, il le rabattit sur ses yeux sans quitter du regard Elly qui avait atteint la Ford et en faisait le tour, béate d'admiration.

— C'est plutôt huit ou dix de ces ferrailles, un petit morceau de l'une, un petit morceau de l'autre que j'ai attachés ensemble avec des bouts de ficelle. Mais je pense que l'engin nous conduira là-bas et nous ramènera sans problème.

Elle acheva son inspection et lui sourit.

— Will Parker, est-ce qu'il y a quelque chose que tu ne saches pas faire ?

Il lui prit des mains la boîte à sandwiches qu'il tendit à Donald Wade puis se saisit de Thomas.

— Je m'y connais un peu en moteurs, répliqua-t-il, modeste, tout en jubilant intérieurement. Tu peux monter.

— Et en plus, ça marche !

Elle éclata de rire et se glissa derrière le volant jusqu'au siège du passager que faisaient trembler les vibrations du moteur au ralenti.

— Bien sûr que ça marche. Et on n'aura plus à se préoccuper de la pluie. Tiens, prends le petit.

Il lui tendit Thomas, fit monter Donald Wade et s'installa au volant. Donald Wade se mit debout sur le siège et se coinça le plus près possible de Will. Il posa alors une main sur la large épaule du conducteur.

— On va aller en ville dans ce truc ?

— C'est exact, *kemo sabe !* Tenez-vous bien ! dit-il en démarrant.

Au moment où la voiture partait, les enfants pouffèrent de rire et Eleanor s'agrippa au siège. Tout heureux, Will les observait du coin de l'œil.

— Mais, où as-tu trouvé de l'essence ?

— J'en ai juste assez pour nous conduire en ville. Je l'ai récupérée dans les réservoirs là-bas et j'ai filtré la rouille avec un chiffon.

— Et tu as refait tout ça toi-même ?

— Tu sais, il y avait des tas de carcasses dont on pouvait utiliser les morceaux.

— Où tu as appris à faire ça ?

— J'ai travaillé dans une station-service à El Paso. Un copain m'a un peu appris à faire de la mécanique.

Ils firent un tour dans la cour de la ferme qui était nettement plus propre que deux mois auparavant, puis descendirent une allée qui, il y a quelque temps, n'était pas carrossable, dans une voiture qui, deux semaines auparavant, n'était qu'un tas de ferraille. Will ne pouvait s'empêcher d'en être fier. Les enfants se montraient ravis. Le sourire d'Eleanor était radieux.

— Ça vous plaît ?

Elle lança à Will un regard rayonnant :

— Quelle surprise tu m'as faite ! Et puis, c'est la première fois.

— Tu veux dire qu'avant tu n'étais jamais montée dans une voiture, lui demanda-t-il, incrédule.

— Jamais. Glendon n'a jamais eu l'idée d'arranger tous ces tas de ferraille. Mais j'ai enfourché une fois sa motocyclette et j'ai monté et descendu le chemin qui mène au verger. Ça faisait un bruit d'enfer, j'ai cru que mes dents allaient se déchausser !

Ils se mirent à rire et le temps leur parut moins triste. Leurs sourires manifestaient un bonheur qui, jusqu'à présent, faisait défaut. Tandis que leurs regards se mêlaient plus longtemps qu'ils ne l'auraient cru possible, la réalité les frappa : ils se rendaient dans leur teuf-teuf au palais de justice afin de s'y marier. Mariés. Mari et femme pour toujours. S'ils avaient été seuls, Will aurait peut-être dit quelques paroles de circonstance, mais Donald Wade changea de place, rompant ainsi le charme.

— On a fait du bon travail dans l'allée, hein, Will ?

L'enfant prit le menton de Will entre ses mains, l'obligeant à tourner la tête.

— Ça, c'est vrai, bout de chou ! Mais, lâche-moi, il faut que je voie la route.

Oui, ils avaient fait du bon travail. Tout en tenant le volant de la Model A, Will avait la même sensation que le jour où il avait acheté les bonbons et l'oiseau bleu – excité, bien dans sa peau, démonstratif et optimiste. Dans quelques heures, Eleanor et ses enfants deviendraient sa famille. Lire le bonheur dans leurs yeux emplissait les siens de ce même bonheur. Et soudain, ne pas avoir d'alliance en or à offrir à Eleanor n'eut plus à ses yeux autant d'importance.

Son euphorie s'estompa cependant, à mesure qu'ils approchaient de Whitney. Lorsqu'ils passèrent devant la maison aux stores baissés, elle regarda droit devant elle, refusant catégoriquement de voir l'endroit. Ses lèvres se serrèrent et ses mains se crispèrent sur les hanches de Thomas.

Will voulait dire à Eleanor qu'il connaissait les lieux. Que, pour lui, ça n'avait aucune importance. Mais en la voyant si raide sur son siège, les mots lui restèrent dans la gorge.

— Faut que je m'arrête au poste à essence, se crut-il obligé de souligner pour la décontracter. Ça ne prendra qu'une minute.

Le pompiste ne put s'empêcher de jeter vers Eleanor des regards interrogateurs à peine déguisés, mais elle continua de regarder droit devant elle. L'employé lança aussi un coup d'œil à Will :

— C'est un bien mauvais temps qui se prépare, on dirait.

Will se contenta de regarder le ciel.

— Y a des gens qui seraient bien heureux d'avoir un jour une voiture comme celle-ci, essaya encore l'employé sans cesser de fixer Eleanor.

— Ouais, répondit Will.

— Vous allez loin ? demanda l'homme manifestement moins intéressé à pomper l'essence qu'à dévisager la jeune femme et à essayer de découvrir qui pouvait bien être Will et pourquoi ils étaient ensemble.

— Non, répondit Will.

— Vous allez à Calhoun ?

Will lança à l'homme un long regard puis il fixa ostensiblement la pompe à essence :

— Ça va faire cinq gallons.

— Oh !

Will paya 83 cents et retourna à l'automobile, laissant le pompiste dans l'ignorance.

Lorsqu'ils eurent repris la route et laissé Whitney derrière eux, Eleanor se détendit.

— Tu le connais ? demanda Will.

— Je connais tout le monde et tout le monde me connaît. J'ai remarqué qu'il ne me quittait pas des yeux.

— Sans doute parce que tu es très mignonne, ce matin.

Ces paroles firent leur effet. Elle écarquilla les yeux dans sa direction et ses oreilles rosirent. Ses joues aussi, avant même qu'elle eût le temps de tourner la tête vers la route.

— Tu n'as pas besoin de me raconter de gentils mensonges parce que c'est le jour de mon mariage.

— Mais ce ne sont pas des mensonges.

Dans une certaine mesure, il se sentit mieux car il venait à la fois de dire ce qu'il pensait et d'offrir à Elly ce que toute fiancée espère entendre le jour de son mariage. Mieux encore, il lui avait fait oublier la maison et le pompiste curieux.

Le trajet les conduisit à travers l'une des plus charmantes régions que Will eût jamais vues – un pays de collines traversé de cours d'eau transparents, d'épais bouquets de pins et de chênes qui commençaient à peine à se couvrir de teintes dorées. La brume faisait briller chaque feuille et chaque pierre, et donnait à la route une chatoyante couleur orangée. Les troncs humides se détachaient, noirs comme du charbon, contre le ciel gris perle. La route ne cessait de tournicoter, descendant constamment. Au détour d'une courbe ils aperçurent au loin Calhoun blottie au-dessous d'eux.

Située dans une longue vallée étroite, au point le plus bas entre Chattanooga et Atlanta, la ville s'étendait le long des voies de la *L&N Railroad* qui lui avait permis de se développer. L'US 41 était devenue Wall Street, la rue principale de la cité, parallèle aux rails. Les autres rues étaient vieilles et larges, dessinées à l'époque où les chariots tirés par des mules s'avéraient le principal mode de transport. Aujourd'hui, il y avait plus de Chevrolet que de mulets, plus de Ford que de chariots et, comme à Whitney, les maréchaux-ferrants étaient aussi devenus pompistes.

— Tu connais Calhoun ? s'enquit Will tandis qu'ils s'engageaient, dans les faubourgs, entre deux rangées de maisons bien entretenues.

— Je sais où se trouve le palais de justice. Tu vas tout droit, dans Wall Street.

— Est-ce qu'il y a un bazar quelque part ?

— Un bazar ? demanda Eleanor l'air intrigué.

Will continuait de se concentrer sur la route, au-delà du bouchon du radiateur.

— Qu'est-ce que tu veux faire dans un bazar ?

— Eh bien, je veux y acheter une bague pour toi.

C'était une décision qu'il avait prise entre son compliment et Calhoun.

— Qu'est-ce que c'est qu'un bazar ? interrompit Donald Wade.

Eleanor ignora son fils.

— Oh ! Will, mais tu n'as pas à...

— Je vais t'acheter une bague, tu as compris, comme ça tu pourras enlever la sienne.

L'insistance de Will mit le feu aux joues d'Eleanor qui fixa le menton obstiné de son futur mari alors qu'une onde de chaleur lui atteignait le cœur. Elle lui dit avec douceur :

— Je l'ai déjà fait.

Will jeta un regard vers la main gauche d'Elly qui n'avait pas lâché la hanche du petit. C'était pourtant vrai – l'alliance avait disparu. Sur le volant, ses mains se détendirent.

Donald Wade tapotait toujours le bras de sa mère.

— Dis maman, qu'est-ce que c'est un bazar ?

— C'est une boutique où on vend des babioles, des machins...

— Dis, on peut y aller ?

— Eh bien, c'est là que Will veut d'abord nous conduire.

Son regard se porta sur le conducteur et elle s'aperçut qu'il l'observait. Leurs yeux se rencontrèrent, fascinés.

— Ouais !

Donald Wade se mit à genoux sur le siège, s'appuya contre le tableau de bord et regarda la ville avec une étonnante excitation.

— Qu'est-ce que c'est que ça, dis maman ? demanda-t-il en pointant son doigt.

Elle n'entendait pas, alors il lui tapota plusieurs fois le bras :

— Dis, maman, qu'est-ce que c'est que ça ?

— Tu ferais mieux de lui répondre, lui conseilla gentiment Will, puis il reporta son attention sur sa route.

— Un château d'eau.

Le petit Thomas répéta :

— *Tatoto*.

— Et ça là-bas ? demanda encore Donald Wade.

— Une charrette de pop-corn.

— *Pop-cone*, dit en écho le bambin.

— Ils en vendent ?

— Mais bien sûr, mon grand.

— Chouette ! On peut en avoir ?

— Pas aujourd'hui, mon chéri. On est pressés.

Il suivit des yeux la carriole jusqu'à ce qu'elle disparût derrière eux tandis que Will, mentalement, faisait le compte de ce qu'il lui restait d'argent. Plus que sept dollars et soixante-dix-huit cents et il lui fallait encore payer une bague et une licence.

— Qu'est-ce que c'est que ça ?

— Un cinéma.

— C'est quoi un cinéma ?

— Un endroit où on montre des films.

— C'est quoi un film ?

— Eh bien, une sorte de livre d'images qui bouge sur un grand écran.

— On va aller en voir ?

— Non, mon chéri. Ça coûte beaucoup d'argent.

Sur le fronton, on pouvait lire *Border Vigilantes* et Will remarqua comme Donald Wade et Eleanor gardaient les yeux fixés sur le titre tandis qu'ils le dépassaient. Sept malheureux dollars et soixante-dix-huit cents. Que n'aurait-il pas donné pour avoir les poches pleines en ce moment !

À ce moment précis, il aperçut ce qu'il cherchait, une bâtisse à façade de briques dont l'enseigne annonçait :

WISTER – QUINCAILLERIE,
JOUETS ET ARTICLES DIVERS

Il stationna la voiture et tendit la main à Donald Wade.

— Viens, *kome sabe*, je vais te montrer un bazar.

À l'intérieur, ils parcoururent les allées sur un parquet qui craquait, le long de six rayons de pur enchantement. Donald Wade et Thomas montraient du doigt tous les objets et voulaient tous les toucher : les voitures, les camions et les tracteurs miniatures aux carrosseries de métal multicolores, les balles en caoutchouc aux couleurs criardes, les sacs de billes, les bubble-gums et les sucreries, les revolvers dans leurs étuis et les chapeaux de cow-boy semblables à celui de Will.

— J'en veux un ! exigea Donald. Je veux un chapeau comme celui de Will !

— *Papo*, répéta Thomas.

— Peut-être la prochaine fois, répliqua Will, le cœur brisé. En ce moment, la seule chose qu'il aurait voulue, à part acheter une bague pour Eleanor, c'était avoir assez d'argent pour acheter deux chapeaux de cow-boy noirs en carton bouilli.

Ils se rendirent au rayon des bijoux fantaisie et s'y arrêtèrent. Le présentoir était couvert de poussière, sur fond de taffetas rose. Il y avait là des gourmettes, des chaînes pour enfants dont les anneaux avaient la forme de minuscules croix d'or, des parures pour petites filles comprenant des bagues, des bracelets et des colliers, des boucles d'oreilles pour femme, de toutes sortes et de toutes couleurs et, à côté de tous ces objets, sur une plaque de carton recouverte de velours bleu, une étiquette indiquait : Anneaux, gage d'amitié – 19 cents.

Will regarda de près ces objets à bon marché, gêné à l'idée de devoir offrir à sa fiancée une alliance qui laisserait une trace verte sur son doigt avant une semaine. Mais il n'avait pas le choix. Il déposa Donald Wade.

— Tu tiens Thomas par la main et tu ne le laisses toucher à rien, d'accord ?

Les petits garçons retournèrent vers le rayon des jouets, laissant Will et Eleanor mal à l'aise, l'un près de l'autre. Il glissa les mains dans ses poches de derrière et considéra les bagues en toc aux torsades ornées de roses grossièrement dessinées. Il en prit une, la détacha de la plaque de carton et la regarda tristement.

— Ça ne m'a jamais beaucoup préoccupé d'avoir ou non de l'argent, mais aujourd'hui, j'aimerais m'appeler Rockefeller.

— Je suis bien contente que tu n'en aies pas, sinon je ne t'épouserais pas.

Plongeant son regard dans le sien, dans ces yeux aussi verts que les faux péridots, Will prit tout à coup conscience qu'elle était l'une des plus gentilles personnes qu'il eût jamais rencontrées. Oui, elle faisait tout pour qu'il se sentît bien en un moment pareil.

— Elle va sûrement te laisser au doigt une trace verte.

— Ça ne fait rien, Will, dit-elle tendrement. Je n'aurais pas dû te proposer de réutiliser l'ancienne. C'était maladroit de ma part.

— Je t'en offrirais une en or si j'en avais les moyens, Eleanor. Je veux que tu le saches.

— Oh ! Will...

Elle tendit la main pour caresser la sienne en guise de consolation tandis qu'il poursuivait :

— Et je les aurais emmenés au cinéma et ensuite, peut-être, je leur aurais payé une glace au drugstore ou du pop-corn à la carriole comme ils nous l'avaient demandé.

— J'ai apporté l'argent des œufs et de la crème, Will. On peut toujours faire ça.

Son regard se reporta sur la bague.

— C'est moi qui devrais leur offrir tout ça, tu comprends ?

Elle retira sa main et prit la bague pour l'essayer.

— Tu devrais apprendre à ne pas être si fier, Will. Voyons si elle me va.

La bague étant trop large, elle en choisit une autre. La seconde lui allait. Elle écarta les doigts et tendit le bras pour qu'ils puissent l'admirer tous deux, aussi fière que s'il s'agissait d'un diamant étincelant.

— Elle est belle, n'est-ce pas ? Et puis, j'adore les roses.

— Elle fait un peu minable.

— Tu n'as pas honte de dire ça de mon alliance, Will Parker ? dit-elle en faisant semblant de le rabrouer sur un ton méprisant, retirant le bijou de son doigt et le déposant dans sa main. Plus tôt tu l'auras payé, plus tôt nous pourrons nous rendre au palais de justice et nous engager.

Joyeusement, elle se retourna mais il la saisit par le bras et l'obligea à lui faire face.

— Eleanor, je...

Il la regarda au fond des yeux, mais ne savait que lui dire. Éperdu de reconnaissance, il en avait la gorge serrée. Manifestement, la valeur de la bague importait peu à la jeune femme.

Elle tendit l'oreille :

— Pardon ?

— Tu ne te plains jamais pour quoi que ce soit.

C'était un éloge discret, mais aucun poème n'aurait pu lui plaire davantage.

— Nous aurons tout le temps de nous envoyer des fleurs, Will Parker. Viens ! l'invita-t-elle, alors qu'un sourire illuminait son visage. Allons nous marier.

Ils n'eurent aucun mal à trouver le palais de justice du comté de Gordon, un édifice victorien de brique rouge perché au sommet d'une colline, ceint d'une pelouse encore verte parsemée de buissons d'azalées. Will portait Donald Wade, Eleanor portait Thomas. Tous deux montèrent la première série de marches avant de traverser la pelouse, regardant tour à tour la tourelle qui se dressait à leur droite, puis à leur gauche un petit square où se trouvait un cénotaphe du général Charles Haney Nelson. L'édifice s'élevait sur de solides arches en brique surmontées d'un clocher qui dominait les toits. La froidure contractait leurs visages, mais cette sensation disparut dès qu'ils atteignirent la seconde série des marches située à l'abri des arches. Puis ils entrèrent dans le hall de marbre qui sentait le cigare froid.

— C'est par là.

La voix d'Eleanor résonna dans le hall désert bien qu'elle eût parlé doucement. Prenant à droite, elle conduisit Will au bureau des affaires matrimoniales.

Là, assise à son bureau de chêne situé derrière une barrière à claire-voie, une femme maigre, entre deux âges – on pouvait lire son nom, Reatha Stickner, sur une plaque – s'arrêta de taper à la machine et baissa légèrement la tête pour regarder par-dessus ses lunettes octogonales.

— Que puis-je pour vous ? demanda-t-elle d'une voix sèche et autoritaire qui résonna dans la pièce froide aux fenêtres nues.

— Bonjour, madame, dit Will qui s'était arrêté sur le pas de la porte. Nous voudrions une licence de mariage.

Les yeux de fouine de l'employée se promenèrent sur Donald Wade, Baby Thomas et le ventre d'Eleanor avant de revenir à Will. Il serra fermement le coude d'Eleanor et la conduisit vers le comptoir. La femme s'écarta de son bureau puis s'avança vers eux en traînant les pieds, affectée d'une claudication extrême qui imprimait, à chaque pas, à l'une de ses épaules un mouvement de balance. Ils se retrouvèrent ainsi face à face de part et d'autre de la barrière et Reatha Stickner plongea la main sous le col de sa robe pour remonter la bretelle de sa combinaison qui avait glissé tandis qu'elle s'approchait.

— Habitez-vous la Géorgie ?

De sous le comptoir, elle tira un registre à reliure noire et le déposa devant eux sans même leur jeter un regard.

— Oui, répondit Eleanor. Je suis de Whitney.

— Whitney. Et ça fait combien de temps que vous y habitez ?

Elle souleva la couverture noire, laissant apparaître des formulaires séparés par des papiers carbone.

— Depuis toujours.

— Il me faut une preuve de résidence.

Oh non, ça ne va pas recommencer, pensa Will. Mais Eleanor le prit de court en déposant Thomas sur le comptoir puis en sortant de la poche de son manteau une feuille de papier pliée en quatre.

— J'ai ici la licence de mon premier mariage. Ça devrait aller.

La femme examina minutieusement Eleanor, toujours la même expression sur le visage, lèvres serrées et sourcil relevé, puis elle détourna son attention sur la licence tandis que Thomas tentait d'attraper un tampon encreur. Eleanor lui saisit la main pour l'en empêcher, ce qui le fit protester bruyamment et se débattre pour se libérer.

— Laisse ça, lui murmura-t-elle.

Mais, évidemment, il s'entêta et gigota de plus belle. Will déposa Donald Wade sur le plancher et arracha littéralement le petit du comptoir pour le garder dans ses bras. Immédiatement Donald Wade tenta de grimper le long de la jambe de Will, se plaignant de ne plus rien voir. Les doigts du petit garçon s'agrippèrent au bord du comptoir qu'il essaya d'escalader. Will le tira d'un coup sec pour l'obliger à se remettre debout.

— Sois sage, lui ordonna-t-il en se baissant.

Et Donald Wade se laissa choir mollement contre le comptoir.

Reatha Stickner leur lança un regard réprobateur, puis elle s'en alla chercher un porte-plume et un encrier. Elle dut à nouveau rajuster sa bretelle avant d'écrire dans le grand registre.

— Eleanor Dinsmore... second prénom?

— Je n'en ai pas.

La secrétaire se refusait à lever les yeux tout en tripotant le porte-plume.

— Même adresse?

— Oui... ma'am ajouta tardivement Eleanor en imitant Will.

— Et y a-t-il des raisons qui pourraient vous empêcher de vous marier?

Eleanor jeta un regard déconcerté aux lunettes de la femme. Reatha Stickner la fixa d'un air impatient et dit seulement:

— Eh bien?

Eleanor se tourna vers Will pour qu'il lui vînt en aide. Celui-ci sentit monter en lui la colère et répondit sèchement:

— Elle n'est pas mariée et n'est pas nazie. Qu'est-ce que vous voulez savoir d'autre?

Le silence dura quelques secondes pendant lesquelles la sinistre secrétaire fixa Will avec une moue de réprobation. Finalement, elle s'éclaircit la gorge, plongea le porte-plume dans l'encrier et, d'un air condescendant, reporta son attention sur le formulaire vierge.

— Bon, maintenant à vous. Est-ce que vous, vous êtes nazi?

Elle avait posé la question sans la moindre trace d'humour, tout en donnant l'impression qu'elle aurait peut-être levé les yeux si la personne qu'elle servait en avait été digne.

— Non, ma'am. Je ne suis qu'un ancien détenu.

Will sentit comme une profonde jubilation lorsqu'elle leva brusquement la tête et qu'elle serra si fort les lèvres qu'on ne distinguait plus qu'une ligne blanche. Avec désinvolture, il glissa deux doigts dans la poche de sa chemise dont il extirpa sa levée d'écrou :

— Je pense que vous avez besoin de lire ceci.

Sa bretelle tomba de nouveau et elle dut la remettre en place avant de prendre les papiers de Will. Elle les examina d'un bout à l'autre, lui lança un second regard revêche puis écrivit sur le formulaire.

— Parker, William Lee. Votre adresse ?

— La même qu'elle.

Les yeux de l'employée, grossis par ses verres, roulèrent à nouveau à la recherche d'une autre raison de leur créer des difficultés. Dans le silence de la pièce, on pouvait entendre le bruit des pieds de Donald Wade qui essayait d'escalader la paroi du comptoir en s'y accrochant du bout des doigts et regardait vers la porte, la tête renversée.

Va-y, Donald Wade ! pensa Will.

D'un air pincé, la femme continuait d'écrire, notant les informations inscrites sur les papiers de Will.

— Depuis combien de temps habitez-vous à cette adresse ? demanda-t-elle tandis que son porte-plume grinçait bruyamment.

— Deux mois.

Ses yeux se posèrent, interdits, sur le ventre rebondi d'Eleanor. La bureaucrate rentra le menton, ce qui eut pour effet de le tripler. Elle appliqua sa signature officielle et laissa tomber froidement :

— Ça fera deux dollars.

Will poussa un soupir de soulagement et sortit l'argent de sa poche. L'employée plongea sous le comptoir, réapparut en exhibant un cachet officiel caoutchouté, estampilla la licence d'un geste mécanique, la détacha, referma sèchement le registre – flip flap – et leur tendit le papier par-dessus le comptoir.

Apparemment impassible, mais bouillonnant intérieurement, Will s'en saisit et porta la main à son chapeau.

— J'vous remercie bien, ma'am. Et maintenant, qui est-ce qui nous marie ?

Son regard glissa le long des vêtements de travail en denim bleu pour se déposer sur le cachet de caoutchouc.

— Le juge Murdoch.

— Murdoch... Eh bien, on va aller le trouver.

Toujours aussi désagréable, elle s'empressa de les prévenir :

— Pour ce matin, son emploi du temps est complet. Vous auriez dû vous occuper plus tôt des formalités.

Will installa Baby Thomas sur son bras du mieux qu'il put, détacha Donald Wade du comptoir et lui fit prendre la direction de la porte, puis il prit Eleanor par le coude et ils sortirent du bureau sans tenir compte des consignes autoritaires que Reatha Stickner venait de leur intimer. Dans le couloir, il grinça :

— Nom de Dieu de vieille bonne femme ! Je l'aurais giflée quand elle te regardait comme elle l'a fait. Qu'est-ce qui lui donne le droit de poser les yeux sur toi ?

— Ça n'a pas d'importance, Will. J'en ai l'habitude. Mais qu'est-ce qu'on fait pour le juge ? Qu'est-ce qu'on fait s'il a trop de travail ?

— On va attendre.

— Mais elle a dit que...

— Je t'ai dit qu'on allait attendre ! Combien ça peut lui prendre de temps pour marmonner quelques mots et signer un papier ?

À court d'arguments, il arrêta Eleanor :

— Attends une minute !

Il passa la tête par une porte entrouverte et demanda :

— Où peut-on trouver le juge Murdoch ?

— Au second étage, la double porte à gauche.

Avec la même détermination bornée, Will mena sa troupe jusqu'au deuxième étage, passa la double porte et ils se retrouvèrent dans une salle d'audience en pleine session. Ils s'arrêtèrent, hésitants, dans une allée, entre deux rangées de bancs cependant que des voix tonitruantes se répercutaient sous les voûtes des plafonds. Un policier dans son uniforme brun quitta son poste à côté de la porte.

— Il faut vous asseoir si vous voulez rester ici, murmura-t-il.

Will se retourna, prêt à régler son cas à quiconque se montrerait encore arrogant à leur endroit. Mais l'homme n'avait pas plus de trente-cinq ans, un visage avenant et de bonnes manières.

— On voudrait que le juge nous marie, mais on n'a pas de convocation.

— Alors, vous devez quitter la salle, dit le fonctionnaire en poussant l'une des portes et en la gardant ouverte pour les laisser passer. Il a une journée très remplie, mais vous pouvez l'attendre devant son cabinet si vous le désirez. Au cas où il pourrait vous trouver une petite place.

— C'est ce qu'on va faire. Ce serait aimable à vous de nous montrer où il faut aller, dit Will sans se démonter.

— Droit devant vous, dit-il en les conduisant au bout du hall et leur désignant un étroit couloir qui s'ouvrait à angle droit. Il faut que je demeure dans la salle d'audience, mais vous n'aurez aucun mal à trouver. Son nom est inscrit au-dessus de la porte. Vous n'aurez qu'à vous asseoir sur le banc, en face.

Ni Will ni Eleanor n'avaient de montre. Ils prirent place sur un banc de bois de deux mètres de long, face à une porte d'érable, durant ce qu'il leur parut des heures interminables. Ils lurent et relurent la plaque de cuivre sur la porte :

ALDON P. MURDOCH, JUGE

Les enfants, fatigués de monter sur le banc et d'en descendre, commencèrent à se montrer grognons. Donald Wade harcelait sa mère avec des « Maman, quand est-ce qu'on s'en va ? » Thomas se mit à geindre et à taper des pieds sur le siège. Finalement, il s'endormit, affalé sur le banc, la tête sur les genoux de sa mère, obligeant Will à s'occuper de Donald Wade.

La porte s'ouvrit et deux personnes sortirent, l'air affairé, discutant de façon très animée. Will se leva brusquement, mais les deux hommes s'éloignèrent, tout à leur discussion, sans le moindre regard pour le quatuor.

L'attente se poursuivit ; Eleanor fut prise d'un mal de tête et dut se mettre en quête des toilettes. Thomas s'éveilla de mauvaise humeur et Donald Wade se plaignit d'avoir faim. Lorsque Eleanor fut de retour, Will se rendit à la voiture pour y chercher les sandwiches. Ils étaient en train de les manger, essayant de convaincre Baby Thomas de cesser de pleurer et d'en prendre une bouchée lorsque revint l'un des deux hommes.

Cette fois-ci, il s'arrêta de lui-même.

— C'est à vous ce petit grincheux, hein ? demanda-t-il avec un sourire plein d'indulgence pour Thomas.

— Monsieur le juge Murdoch ? dit Will qui se leva d'un bond en ôtant son chapeau.

— En personne.

C'était un homme aux cheveux gris, replet, dont les bajoues le faisaient ressembler à un limier. Mais, bien qu'il eût l'air d'un homme affairé, il semblait accessible.

— Je m'appelle Will Parker. Et voici Eleanor Dinsmore. On se demandait si vous n'auriez pas le temps de nous marier aujourd'hui.

Murdoch lui tendit la main.

— Parker... Mademoiselle Dinsmore, salua-t-il en faisant un signe de la tête à Eleanor. Vous étiez là lorsque je suis parti pour déjeuner, n'est-ce pas ? ajouta-t-il en jetant un regard affectueux à chacun des enfants puis en contemplant Eleanor d'un air pensif.

— Oui monsieur, répondit-elle.

— Il y avait longtemps que vous étiez là ?

— Je n'en sais rien, monsieur, nous n'avons pas de montre.

Le juge releva sa manchette et consulta la sienne.

— L'audience reprend dans dix minutes.

Eleanor se précipita.

— Nous n'avons pas non plus le téléphone et on aurait dû appeler pour prendre rendez-vous. Mais on est seulement venus en voiture de Whitney parce qu'on pensait que ça suffisait.

Le juge sourit de nouveau aux garçons :

— On dirait que vous avez amené vos témoins avec vous.

— Oui, monsieur... Je veux dire, non, monsieur. Ce sont mes enfants. Voici Donald Wade... et lui, c'est Baby Thomas.

Le juge se pencha et tendit la main.

— Comment allez-vous, Donald Wade ?

Le petit leva vers Will des yeux hésitants et attendit qu'on lui fît signe pour tendre au juge une main timide. Murdoch accomplit le geste avec une gravité souriante. Puis il adressa à Thomas un clin d'œil qu'accompagnait un petit rire :

— Mes pauvres enfants, vous avez dû passer une drôle de matinée. Cela vous plairait de manger une dragée?

— C'est quoi une dragée? demanda Donald Wade.

— Eh bien, entre dans mon bureau, je vais te le montrer.

Une fois encore, Donald Wade jeta à Will un regard pour se rassurer.

— Allons-y.

Se tournant vers les parents, le juge Murdoch les avertit :

— Je crois que je peux vous consacrer quelques minutes. Ce ne sera pas merveilleux, mais ce sera légal. Veuillez vous donner la peine d'entrer.

C'était une pièce désordonnée, percée au nord d'une seule fenêtre et dans laquelle se trouvaient plus de livres que Will n'en avait jamais vu nulle part, si ce n'était dans la bibliothèque de Whitney. Il jeta un regard circulaire, son chapeau oublié contre sa cuisse, alors que le juge s'occupait avant tout des enfants.

— Venez par ici.

Il se rendit derrière un bureau encombré, et d'un des tiroirs du bas, il tira une boîte à cigares sur laquelle on pouvait lire « Havana Jewels ». Les petits garçons marquèrent une certaine inquiétude au moment où il l'ouvrit en annonçant : « les dragées ». Sagement, ils laissèrent le juge les installer côte à côte dans son fauteuil et rouler celui-ci contre le bureau sur lequel il déposa la boîte à cigares, sur un livre de droit.

— Je les cache parce que je ne veux pas que ma femme me surprenne à en manger. Elle dit que j'en mange trop, se plaignit-il en tapotant son ventre rebondi.

Comme les enfants tendaient la main vers les bonbons, il les prévint en clignant de l'œil :

— Vous allez quand même m'en laisser quelques-uns.

D'un portemanteau, il décrocha une robe noire en s'adressant à Will :

— Vous avez une licence?

— Oui, monsieur.

Une porte s'ouvrit sur la gauche et le même jeune fonctionnaire qui avait dirigé Will et Eleanor vers le cabinet du juge passa la tête dans l'entrebâillement.

— Votre Honneur, il est une heure.

— Entrez, Darwin, et fermez la porte.

Je vous prie de m'excuser, monsieur, mais nous sommes déjà un peu en retard.

— Eh bien, tant pis! Ils ne vont pas s'envoler. Du moins pas avant que je ne les y autorise.

Comme le jeune homme se rendait à sa demande, le juge boutonna sa robe et donna ses instructions.

— Darwin Ewell, voici Eleanor Dinsmore et Will Parker. Ils vont se marier et nous avons besoin de vous pour leur servir de témoin.

Le fonctionnaire leur fit un signe de la tête et son visage s'illumina d'un sourire.

— Très honoré, monsieur... madame.

Puis le juge désigna les enfants.

— Et ces deux grands garçons qui jouent avec les dragées sont Donald Wade et Baby Thomas.

Darwin se mit à rire en voyant le duo choisir, dans la boîte à cigares, une friandise d'une autre couleur sans se préoccuper de ce qu'il se passait dans la pièce. Au même instant, le juge, debout devant Will et Eleanor, examinait leur licence; puis il la posa derrière lui, sur le bureau, et croisa les mains sur son ventre replet.

— Il y a des articles dans des livres que je pourrais vous lire, commença-t-il à leur expliquer, mais ils me paraissent un peu trop guindés, trop formels, aussi je préfère agir à ma façon. Les livres s'arrangent toujours pour omettre les points les plus importants. Et j'imagine que vous vous connaissez suffisamment bien pour croire que ce que vous faites est raisonnable, n'est-ce pas?

Surpris par cette entrée en matière pour le moins inhabituelle, Will mit un peu de temps à répondre. Il lança un regard à Eleanor puis se tourna de nouveau vers le juge.

— Oui, monsieur.

— Oui, monsieur, répéta Eleanor.

— Depuis combien de temps vous connaissez-vous?

Chacun attendait que l'autre répondît et ce fut Will qui se décida :

— Deux mois.

— Deux mois... répéta le juge qui semblait réfléchir, puis il poursuivit : J'ai connu ma femme exactement trois semaines et demie avant de me déclarer. Et nous sommes mariés depuis trente-deux ans – avec bonheur, devrais-je ajouter. Est-ce que vous vous aimez ?

Cette fois-ci, ils fixèrent le juge droit dans les yeux. Et rougirent légèrement.

— Oui, monsieur, répondit Will le premier.

— Oui, monsieur, fit Eleanor en écho, mais plus doucement. Will crut que son cœur allait exploser et se demanda s'il ne rêvait pas.

— Bien... bien. Maintenant, les temps dont je voudrais vous parler sont ceux où vous vous trouverez en conflit... et aucun couple, qu'il soit marié depuis trente-deux, cinquante-deux ou même seulement deux ans ne peut y échapper. Les différends peuvent se transformer en querelles, puis en batailles, enfin en guerres, à moins que vous n'ayez appris à user de compromis. Ce sont les guerres que vous devrez éviter. Et vous y parviendrez en vous rappelant ce que vous venez de me dire. Que vous vous aimez. D'accord ?

— Oui, monsieur, répondirent en chœur Eleanor et Will.

— Le compromis, c'est la pierre angulaire du mariage. Pouvez-vous résoudre vos problèmes et parvenir à des compromis au lieu de vous laisser gagner par la colère ?

— Oui, monsieur.

— Oui, monsieur.

Les yeux d'Eleanor eurent du mal à croiser ceux du juge car elle se souvenait de l'œuf coulant sur le visage de Will. Puis la loyauté prit le dessus et elle ajouta :

— Je m'y efforcerai de toute mon âme.

Le juge sourit puis hocha la tête en signe d'approbation.

— Et vous, Will, en ferez-vous autant pour Eleanor ?

— Oui, monsieur. Je le fais déjà.

Pour le prouver au juge, il ne sourcilla pas.

— J'imagine que vos enfants sont d'un précédent mariage, n'est-ce pas?

Elle opina de la tête.

— Et avec celui que vous attendez, cela fera trois. Trois enfants, monsieur, c'est une très grande responsabilité et, dans l'avenir, il y en aura peut-être plus. Acceptez-vous cette responsabilité en plus de celle d'être le mari et le pourvoyeur d'Eleanor?

— Oui, monsieur.

— Vous êtes tous les deux encore jeunes. Dans votre vie, vous rencontrerez sans doute des gens qui vous séduiront. Quand cela se produira, je vous exhorte à vous rappeler cette journée et ce qu'étaient les sentiments que vous éprouviez l'un pour l'autre lorsque vous vous êtes présentés devant moi, de vous souvenir de vos promesses et de rester fidèles. Est-ce que ce sera au-dessus de vos forces?

Will pensa à Lula.

— Non, pas du tout.

Eleanor pensa aux quolibets que lui envoyaient les garçons de l'école et se dit qu'à part Glendon, Will avait été le seul à la traiter avec gentillesse :

— Absolument pas.

— Alors, scellons ces paroles par une promesse solennelle, celle de vous aimer, de rester fidèles, de pourvoir à l'amour et aux besoins matériels de chacun d'entre vous et de tous les enfants qui vous seront confiés, de faire tout ce qui est en votre pouvoir pour pratiquer la patience, le pardon et la compréhension, de vous traiter enfin mutuellement avec respect et dignité pour le reste de votre vie. Le promettez-vous, William Lee Parker?

— Je le promets.

— Et vous, le promettez-vous, Eleanor Dinsmore?

— Je le promets.

— Avez-vous les alliances?

— Oui, monsieur... Il n'y en a qu'une, ajouta Will en retirant la bague de sa poche.

Le juge ne parut guère surpris de la modicité de sa valeur.

— Alors, glissez-la à son doigt et joignez vos mains droites.

Will prit la main droite d'Eleanor et glissa l'anneau un peu au-dessus de son articulation. Leurs regards se croisèrent brièvement, puis se baissèrent tandis qu'il lui tenait la main sans la serrer. Le juge Murdoch poursuivit :

— Puisse cet anneau être le symbole de votre fidélité et de votre attachement. Qu'il vous rappelle, à vous, William, qui l'avez offert, et à vous, Eleanor, qui le portez, qu'à partir de ce jour jusqu'à celui où la mort vous séparera, vous demeurerez inséparables pour l'éternité. Maintenant, par les pouvoirs que m'a conférés l'État souverain de Géorgie, je vous déclare mari et femme.

Cela avait été si rapide, si peu dramatique. On aurait dit que cela n'avait pas existé ou du moins, tout semblait irréel. Will et Eleanor restaient là, devant le juge, plantés comme deux piquets.

— C'est tout ? s'enquit Will.

Le juge Murdoch sourit :

— Tout y est, sauf le baiser.

Puis il se retourna vers le bureau pour signer le certificat de mariage.

Sans bouger, ils ne quittaient pas des yeux le dos du juge. Sur le fauteuil, les garçons suçaient des dragées. On entendait des bruits de voix venus de la salle d'audience. Sur le papier rigide, la plume grinçait et Darwin Ewell attendait en observant la scène.

Le juge reposa le porte-plume et se retourna vers les jeunes mariés, raides comme la justice, épaule contre épaule.

— Eh bien... les incita-t-il.

Le visage brûlant, Will et Eleanor se tournèrent l'un vers l'autre. Elle leva timidement le menton et, lui, baissa les yeux, mal à l'aise.

— L'audience m'attend, insista doucement le juge Murdoch.

Le cœur battant la chamade, Will posa gentiment les mains sur les épaules d'Eleanor, se pencha et lui effleura furtivement les lèvres. Elles étaient chaudes, entrouvertes, comme surprises. Il aperçut l'éclat de ses yeux, tout près des siens, mi-clos, comme les siens. Puis il se redressa, mettant ainsi fin à une situation gênante et, gênés, ils tournèrent leurs regards vers le juge.

— Félicitations, M. Parker, dit l'homme de loi en serrant la main de Will. Mme Parker...

Comme il venait de prononcer son nouveau nom, le malaise d'Eleanor augmenta. Une bouffée de chaleur lui traversa le corps et ses joues s'empourprèrent.

Le juge Murdoch tendit à Will le certificat.

— Je vous souhaite beaucoup de bonheur et je ferais mieux de me rendre rapidement à l'audience avant qu'on ne vienne cogner à ma porte... Vous avez là deux merveilleux garçons. Au revoir les enfants !

Dans un dernier geste de la main, il disparut. Darwin Ewell, obligé lui aussi de retourner à l'audience, leur souhaita bonne chance et les fit sortir rapidement.

Il ne s'était pas passé cinq minutes entre le moment où ils avaient pénétré dans le cabinet du juge et celui où ils s'étaient à nouveau retrouvés dans le couloir, unis pour la vie. La hâte du juge les avait laissés complètement désorientés et si peu mariés. Cela avait étonnamment manqué de cérémonie ; ils s'étaient à peine rendu compte que les premières questions faisaient partie du rite peu orthodoxe de l'homme de loi. Il avait terminé de la même façon, aucune pompe, aucun apparat, rien qu'un simple discours les mains refermées sur le ventre et, en avant ! tout le monde dans le couloir. S'il n'y avait pas eu le baiser, ils n'auraient pas eu l'impression que le mariage avait eu lieu.

— Eh ben ça, dit Will le souffle coupé, avec un petit rire étonné. Voilà qui est fait.

Le regard perplexe d'Eleanor restait fixé sur la porte close.

— Je l'espère. Mais... ça a été si rapide.

— Rapide, mais légal.

— Oui... mais... Mais, est-ce que tu as l'impression d'être marié ? Sans savoir pourquoi, il éclata de rire.

— Pas vraiment. Mais nous devons bien l'être. Il t'a appelée Mme Parker.

Elle leva la main gauche et la fixa d'un air incrédule.

— Oui, c'est vrai. Je suis bien Mme Will Parker.

La réalité les frappa alors de plein fouet. *M. et Mme Will*

Parker. Ils accusèrent le coup avec tout ce que cela comportait tandis que leurs yeux s'attiraient irrésistiblement, comme soumis à une force magnétique. Il eut l'idée de l'embrasser comme il en avait envie. Et elle se demandait à quoi cela pouvait ressembler. Mais aucun d'eux n'osa. À la longue, ils réalisèrent qu'il y avait un bon bout de temps qu'ils se regardaient. Eleanor sentit monter sa nervosité et baissa les yeux. Will gloussa et se gratta le nez.

— Je crois qu'on devrait fêter ça, proclama-t-il.

— Et comment ? demanda-t-elle en se baissant vers Baby Thomas. Will la poussa légèrement de côté et prit le petit dans ses bras.

— Eh bien, si j'ai bien fait mes comptes, il me reste encore quatre dollars et cinquante-neuf cents. Je pense qu'on devrait emmener les enfants au cinéma.

Il put lire l'excitation soudainement apparue sur le visage de la jeune femme.

— Vraiment ?

Donald Wade se mit à applaudir et à sauter en tous sens.

— Ouais ! ouais ! On va au cinéma ! Allez, maman, emmène-nous au cinéma, s'il te plaît ! hurlait-il en tirant sa mère par la main.

Will saisit Eleanor par le bras et ils se dirigèrent vers le hall.

— Je ne sais pas, Donald Wade, ajouta Will pour le taquiner tout en faisant un pauvre sourire à sa femme qui mourait d'envie d'y aller. J'ai comme l'impression qu'on va avoir beaucoup de mal à convaincre ta maman.

Alors, M. et Mme William Lee Parker et leur petite famille quittèrent le palais de justice le sourire aux lèvres.

10

Une odeur de pop-corn les accueillit dans le hall du cinéma.
Les yeux écarquillés, fascinés, les deux garçons étaient tombés en
arrêt devant l'étrange machine rouge et blanc. Ils appelèrent leur
mère.

— Maman, on peut en avoir ?

Will sentit fondre son cœur. Il mit la main à la poche de sa
chemise avant qu'Eleanor n'eût pu leur opposer un refus. Dans la
salle faiblement éclairée, Donald Wade et Thomas, à genoux sur
leur siège, croquaient bruyamment leurs flocons en attendant que
l'écran s'allumât sur les « Aperçus des films à venir ». Lorsque des
scènes de *Autant en emporte le vent* apparurent devant eux, leurs
mains et leurs mâchoires semblèrent se figer. Il en alla de même
pour Eleanor. Will la regardait du coin de l'œil et notait avec plaisir
toutes les réactions qui se lisaient sur son visage : de l'étonnement
à la crainte en passant par l'extase.

— Oh ! Will, soufflait-elle. Oh ! Will, regarde !

Parfois il le faisait. Mais il trouvait l'étude de leurs mimiques,
surtout celles de sa femme, beaucoup plus passionnante surtout
qu'ils étaient, pour la première fois de leur vie, transportés dans le
monde des chimères.

— Oh ! Will, regarde-moi cette robe !

Son attention se porta brièvement sur l'imposante robe à crino-
line puis revint se poser sur son épouse sur laquelle il découvrit
quelque chose de nouveau : c'était une femme à qui une simple
parure pouvait tourner la tête. Il n'aurait jamais pensé cela en la

voyant habillée comme elle l'était. Mais ses yeux brillaient et ses lèvres donnaient l'impression de vouloir s'adresser aux images projetées sur l'écran.

Le film en couleur disparut pour faire place aux actualités en noir et blanc : des soldats allemands qui marchaient au pas de l'oie, des bombes, des obus de mortier, le front russe, des soldats blessés – plongeon dramatique de la fantaisie à la réalité.

Will avait les yeux rivés sur l'écran et se demandait combien de temps encore les Américains allaient pouvoir se tenir à l'écart de la guerre ; comment il pourrait lui-même en rester éloigné si l'inévitable se produisait. Il avait une famille, désormais ; et sa santé prenait soudainement une importance capitale, comme jamais par le passé. Cela le secoua.

Lorsque les actualités prirent fin, il se tourna et croisa le regard d'Eleanor par-dessus la tête des enfants. Toute gaieté en avait disparu et un froncement de sourcils l'avait remplacée. Manifestement, la sinistre réalité de la guerre avait fini par s'imposer à elle. Il ressentit un immense remords d'avoir été celui qui l'avait exposée à cette prise de conscience, celui qui l'avait amenée ici pour qu'elle y perdît ses belles illusions. Il avait envie de tendre la main par-dessus les deux charmantes têtes blondes, de la poser sur ses paupières, de lui dire de fermer les yeux pendant quelques minutes, de revenir en arrière, et l'assurer que rien n'était jamais arrivé. D'être à nouveau l'heureuse recluse qu'elle était.

Mais, de même qu'il ne pouvait ignorer les combats qui se déroulaient en Europe et l'aide toujours grandissante des États-Unis à l'Angleterre et à la France, elle ne le devait pas non plus. Elle ne pouvait sans cesse vivre dans l'ignorance des événements, surtout depuis qu'elle avait épousé un homme en âge d'être incorporé qui, de plus, sortait de prison et serait donc un des premiers à être appelé.

Après les actualités, ce fut le moment du grand film.

Border Vigilantes était un film de Hopalong Cassidy et la réaction des garçons valait largement les six pièces que Will avait dépensées. Lui-même aima beaucoup le film et Eleanor retrouva sa joie. Mais les enfants – ah ! ces deux gamins... Quel spectacle ils offraient avec leurs visages extasiés, levés vers l'écran où le héros luttait pour la loi et la justice, monté sur Topper, son coursier blanc. Donald Wade restait bouche bée devant le cheval qui apparaissait au grand galop puis se cabrait majestueusement, tandis que son cavalier brandissait un chapeau noir semblable à celui de Will. Baby Thomas pointait le doigt, les yeux écarquillés, la bouche formant un rond parfait. Puis il se mettait à pousser des cris aigus et à taper des pieds au point qu'il fallait le calmer. Quant à Eleanor, suivant les scènes, son expression oscillait entre un sincère émerveillement et une joie enfantine.

À la fin, Hopalong prit l'héroïne dans ses bras et, lorsqu'il l'embrassa, Will jeta un regard à sa jeune épouse. Comme si elle l'avait pressenti, Eleanor tourna la tête. Leurs profils, transfigurés par les fluctuations de lumière, ressemblaient dans l'obscurité de la salle à des demi-lunes. Leur premier baiser leur revint en mémoire ainsi que la nuit qui allait suivre. Durant ce bref instant, ils furent envahis d'une certaine angoisse. Alors s'éleva le thème musical final; Hopalong s'éloigna dans le crépuscule et les garçons entamèrent un charmant babillage.

— C'est déjà fini? Où il est parti Hopalong? Est-ce qu'on va revenir, Will, dis, hein?

Dans la voiture, Will et Eleanor n'échangèrent aucune parole, comme à l'aller. Baby Thomas dormait en chien de fusil sur les genoux de sa mère. Donald Wade, qui portait le chapeau de Will, se pressait contre son épaule et ne cessait de poser des questions sur Hopalong et Topper. Tout en lui répondant, Will pensait à la nuit à venir. Au lit. Il lançait de temps à autre des regards furtifs à Eleanor, mais elle regardait droit devant elle et il se demandait si elle pensait à la même chose que lui.

À la maison, Will accomplit les tâches habituelles de façon mécanique. Son esprit était ailleurs, dans cette chambre qu'il n'avait jamais vue, tout au souvenir de leur premier baiser, à la manière prudente dont ils s'étaient conduits l'un vis-à-vis de l'autre, à la nuit qui allait venir, dans un vrai lit, avec une femme pour le partager. Mais une femme enceinte. Trop enceinte pour envisager quelque relation conjugale. Il se demandait à quoi pouvait bien ressembler une femme dans l'état d'Elly quand elle était nue. Et son corps se figea dans une sorte de dépit à la pensée qu'il allait la voir ainsi et à l'idée qu'il lui faudrait coucher à côté d'elle durant toute la nuit sans avoir le droit de la toucher.

S'il avait dû imaginer le jour de son mariage, il n'aurait en rien ressemblé à celui-ci : lui en blue-jeans, elle enceinte de sept mois, une bague de pacotille, une cérémonie de cinq minutes dans le cabinet d'un juge et un film d'Hopalong Cassidy en compagnie de deux garçons surexcités. Mais il n'avait pas encore tout vu.

Le souper eut à peine l'apparence d'un souper de fête. Des œufs brouillés, des haricots verts et des côtes de porc. Donald Wade se mit à brailler lorsque Eleanor lui interdit de garder à table le chapeau de Will. Baby Thomas vomit ses légumes sur la robe jaune de sa mère et, quand elle le gronda, il envoya promener sa timbale de lait à travers la pièce. Trempée, Eleanor se leva d'un bond et lui administra une tape sur la main. Le bambin se mit à hurler comme une sirène de pompiers tandis que Will, impuissant, se rendait compte que la vie de famille lui réservait encore bon nombre de surprises. Eleanor partit chercher un seau et une serpillière, le laissant avec la sensation que, si cette journée de mariage avait, pour un fou aussi peu sentimental que lui, un certain goût d'amertume, cela devait représenter pour elle une cruelle déception. Elle revint pour s'attaquer à la catastrophe mais, pensa-t-il, il n'allait pas la laisser se mettre à quatre pattes dans sa belle robe jaune surtout qu'elle avait du mal, ces derniers jours, à se baisser et à se relever.

— Laisse, passe-moi ça.

Il lui prit le seau des mains tout en essayant d'imaginer ce que ce devait être de porter sa femme pour lui faire passer le seuil d'une suite nuptiale au vingtième étage du Ritz. Il aurait tellement aimé le faire, pour elle. Au lieu de cela, il ne pouvait que lui offrir un malheureux : « Faut pas que tu abîmes ta robe ».

Elle leva la tête et il remarqua dans ses yeux verts la même appréhension que la sienne, la même tension, décuplée par l'inhabituelle méchanceté des garçons en cette soirée où c'était vraiment la dernière chose dont ils avaient besoin. Il en souffrait d'autant plus qu'elle était au bord des larmes.

— Merci, Will.

— Va par là.

Il lui indiqua la chambre et la poussa doucement dans cette direction.

C'est étonnant comme une petite coopération peut en entraîner une autre. Une demi-heure plus tard, il se retrouva à côté d'elle, dans la cuisine à essuyer la vaisselle, et, passée une autre demi-heure, il l'aidait à mettre les garçons au lit.

Le duo avait eu une journée si harassante qu'ils retrouvèrent leurs oreillers avec une incroyable docilité. Tandis qu'elle les bordait, il arpentait la chambre pour ramasser les vêtements jetés çà et là qui sentaient le lait caillé et les traces de leur premier voyage en ville. Debout à côté de la vieille armoire, Will regarda Eleanor les embrasser et sourit à cette scène touchante : deux garçons en pyjama, aux visages resplendissants de propreté à qui leur mère assurait qu'elle les aimait quand même, malgré leur récente inconduite. Elle avait passé une robe de grossesse d'un brun délavé qui sembla se gonfler lorsqu'elle se pencha sur Donald Wade pour l'embrasser sur la bouche et les joues, lui caresser le nez avec le sien et lui dire à l'oreille des petits mots connus de lui seul. Ensuite, elle s'occupa de Baby Thomas, se penchant à son tour au-dessus de son petit lit, pour l'embrasser, le bercer jusqu'à ce qu'il s'endormît, puis elle lui recoiffa les cheveux en arrière cependant qu'il tenait à bras-le-corps sa couverture préférée, le pouce dans la bouche.

Le coude appuyé contre l'armoire, Will souriait intérieurement. Il lui revenait à nouveau l'envie de ce qui lui avait toujours manqué, mais regarder était presque aussi bon que de participer. En ces moments-là, son amour pour Eleanor décuplait, se transformait en quelque chose qui allait au-delà de l'amour d'un mari pour sa femme. Elle devenait la mère qu'il n'avait jamais eue et s'identifiait aux garçons, protégés, bien à l'abri, aimés.

Avec un pincement au cœur, il se rendit compte que, chaque soir, il allait tenir sa place dans ce tableau. Il allait débarbouiller ces visages couverts de taches de rousseur, faire passer les bras dans les manches des pyjamas, ramasser les affaires sales et leur souhaiter de tendres bonsoirs. Par procuration, il allait récupérer un peu de ce qu'il n'avait pas eu.

Le rituel prit fin. Eleanor releva le bord du lit et agita deux doigts en direction de Donald Wade. Soudain, celui-ci se redressa sur son séant et exigea :

— Maman, je voudrais dire bonsoir à Will.

Will se redressa et son visage marqua une certaine surprise. Eleanor se retourna et leurs regards se croisèrent dans la pénombre.

Elle remarqua l'hésitation de Will mais sentit surtout derrière tout cela son très fort désir de tendresse partagée.

— Donald Wade voudrait te dire bonsoir, répéta Eleanor.

— Moi ?

Il avait l'impression d'être un intrus et pourtant son cœur se serrait d'impatience. Donald Wade lui tendit les bras. Will jeta à nouveau un regard vers Eleanor, eut un petit rire, se gratta le menton et traversa la pièce. Il se sentait mal à l'aise et fort peu à sa place. Il s'assit sur le bord du lit et l'enfant l'étreignit sans aucune retenue. Sa petite bouche humide et qui sentait légèrement le lait se pressa brièvement sur celle de Will. C'était si inattendu, si... si naturel. Il n'avait jamais dit bonsoir à un enfant, n'avait jamais pensé que cela pouvait provoquer une réaction au fond de soi et vous réchauffer le cœur.

— Bonne nuit, Will.

— Bonne nuit, *kemo sabe*.

— Je suis Hopalong.

Will se mit à rire.

— Oh ! pardonne-moi. J'aurais dû regarder pour voir quel cheval on avait attaché dehors à la balustrade.

Lorsque Will se leva du lit de Donald Wade, Baby Thomas ne dormait plus. Il s'était levé et se tenait appuyé contre le bord de son berceau, la bouche ouverte, le regard impassible et les observait. Baby Thomas... qui avait pris plus de temps à s'attacher à Will. Baby Thomas... qui par moments intimidait encore l'adulte. Baby Thomas... qui imitait son aîné dans tout ce qu'il faisait. Il l'embrassa sans un geste mais sa petite bouche était chaude et moite lorsque Will se pencha pour le caresser.

Seigneur, il n'aurait jamais imaginé à quel point deux petits bonsoirs pourraient l'amener à se sentir un homme, un père. Aimé. Désiré.

— Bonsoir Thomas.

Thomas le fixait de ses grands yeux noisette.

— Dis bonne nuit à Will, lui souffla doucement sa mère.

— B'nuit, Wiw.

C'était la première fois que Thomas prononçait le nom de Will. Et cette prononciation maladroite alla directement au cœur un peu rude de l'homme. Il regarda Eleanor le recoucher et elle le rejoignit sur le seuil de la chambre.

Ils restèrent un moment, épaule contre épaule, à observer les enfants. Une atmosphère d'intimité les enveloppa, les unissant dans une communion qui effaçait tous les défauts de la journée et leur donnait foi en un avenir radieux.

Laissant la porte de la chambre des enfants entrouverte, ils passèrent dans l'entrée. Il y faisait sombre à part le rai de lumière qui émanait de la veilleuse des garçons et de la lampe au-dessus de la table de la cuisine.

Will passa la main dans ses cheveux, se frotta le cou et sourit en regardant le sol. Au bout d'un moment, il bomba le torse et émit un petit rire de satisfaction.

— Je n'avais jamais fait ça de ma vie.

— Je m'en doute.

Il essayait de trouver le moyen d'exprimer ce qu'il ressentait. Mais il n'y parvenait pas. D'orphelin, il était devenu clochard, puis forçat, puis journalier, et maintenant il se retrouvait papa d'adoption. Alors, il n'y avait vraiment pas moyen d'exprimer ce que les cinq dernières minutes avaient représenté pour lui. Will ne parvenait qu'à secouer la tête d'étonnement.

— C'est quelque chose, quand même.

Elle comprenait. Sa surprise et son étonnement disaient tout. Il ne s'était jamais attendu à avoir le moindre droit sur les enfants comme il pouvait en avoir un sur la maison. Pourtant, elle avait remarqué son affection grandissante pour les petits et compris quel genre de père il pourrait être, gentil, patient, le type d'homme qui ne prenait aucun des petits plaisirs pour argent comptant.

— Oui, effectivement.

Il laissa retomber sa main et releva la tête. Un léger sourire se dessinait sur ses lèvres.

— Je les aime vraiment, ces deux petits, tu sais ?

— Même après ce qu'ils ont fait ce soir au dîner ?

— Oh! ça... ça, c'était rien. Ils avaient eu une rude journée. Il faut admettre que leurs nerfs ont été à rude épreuve.

Elle sourit.

Il lui rendit son sourire, furtivement, essayant de se calmer.

— Je veux que tu saches que je me conduirai toujours de façon irréprochable avec eux.

— Oh! Will... je le sais bien, dit-elle d'une voix qui se faisait plus tendre.

— Eh bien, reprit-il l'air un peu penaud, ils sont assez extra-ordinaires.

— Je le pense aussi.

Leurs regards se croisèrent une fraction de seconde. Ils cherchaient quelque chose à se dire, à faire. Mais il était l'heure d'aller se coucher; il n'y avait donc pas trente-six solutions. Pourtant, aucun d'eux n'osait la suggérer. Dans la cuisine, la radio jouait « Chattanooga Choo Choo ». La musique sortait de la pièce illuminée pour se perdre dans l'ombre où ils se trouvaient. À l'autre bout de la chambre des enfants, la porte de leur propre chambre était ouverte, ombre qui ne demandait qu'à se refermer sur eux. Là-bas les attendaient l'incertitude et la gêne.

Eleanor s'agitait, cherchant un sujet à aborder pour repousser le moment d'aller au lit.

— Merci pour le film, Will. Les enfants ne l'oublieront jamais; et moi non plus.

— J'ai bien aimé, moi aussi.

Le sujet était épuisé.

— J'ai bien aimé le pop-corn, tu sais, s'empressa-t-elle d'ajouter.

— C'est tout comme moi.

Ce sujet-là aussi était épuisé.

Ensuite, ce fut Will qui trouva une diversion : les vêtements des garçons qu'il tenait encore en boule entre ses mains.

— Oh ! tiens, dit-il en les lui fourrant dans les siennes. J'avais oublié que je les avais.

Tout en baissant les yeux sur la chemise trempée de lait de Thomas, elle poursuivit :

— C'est gentil de m'avoir aidée à les mettre au lit.

— Merci à toi de m'avoir laissé faire.

Ils échangèrent un regard rapide puis un sourire nerveux, et le silence retomba dans la pièce, lourd, pesant, tandis qu'ils restaient là sans bouger, côte à côte, à contempler le paquet de vêtements qu'elle tenait maintenant. C'était sa maison, sa chambre. Will se sentait un peu comme un hôte que l'on aurait invité à passer la nuit, mais à qui on ne faisait pas signe qu'on allait se coucher. Il entendait les pulsations de son sang dans ses oreilles et avait l'impression de porter la chemise de quelqu'un dont le col serait trop étroit pour lui. Il fallait pourtant bien que l'un des deux brisât la glace.

— Tu n'es pas fatiguée ? demanda-t-il.

— Non ! répliqua-t-elle trop vite, les yeux écarquillés. Puis, baissant la tête, elle ajouta : Eh bien... si, un peu quand même.

— Alors, je crois que je vais aller faire un petit tour par là-bas.

Lorsqu'il fut sorti, elle sentit ses épaules s'affaisser, ferma les yeux et posa sa joue brûlante contre les vêtements qui sentaient le vomi. *Ce que tu peux être stupide. Qu'est-ce que c'est que cette comédie ? C'est l'homme qui va partager ton lit, que diable ! Alors quoi ?*

Elle mit les vêtements au lavage, puis elle défit ses cheveux, se débarbouilla et fut en tenue de nuit en un temps record. Au moment où elle entendit Will rentrer dans la cuisine, elle avait passé une chemise de nuit de mousseline blanche et s'était couchée, l'édredon remonté jusqu'aux aisselles. Tendue, elle écouta son mari faire sa toilette avant de se mettre au lit. Éteindre la radio, jeter un coup d'œil sur le feu et remettre le couvercle du poêle. Puis tout redevint silencieux, à part le battement de son pouls dans ses oreilles et le tic-tac du réveille-matin placé sur la table de nuit. Quelques minutes passèrent avant qu'elle n'entendît ses pas traverser la pièce de devant et s'arrêter. Elle tourna son regard vers la porte, l'imaginant en train de rassembler tout son courage alors que son cœur à elle palpitait comme le moteur de la vieille motocyclette de Glendon le jour où elle était montée dessus.

Will s'arrêta devant la porte de la chambre et prit une profonde respiration pour se donner des forces. Il passa ensuite le seuil et trouva Eleanor allongée sur le dos dans une chemise de nuit blanche, immaculée, à manches longues. Ses cheveux bruns défaits s'étalaient sur l'oreiller, ses mains reposaient, croisées, sur le monticule que formait son ventre sous l'édredon. Bien qu'elle eût pris soin d'adopter une expression parfaitement neutre, ses joues portaient chacune une petite tache rose, comme si quelque séraphin était passé par là et y avait déposé un pétale de rose.

— Entre, Will.

Il jeta sur la chambre un lent regard circulaire : des fenêtres nues, une carpette maison faite de bouts de tissu, un édredon épais sur un lit aux montants métalliques peints en blanc, une porte de placard entrouverte, une table de nuit surmontée d'une lampe à pétrole, une commode recouverte d'un napperon où trônait la photo d'un homme aux grandes oreilles et au front dégarni.

— C'est la première fois que j'entre dans cette pièce.

— Elle n'est pas bien grande.

— Mais elle est chaude et propre.

Il fit deux pas en avant, obligeant son regard à se porter plus loin, mais il ne put l'empêcher de revenir à la photographie.

— C'est Glendon ?

— Oui.

Il s'approcha de la commode, saisit le cadre et l'examina, surpris par l'âge de l'homme et son manque d'attrait physique. Glendon avait un nez presque aquilin, ses yeux étaient enfoncés dans leurs orbites et ses lèvres minces.

— Il était pas mal plus vieux que toi.

— Cinq ans.

Will étudia la photo sans dire un mot, persuadé qu'il devait être plus âgé que cela.

— Il n'était pas très beau, mais c'était un homme très bien.

— J'en suis certain.

Un homme honnête. Pas comme lui qui avait transgressé les deux lois, celle de Dieu et celle des hommes. Est-ce qu'une femme pouvait oublier de telles transgressions ? Will reposa la photo à sa place.

— Ça te dérangerait si je laissais la photo où elle se trouve ? lui demanda-t-elle. Comme ça, les garçons ne l'oublieront pas.

— Non. Pas du tout.

Était-ce pour se rappeler que Glendon Dinsmore occupait une place particulière dans son cœur ? Même si Will Parker avait le droit de partager sa couche ce soir-là, il n'avait aucun droit de revendiquer autre chose. Mais serait-ce définitif ? Il se tourna vers le mur pour tirer de son pantalon les pans de sa chemise, ne désirant rien lui imposer, pas même la vue de sa peau nue.

Elle le regarda déboutonner sa chemise, la retirer et l'accrocher à la poignée de la porte du placard. Elle tomba soudainement sous le charme. Il y avait des grains de beauté sur ce dos puissant et bronzé. Son buste, des épaules à la taille, formait une sorte de triangle et ses bras s'étaient étoffés durant les deux mois qui s'étaient écoulés depuis son arrivée. Quoiqu'elle eût le sentiment de se conduire en voyeuse, elle continua de l'admirer. Il déboucla sa ceinture et les yeux d'Eleanor se fixèrent sur ses hanches fines et, probablement, un peu maigres sous ses jeans. Lorsqu'il s'assit, le matelas s'affaissa et le cœur de la jeune femme se mit à battre la chamade. Oui, il lui paraissait essentiel de partager son lit, surtout après l'avoir occupé seule depuis plus de six mois. Il posa un pied sur son genou, tira une de ses bottes de cow-boy et l'abandonna à côté de lui, puis en fit autant avec la seconde. Il se leva et laissa tomber son jean sur le sol avant de se glisser prestement dans le lit, ne laissant apercevoir qu'une fraction de seconde ses cuisses couvertes de poils noirs et d'un vieux caleçon appartenant à Glendon, avant de disparaître sous l'édredon où il s'allongea à côté d'elle, les bras derrière la tête.

Ils restèrent dans cette position à regarder le plafond, semblables à deux serre-livres, prenant garde que leurs bras ne se touchent
pas, écoutant le tic-tac du réveil.

— Tu peux baisser la lampe. On n'a pas besoin qu'elle brûle si
fort.

Il roula sur lui-même et tendit la main tout en serrant les draps
contre lui.

— Ça te va? demanda-t-il en regardant par-dessus son épaule
tandis que la lumière déclinait lentement pour laisser l'ombre envahir la pièce.

— C'est parfait.

Il se recoucha. Le silence bourdonna à nouveau à leurs oreilles.
Aucun des deux n'osait faire les gestes qui, d'habitude, accompa-
gnent les premières minutes dans un lit. Au lieu de cela, ils restaient sagement allongés, les mains posées sur l'édredon, essayant
de se faire à l'idée qu'ils partageaient la même chambre, cherchant
des sujets de conversation et les abandonnant, nerveux enfin, au
moment où ils auraient dû se détendre.

Soudain, il partit d'un petit rire.

— Qu'y a-t-il? demanda-t-elle en lui jetant un regard oblique.
Mais lorsqu'il tourna les yeux dans sa direction, elle s'empressa de
fixer à nouveau le plafond.

— C'est bizarre.

— Je sais.

— Est-ce qu'on va coucher dans ce lit tous les soirs et faire
comme si l'autre n'était pas là?

Elle poussa un profond soupir et laissa son regard se poser sur
lui. Il avait raison. Reconnaître simplement qu'il y avait quelqu'un
d'autre dans le lit fut comme un soulagement.

— Je n'étais pas pressée que ce moment arrive. Je pensais que
ce serait délicat, tu sais?

— Ça l'était. Et ça l'est encore, admit-il.

— Je suis nerveuse comme tout depuis le souper.

— Tu veux dire depuis ce matin. La chose la plus difficile que
j'ai eu à faire de ma vie, ç'a été d'ouvrir la porte, ce matin, et d'entrer dans la cuisine.

— Tu veux dire que tu étais nerveux, toi aussi ?

— Ça ne se voyait pas ?

— Un peu, mais je pensais que chez moi, c'était pire.

Ils se turent pendant un long moment avant que Will ne remarque :

— Quelle journée de noces vraiment étrange, hein ?

— Bah, je pense qu'il fallait s'y attendre.

— Je suis désolé pour le juge et le baiser, vraiment.

— Ça n'était pas si mal que ça. Et puis, on n'en est pas morts, n'est-ce pas ?

— Non, on n'en est pas morts.

Il croisa ses mains derrière la tête et contempla le plafond, lui présentant ses aisselles velues qui sentaient le savon.

— Excuse-moi pour la lampe. Elle va t'empêcher de dormir, pas vrai ?

— Peut-être pendant un petit moment, mais ça n'a pas d'importance. Si tu n'avais pas couché dans un vrai lit depuis aussi longtemps que moi, tu te moquerais bien de la lampe !

Il posa une main et la passa sur le drap grossier qui fleurait bon la lessive et l'air frais.

— C'est un vrai plaisir, tu sais. De vrais draps. Des taies d'oreillers. Tout, quoi.

Eleanor ne trouva rien à répondre, alors elle garda le silence, tâchant de s'adapter à cette sensation nouvelle que lui procuraient la proximité et l'odeur de Will. Au dehors, un engoulevent se mit à chanter et de la chambre des enfants s'échappa le grincement du lit de Thomas qui se retournait.

— Eleanor ?

— Hmm ?

— Je peux te demander quelque chose ?

— Bien sûr.

— Tu as peur du noir ?

Elle prit son temps avant de répondre.

— Pas exactement... euh, je ne sais pas. Peut-être. Ouais, peut-être. J'ai dormi avec la lampe allumée depuis tellement de temps que je ne sais plus.

Will tourna la tête pour étudier son profil.

— Pourquoi ?

Elle croisa son regard et repensa au fanatisme de son grand-père, à sa mère, à toutes ces années passées derrière les stores verts. Mais en parler la rendrait sans doute bizarre à ses yeux et cela, elle ne le voulait à aucun prix. Et puis, elle ne voulait pas non plus assombrir le jour de son mariage avec des souvenirs pénibles.

— Ça a de l'importance ?

Il observa minutieusement ses yeux verts, espérant qu'elle aurait assez confiance en lui pour lui dire ce qu'il y avait derrière les racontars de Lula. Mais, quels que fussent les secrets qu'elle détenait, il ne voulait pas les apprendre ce soir.

— Dis, tu me parles de Glendon ?

— Glendon ? Tu veux que je te parle de lui... ce soir ?

— Si tu veux bien.

Elle le considéra un moment avant de demander :

— Qu'est-ce que tu veux savoir ?

— Ce que tu as envie de me raconter. Par exemple où tu l'as rencontré.

Tout en fixant le léger cercle de lumière sur le plafond, elle se lança dans ses souvenirs.

— Glendon livrait la glace chez nous quand j'étais petite fille. On habitait alors en ville, ma mère, mes grands-parents et moi. Mon grand-père était prédicateur et il avait l'habitude de partir en tournée pendant plusieurs semaines d'affilée. Les tourments de l'Enfer, tu sais. Une voix comme un cyclone qui jetait l'anathème sur la maison.

Elle lui raconta ce qui lui venait à l'esprit, lui livrant toutes les blessures de sa malheureuse enfance solitaire, la vérité sur sa famille et les mauvais souvenirs de l'école. De Glendon, elle parla plus directement, ne cachant rien de leurs rencontres dans les bois lorsqu'elle était encore une fillette et de l'amour qu'ils partageaient tous deux pour les bêtes sauvages.

— Le premier cadeau qu'il m'a fait, c'était un sac de maïs pour les oiseaux, et petit à petit, nous sommes devenus amis. Je l'ai épousé lorsque j'avais dix-neuf ans et je demeure ici depuis ce temps-là, dit-elle en guise de conclusion.

À la fin de ce récit, Will éprouva une certaine déception. Il n'avait rien appris de la maison de ville ni pourquoi elle y avait été cloîtrée, rien en fait des secrets d'Eleanor Dinsmore Parker. La vérité lui semblait singulière : elle était sa femme et pourtant il en savait moins sur elle que sur certaines des putains qu'il avait fréquentées durant sa vie. Plus que tout, il aurait voulu en savoir davantage sur cette maison et pouvoir lui assurer que, pour lui, ça n'avait aucune importance. Avec le temps, elle lui en dirait peut-être plus mais, pour le moment, il respectait son droit à la vie privée. Lui aussi avait des blessures secrètes trop douloureuses pour être révélées dès maintenant.

— Maintenant, à ton tour, dit-elle.

— À mon tour ?

— Parle-moi de toi. Où tu vivais quand tu étais enfant et comment tu as fait pour atterrir ici.

Il commença par des faits sans intérêt.

— J'ai vécu la plupart du temps au Texas mais dans tant de villes que je ne pourrais pas les citer toutes. Parfois dans des orphelinats, parfois chez des gens qui m'accueillaient. Je suis né du côté d'Austin, à ce qu'on m'a dit, mais je n'en ai aucun souvenir. Adulte, j'y suis retourné une seule fois quand j'y ai fait du rodéo.

— Alors, de quoi te souviens-tu ?

— Tu veux parler de mes premiers souvenirs ?

— Oui.

Will réfléchit intensément. Cela lui revint lentement, presque dans la douleur.

— Un jour, j'ai renversé un bol de nourriture, les céréales du petit déjeuner, je crois, et on m'a fouetté si fort que j'en ai oublié que j'avais faim.

— Oh ! Will...

— On m'a souvent fouetté. Dans tous les endroits où j'ai vécu, sauf un. J'y suis resté six mois, peut-être... c'est difficile de m'en souvenir avec précision. Je n'ai jamais été capable de me rappeler leurs noms, mais il y avait une femme qui me lisait des livres. Elle en avait un qui racontait une histoire vraiment triste que j'aimais beaucoup et qui s'intitulait *A Dog of Flanders*. Il y avait des dessins qui représentaient un garçon et son chien et je pensais « Oh ! ça doit être quelque chose d'avoir un chien à soi ». Un chien, ça reste toujours avec vous, tu sais ? Eh bien, de cette femme, la chose dont je me souviens le plus, c'est qu'elle avait les yeux verts, les plus beaux yeux verts de ce côté du Pecos et tu sais quoi ?

— Quoi ? demanda Elly en tournant les yeux vers lui.

Tout en lui souriant, il lui avoua :

— La première fois que je suis entré dans cette maison, c'est ce que j'ai préféré en toi. Tes yeux verts. Ils me rappelaient les siens, elle qui était toujours si gentille. Et elle a été la seule qui m'a fait comprendre que les livres, c'était bien.

Pendant quelques minutes ils se regardèrent dans les yeux jusqu'à ce que leurs sentiments fussent sur le point de déborder. Alors Elly lui dit :

— Continue ton histoire.

— Le dernier endroit où j'ai vécu, c'était dans une famille qui se nommait Tryce, dans un ranch situé près d'un bled appelé Cistern. Un jour, la montre du grand-père a disparu et j'ai cru comprendre qu'on m'en faisait porter la responsabilité, alors je me suis enfui avant qu'ils puissent me fouetter. J'avais quatorze ans et j'ai décidé qu'aussi longtemps que je voyagerais, on ne pourrait plus me mettre dans des écoles où les enfants qui avaient père et mère me regardaient comme si j'étais une vieille chaussette qu'on aurait oubliée pendant une semaine dans une poche. Alors je suis monté dans un train de marchandises et je suis parti pour l'Arizona. Depuis ce temps-là, j'ai toujours été sur les routes. Sauf quand j'étais en prison. Et ici.

— Quatorze ans. Mais c'est drôlement jeune.

— Pas quand on a commencé comme je l'ai fait.

Elle observa son profil, ses yeux noirs rivés au plafond, son nez droit et pointu et ses lèvres d'où tout sourire avait disparu. Doucement elle lui demanda :

— Tu étais seul ?

Sa pomme d'Adam monta puis redescendit. Tout d'abord, il ne répondit pas mais, lorsqu'il le fit, il se tourna vers elle.

— Oui. Et toi, tu l'étais?

Personne ne lui avait jamais posé cette question auparavant. S'il avait été quelqu'un de la ville, elle ne l'aurait pas admis, mais cela faisait tant de bien de pouvoir répondre « oui ».

Leurs regards, cette fois, ne se fuirent pas car ils venaient de constater qu'ils avaient fait tomber une première barrière.

— Mais tu as une famille.

— Une famille, mais pas d'amis. Toi, je parie que tu avais des amis.

— Des amis? Non! Enfin, un, peut-être.

— Qui?

Il leva un sourcil comme elle le faisait.

— Tu es sûre de vouloir que je t'en parle?

— Absolument. Qui est-ce?

Il n'avait jamais parlé de Josh. À personne. Et cette histoire menait à une conclusion qui peut-être amènerait Eleanor Parker à reconsidérer sa décision de l'inviter à partager sa couche. Mais pour la première fois, Will s'aperçut qu'il avait envie de se soulager la conscience.

— Il s'appelait Josh, commença-t-il. Josh Sanderson. On a travaillé ensemble dans un ranch situé près d'un trou qui s'appelait Dime Box, au Texas. Pas loin d'Austin. Dime Box, c'était quelque chose. C'était comme... eh bien, un peu comme aller regarder un film en noir et blanc après en avoir vu la présentation en couleur. Un triste patelin. Tout y était mort ou attendait la mort. Les gens, le bétail, l'herbe. Et absolument rien à faire le soir. Rien.

Will se tut. Le front lisse, tandis que ses pensées se remettaient en place.

— Mais qu'est-ce que tu y faisais?

Il lui jeta un regard furtif.

— Ce n'est pas un sujet à aborder au cours d'une nuit de noces, Eleanor.

— La majorité des femmes connaissent déjà tous les trucs

qu'ont faits leurs maris au moment de leur nuit de noces. Allez, vas-y. Qu'est-ce que tu y faisais?

Comme s'il s'installait pour faire un long discours, il mit son oreiller en boule, y posa la tête, leva un genou et croisa les mains sur son ventre.

— D'accord, tu l'auras voulu. Je te raconte tout. On avait l'habitude d'aller à La Grange, au bordel. Le samedi soir. On prenait un bain, on descendait en ville, avec notre fric et on le brûlait en alcool et en poules. Moi, je n'étais pas difficile. Je prenais la première qui était libre. Mais Josh était tombé amoureux d'une certaine Honey Rossiter. Honey! C'est à peine croyable. Elle jurait que c'était son nom de baptême, mais moi, je n'y ai jamais cru. Josh, si. Bon Dieu, Josh croyait tout ce qu'une femme disait. Et il ne voulait pas entendre un mot de travers sur Honey. Il se foutait vraiment en rogne si je disais sur elle un mot de travers. Il l'avait mauvaise pour elle, il faut le reconnaître.

Elle était grande, dix-huit mains, on disait pour blaguer, et avait une chevelure couleur alezan qui lui descendait bien jusqu'au croupion. Pour ça, elle avait des cheveux, bouclés mais rêches comme la crinière d'un cheval, du genre qu'un homme aime bien caresser. Josh en parlait tout le temps, le soir, allongé sur sa couchette. Honey et ses cheveux de miel. Mais peu après, il a commencé à dire qu'il voulait se marier avec elle. Josh, je lui ai dit, mais c'est une pute. Pourquoi tu veux te marier avec une pute? Josh, il s'est vraiment mis en colère quand je lui ai dit ça. Il était tellement fou d'elle qu'il ne savait pas faire la différence entre la vérité et les mensonges.

Elle était comme... eh bien, comme une actrice de cinéma... elle jouait à être tout ce qu'un homme voulait qu'elle soit. Elle se transformait pour convenir aux bonshommes et quand elle était avec Josh, elle agissait comme s'il était l'homme de sa vie. L'ennui, c'est que Josh commençait à y croire.

Et puis un soir, on est allés là-bas et lorsque Josh a demandé Honey, la vieille maquerelle qui tenait l'endroit lui a répondu que Honey était prise pour les deux heures à venir. Qui d'autre voulait-il?

Eh bien, il ne voulait jamais personne d'autre, pas après Honey.

Il attendit. Mais lorsqu'elle descendit, il bouillait tellement que le couvercle était prêt à sauter et lui à la gifler. La voilà donc qui entre d'un pas nonchalant dans la salle d'attente. C'est comme ça qu'on appelait le bar où les hommes attendaient les femmes. Seigneur, tu n'as jamais entendu un grabuge comme celui qu'a fait Josh quand il l'a accrochée pour savoir avec qui elle avait passé deux heures alors qu'il était en bas à poireauter.

Elle lui dit : « Je ne t'appartiens pas, Josh Sanderson. » Et il lui répondit : « Eh, j'aimerais bien. » À ce moment-là, il a sorti une bague de sa poche et lui a dit qu'il était venu ce soir-là avec l'intention de lui demander de l'épouser.

Elle lui a éclaté de rire en pleine figure, continua Will en secouant la tête. Elle a ajouté qu'il faudrait être complètement folle pour se marier à un clodo sans le sou qui, à coup sûr, la mettrait enceinte neuf mois sur douze et attendrait d'elle qu'elle s'occupe de sa tripotée de moutards braillards. Elle a dit encore qu'elle menait une existence de luxe, qu'elle passait quelques petites heures le soir sur le dos, qu'elle portait de la soie et des plumes, et mangeait des huîtres et du bœuf chaque fois qu'elle en avait envie.

Alors, Josh est devenu fou. Il lui a dit qu'il l'aimait et qu'elle n'allait plus se faire sauter par personne d'autre, jamais. Elle allait partir avec lui, immédiatement ! Il fit un geste vif pour la saisir et d'on ne sait où, elle a tiré un de ces petits pistolets... Je ne savais pas que les femmes portaient ce genre de truc. Mais c'était le cas et elle le pointait juste en direction de l'œil de Josh... Alors j'ai attrapé une bouteille de whisky Old Star et je lui en ai mis un petit coup sur la tête. Bon Dieu, c'est incroyable ! Je... eh bien, je l'ai à peine effleurée. Elle s'est effondrée comme une masse, elle a basculé sur le côté et s'est fendu le crâne sur une chaise. Elle est restée là, étendue au milieu du verre cassé, dans une mare de whisky. Elle saignait à peine, mais elle est morte sur le coup. Je ne sais pas si c'est la bouteille ou la chaise qui a causé sa mort mais, pour la loi, ça n'avait aucune importance. Moins d'une demi-heure plus tard, j'étais derrière les barreaux.

Je pensais que les choses allaient s'arranger. Après tout, j'avais défendu Josh. Si je ne l'avais pas assommée, elle aurait tiré sur Josh en plein dans l'œil gauche. Mais ce que je n'avais pas prévu, c'était la façon dont Josh prenait ce mariage au sérieux et à quel point il a été choqué par sa mort. Il...

Will ferma les yeux en se rappelant ce triste souvenir. Eleanor se redressa et approcha son visage du sien.

— Il quoi ? lui murmura-t-elle pour l'encourager.

Will ouvrit les yeux et regarda fixement le plafond.

— Il a témoigné contre moi. Il a raconté une histoire drama-tique comme quoi il allait faire de Honey Rossiter une honnête femme, la sortir de l'existence infâme du bordel et lui offrir un foyer et la respectabilité. Et le jury l'a suivi. J'ai fait cinq ans pour avoir sauvé la vie de mon soi-disant ami, dit Will en se passant la main dans les cheveux et en soupirant.

Durant quelques secondes il fixa de nouveau le plafond, puis il se redressa et serra ses genoux entre ses bras.

— On appelle ça un ami...

Le regard d'Eleanor se posa sur les grains de beauté qu'il avait dans le dos. Elle avait envie d'y poser la main pour le caresser, le réconforter. Comme lui, elle n'avait eu qu'un seul ami. Mais le sien s'était montré loyal. Elle imaginait à quel point elle aurait souffert si Glendon l'avait trahie.

— Je suis désolée, Will.

Il rejeta la tête sur le côté comme s'il voulait trouver le regard d'Elly, mais il n'osa pas. Au lieu de cela, il baissa les yeux sur ses mains.

— Et puis, à quoi bon. Ça fait déjà si longtemps.

— Mais ça fait encore mal, si je ne me trompe.

Il se laissa retomber sur le dos, passa ses mains dans sa cheve-lure et les croisa derrière la tête.

— Ça ne sert à rien de continuer à discuter d'un sujet comme celui-ci. Parlons d'autre chose.

L'atmosphère était de plus en plus lourde. Couchée près de Will, Eleanor n'arrivait plus à penser à rien d'autre qu'à la triste jeu-nesse de son mari. Elle avait toujours cru qu'elle était l'âme la plus abandonnée au monde, mais... pauvre Will. Pauvre, pauvre Will. Au moins, maintenant, il les avait, elle et les enfants. Mais combien de temps cela allait-il durer si la guerre éclatait?

— Est-ce que la guerre ressemble vraiment à ça, Will... comme ce qu'on nous a montré au cinéma?

— J'imagine.

— Tu crois qu'on va y entrer, hein?

— Je ne sais pas. Mais si ce n'est pas le cas, pourquoi le Président appelle-t-il les hommes sous les drapeaux?

— Si on y entrait, est-ce que tu devrais y aller?

— Si on m'appelait, oui.

La bouche d'Eleanor forma un O, mais le mot ne parvint pas à passer le seuil de ses lèvres. Cette éventualité l'avait brutalement assaillie, engendrant chez elle une terreur surprenante. Surprenante, car elle n'aurait jamais cru pouvoir se sentir si possessive envers cet homme depuis qu'il était son mari. Les images en noir et blanc des actualités lui revenaient en mémoire, accompagnées par celles, en couleur, de la guerre de Sécession. Quelle chose horrible que la guerre! Eleanor se disait que, du temps où son grand-père était vivant, on avait prié pour que les États-Unis restent en dehors de tout cela. Pour tâcher d'oublier, elle ferma les yeux et s'efforça d'obliger les images de cauchemar à laisser le champ à celles des belles dames dans leurs merveilleuses robes de soie, en compagnie de beaux messieurs en haut-de-forme... à celles de Hopalong, son chapeau à bout de bras... de Donald Wade portant celui de Will... et par la suite, alors qu'elle oscillait entre l'état de veille et celui du sommeil, de Will chevauchant Topper et la saluant de l'extrémité de l'allée en agitant son chapeau noir...

Quelques minutes plus tard, Will se pencha vers elle pour lui dire de ne pas s'en faire avant que les événements ne surviennent. Mais il s'aperçut qu'elle s'était endormie, à plat dos, la bouche entrouverte, les mains croisées sagement sous sa poitrine. Il la regarda respirer; une mèche de ses cheveux sur son épaule changeait de couleur à chaque battement de son cœur. Son regard se porta sur le ventre de sa femme, revint vers sa poitrine, moelleuse sous sa chemise de nuit. Il se dit qu'il serait agréable de l'attirer contre lui, de se coller à elle, et de s'endormir la joue appuyée contre son épaule. Mais quelle serait sa réaction si elle se réveillait et le trouvait dans cette position ? Il lui faudrait rester sur ses gardes, même endormi.

Ses yeux se promenèrent une fois encore sur le ventre d'Elly.

Il bougeait !

L'édredon se soulevait comme si, au-dessous de lui, un chat endormi se retournait. Mais elle dormait profondément, tranquillement, comme une momie. Était-ce le bébé ? Les bébés bougeaient donc... mais à ce point ? Avec précaution, il s'arc-bouta appuyé sur son coude jusqu'à se trouver au-dessus d'elle et observa les mouvements du plus près qu'il le pût. Était-ce un garçon ou une fille ? Cela bougea de nouveau et il sourit. Quoi que ce fût, c'était vraiment incroyable. Il ne parvenait pas à comprendre que tout ce tapage ne la réveillât pas. Il résista à l'envie de tirer l'édredon pour mieux voir et à celle, plus forte encore, de poser sa main sur ce ventre et sentir ce qu'il observait. Mais il n'en était pas question.

Il se recoucha, regrettant d'avoir accepté de l'aider à accoucher de l'enfant. Seigneur, qu'est-ce qui lui avait pris ? Il allait sûrement le tuer avec ses grosses pattes maladroites.

N'y pense plus, Will.

Il ferma les yeux et préféra se concentrer sur les bonsoirs et les baisers de Donald Wade et de Baby Thomas. Il se rappela leurs petites voix enfantines quand ils lui avaient souhaité bonne nuit, particulièrement celle de Thomas « B'nuit, Wiw... » Puis il essaya de chasser toute pensée de son esprit : le sommeil viendrait plus facilement. Mais, entre ses paupières, la lumière brillait toujours, ce qui l'obligea à ouvrir les yeux une fois encore.

Eleanor se tourna sur le côté, face à lui. Il contempla ses cils, la paume de sa main gauche contre son menton, ornée de la bague fantaisie qui faisait tache sur ses doigts détendus. Il laissa ses yeux vagabonder sur la double rangée de boutons de sa chemise de nuit, sur l'édredon qui avait glissé jusqu'à sa taille et le drap qui lui couvrait la poitrine. Il étendit le bras, doucement, très doucement, et prit entre ses doigts le tissu de la manche qu'il froissa comme un avare frotte deux pièces de monnaie l'une contre l'autre. Puis il retira sa main, se retourna du côté opposé et essaya d'oublier que la lampe était allumée.

11

En s'éveillant, le lendemain matin, Eleanor vit d'abord la tête et la nuque de Will Parker. Elle put distinguer la blancheur de son cuir chevelu. Elle sourit. Ah! l'intimité du mariage. Elle remarqua le mouvement de ses épaules à chacune de ses respirations, elle observa son dos et ses grains de beauté, disposés en triangle, l'arrière de l'une de ses oreilles, le dessin de la naissance de ses cheveux, sa colonne vertébrale qui disparaissait sous les couvertures juste au-dessus de sa taille. Sa peau était beaucoup plus sombre que celle de Glendon, et il ne craignait pas d'être nu, lui; Glendon dormait toujours en maillot de corps. Will avait la peau ferme et marquée par les intempéries alors que celle de Glendon était plutôt flasque.

L'objet de cette attention renifla et roula sur le dos. Ses globes oculaires bougeaient sous ses paupières closes mais il dormait encore, le visage maintenant exposé au soleil. Cette lumière le colorait de brun et d'or et mettait des reflets changeants dans sa chevelure pâle comme sur les ailes d'un pinson. Sa barbe poussait vite, plus vite que celle de Glendon et il était plus velu. Ce détail lui procura un choc physique inattendu au bas du ventre.

Elle ferma les yeux, brusquement, pour mieux percevoir son odeur, une odeur différente de celle de Glendon. Une odeur qu'elle n'aurait pu nommer, l'odeur spécifique dont la nature l'avait pourvu, exhalaison mâle de sa peau tiède, de ses cheveux et de son souffle, aussi différente de celle de son premier mari que le sont celles d'une pomme et d'une orange. Elle rouvrit les yeux lentement, à moitié, comme pour éviter de le réveiller. À travers ses paupières mi-closes, elle l'admirait, laissant la lumière du soleil éclabousser la frange de ses cils et répandre ainsi sur le visage de Will une pluie de paillettes d'or. Quel bel homme, si bien charpenté! Les prostituées de La Grange avaient dû se battre pour l'avoir.

À nouveau l'étrange trouble se manifesta, plus vif encore que précédemment, lorsqu'elle se recoucha, les genoux repliés, à seulement quelques centimètres de lui. Son odeur et sa chaleur imprégnaient les couvertures. Elle n'en revenait pas d'avoir des pensées charnelles alors qu'elle avait toujours cru que la grossesse l'en détournait.

Pourtant une autre pensée la mettait mal à l'aise. Et s'il l'avait observée avec autant d'attention qu'elle était en train de le faire? Elle essaya de se rappeler le moment où elle s'était endormie, mais en pure perte. Ils étaient en train de parler – c'est la dernière chose dont elle se souvenait. Était-elle allongée sur le dos? Ou face à lui? Elle jeta un regard vers la table; la lampe brûlait toujours. Il l'avait laissée allumée, il était peut-être resté éveillé plusieurs heures après qu'elle se fut endormie et... avait peut-être détaillé ses défauts. Devant l'adorable visage de Will, la comparaison lui sauta aux yeux. Elle avait les cheveux d'un brun sale, ordinaires, les cils clairsemés et courts, les doigts gourds, le ventre rond et des seins énormes. Parfois même, elle ronflait. Et si elle avait ronflé durant la nuit pendant qu'il la regardait?

Elle se tourna sur le côté et se dit qu'elle devait oublier qu'il se trouvait là, derrière elle, et s'habiller comme si cette journée était une journée ordinaire.

Dès qu'elle bougea, Will s'éveilla comme si on venait de sonner le tocsin. Il la regarda, jeta un œil au réveille-matin, puis s'assit et ramassa son pantalon.

Ils s'habillèrent, se tournant le dos, et ce ne fut que lorsqu'ils eurent boutonné leur dernier bouton qu'ils osèrent se regarder par-dessus l'épaule.

— Bonjour, dit-elle timidement.

— Bonjour.

— Bien dormi?

— Très bien. Je n'ai pas pris trop de place?

— Pas que je sache. Et moi?

— Non plus.

— Tu te réveilles toujours comme ça?

— Eh! il est près de huit heures! Hubert va beugler!

Il s'assit sur le bord du lit et enfila ses bottes. Un instant plus tard, il passait la porte en rentrant les pans de sa chemise dans son pantalon.

Lorsqu'il fut sorti, elle se laissa tomber sur le lit et poussa un soupir de soulagement. Ça y était! Ils avaient partagé le même lit, dormi ensemble, s'étaient levés et habillés sans qu'il y eût le moindre contact physique et sans qu'il eût dû voir son horrible corps boursouflé.

Elle resta ainsi quelques minutes, les yeux fixés sur la plinthe.

Bon, c'est bien ce que tu voulais, n'est-ce pas?

Oui.

Alors, pourquoi restes-tu assise à te morfondre?

Mais, je ne me morfonds pas.

Tu crois?

J'en suis sûre.

Mais tu penses au moment où le juge lui a demandé de t'embrasser.

Et alors, quel mal y a-t-il à ça?

Rien, rien du tout.

Alors, laisse-moi seule.

Il y eut un silence. Pendant quelques minutes, ses oreilles bourdonnèrent.

Si tu voulais qu'il t'embrasse pour te dire bonsoir, tu n'avais qu'à te pencher vers lui et le faire toi-même.

Je ne voulais pas qu'il m'embrasse.

Oh! pardon. Je pensais que c'était pour ça que tu te morfondais.

Je ne me morfondais pas.

Pourtant si. Et elle le savait.

Au milieu de la matinée, ce jour-là, après avoir pris son petit déjeuner et fait les corvées, Will revint à la maison et trouva le chapeau à filet et le matériel d'apiculteur à côté de l'enfumoir sur les marches de la galerie. Il sourit. Alors... plus d'œuf dans la figure. En entrant pour la remercier, il le regretta presque.

La maison était vide et sur la table se trouvait un billet : *Je suis allée ramasser des pacanes avec les garçons.* Il prit un bout de crayon et griffonna au dos de la feuille : « Merci pour le cadeau de mariage ! » et la laissa sur la nappe verte.

Leur première journée comme mari et femme semblait bien augurer des suivantes. Ils vivaient en bonne intelligence à défaut d'intimité, s'entraidant pour des petits riens, cherchant à s'adapter l'un à l'autre, comblés par les enfants et leur vie de famille sans histoire. Dès le premier jour, ils avaient fait des efforts réciproques, comme en ce qui concernait le matériel d'apiculture, si bien qu'il n'y eut plus d'accès de colère. Et la vie s'écoula dans la plus grande quiétude.

Ils ne parlèrent jamais du matériel pour les ruches, du chapeau et de l'enfumoir, mais cet événement marqua les grands débuts de Will dans l'élevage des abeilles. Il avait le sentiment qu'Eleanor ignorait à quels moments il se rendait dans le verger. Alors, il rangeait le matériel dans un appentis et le récupérait sans le lui dire. C'était seulement lorsqu'il rentrait à la maison avec le miel qu'elle apprenait qu'il était allé s'occuper des abeilles.

Il apprit à se méfier d'elles. Dans le verger régnait un calme qui le pénétrait chaque fois qu'il s'y rendait, une sérénité non seulement chez les insectes, mais aussi en lui-même, simplement parce qu'il était obligé de se mouvoir avec lenteur. Malgré toutes ces précautions, il était inévitable qu'il fût piqué tôt ou tard. La première fois que cela arriva, il fit un bond, fendit l'air de sa main et poussa un hurlement. « Aïe ! aïe ! aïe ! » et il fut piqué trois autres fois. Il apprit, au fur et à mesure, à ne plus sauter et surtout à ne pas faire de grands gestes, gardant ainsi les insectes à distance. Surtout, il apprit à reconnaître les différents bourdonnements des abeilles : du grincement aigu des ouvrières heureuses d'aller au travail, qu'elles émettaient en frottant leurs ailes de tulle, au crincrin si différent d'une abeille nerveuse qui le mettait en garde contre le dard et lui permettait de l'éviter. Il finit aussi par reconnaître le contact des pattes d'un insecte qui cherchait à s'accrocher à ses poils, et à le détacher doucement avant d'être piqué. Il apprit enfin que les abeilles se calmaient au son du sifflement humain, qu'elles détestaient le rouge et que leur couleur préférée était le bleu.

C'était donc un homme heureux qui marchait, en sifflotant, à travers les pêchers, tout de bleu vêtu, un chapeau couvert d'un filet pour lui protéger le visage. Il n'avait jamais pu s'habituer aux gants, si bien qu'il travaillait mains nues, notamment en raclant la dure propolis avec laquelle les abeilles scellaient les minuscules fentes des ruches. Dans l'enfumoir, qui n'était rien de plus qu'une boîte en fer-blanc munie d'un soufflet, il allumait un morceau de toile grossière enduite d'huile. Quelques bouffées dans la ruche ouverte neutralisaient les abeilles, ce qui lui permettait de retirer, sans danger, les cadres des rayons. Il les rapportait ensuite à la maison où, à l'aide d'un couteau chauffé à la flamme d'une lampe à pétrole, il en retirait avec précaution les bouchons de cire. La première fois qu'Eleanor le vit faire, elle le rejoignit en haussant les épaules, un couteau à la main.

— Tu vas avoir besoin d'un peu d'aide, lui dit-elle d'une voix ferme, sans même lui jeter un regard.

Puis elle s'assit en face de lui, et lui démontra que ce n'était pas la première fois qu'elle grattait la cire. Ni la première fois qu'elle l'extrayait et la faisait fondre quand le temps était venu de faire ces opérations-là.

L'extraction, qui consistait à retirer le miel des rayons, s'opérait dans un tonneau de deux cents litres muni d'une manivelle. On y faisait tourner les rayons et la force centrifuge forçait le miel à s'en échapper. Mélé à des fragments de rayons et de cire, on laissait couler le miel par un robinet, puis on le chauffait et on le filtrait avant que la cire n'ait commencé à fondre, cire qu'on retirait alors. Les deux produits étaient ensuite mis en pot, séparément, pour la vente.

Il y avait beaucoup d'autres choses dont Will n'avait aucune idée, particulièrement le procédé de fonte, que l'on ne pouvait acquérir qu'à force d'expérience. Eleanor lui enseigna tout cela, encore qu'elle le fît la plupart du temps en rouspétant, mais il fallait bien le faire.

— Comment on nettoie ce bazar-là? demanda Will en parlant du tonneau poisseux avec ses palettes et son robinet enduits de miel.

— On ne le nettoie pas. Ce sont les abeilles qui le font, répliqua-t-elle.

— Les abeilles?

— Les abeilles mangent du miel. Tu n'as qu'à le laisser en plein soleil et elles vont s'y mettre.

Et c'était vrai : tous les instruments couverts de miel laissés dehors se retrouvaient plus propres que si on les avait passés à la vapeur.

Will savait parfaitement qu'elle remarquait les traces de piqûres sur sa peau, mais elle n'y faisait jamais allusion. Son corps développa bientôt une immunité naturelle au point que les dards des abeilles finirent par ne plus avoir aucun effet sur lui. Quand il rentrait avec un chargement de rayons, sans dire un mot elle se rendait au cellier pour s'occuper des pots, les laver et les ébouillanter, puis lui donnait un coup de main pour traiter et empoter le miel.

Ces journées furent pour Will et Eleanor une période de découverte mutuelle. De même que leur première nuit ensemble leur avait permis de commencer à s'habituer à coucher côte à côte, ainsi le travail du miel leur offrait le temps de s'accoutumer au fait qu'ils étaient unis pour la vie. Parfois, tandis qu'il grattait la cire ou tenait l'entonnoir, Will levait les yeux et s'apercevait qu'elle le regardait. Et c'était vrai aussi pour Eleanor. Il s'ensuivait de petits sourires furtifs et, avec eux, grandissait une acceptation réciproque.

Le soir, dans leur lit, ils causaient. Lui des abeilles, elle des oiseaux.

— Tu savais que les bourdons avaient treize mille yeux?

— Tu savais que le gobe-mouche fait son nid avec des bouts de mue de serpent?

— Il y a des infirmières chez les abeilles et tout ce qu'elles ont à faire, c'est de s'occuper des nymphes.

— La plupart des oiseaux chantent, mais la mésange est la seule qui sache réellement murmurer.

— Tu savais que la couleur préférée des abeilles, c'est le bleu ?

— Et que le colibri est le seul oiseau qui vole en marche arrière.

Ces discussions, parfois, leur permettaient de se mieux connaître. Un soir, Will parlait des abeilles ouvrières.

— Tu savais qu'elles travaillent si dur pendant leur vie qu'elles finissent par se tuer elles-mêmes à la tâche ?

— Non... répondit-elle, incrédule.

— C'est pourtant vrai. Elles usent leurs ailes jusqu'à ce qu'elles soient si effrangées qu'elles ne peuvent plus voler. Alors elles meurent, dit-il l'air tout ému. C'est triste, n'est-ce pas ?

Eleanor regarda alors son mari sous un nouveau jour. Et ce qu'elle vit lui plut beaucoup. Il était allongé dans la faible lueur de la lampe, les yeux fixés au plafond, remplis de la tristesse que lui causait le malheureux destin des ouvrières. Comment une femme pouvait-elle rester indifférente à un homme que tourmentaient de telles choses ? Émue, elle tendit la main pour le consoler et lui effleura le bras. Il baissa les yeux vers elle et leurs regards restèrent fixés l'un à l'autre pendant d'interminables secondes. Alors elle retira sa main.

Une autre nuit, peu de temps après, Will souleva un autre problème apicole stupéfiant.

— Tu savais que les ouvrières pratiquent quelque chose qu'on pourrait appeler la fidélité à une fleur ? Je veux dire que chaque abeille ne ramasse le nectar et le pollen que d'une seule variété de fleur.

— Tu me racontes des histoires ! dit-elle en tournant la tête et en le regardant de profil.

— Pas du tout. Je l'ai lu dans un livre que Mlle Beasley m'a donné, « Fleur et fidélité ».

— Vraiment ?

— Vraiment.

Il était allongé comme chaque soir durant leurs discussions, sur le dos, les mains derrière la tête. Sans rien dire, elle le regarda réfléchir à ses nouvelles connaissances. Finalement, elle reposa la tête sur son oreiller et fixa le cercle pâle qui se dessinait au-dessus d'elle.

— Je crois que ce n'est pas un cas isolé. Il y a des oiseaux qui pratiquent la fidélité, eux aussi. Les aigles, les oies canadiennes, ils vivent en couple, pour toujours.

— C'est curieux.

— Mm-hmm.

— Je n'ai jamais vu d'aigles, dit Will, songeur.

— Les aigles sont... majestueux! Quand j'étais petite fille, j'allais voir un aigle doré qui perchait dans un grand arbre mort, près du marais, du côté de Cotton Creek. Si j'étais un oiseau, je voudrais être un aigle.

— Pourquoi? Will s'était tourné et la regardait.

— À cause de quelque chose que j'ai lu un jour.

— Quoi donc?

— Oh!... rien.

— Raconte-moi.

Il la sentait peu enthousiaste mais continua de la regarder, sans sourciller. Au bout d'un moment elle lui jeta un coup d'œil rapide.

— Tu me promets de ne pas rire.

— Je te le promets.

Pendant quelques secondes, elle s'efforça d'aligner ses pouces avec précision puis elle se mit à réciter timidement :

Il s'agrippe au rocher de ses serres crochues;
Près du soleil, dans un pays perdu,
Noble, dans son univers d'azur.

Les vagues de la mer glissent à ses pieds;
Il les contemple du haut de ses montagnes
D'où, comme un ouragan, il plonge.

Elle s'arrêta avant d'ajouter :

— C'est un certain Tennyson qui a écrit ça.

En cet instant, Will découvrit une nouvelle facette de sa femme. Elle se révélait fragile. Impressionnable. Sensible aux paroles des poètes, aux alliances délicates des mots, différente de ce qu'elle avait toujours été.

— C'est très beau, lui dit-il doucement.

Les ongles de ses pouces grincèrent l'un contre l'autre tandis qu'elle hésitait entre le désir de lui cacher ses émotions et celui de se révéler plus à fond. Le second l'emporta. Elle avala sa salive et ajouta dans un souffle :

— Personne ne se moque des aigles.

Oh! Elly, Elly, qui t'a fait tant de mal? Et qu'est-ce qu'on peut faire pour que tu oublies ça? Will roula sur le côté pour la regarder, le menton appuyé sur son poing. Or elle ne se détourna pas et sentit le rouge lui brûler les joues.

— Est-ce que quelqu'un s'est moqué de toi?

La voix de Will était grave, soucieuse. Une larme perla au coin de l'œil d'Elly. Comprenant son chagrin, il fit semblant de ne pas l'avoir remarquée. Immobile, il attendit sa réponse tout en étudiant le profil de son nez et le dessin de ses lèvres pincées. Lorsqu'elle parla, ce fut pour éluder la question :

— Pendant longtemps, je n'ai pas su ce que voulait dire le mot azur.

Il observa sa gorge contractée et se rendit compte que les taches rouges sur ses joues ressortaient comme des pièces de cuivre neuves. Il avait envie de la toucher, de lui prendre le menton, peut-être, et de lui tourner la tête pour qu'elle vît qu'il l'aimait et que jamais il ne se moquerait d'elle. Il désirait la serrer dans ses bras, la bercer gentiment et lui caresser l'épaule en disant : « Dis-le-moi... dis-moi ce qui t'a fait si mal, alors seulement on pourra t'en guérir ». Mais chaque fois qu'il se voyait la toucher, ses scrupules refaisaient surface et se dressaient pour étouffer son élan. Assassin, repris de justice ; elle va bondir et se mettre à hurler si tu la touches. Dès le premier jour, tu savais bien que tu devrais garder tes distances.

Alors, il resta de son côté du lit, un bras sur la hanche, l'autre replié sous son oreille. Mais ce qu'il ne pouvait pas transmettre par le geste, il pouvait le faire de vive voix.

— Elly? demanda-t-il tendrement.

Son surnom lui était venu spontanément comme une marque d'affection. Leurs regards se trouvèrent, les yeux verts encore brillants de larmes dans les yeux bruns où se lisait la compréhension.

— Elly, personne ne se moquera plus de toi, maintenant.

Subitement, tout en elle eut envie de lui.

Caresse-moi, pensait-elle, *comme personne ne l'a jamais fait, comme je caresse les garçons quand ils ne se sentent pas bien. Qu'importe que je sois laide et moche et plus grosse que j'aurais désiré l'être en ce moment. C'est toi l'homme, Will – tu le sais bien! C'est à l'homme de faire le premier geste.*

Mais il ne pouvait pas le faire, ce premier geste.

Caresse-moi, pensait-il, *le bras, la main, un doigt seulement. Fais-moi comprendre que j'ai raison d'éprouver tous ces sentiments pour toi. Plus personne ne m'a touché depuis des années et des années. Alors, c'est à toi de commencer, tu comprends? À cause de ce que tu penses de moi, de qui je suis, de ce que j'ai fait et de ce que nous avons décidé le jour où je suis arrivé ici.*

Finalement, aucun des deux ne bougea. Elle resta les mains à plat sur son ventre rebondi, le cœur battant la chamade, dans la crainte d'être rejetée, d'avoir l'air ridicule, bref, de choses auxquelles la vie l'avait habituée.

Lui, dans la même position, se sentait incapable d'être aimé, à cause de son passé entaché et du fait qu'aucune femme, pas même sa mère, ne l'avait trouvé digne qu'on fît un effort pour lui. Alors, pourquoi Elly le devrait-elle?

Et ce fut ainsi qu'ils discutèrent et se regardèrent dans les yeux durant ces nuits de découverte mutuelle, à la lueur d'une lampe à pétrole, Eleanor, la folle, et son ancien taulard de mari; ces nuits où ils apprirent à se respecter tout en se demandant quand et si leur première « rencontre » allait finalement se produire. Car aucun d'eux n'osait saisir ce dont ils avaient tous les deux un si grand besoin.

Le miel était maintenant en pot. Les ruches furent repeintes en blanc et leurs bases, comme l'indiquait le livre, de différentes couleurs pour guider les ouvrières au retour de leurs expéditions.

Lorsque Will quitta le verger pour la dernière fois, il y avait assez de miel pour nourrir les abeilles durant tout l'hiver.

Il rangea l'extracteur dans un appentis jusqu'au printemps et annonça ce soir-là au cours du souper :

— Demain, je vais aller en ville vendre le miel. Si tu as besoin de quelque chose, fais-moi une liste.

Elle ne demanda que deux choses : de la flanelle blanche pour confectionner des couches et un rouleau de coton.

Le jour suivant, lorsque Will passa la porte de la bibliothèque, Gladys Beasley était occupée à faire un cours magistral à des écoliers sur la façon d'utiliser le fichier. Vue de dos, elle ressemblait à un dirigeable sur pattes. Engoncée dans une robe en jersey verdâtre, portant ses éternels souliers à talons plats et arborant toujours les mêmes frisettes gris argent, elle remuait la tête dans tous les sens en parlant de sa voix précieuse et inimitable.

— La classification décimale Dewey tire son nom d'un bibliothécaire américain appelé Melvil Dewey qui vivait il y a plus de soixante-dix ans. James, dit-elle en s'écartant de son sujet, arrête de mettre tes doigts dans ton nez. Si tu as des problèmes, demande à aller aux toilettes. Et à l'avenir, débrouille-toi pour avoir toujours un mouchoir sur toi à l'école. D'après Dewey les livres sont classés en dix rubriques...

Et le cours se poursuivait comme si la remontrance n'avait jamais existé.

Pendant ce temps Will, le coude appuyé au comptoir, s'amusait de la scène et attendait. Une petite fille sautait d'un pied sur l'autre, droite, gauche, et fixait les lampes du plafond comme s'il s'agissait de comètes. Un garçon aux cheveux roux se grattait l'arrière-train. Une autre fillette se tenait en équilibre sur un pied et, serrant entre ses mains son autre cheville, faisait tous ses efforts pour monter son talon le plus haut possible contre ses fesses. Depuis qu'il était venu vivre avec Elly et les garçons, Will n'avait cessé d'apprécier de plus en plus les enfants pour leur naturel.

— ... et tous les sujets y sont traités. Si vous le voulez bien, les enfants, nous allons commencer par les cent premiers.

Comme Mlle Beasley se retournait pour faire avancer les retardataires, elle aperçut Will. Sans le vouloir, elle lui fit un grand sourire et elle porta la main à son cœur. Se rendant compte de ce qu'elle venait de faire, elle claqua dans ses mains et reprit son maintien habituel. Mais il était trop tard, elle avait rougi.

Will s'avança et toucha son chapeau, amusé par cette réaction révélatrice et excité, plus qu'il ne l'aurait cru possible, à l'idée qu'une femme aussi invraisemblable se fût mise à rougir à cause de lui. S'il avait fait tout ce qui était en son pouvoir pour amener sa femme à réagir de cette manière, il ne s'attendait certes pas à ce que cela lui arrivât ici.

— Attendez-moi, les enfants, claironna Mlle Beasley en caressant la tête de deux d'entre eux en passant. Vous pouvez faire des recherches dans les cent et deux cents.

Comme elle s'approchait de Will, la rougeur de ses joues était si évidente qu'il s'en trouva réellement ahuri.

— Bonjour, mademoiselle Beasley.

— Bonjour, monsieur Parker.

— Vous êtes bien occupée, observa-t-il en désignant les enfants.

— Pour ça, oui. C'est la classe de deuxième année de Mme Gardner.

— Je vous ai apporté quelque chose.

Il lui tendit un pot de miel.

— Voyons ! monsieur Parker, s'exclama-t-elle en portant à nouveau la main à sa poitrine.

— De nos ruches et de cette semaine.

Elle prit le pot et le dirigea vers la lumière.

— Mon Dieu, mais qu'il est clair !

— Il y a pas mal de forêts acides par chez nous. Le miel de ces bois a cette couleur-là. Malgré tout, il a une légère teinte de gommier.

Elle rentra le menton et lui adressa une moue reconnaissante.

— Vous avez bien appris vos leçons, à ce que je vois !

Il croisa les bras, bien campé sur ses jambes, et lui sourit, le bord de son chapeau sur les yeux.

— Je voulais vous remercier pour les brochures et les livres. Sans ça, je n'y serais jamais arrivé.

Elle leva le pot à deux mains et lui lança une œillade.

— Je vous remercie, monsieur Parker. Et remerciez aussi Mme Dinsmore pour moi.

— Ah... Ce n'est plus Mme Dinsmore, ma'am. C'est Mme Parker maintenant.

— Oh ?

La surprise et la déception se lisaient dans cette simple exclamation.

— Nous nous sommes mariés à Calhoun à la fin du mois d'octobre.

— Ah... Alors, les félicitations sont de rigueur, vous ne croyez pas ? répondit Mlle Beasley qui se ressaisissait rapidement.

— Merci beaucoup, mademoiselle Beasley... Ma'am, je ne voudrais pas vous retenir ; et puis, vous avez les enfants. J'ai du miel à vendre et je n'ai pas beaucoup de temps. Je veux dire que j'ai pas mal de choses à faire sur place avant... Eh bien, voyez-vous, je voudrais mettre une génératrice électrique et arranger une salle de bains pour Eleanor. Je me demandais si vous pouviez voir ce que vous avez comme livres sur l'électricité et sur la plomberie. Si vous pouviez les sortir, je passerais les prendre dans une heure environ, quand j'aurai liquidé le miel.

— L'électricité et la plomberie. C'est d'accord.

— Je vous en suis très reconnaissant.

Il sourit, souleva son chapeau et se dirigea vers la porte. Mais il se retourna avec une apparente désinvolture.

— À propos, pendant que vous y êtes, si vous pouviez me trouver des livres concernant la naissance, vous pourriez les ajouter.

— La naissance ?

— Oui, ma'am.

— La naissance de quoi ?

Will se sentit rougir et haussa les épaules, feignant la nonchalance.

— Eh bien... euh... les chevaux, les vaches... Vous voyez ce que je veux dire ? Et les êtres humains aussi, si par hasard vous tombez sur quelque chose. Je n'ai jamais rien lu à ce sujet. Ça doit être intéressant.

Il se sentait nu sous son regard inquisiteur. Mais elle déposa le pot en bonne place et ajouta de sa voix habituelle :

— Vos livres seront prêts dans une heure, monsieur Parker. Et encore merci pour le miel.

Calvin Purdy lui acheta la moitié de sa production et, après avoir marchandé, lui prit quatre pots de plus en échange de dix mètres de flanelle blanche et de coton. À la station-service, Will en troqua encore deux contre le plein d'essence. Il lui était venu à l'esprit d'avoir le réservoir plein, désormais, au cas où le bébé arriverait. Tandis qu'on pompait l'essence, il fronça les sourcils en pensant au Café Vickery, au coin de la rue. Des biscuits au jus de viande le matin ; des biscuits au miel le soir, se dit-il. Mais pour vendre sa marchandise, il lui faudrait sans doute affronter Lula Peak et Dieu sait où elle aurait l'idée d'enfoncer ses griffes cette fois-là. Il se gratta la poitrine et détourna les yeux de dégoût. Il n'allait pas gâcher son miel.

Le plein fait, il fit le tour de la place et retourna à la bibliothèque. La classe de Mme Gardner était partie, abandonnant au silence les lieux désertés.

— Y'a quelqu'un ? demanda-t-il.

Mlle Beasley émergea de la salle du fond en s'essuyant la bouche avec un mouchoir à fleurs.

— Je vous ai dérangé en plein déjeuner ?

— À vrai dire, oui. Vous m'avez surprise en train de goûter votre miel sur mes muffins. Il est délicieux. Tout bonnement délicieux.

Il sourit et hocha la tête.

— Ce sont les abeilles qui ont fait la plus grosse partie du travail.

Elle émit un petit gloussement, comme si rire lui semblait incongru. Mais il pouvait se rendre compte à quel point elle était contente de son cadeau. À première vue, ce n'était pas une femme très sympathique.

Sèche, inflexible, elle ne devait pas avoir beaucoup d'amis.

Peut-être se sentait-il attiré vers elle parce qu'il n'en avait jamais eu beaucoup lui non plus. Autour de ses lèvres poussait un épais duvet de poils fins et incolores. Une minuscule gouttelette de miel s'y trouvait suspendue par mégarde, au-dessus de sa lèvre supérieure. S'il avait eu moins de sympathie pour elle, il ne la lui aurait peut-être pas fait remarquer. Mais comme ce n'était pas le cas, il pointa le doigt discrètement.

— Vous avez oublié quelque chose...

— Oh ! ... Oh merci beaucoup !

Elle s'essuya soigneusement la bouche sans parvenir à faire disparaître le miel.

— Là, dit-il en tendant le bras. Je peux vous aider ? lui demanda-t-il en saisissant à la fois la main et le mouchoir pour les guider vers l'endroit précis.

Ce fut le contact le plus intime que Mlle Beasley eût jamais éprouvé. Les hommes, elle les repoussait et les avait d'ailleurs toujours repoussés, en particulier au collège où elle s'était montrée beaucoup plus intelligente que tous ceux qui auraient pu lui trouver quelque intérêt. Les hommes de Whitney étaient soit mariés soit trop stupides pour lui convenir. Bien qu'elle eût depuis longtemps accepté son célibat, Gladys avait toujours eu envie de trouver un homme qui, en d'autres circonstances et en d'autres temps, eût pu lui convenir et de tempérament et d'intelligence. Lorsque Will Parker la toucha, Gladys Beasley en oublia qu'elle ressemblait à un tonneau et qu'elle aurait pu être sa grand-mère. Son cœur de vieille fille se mit à frétiller.

Le contact avait été bref et même délicat. Alors, presque timidement, Will recula et son pouce regagna la poche arrière de son pantalon. Lorsque Gladys retira son mouchoir, elle paraissait toute déconcertée, mais il fit semblant de ne rien remarquer.

— Voilà. M'avez-vous trouvé quelque chose ? demanda-t-il.

Elle lui désigna une pile de cinq livres dont certains contenaient des signets en papier qui marquaient des passages choisis. La curiosité aidant, il essaya de lire les titres à l'envers pendant qu'elle tamponnait les fiches. Mais elle était très efficace dans ses *Ouvrir, tamponner, fermer ! Ouvrir, tamponner, fermer !* Il n'avait réussi à déchiffrer aucun titre avant qu'elle eût poussé la pile dans sa direction, avec sa carte posée au sommet de celle-ci.

— Merci mille fois, mademoiselle Beasley.

— Mais je n'ai fait que mon devoir, monsieur Parker.

Un léger sourire éclaira le visage de Will; il toucha le bord de son chapeau et glissa la pile sous son bras.

— Merci quand même. À la semaine prochaine.

La semaine prochaine, pensa-t-elle, et son cœur se mit à battre plus fort. Soigneusement, elle mit de l'ordre dans les fiches pour cacher son émoi.

Elle lui avait choisi *Le petit manuel du plombier*, *L'ABC de l'électricité*, *Les découvertes d'Edison*, *L'élevage des animaux pour un fermier moyen* et un autre intitulé *L'ère nouvelle de la science domestique*.

Ce soir-là, après le dîner, tandis qu'Eleanor cassait des pacanes sur la table de la cuisine, Will s'assit à sa droite et se mit à tourner les pages. Il passa une demi-heure à feuilleter certaines pages des trois premiers livres et passa au quatrième, *L'ère nouvelle de la science domestique*. Il traitait de toutes sortes de sujets, certains essentiels, d'autres, selon Will, stupides. Il souriait, amusé, devant « Comment choisir un valet » ou « Comment nettoyer un fer à repasser en le frottant avec du sel ». Il y avait une recette de viande en gelée, une de tomates grillées, puis une dizaine d'autres; une réflexion sur l'insomnie intitulée « La science du sommeil »; un passage sur la façon de nettoyer une théière en la faisant bouillir avec une coquille d'huître à l'intérieur. Ses doigts cessèrent de chercher lorsqu'il parvint au « Chapitre réservé aux jeunes filles ». Il leva les yeux puis revint à un paragraphe intitulé « Comment choisir un mari ». Au fur et à mesure qu'il lisait, il s'affaissait sur sa chaise, le livre collé au bord de la table, un index dissimulant son sourire. *Vous avez maintenant plus que jamais besoin des conseils de vos parents,* disait le texte, *car le jeune homme sera attiré par vous et vous par lui. C'est naturel. Si vous vous trompez, cela peut détruire votre existence. Mettez votre mère dans la confidence. Il y a un certain nombre de règles qu'on peut, en la matière, suivre sans risque. Ne portez jamais vos regards sur un jeune homme qui « fait les quatre cents coups » ou qui les a faits.*

Will se frotta la lèvre d'un air absent et jeta un regard vers Eleanor, mais elle était trop occupée à casser les noix.

N'épousez jamais un homme pour le transformer. Ignorez complètement ceux qui en ont besoin. Il y a des hommes qui ne boivent pas et qui pourtant sont, pour vous, plus dangereux que des ivrognes. Un homme qui fait les quatre cents coups ou qui a une morale très lâche, est peut-être porteur de maladies qu'il peut transmettre à sa pure et innocente épouse et, de ce fait, lui occasionner des maux dont elle souffrira toute sa vie. Le mariage est une loterie. Vous devez miser gros ou alors votre vie risque d'être misérable. Si vous êtes attirée par un jeune homme, dites-le à vos parents afin qu'ils puissent se rendre compte s'il s'agit d'un homme comme il faut, pur dans son cœur comme dans la vie. Oui, il est bien préférable de rester seule plutôt que de faire un mariage malheureux.

Il se demanda combien de jeunes filles ignorantes avaient pu lire ce genre de choses et s'étaient retrouvées plus troublées que jamais face aux réalités de la vie.

Pris de doutes, il porta son regard sur Elly. Elle laissa tomber une pacane dans le saladier. Son ventre avait tellement pris d'embonpoint qu'il y avait à peine de place pour le récipient sur ses genoux. Ses seins, depuis trois mois, donnaient l'impression d'avoir triplé de volume. Était-elle vierge lorsqu'elle avait épousé Glendon ? Et Glendon, avait-il « fait les quatre cents coups » comme Will Parker les avait faits ? Elly avait-elle consulté ses parents ? Avaient-ils percé le caractère de Dinsmore et trouvé le jeune homme pur dans son cœur comme dans la vie – contrairement à son second mari ?

Elle cassa une autre pacane et en porta un petit morceau à la bouche. Will continuait de la suivre des yeux et, distraitement, se frottait les lèvres. Une chose était certaine : Elly ne l'avait pas épousé pour le transformer. S'il avait changé, c'était parce qu'elle l'avait accepté tel qu'il était, plutôt que le contraire.

Il ouvrit une page à l'endroit où Mlle Beasley avait glissé une marque. « Comment concevoir et donner naissance à des enfants en bonne santé ? » Bon d'accord, pensa-t-il en souriant intérieurement, voyons ce qu'ils racontent.

La principale raison pour laquelle on se marie, c'est pour avoir des enfants et les élever. Dans ce but, la Nature a pourvu l'homme et la femme d'organes remarquablement conçus.

Fin des explications. Will réprima un petit sourire et continua de se cacher derrière son index. Il ne pouvait s'empêcher de se figurer Mlle Beasley en train de lire ce passage et se demandait quelle avait été sa réaction.

De sa plaisante description des organes humains, l'auteur était directement passé à une ribambelle de conseils ridicules sur la conception : *Si les parents sont ivres au moment de la conception de l'enfant, ils ne peuvent s'attendre à avoir une progéniture saine, ni physiquement ni intellectuellement. Si les parents ne s'aiment pas, ils transmettront quelque chose de leurs dispositions à leur progéniture. Si l'un des parents ou les deux ont de gros problèmes au moment de la conception, l'enfant deviendra leur souffre-douleur.*

Sans crier gare, Will éclata de rire.

Eleanor leva la tête.

— Qu'est-ce qu'il y a de drôle ?

— Écoute-moi ce...

Il se redressa sur sa chaise, posa le livre à plat sur la table et relut à haute voix la fin du passage.

Eleanor le regarda, impassible, les mains appuyées sur les mâchoires du casse-noix.

— Je croyais que tu étais plongé dans l'électricité.

Il se calma instantanément.

— Oh, mais c'est ce que je fais. Enfin... je, c'est ce que je faisais.

Elle tendit la main et, avec le bout du casse-noix, souleva le livre.

— *Ère nouvelle de la science domestique.*

— Eh bien, je... euh...

Il sentit le rouge lui monter aux joues et se mit à tourner les pages au hasard. Elles restèrent ouvertes sur le schéma d'un téléphone maison.

— J'avais à l'esprit d'en fabriquer un comme ça.

Il retourna le livre et le lui montra.

Elle regarda le schéma, puis leva les yeux sur lui d'un air sceptique au moment où craquait la pacane et la coquille lui tomba dans la main.

— Et qui penses-tu appeler avec ça?

— Oh! je n'en sais rien. On ne sait jamais.

Il cacha sa confusion en se replongeant dans le livre.

Après être devenue enceinte, vous vous devez, pour vous-même, pour votre mari et surtout pour votre enfant à naître, de faire en sorte qu'il vienne au monde doté de tout ce qu'une vraie mère, bonne et dévouée, peut lui donner, tant sur le plan physique qu'intellectuel. Dans ce but, gardez-vous saine et heureuse. Ne mangez que de la nourriture très digeste pour conserver vos intestins en bon état. Ne lisez que des livres susceptibles de vous rendre meilleure et plus heureuse. Recherchez la compagnie de gens dont vous pensez qu'ils peuvent vous épanouir. Les potins n'y contribuent pas, alors n'écoutez pas les toubibs qui sont toujours prêts à vous raconter des histoires dans ces moments-là.

Des conseils fantaisistes de ce genre, il y en avait des centaines, mais le sourire de Will disparut lorsqu'il tomba enfin sur ce qu'il cherchait : « Préparatifs pour le travail ». Cela commençait par une liste d'articles qu'il était recommandé d'avoir sous la main :

    5 bassines
    1 seringue
    15 mètres de gaze non stérile
    6 alaises sanitaires; ou
    1 kilo de coton – pour le même usage
    1 toile caoutchoutée
    100 grammes de permanganate de potassium
    200 grammes d'acide oxalique
    100 grammes d'acide borique
    1 savon

1 tube de vaseline
100 comprimés de bichloride
200 grammes d'alcool
2 petits verres d'ergotol
1 brosse à ongles
1 kilo de coton absorbant

Seigneur! il va falloir tout cela? Will commença à avoir peur.

Les instructions préliminaires étaient les suivantes : *Il faut que l'infirmière prépare suffisamment d'alaises et de tampons périnéaux et les stérilise une semaine avant l'événement, ainsi que des serviettes, des couches, une demi-livre de coton absorbant et la même quantité de compresses de coton.*

Une infirmière? Qui avait chez lui une infirmière? Et suffisamment? Qu'est-ce que ça voulait dire, suffisamment? Que signifiait périnéaux? Et qu'est-ce que c'étaient que des compresses? Il n'y comprenait rien et en avait encore moins les moyens! Blême, il ne tournait les pages que pour voir doubler sa désillusion. Les phrases lui sautaient à la figure et lui mettaient les nerfs à fleur de peau.

Des douleurs semblables à des crampes au bas de l'abdomen... rupture de membranes... perte des eaux... une envie marquée d'aller à la selle... bombement du plancher pelvien... déchirure de la chair périnéale... manipulations propres à l'expulsion du placenta... du fil solide... couper immédiatement... exception faite lorsque l'enfant est mourant ou a du mal à respirer...

Il ferma brutalement le livre et se leva, pâle comme la mort.

— Will?

Il regardait par la fenêtre, les genoux serrés, et faisait craquer ses articulations en écoutant les sourds grondements de son cœur.

— Je ne pourrai jamais faire ça.

— Faire quoi?

La peur l'étouffait comme un morceau de pain sec coincé au fond de la gorge. On a beau tousser, ça ne bouge pas d'un pouce.

— Je ne lisais pas un livre sur l'électricité. Je lisais un livre sur la naissance des bébés.

— Oh... c'est donc ça!

— Oui, c'est ça ! Elly, nous n'en avons plus parlé depuis le soir où nous avons décidé de nous marier. Mais je sais que tu as besoin de mon aide et je ne sais vraiment pas si j'en serai capable.

Elle ne bougea pas, le saladier sur les genoux, et le regarda sans s'émouvoir.

— Alors, je me débrouillerai toute seule, Will. Je suis tout à fait certaine d'y arriver.

— Seule ! hurla-t-il en se précipitant sur le livre dont il tourna frénétiquement les pages jusqu'à ce qu'il eût trouvé la bonne. Écoute-moi ça : « Habituellement, on ligature le cordon avant de le couper, exception faite lorsque l'enfant est mourant ou a du mal à respirer. Dans ces cas précis, il est préférable de ne pas ligaturer le cordon afin qu'il saigne un petit peu et aide à établir la respiration ». Imagine que l'enfant meure. Qu'est-ce que je vais penser de moi ? Et puis, est-ce que je suis censé savoir ce qu'est une bonne respiration ou une mauvaise ? Et ce n'est pas tout... tous ces trucs qu'on devrait avoir sous la main. Eh, bon Dieu ! y en a tout un paquet, je ne sais même pas ce que c'est ! Et ça dit que tu peux te déchirer et même avoir une hémorragie. Elly, je t'en supplie, laisse-moi aller chercher un docteur quand le moment sera venu. J'ai fait le plein d'essence, comme ça, je pourrai foncer en ville et le ramener.

Calmement, elle posa le saladier à côté d'elle, se leva et ferma le livre.

— Je sais de quoi nous avons besoin, Will, dit-elle en le regardant droit dans ses yeux bruns où se lisait l'angoisse. J'aurai tout préparé. Tu ne devrais pas lire ce genre de truc, simplement parce que ça te fiche la frousse.

— Mais ils disent...

— Je sais ce qu'ils disent. Mais avoir un bébé, c'est un acte naturel. Écoute, les femmes indiennes s'accroupissent dans les bois et font ça toutes seules, puis elles retournent aux champs et recommencent à biner dès que c'est terminé.

— Mais tu n'es pas indienne, soutint-il avec véhémence.

— Mais je suis solide. Et en bonne santé. Et qui plus est, je suis heureuse aussi. Ça me semble aussi important que n'importe quoi, tu ne crois pas ? Les gens heureux trouvent toujours les moyens de lutter.

Ce raisonnement serein calma les craintes de Will avec une étonnante soudaineté. Lorsqu'elles ne furent plus qu'un mauvais souvenir, une seule chose restait gravée dans sa mémoire : elle avait dit qu'elle était heureuse. Ils se trouvaient l'un à côté de l'autre, si proches qu'il aurait pu la toucher, qu'il aurait pu croiser les doigts sur sa nuque, lui poser les mains sur les joues et lui demander : « Tu l'es, Elly ? Tu l'es vraiment ? » Car il voulait l'entendre encore ce mot, la preuve que pour la première fois de sa vie, il lui semblait qu'il faisait les choses comme il fallait les faire.

Mais elle baissa le menton, se retourna pour reprendre le saladier de noix et le rangea dans le placard :

— Tout le monde n'est pas capable de supporter la vue du sang et je peux te garantir que, du sang, il y en a quand un bébé vient au monde.

— Ce n'est pas là le problème. Je te l'ai dit, ce sont les risques.

Elle lui fit face à nouveau et lui dit avec réalisme :

— Will, nous n'avons pas d'argent pour payer le docteur.

— On pourrait travailler pour. Je pourrais faire un autre chargement de ferraille. Et puis il y a l'argent de la crème, les œufs et maintenant le miel. Et les pacanes. Purdy va m'acheter mes pacanes. Je sais qu'il le fera.

Elle secoua la tête avant qu'il eût achevé.

— Ne t'énerve pas. Laisse-moi m'occuper de la naissance du bébé. Tout ira bien.

Mais comment pourrait-il ne pas s'inquiéter ?

Durant les jours qui suivirent, il remarqua qu'elle se déplaçait avec une lenteur croissante. Son ventre commençait à s'affaisser, ses chevilles enflaient et sa poitrine prenait de l'ampleur. Chaque jour le rapprochait de celui de sa délivrance.

Le 10 novembre apporta un apaisement temporaire à ses soucis. C'était le jour de l'anniversaire d'Eleanor, Will ne l'avait pas oublié. Il se réveilla alors qu'elle dormait encore, le visage tourné vers lui. Il se mit sur le ventre, replia son oreiller sous sa tête et se mit à la regarder de près. Elle avait les sourcils clairs et la pointe des cils dorés et, au-dessus de ses lèvres entrouvertes, un charmant petit nez. Une de ses oreilles apparaissait entre deux boucles de ses cheveux défaits. Sous les couvertures, elle avait un genou replié. Il la regarda respirer, observa sa main qui se contracta une fois, puis une autre. Elle se réveilla lentement, passa sans en avoir conscience sa langue sur ses lèvres, se frotta le nez et, pour finir, ouvrit des yeux embués de sommeil.

— Bonjour, fainéante, plaisanta-t-il.

— Mmmm... dit-elle en refermant les yeux et en se pelotonnant. Bonjour.

— Joyeux anniversaire.

Elle ouvrit les yeux, sans bouger cependant, savourant les mots tandis qu'un sourire paresseux naissait sur son visage.

— Tu t'en es souvenu.

— Évidemment. Vingt-cinq ans.

— Vingt-cinq ans. Un quart de siècle.

— On dirait que tu es plus vieille que tu en as l'air.

— Oh, Will, dis pas de bêtises.

— Je t'ai regardée t'éveiller. Tu me plais énormément.

Elle se couvrit la tête avec le drap tandis qu'il souriait derrière son oreiller.

— Tu auras le temps de faire un gâteau aujourd'hui?

Elle tira le drap jusque sur son nez.

— Je pense, mais pourquoi?

— Alors fais-en un. Je l'aurais bien fait, mais je ne sais pas comment m'y prendre.

— Mais pourquoi?

Au lieu de répondre, il repoussa les couvertures et se leva d'un bond. Debout à côté du lit, les deux coudes relevés, il s'étira avec vigueur. Elle regardait avec un intérêt non dissimulé, ses muscles souples, sa peau ferme, ses grains de beauté, ses longues jambes. Il se penchait de droite à gauche, en un mouvement nerveux. Puis il s'arrêta net, ramassa ses vêtements et commença à s'habiller. C'était étonnant d'observer un homme passer ses vêtements. Les hommes le faisaient avec tellement moins de soin que les femmes.

— Est-ce que tu vas me répondre? insista-t-elle.

En regardant ailleurs, il sourit :

— Pour fêter ton anniversaire.

— Pour fêter mon anniversaire ! Hé ! viens un peu ici ! dit-elle en s'asseyant.

Mais il était parti, boutonnant sa chemise, le sourire aux lèvres.

Il ne leur était pas facile de cacher leur impatience, ce jour-là. Will avait échafaudé ce plan dans sa tête depuis des semaines ; les yeux d'Eleanor brillaient en faisant cuire son gâteau, mais elle se refusait à demander quand la fête devait avoir lieu ; Donald Wade avait demandé au moins dix fois dans la matinée : « Encore combien de temps, Will ? »

Will avait prévu d'attendre la fin du dîner, mais le gâteau fut prêt à midi et, vers la fin de l'après-midi, la patience de Donald Wade semblait à bout. Lorsque Will rentra à la maison pour prendre une tasse de café, Donald Wade lui tapota le genou et lui murmura pour la centième fois :

— Maintenant, Will... s'il te plaît !

Will se laissa fléchir.

— D'accord, *kemo sabe*. Thomas et toi, allez me chercher le truc.

Le *truc* se révéla être deux objets grossièrement emballés dans du papier blanc de boucherie froissé, attaché avec de la ficelle. Chacun des garçons en portait un, fièrement, et ils les déposèrent à côté de la tasse de café d'Eleanor.

— Des cadeaux ? C'est pour moi ? demanda-t-elle en croisant les mains sur sa poitrine.

Donald Wade hocha la tête à s'en démettre le cou.

— C'est moi et Will et Thomas qui l'avons fait.

— C'est vous qui l'avez fait ?

— Un des deux, corrigea Will en attirant Thomas sur ses genoux tandis que Donald Wade s'appuyait contre la chaise de sa mère.

— C'est ç'ui-là, dit Donald Wade en poussant vers elle le paquet le plus lourd. Ouvre-le d'abord.

Ses yeux restèrent fixés sur les mains de sa mère pendant

qu'elle se battait avec la ficelle, prétendant avoir du mal à en défaire les nœuds.

— Cette damnée ficelle va me faire piquer une crise, s'exclama-t-elle. Mon Dieu, Donald Wade, donne-moi un coup de main.

Donald Wade tendit une main avide, l'aida à tirer sur le nœud et arracha le papier, découvrant une boule de graisse ficelée et roulée dans des grains de blé.

— C'est pour tes oiseaux, annonça-t-il tout excité.

— Pour mes oiseaux ? Oh mes... Ils vont adorer ça !

— Tu pourras le pendre, hein ?

— On verra ça.

— Will a acheté le truc et pis on a mis la graisse au broyeur et pis je l'ai aidé à tourner la manivelle et pis moi et Thomas on a collé les ficelles dessus. Tu vois ?

— Je vois. Et je dois dire que c'est la plus belle boule de graisse que j'aie jamais vue. Oh, merci beaucoup, mon chéri...

Elle étreignit très fort Donald Wade puis se pencha pour prendre le menton du petit et l'embrassa bruyamment sur la bouche.

— Merci à toi aussi, Baby Thomas. Je ne savais pas que tu étais déjà si malin.

— Ouvre l'autre, supplia Donald Wade en le lui mettant dans les mains.

— Deux cadeaux... oh ! Seigneur.

— Ç'ui-là, c'est de Will.

— De Will...

Ses yeux émerveillés rencontrèrent ceux de son mari tandis que ses doigts cherchaient à défaire les nœuds d'un paquet en forme de rouleau. Bien que son cœur battît d'impatience, Will s'efforçait de rester calme sur sa chaise, un coude appuyé sur le bord de la table, un doigt refermé sur sa tasse de café.

En ouvrant le paquet, Eleanor ne quittait pas Will des yeux. Thomas était confortablement installé sur les genoux de son nouveau papa. Elle se rendit compte alors qu'elle n'échangerait pas son mari contre dix Hopalong Cassidy.

— Il est vraiment incroyable, pas vrai ? Il passe son temps à me faire des cadeaux.

— Dépêche-toi, maman !

— Oh... oui, bien sûr.

Elle en revint à son cadeau : c'était un ensemble de trois nappe-rons, un ovale et deux en forme de croissant de lune, de lin fin, ourlés avec des jours échelle et à motifs dessinés, prêts pour le crochet et l'aiguille à broderie.

Le cœur d'Eleanor vacilla et les mots lui manquèrent.

— Oh, Will...

Elle dissimula le tremblement de ses lèvres derrière les fins napperons. Ses yeux la brûlaient.

— L'étiquette dit que c'est un ensemble de Madère pour buffet. Je savais que tu aimais faire du crochet.

— Oh, Will... Rien n'aurait pu me faire plus plaisir !

Elle tendit la main à travers la table, la paume en l'air. En posant sa main dans la sienne, Will sentit son pouls s'emballer.

— Merci, tu es adorable, Will...

Il n'aurait jamais pensé qu'il pût être adorable. Ce mot lui fit l'effet d'un éclair de bonheur qui, partant du cœur, lui traversa le corps. Leurs doigts se lièrent étroitement et, pendant quelques ins-tants, ils en oublièrent les cadeaux, le gâteau, la grossesse, le passé et même les deux garçons qui les regardaient, impatients.

— On voudrait du gâteau tout de suite, maman, les interrompit Donald Wade et leur moment d'intimité se dissipa.

Mais, depuis lors, tout avait pris une autre dimension. Lorsque Eleanor s'affaira dans la cuisine pour fouetter la crème, couper le gâteau au chocolat et le servir, elle sentit les yeux de Will se déplacer en même temps qu'elle, la suivre, la chercher. Et elle s'aperçut qu'elle hésitait à le regarder.

De retour à table, elle lui tendit son assiette et il la saisit sans même lui effleurer le bout des doigts. Elle considéra sa retenue comme de la prudence, une prudence presque inconcevable. Mais elle comprenait, car dans ses moments les plus fous elle n'aurait jamais cru que quelque chose d'aussi insensé eût pu lui arriver. Son cœur cognait dans sa poitrine simplement parce qu'elle se trouvait dans la même pièce que lui. De plus, elle ressentait une douleur aiguë entre les épaules. Elle avait du mal à respirer profondément.

— Je vais prendre Baby Thomas, dit-elle en s'efforçant de parler avec désinvolture.

— Il peut bien rester sur mes genoux. Profite de ton gâteau.

Ils mangèrent, malgré la crainte de se regarder, la crainte de s'être trompés, la crainte de ne plus savoir que faire lorsque leurs assiettes seraient vides.

Avant qu'elles le fussent, Donald Wade regarda par la fenêtre et pointa sa fourchette :

— Qui c'est, ça?

Will jeta un coup d'œil et bondit :

— Dieu tout-puissant!

Eleanor posa sa fourchette :

— Mais qu'est-ce qu'elle peut bien venir faire ici?

Avant que Will eût pu émettre une opinion, Gladys Beasley montait les marches du porche et frappait à la porte.

Will lui ouvrit.

— Mademoiselle Beasley, quelle bonne surprise!

— Bonjour, monsieur Parker.

— Entrez donc!

Il avait le sentiment qu'elle serait entrée, qu'il l'eût invitée ou non. Il ajouta :

— Ne me dites pas que vous êtes venue de la ville à pied.

— Je n'ai pas de voiture. Je ne vois pas comment j'aurais pu faire autrement.

Surpris, Will l'introduisit et s'apprêtait à faire les présentations lorsque Gladys prit les choses en main.

— Bonjour, Eleanor. Comme vous avez changé!

— Bonjour, mademoiselle Beasley.

Eleanor, debout derrière sa chaise, tripotait nerveusement le bord de son tablier, comme si elle se préparait à faire la révérence.

— Et voici vos enfants, je suppose.

— Oui, ma'am. Donald Wade et Baby Thomas.

— Et il y en a un autre en route. Ah! quelle chance vous avez!

— Oui, c'est sûr, répondit respectueusement Eleanor tout en jetant des coups d'œil à Will.

Mais qu'est-ce qu'elle veut?

233

Il n'en avait pas la moindre idée et se contentait de hausser les épaules. Mais il comprenait la panique de sa femme. Depuis combien de temps n'avait-elle pas engagé la conversation avec quelqu'un de la ville? Selon toute probabilité, Mlle Beasley était la première étrangère qu'Eleanor accueillait dans cette maison.

— Je crois que les félicitations sont de mise pour votre mariage avec M. Parker.

De nouveau Eleanor jeta à Will des coups d'œil inquiets, puis elle rougit et baissa la tête tout en passant son pouce sur le dossier de sa chaise.

Mlle Beasley lança un regard vers la table.

— J'ai l'impression que je vous ai interrompus en plein repas. Je...

— Mais pas du tout, coupa Will. On mangeait seulement un gâteau.

Donald Wade, qui n'avait jamais parlé à une étrangère, on ne sait trop pourquoi, décida de s'adresser à celle-ci.

— C'est l'anniversaire de maman. Moi et Will et Baby Thomas on lui a préparé une fête.

— Voulez-vous vous asseoir et le partager avec nous? invita Eleanor.

Will n'en croyait pas ses oreilles et pourtant, un instant plus tard, Mlle Beasley avait déposé sa volumineuse personne sur une des chaises et se faisait servir une part de gâteau au chocolat avec de la crème fouettée. Même si Will ne regrettait pas vraiment d'avoir des voisins, il trouvait cette absence malsaine. S'il y avait quelqu'un de parfait pour aider Eleanor à sortir de sa réclusion, c'était à n'en pas douter Mlle Beasley. Elle n'était pas forcément la personne la plus drôle, mais elle s'avérait impartiale face à l'erreur et n'était pas du genre à déterrer les douloureuses histoires anciennes.

Mlle Beasley accepta une tasse de café qu'elle arrosa de crème et de sucre, puis goûta le gâteau en avançant les lèvres.

— Hummm... absolument délicieux, annonça-t-elle. Aussi délicieux que le miel que vous m'avez envoyé, Eleanor. Je dois dire que je ne suis pas habituée à recevoir de cadeaux de mes patrons, à la bibliothèque. Merci encore.

Donald Wade profita du silence.

— Tu veux voir ce qu'on a offert à maman ?

Mlle Beasley posa délicatement sa fourchette et porta toute son attention sur le petit garçon.

— Mais bien sûr.

Donald Wade fit le tour de la table, prit la boule de graisse et l'apporta à la bibliothécaire.

— Ça, c'est pour les oiseaux. Moi et Will et Baby Thomas, on l'a fait nous-mêmes.

— C'est vous qui l'avez fait ? mmm... Comme vous êtes habiles. Et puis, un cadeau fait soi-même vient toujours du cœur. Tu es un bon garçon, comme le miel que ta maman et M. Parker m'ont offert. Tu en as de la chance ! Ils t'enseignent les choses qui ont le plus de valeur, ajouta-t-elle en lui tapotant la tête à la façon d'un adulte qui n'a pas l'habitude de s'adresser aux enfants.

— Et ça... continua Donald Wade, tout excité de pouvoir montrer son enthousiasme à quelqu'un d'inconnu. Ça, c'est de la part de Will. Il les a achetés avec l'argent du miel et maman, elle va les broder.

Mlle Beasley leur porta aussi une attention soutenue.

— Ta maman aussi a de la chance, n'est-ce pas ?

Tout à coup, Donald Wade se rendit compte que la dame au large sourire était une étrangère. Et pourtant elle semblait connaître sa maman. Il leva ses grands yeux impassibles sur Mlle Beasley.

— Comment tu la connais ?

— Elle venait à la bibliothèque quand elle était une petite fille pas plus grande que toi. On peut dire que, de temps à autre, j'étais son institutrice.

Donald Wade cligna des yeux.

— Oh ! Et c'est quoi une bibiothèque ?

— Une bibliothèque ? Eh bien, un des plus beaux endroits du monde. Plein de livres de toutes sortes. Des livres d'images, des livres d'histoires, des livres pour tout le monde. Il faudra que tu viennes la visiter, un de ces jours. Demande à M. Parker de t'y amener. Je te montrerai un livre qui parle d'un petit garçon qui te ressemble un peu, je t'assure, et qui s'intitule *Timothy Totter's Tatters*. Mmmm... Bon, je devrais plutôt dire que Timothy Totter est exactement le livre qu'il faut à un garçon... de combien ? Cinq ans ?

Donald Wade fit tressauter sa chevelure en hochant la tête.

— As-tu un chien, Donald Wade ?

Surpris, il fit lentement signe que non.

— Tu n'en as pas ? Eh bien, Timothy Totter en a un. Son nom est Tatter. Quand tu viendras, je te montrerai Timothy et Tatter. Et maintenant, si tu veux bien m'excuser, il faut que je parle à M. Parker.

Mlle Beasley n'aurait pas pu trouver une meilleure méthode pour amener Eleanor à l'idée de se replonger dans le monde extérieur. S'il y avait une façon idéale d'atteindre Eleanor, c'était par le biais de ses enfants. Lorsque la discussion entre la bibliothécaire et Donald Wade prit fin, Eleanor était assise, donnant moins l'impression qu'elle avait envie de se sauver. Mlle Beasley se tourna vers elle.

— C'est le meilleur gâteau au chocolat que j'aie jamais mangé. J'aimerais bien en avoir la recette !

Elle se tourna du côté de Will.

— Je suis venue vous apporter une mauvaise nouvelle. Levander Sprague, celui qui s'occupait de l'entretien de la bibliothèque depuis trente-six ans, eh bien, il est mort d'une crise cardiaque il y a deux jours.

— Oh !... quel dommage !

Il n'avait jamais entendu parler de Levander Sprague. Alors, pourquoi avait-il fallu qu'elle vînt ici lui annoncer la nouvelle ?

— M. Sprague va grandement nous manquer. Toutefois, il a eu une existence longue et fructueuse et il laisse derrière lui neuf fils attachants qui s'occuperont de leur mère jusqu'à la fin de ses jours. Mais moi, je n'ai plus de gardien. Le travail rapporte trente-cinq dollars par semaine. Aimeriez-vous l'avoir, M. Parker ?

Le visage de Will marqua une certaine surprise. Son regard se porta sur Elly, puis revint à la bibliothécaire qui s'empressa d'ajouter :

— Six soirs par semaine, après la fermeture de la bibliothèque. Vous devrez laver le sol, épousseter les livres, brûler les ordures, entretenir la chaudière durant l'hiver, de temps en temps transporter des caisses de livres au sous-sol et fabriquer des étagères supplémentaires quand nous en avons besoin.

— Eh bien... C'est là toute une offre, mademoiselle Beasley, répondit Will d'abord étonné puis souriant avec gêne, tandis qu'il se grattait la tête.

— Je pensais proposer le poste à un des fils de M. Sprague mais, franchement, je préférerais vous avoir. Vous avez un certain respect pour la bibliothèque que j'aime bien. Et puis, j'ai appris que vous aviez été grossièrement mis à la porte de la scierie, ce qui a choqué mon sens de l'équité.

Will était trop abasourdi pour se sentir offensé. Son cerveau fonctionnait à grande vitesse. Qu'allait dire Elly ? Avait-il le droit de passer ses soirées dehors alors qu'elle était si près d'accoucher ? Mais trente-cinq dollars par semaine, chaque semaine, et toutes ses journées libres !

— Quand voudriez-vous que je commence ?

— Immédiatement. Demain. Aujourd'hui si possible.

— Aujourd'hui... eh bien, je... il faut que j'y réfléchisse, dit-il, se rendant compte qu'Elly avait son mot à dire.

— Très bien. Je vais attendre dehors.

Attendre dehors ? Mais il avait besoin de temps pour sonder l'opinion d'Elly. Il avait pensé que Mlle Beasley aurait compris ses atermoiements. Lorsque la porte se referma, consterné, il se gratta le menton. Au même instant, Eleanor se leva de sa chaise, le visage sévère, et commença à débarrasser les assiettes à dessert.

— Elly ? demanda-t-il.

Sans le regarder, elle répondit :

— Prends-le, Will. Je vois que tu en as envie.

— Mais toi, tu ne veux pas, hein ?

— Ne sois pas idiot.

— Je pourrais acheter le matériel pour la salle de bains et j'aurais encore mes journées de libres pour l'installer.

— Je te l'ai dit, prends-le.

— Mais tu n'aimes pas que j'aille faire des tours en ville, n'est-ce pas ?

Elle déposa la vaisselle dans une bassine et fit volte-face.

— Ce que je pense de la ville me regarde. Je n'ai aucun droit de t'empêcher d'y aller si c'est ça que tu veux.

— Mais Mlle Beasley est quelqu'un de bien. Elle ne t'a jamais humiliée, n'est-ce pas ?

— Prends-le.

— Et qu'est-ce qu'on fera quand le bébé sera sur le point d'arriver ?

— Une femme ne manque pas de signaux d'alarme.

— Tu en es sûre ?

Elle hocha la tête, pourtant il put se rendre compte à quel point il lui en coûtait de le laisser partir.

Il traversa la pièce en quatre enjambées, lui prit le visage entre ses mains et déposa un baiser appuyé sur sa joue.

— Merci, chérie !

Puis il sortit en claquant la porte.

Chérie ? Lorsqu'il fut sorti, elle posa ses mains là où il venait de poser les siennes. Elle était certainement la femme la moins désirable à dix kilomètres à la ronde. Mais le mot lui avait mis le feu aux joues et lui serrait la gorge. Avant que son trouble ne disparût, Will était déjà de retour.

— Elly ? Je vais raccompagner Mlle Beasley en ville. Elle va me faire faire le tour de la bibliothèque et je vais certainement faire le ménage avant de revenir. Ne m'attends pas pour le souper.

— D'accord.

Il avait presque passé la porte lorsqu'il se ravisa et se retourna vers elle.

— Et toi, ça ira ?

— Pas de problème.

À voir son visage réjoui, elle en oublia tout son ressentiment. Il ne saurait jamais à quel point elle avait besoin de sa présence jusqu'à la naissance du bébé. Ni qu'elle était terrorisée de le savoir travailler en ville où tout le monde la traitait de folle, où des femmes plus belles et plus intelligentes l'amèneraient à jeter un regard différent sur celle qu'il avait épousée et à regretter son geste.

Mais avait-elle le droit de le retenir alors qu'il parvenait à peine à tenir en place?

— Pas de problème, répéta-t-elle.

Il lui serra le bras et sortit.

12

Par égard pour Mlle Beasley, Will prit la voiture. En route, ils parlèrent des garçons, de l'anniversaire et, en dernier lieu, d'Elly.

— C'est une femme têtue, mademoiselle Beasley. Il faut que je vous l'avoue, je vous ai demandé ce livre sur la naissance des enfants parce qu'elle refuse la présence d'un docteur. Elle veut que ce soit moi qui l'aide à accoucher.

— Et vous allez le faire ?

— Je considère que je le dois. Si je ne le fais pas, elle le fera toute seule. Vous voyez comme elle a la tête dure.

— Et ça vous fait peur...

— Bon Dieu, bien sûr que ça me fait peur ! Oh, je suis désolé, ma'am. Je veux dire, enfin, qui n'aurait pas peur ?

— Je ne peux pas vous blâmer, monsieur Parker. Mais, à ce qu'il me semble, les deux autres sont nés à la maison, n'est-ce pas ?

— Oui.

— Et sans complications.

— Maintenant vous parlez comme elle.

Il lui parla du livre et de la peur qu'il lui avait inspirée. Elle lui raconta ses déboires au collège, lui avoua qu'elle avait beaucoup souffert, mais aussi que cette expérience l'avait endurcie. Il lui parla des garçons et de l'embarras qu'il avait éprouvé au début en leur présence. Elle ne lui cacha pas qu'elle avait aussi, devant eux, ressenti aujourd'hui une certaine gêne. Il lui dit la peur des abeilles qu'éprouvait Elly alors que l'apiculture était pour lui une passion. Elle lui confia son plaisir de travailler parmi les livres et lui assura qu'à la longue, Elly s'apercevrait à quel point il était soigneux et travailleur, mais qu'il devrait être patient avec elle. Il lui demanda quel genre d'homme était Glendon Dinsmore et elle répondit qu'il était aussi différent de lui que le jour de la nuit. Il insista pour savoir ce qu'il était, le jour ou la nuit. Elle se mit à rire et lui dit :

— C'est ce que j'aime bien chez vous... vous n'en avez aucune idée.

Ils ne cessèrent de parler durant tout le trajet, se disputèrent même un peu, et aucun d'eux ne se rendit compte du curieux duo qu'ils formaient. Will avec ses souvenirs de prison et son éducation bâclée, Mlle Beasley avec sa situation en vue et ses diplômes. Will et sa dérive, Mlle Beasley et sa permanence. Lui avec sa famille de presque trois enfants, elle avec sa solitude de vieille fille. Tous deux, enfin, à leur façon, avaient été des marginaux. Will, à cause de son passé orphelin, Gladys à cause de son intelligence supérieure. Il n'était pas homme à se confier aisément, elle n'était pas femme à qui l'on se confiait volontiers. Il se sentait heureux d'avoir en elle une interlocutrice sincère et elle s'estimait heureuse qu'il la considérât comme telle.

Diamétralement opposés, chacun trouvait chez l'autre, dans la conversation, le complément idéal et lorsqu'ils atteignirent la ville, ils avaient scellé leur mutuel respect.

La bibliothèque, cet après-midi-là, était fermée en hommage à la mémoire de Levander Sprague qui y avait travaillé près du tiers de sa vie. Le temps était couvert mais, à l'intérieur du bâtiment, tout était clair et chaud. En entrant, Will vit les lieux avec des yeux nouveaux : des boiseries luisantes, de vastes baies vitrées et un ordre impeccable. Il lui semblait incroyable de pouvoir travailler dans un tel endroit.

Mlle Beasley lui fit visiter l'établissement tout en lui expliquant les tâches qu'il aurait à accomplir et lui montra le matériel réservé au concierge et la chaufferie. Elle lui demanda en outre d'arriver chaque jour cinq minutes avant la fermeture afin qu'elle pût lui donner des instructions particulières, s'il y avait lieu, et lui tendit une clé.

— Pour moi ?

Il la regarda comme si elle lui faisait don de la montre en or de son grand-père.

— Vous devrez bien fermer, le soir, en partant.

La clé. Seigneur, elle était disposée à lui faire confiance. De toute sa vie, il n'avait jamais eu de logis. Et voilà qu'il avait une maison et une bibliothèque où il pouvait entrer et sortir quand il le désirait.

Tout en contemplant dans le creux de sa main le froid morceau de métal, il lui parla calmement.

— Mademoiselle Beasley, la bibliothèque est une propriété publique. Il peut y avoir des gens par ici pour vous reprocher de confier cette clé à un ancien détenu.

Elle gonfla la poitrine à en arracher les boutons de son corsage et y croisa les bras.

— Qu'ils essaient un peu, monsieur Parker. Je leur déclarerai la guerre et je la gagnerai!

Il ne faisait aucun doute qu'elle disait vrai. Dans la paume de Will, le cuivre se réchauffait tandis qu'un sourire naissait sur une commissure de ses lèvres pour s'épanouir sur son visage. Dire qu'un gars aurait pu avoir Mlle Beasley près de lui toute sa vie et en avait raté l'occasion, pensa-t-il. Décidément, cette ville devait être remplie d'hommes passablement stupides.

Elle le quitta et rentra chez elle pour y passer le reste de sa journée de congé. Lui, ébloui, traversa les salles silencieuses, surtout qu'il n'y avait ici ni surveillant, ni contremaître, ni garde. Il pouvait agir comme bon lui semblait, à son rythme. Il aimait déjà le silence, l'odeur et l'espace de ces lieux. Ils lui semblaient être le pan de sa vie qui lui avait manqué. Des gens venaient régulièrement ici, des gens bien. Et désormais, il allait être l'un d'eux. Il quitterait sa confortable maison et viendrait travailler ici chaque jour, recevrait un chèque chaque semaine, assuré d'en toucher un autre la semaine suivante, et la suivante, et ainsi de suite. Débordant d'émotions qu'il n'arrivait pas à exprimer autrement, il appuya ses deux mains à plat sur l'une des tables, solide, fonctionnelle, utile, comme il le serait à partir de maintenant. Du bon bois, du bon chêne bien dur, cette table, et faite pour durer. Il durerait, lui aussi, à ce poste, parce qu'il avait trouvé en Mlle Beasley une personne qui jugeait un homme pour ce qu'il était et non pour ce qu'il avait été. Il s'accouda à l'une des larges fenêtres et contempla la rue en contrebas. *Levander Sprague, où que vous soyez, merci.*

La conciergerie sentait l'huile citronnée et les produits d'entretien. Will aima l'endroit, surtout en pensant que c'était son domaine privé. Il ramassa son matériel puis se rendit, impatient de commencer, dans les salles réservées au public. Là, il retourna les chaises sur les tables et frotta les planchers de bois avec un balai muni de chiffons enduits de cire, fit la poussière des rebords des fenêtres, des tables et du plateau du bureau de Mlle Beasley, vida les corbeilles et brûla les papiers dans l'incinérateur. S'il avait été élu gouverneur de l'État, il ne se serait pas senti plus heureux.

À six heures et demie, il rentra chez lui.

Chez lui.

Ce mot n'avait jamais renfermé tant de promesses. Elle l'attendait là-bas la femme qui l'avait appelé « adorable ». Celle dont il avait embrassé la joue. Celle dont il partageait le lit. Rien qu'à la pensée de la retrouver, des images défilaient dans sa tête : il se voyait se précipiter dans ses bras, les mains d'Elly se posaient sur ses épaules et il enfouissait son visage dans ses cheveux. Enfin, il comptait pour quelqu'un.

Il se sentait autre maintenant qu'il avait un métier. Plus assuré, plus digne. Peut-être ce soir allait-il l'embrasser et au diable les conséquences.

Lorsqu'il arriva, la cuisine était déserte, mais son dîner l'attendait dans un plat en fer-blanc posé sur le fourneau. Le gâteau d'anniversaire trônait au milieu de la table débarrassée. De la chambre allumée des garçons, s'élevaient des murmures. Il prit son assiette et sa fourchette et s'arrêta sur le seuil pour trouver Elly assise sur le lit de Donald Wade serrant contre elle ses deux fils.

— ... se mit à trotter autour du poulailler, en hurlant en direction de ce renard prêt à tuer et lorsqu'il... Oh... Will... 'soir. J'étais en train de raconter une histoire aux enfants, dit-elle, le visage rayonnant de bonheur.

— Ne t'arrête pas pour moi.

Ils ne se quittèrent pas des yeux durant quelques instants, tendus, tandis qu'elle ne pouvait s'empêcher de rougir et, pour donner le change, replaçait derrière son oreille une mèche rebelle. Finalement, elle poursuivit son récit. Il s'appuya paresseusement contre le chambranle de la porte tout en mangeant le reste de son hachis aux pois. Il ne pouvait s'empêcher de l'écouter et de sourire pendant qu'elle amusait les enfants avec une histoire prenante peuplée d'animaux. Lorsque le conte prit fin, elle embrassa ses deux fils pour leur souhaiter bonne nuit, se leva et tendit les bras à Thomas.

Will s'approcha :

— Tu ne devrais pas le soulever. Tiens, prends ça.

Il lui tendit son assiette, attrapa Thomas et le déposa dans son lit. Suivirent alors les baisers rituels puis, laissant entrouverte la porte de la chambre, le couple se dirigea vers la cuisine.

— Alors, comment c'était à la bibliothèque ?

— Tu sais ce qu'elle a fait ? lui demanda-t-il, encore mal revenu de son étonnement.

— Quoi donc ?

— Elle m'a donné la clé. Tu te rends compte. Une clé qui ouvre tout.

Eleanor fut très émue non seulement de son étonnement, mais aussi de la confiance que Mlle Beasley avait mise en lui. Il rinça son assiette et lui expliqua les tâches qu'il avait à faire tandis qu'elle s'asseyait dans un fauteuil à bascule et installait un de ses napperons de Madère sur un métier à broderie. Il approcha une chaise de cuisine et sirota sa tasse de café en la regardant créer de ses doigts des fleurs multicolores là où il n'y avait que des formes dessinées à l'encre bleue. Ils parlèrent calmement, apparemment décontractés, mais dans le fond de plus en plus nerveux à mesure que la pendule les rapprochait de l'heure du coucher.

Lorsque sonna l'heure, Will s'étira et sa femme rangea son ouvrage. Ils firent un petit tour dehors, puis fermèrent la maison pour la nuit et se retirèrent dans leur chambre pour se déshabiller, dos à dos, comme ils en avaient pris désormais l'habitude. Lorsqu'il en fut à ses sous-vêtements, Will se retourna pour regarder par-dessus son épaule et aperçut le dos nu et le profil d'un des seins d'Eleanor qui passait sa chemise de nuit.

Adorable. Le souvenir de ce simple mot l'émut avec tout ce que cela impliquait. L'avait-elle vraiment pensé ? S'était-il réellement montré à quelqu'un sous ce jour pour la première fois de sa vie ?

Il s'assit sur le bord du lit et remonta le réveille-matin, attendant de sentir le poids du corps d'Elly enfoncer le matelas avant de s'allonger lui-même et de réduire la mèche de la lampe.

Couchés sur le dos, ils fixaient le plafond et les souvenirs de la journée leur revinrent : un cadeau d'anniversaire, des paroles affectueuses, leurs mains réunies, un baiser au moment de partir, rien de bien extraordinaire en apparence. Mais intérieurement...

Ils vibraient au fond d'eux-mêmes, s'obligeant à cacher leur émotion. Du coin de l'œil, elle entrevoyait son buste viril, ses coudes qui la frôlaient et ses mains repliées sous sa tête. Lui, de la même façon, apercevait son ventre arrondi sous sa chemise de nuit boutonnée jusqu'au col, alors que la jeune femme était enfouie jusqu'à la poitrine sous les couvertures. Sous ses mains, elle sentait, à travers l'édredon, les battements de son cœur. Sur sa nuque, il sentait s'emballer le rythme de son pouls.

Les minutes s'égrenaient. Ni l'un ni l'autre ne bougeait. Ne parlait. Tous deux se rongeaient les sangs.

Un baiser, est-ce vraiment si compliqué ?

Rien qu'un baiser, s'il te plaît.

Oui, mais si elle me repousse ?

Que peut-il trouver à une femme enceinte jusqu'au cou, à peine capable de se déplacer ?

Quelle femme voudrait d'un homme qui n'a connu que des putains ?

Quel homme voudrait d'une femme qui porte le bébé d'un autre ?

Mais, je les payais, celles-là, Elly, et elles ne représentaient rien.

Oui, c'est l'enfant de Glendon, mais lui ne m'a jamais fait vibrer comme tu le fais.

Je ne suis pas digne de toi.

Je ne suis pas désirable.

Comment peut-on m'aimer?

Je suis seule.

Tourne-toi vers elle, pensait-il.

Tourne-toi vers lui, se disait-elle.

La mèche de la lampe charbonnait. La flamme vacillait, déformant sur le plafond l'ombre du rebord de la cheminée. Le matelas semblait trembler sous le poids de leurs incertitudes. Et lorsque l'air fut sur le point de se charger d'éclairs, ils se décidèrent en même temps.

— Will?

— Elly?

Ils tournèrent la tête et leurs regards se rencontrèrent.

— Qu'y a-t-il?

Il y eut un silence. Et puis...

— Je... j'ai oublié ce que j'allais dire.

Il se passa dix longues secondes avant qu'elle avoue :

— Moi aussi.

Ils se regardaient comme en état de choc, apeurés... désespérés...

Et soudain, tout son passé à lui et tous ses défauts à elle se mirent à enfler démesurément et explosèrent comme peuvent le faire certaines étoiles lointaines.

Les lèvres d'Elly s'ouvrirent, invite inconsciente. Les épaules de Will se soulevèrent et il s'approcha d'elle, assez lentement cependant pour lui permettre de le repousser si elle le désirait. Au lieu de cela, ses lèvres formèrent son nom... « Will ». Mais elle ne put émettre aucun son au moment où il se pencha sur elle et où sa bouche effleura la sienne.

Cela n'avait rien d'un baiser passionné, plutôt une caresse chargée de leurs incertitudes. Timide. Maladroite. Un mélange de souffle plus que de chair. Des milliers de questions enfermées dans le frôlement craintif de leurs bouches tremblantes tandis que leurs cœurs battaient la chamade, que leurs âmes se cherchaient.

Il se souleva... aperçut... dans ses yeux... la couleur du consentement, ce vert profond dans l'ombre de sa tête. Elle, en même temps, contemplait ces yeux, tout proches d'elle... ces yeux bruns, vulnérables qu'il cachait trop souvent sous le bord de son chapeau tout bosselé. Elle y voyait les doutes qui l'avaient accompagné jusqu'ici et s'émerveillait de ce qu'un homme si bon, si beau à l'intérieur comme à l'extérieur, eût pu les entretenir alors qu'elle était celle... elle. L'Elly See, laide, enceinte, la cible des rires et des doigts pointés. Dans ces yeux-là, pourtant, elle ne voyait pas de rires mais seulement une profonde perplexité semblable à la sienne.

Il l'embrassa de nouveau... doucement... doucement... le frôlement d'une aile d'abeille sur un pétale tandis qu'elle effleurait sa poitrine du bout de ses doigts.

Et enfin, enfin, la solitude de Will Parker cessa de le faire souffrir. Il répétait mentalement son nom encore et encore, Elly... Elly, une bénédiction ; il l'embrassa plus fort, plus longtemps, avec toutefois une certaine réserve. Ces deux êtres habitués à refuser l'existence des miracles étaient obligés de revenir brusquement sur leurs certitudes.

La main de Will se referma doucement sur le bras d'Elly alors que la sienne se posait sur les poils soyeux de son buste, mais il n'osa pas s'approcher davantage au moment où il pressa ses lèvres sur les siennes entrouvertes et qu'ils unirent pour la première fois leurs langues chaudes, humides mais toujours prises de tremblements. Leurs cœurs qui avaient battu dans l'inquiétude battaient désormais avec passion. Ils cherchèrent et trouvèrent une position plus intime qu'enrichit le mouvement régulier de leurs têtes et transforma ce baiser en un événement auquel ni l'un ni l'autre ne s'attendait. Douce, charmante rencontre qui leur apportait plus qu'un coup de sang et de cœur mais aussi l'assurance pour Will et Eleanor qu'ils étaient l'un et l'autre les acteurs d'un grand moment.

Il se redressa, au-dessus d'elle, laissant peser tout son poids sur ses coudes de peur de lui faire mal. Pourtant elle l'attira plus près. Pour le sentir... physiquement... attendant l'instant précis où ils seraient cœur contre cœur. Alors il se laissa reposer sur sa poitrine, lentement, avec précaution, jusqu'à ce que le consentement d'Elly ne fît plus aucun doute.

Pendant de longues et merveilleuses minutes, ils jouirent à

satiété de ce que tous deux avaient trop peu connu. Puis Will se redressa, baissa les yeux pour trouver sur le visage de sa femme l'expression même de l'étonnement qui était le sien. Ils se dévisagèrent, revigorés, puis s'étreignirent amoureusement, mais sans plus, parce que s'embrasser ne leur paraissait pas l'expression de ce qu'ils éprouvaient.

Finalement, ils reprirent leurs places, sur le côté, avec précaution; il posa sa joue au creux de l'épaule d'Elly et son corps épousa délicatement la forme de son ventre protubérant.

— Elly... Elly... j'avais si peur.

— Moi aussi.

— Je pensais que tu ne voulais plus de moi.

— Et c'est ce que je m'imaginais de ta part.

Il se recula pour la regarder bien en face.

— Pourquoi je l'aurais fait?

— Parce que je ne suis pas belle. Et puis, je suis enceinte et vraiment pas commode.

Il lui caressa tendrement la joue.

— Mais non... non, voyons. Tu es très belle, tu sais. C'est ce que je me suis dit la première fois que je suis entré ici.

Elle lui prit la main et s'y cacha les yeux. Il y avait des choses plus faciles à admettre les yeux fermés.

— Et puis, je ne suis pas très intelligente. Sans doute même un peu folle. Tout ça, tu le savais.

Il lui releva le menton, l'obligeant à le regarder au fond des yeux.

— Et moi, j'ai tué une femme. Je suis allé en prison. Dans les bordels. Et tout ça, tu le savais aussi.

— Mais c'est de l'histoire ancienne.

— La plupart des gens n'oublient jamais.

— Parce que je portais l'enfant de Glendon, je pensais que tu ne voudrais pas me toucher.

— Mais quelle importance ça peut avoir?

Elle crut alors que son cœur n'était plus assez vaste pour contenir une si grande joie.

— Oh! Will...

— Est-ce que je pourrais le toucher un jour ? lui demanda-t-il. Je veux dire, ton ventre, bien sûr. Je n'ai jamais touché une femme qui attendait un enfant.

Elle eut une bouffée de chaleur et hocha timidement la tête.

Il moula ses mains de chaque côté du ventre d'Eleanor comme s'il s'agissait d'un bouquet de fleurs à glisser dans un vase.

— C'est dur... tu es toute dure. Je croyais que ce serait mou. Oh ! mon Dieu, Elly, je suis si heureux.

— Moi aussi, tu sais... dit-elle en lui caressant les cheveux, souples, épais, et qui avaient un parfum si singulier. J'avais presque oublié que ça existait.

Il ferma les yeux et la laissa faire. Vivrait-il mille ans, il ne se lasserait pas de la sensation que produisait cette main dans sa chevelure.

Au bout d'un moment, il ouvrit les paupières et ils ne se quittèrent plus du regard durant quelques minutes, jouissant l'un de l'autre à satiété. Elle, de ces yeux splendides et de ces cheveux soyeux. Lui, de ces lèvres légèrement charnues et de ces yeux verts, si verts. Il se sentait bêtement jaloux des années qu'elle avait passées auprès de Glendon Dinsmore.

— Est-ce que tu penses encore à lui ?

— Plus depuis quelques semaines.

— Je pensais que tu l'aimais encore.

Elle prit son courage à deux mains et répéta ses propres paroles.

— Mais quelle importance cela peut-il avoir ? Tu crois que je vais moins aimer ce bébé parce que deux autres sont arrivés avant lui ?

Il se redressa sur son coude, la fixa un instant et avala sa salive. Il avait l'impression qu'un énorme poing venait de le frapper en pleine poitrine. Lorsqu'il put parler, il eut du mal à s'exprimer.

— Elly, personne...

Gêné, il ne parvenait pas à poursuivre.

— Personne ne t'a jamais aimé par le passé ? Eh bien moi, je t'aime.

Les paupières closes, il posa ses lèvres dans le creux de la main d'Eleanor et la porta à sa joue.

— Personne, jamais, reprit-il. De toute ma vie. Ni ma mère, ni une femme, ni un homme.

— Bah, tu n'as même pas vécu la première moitié de ta vie, Will Parker. La seconde sera bien meilleure que l'autre, je te le promets.

— Oh, Elly...

Parmi tout ce qui lui avait manqué, l'absence de ces mots avait constitué le plus grand vide. Rien qu'une fois dans sa vie il voulait l'entendre de la façon dont il avait tant rêvé durant ses cinq longues années de cellule, durant toutes ses années de dérive solitaire et pendant celles de son enfance quand il regardait les autres enfants – les veinards – passer devant l'orphelinat bien à l'abri dans les voitures de leurs parents.

— Pourrais-tu me le dire une fois encore, la supplia-t-il. Comme on dit que les gens le font.

Le cœur de la jeune femme battait au rythme des ailes de l'aigle qui prend son essor lorsqu'elle laissa tomber ces mots :

— Je t'aime, Will Parker.

Le regard embrasé, il baissa la tête. Personne ne l'avait préparé à cette situation, personne ne l'avait prévenu que lorsque cela surviendrait, ce serait comme une sorte de résurrection. Qu'il ne serait plus ce qu'il avait été. Qu'il deviendrait tout ce qu'il n'avait jamais été. Il se rapprocha d'elle, enfouit son visage contre sa poitrine et lui agrippa les bras.

— Oh ! mon Dieu, gémit-il. Oh ! Seigneur...

Elle lui caressa la tête comme elle l'aurait fait à un enfant qui s'éveillerait d'un cauchemar.

— Je t'aime, lui murmura-t-elle perdue dans ses cheveux, tandis qu'elle sentait monter ses larmes.

— Oh ! Elly, je t'aime, moi aussi, balbutia-t-il d'une voix brisée, mais j'avais tellement peur que personne ne m'aime. Je pensais que personne ne pouvait m'aimer.

— Mais non, Will... non... pas toi.

Ces paroles douces-amères lui donnèrent plus que tout l'envie de l'apaiser. La gorge serrée, elle passa autour de ses épaules un bras protecteur et elle sentit son souffle contre son sein. Puis, elle glissa les doigts dans les cheveux de Will et se rendit compte du plaisir qu'il en tirait. Il se détendait. De ses ongles, elle lui gratta le cuir chevelu lentement... doucement... Une fois, deux fois... dix fois, respirant, apprenant son odeur afin de la garder à tout jamais dans sa mémoire. Ses cheveux épais, rugueux, avaient pris une couleur d'herbe sèche. Comme ils avaient poussé depuis qu'elle les lui avait coupés! Sur son cou, ils tombaient, hirsurtes, et elle les relevait et les lustrait avant de caresser de nouveau longuement le haut de son crâne. Il frissonna et sa gorge émit un son dans lequel il exprimait toute sa reconnaissance.

Toute sa vie il avait attendu quelqu'un qui enfin le caresserait de cette façon, qui caresserait en lui tant l'enfant que l'homme et l'apaiserait, le rassurerait. La sensation de ces doigts dans ses cheveux lui ramenèrent en mémoire tout ce qui lui avait manqué. Il était la terre aride, elle la pluie nourricière. Il était un vaisseau en rade, elle un vin capiteux. Et dans ces moments d'intimité, elle le comblait, comblait tous les vides qu'avait engendrés sa vie solitaire et nonchalante, devenant ainsi tout ce dont il avait besoin, la mère, le père, l'amie, la femme et la maîtresse.

Lorsqu'il se sentit rassasié, il releva la tête comme ivre de plaisir.

— Je t'ai souvent vue caresser les garçons de cette façon. J'avais envie de te dire de me caresser comme tu les caressais. Personne ne m'avait jamais fait ça, Elly.

— Je le referai chaque fois que tu le voudras. Je te laverai les cheveux, je te les peignerai, je te frotterai le dos, je te tiendrai la main...

D'un baiser il l'empêcha d'en dire plus. Il lui semblait dangereux d'obtenir trop de choses dans ce premier élan. Il l'embrassa, le cœur perdu de gratitude, sentiment qui se changea rapidement en un amour d'une fraîcheur merveilleuse. Il se souleva et l'aida doucement à reposer sa nuque sur l'oreiller, la laissant passer sa main sur son cou, sur ses épaules, sans pour autant abandonner la chaleur de ses lèvres. Délicatement, il promena ses doigts sur son visage avec tant de douceur qu'ils devinrent partie intégrante de son baiser. Son corps exprima un besoin plus pressant mais, réalisant que c'était tout à fait impossible, il abandonna la fraîcheur de sa bouche et posa sa paume sur sa gorge. Leurs cœurs battaient à l'unisson.

— Elly, est-ce que tu sais depuis quand je t'ai aimée ?

— Depuis quand ?

— Depuis le jour où tu m'as lancé l'œuf.

— Tout ce temps-là et tu n'en as jamais rien dit. Oh ! Will...

Il se sentit soudain envahi par le désir de possession. Il réclama sa bouche, s'en empara sans retenue, tout en maintenant les bras d'Elly autour de son cou. Il lui mordit la lèvre ; elle le lui rendit. Il glissa puis pressa son genou entre ses jambes. Elle le reçut et serra nerveusement les cuisses. Enfin, il referma ses bras sur sa taille imposante comme si c'était pour l'éternité.

— Redis-le-moi, supplia-t-il, insatiable.

— Quoi ? plaisanta-t-elle.

— Tu le sais bien. Dis-le-moi.

— Je t'aime.

— Encore une fois. J'ai besoin de l'entendre encore.

— Je t'aime.

— Ça t'ennuie que je te demande de me le dire ?

— Tu n'as pas à le demander.

— Toi non plus. Je t'aime.

Il l'embrassa de nouveau, comme pour marquer qu'elle était bien à lui. Puis la question jaillit comme un besoin quasiment puéril :

— Et toi, quand as-tu su ?

— Je ne sais pas. C'est venu comme ça.

— Quand on s'est mariés ?

— Non.

— Quand on a mis le miel en pots ?

— Peut-être.

— Ben zut, c'est pas le jour où tu m'as envoyé l'œuf.

Elle partit d'un petit rire de tête.

— Mais j'ai aperçu ton torse nu pour la première fois ce jour-là et il m'a bien plu.

— Mon torse?

— Oui, oui.

— Tu as aimé mon torse avant de m'aimer moi-même?

— Quand tu te lavais, près du puits.

— Caresse-le. Dieu, tu n'imagines pas depuis combien de temps une femme ne m'a pas touché...

— Will...

Elle le gronda gentiment.

— Mais, tu es timide? Ne sois pas timide, voyons. Je croyais que je l'étais, moi aussi, mais à présent, j'ai l'impression qu'on a du temps à rattraper. Caresse-moi. Non, attends. Lève-toi. Je veux d'abord te voir. Seigneur, que tu es belle. Laisse-moi te regarder, réclama-t-il, tandis qu'un peu gênée, elle baissait la tête mais il la lui releva, remit de l'ordre dans ses cheveux ébouriffés, sur les tempes, d'abord, puis, du bout des doigts, sur le sommet de sa tête et finit par les arranger dans son cou. Tu comprends, quand j'ai envie de te regarder, il ne faut plus que je le fasse en cachette... Tu as les yeux les plus verts du monde. Le vert, c'est ma couleur préférée. Mais ça, tu le savais déjà.

Complètement subjuguée par l'extravagance de Will, elle se laissa aller sur les talons, les mains entre les genoux.

— J'ai toujours pensé que si un jour j'avais une femme bien à moi, elle aurait les yeux verts. Et puis vous voilà, toi et tes yeux verts... et tes joues bien roses... et ta mignonne petite bouche... Elly, murmura-t-il, ne bouge plus.

Il effleura les bords de ses seins et les releva légèrement tandis qu'elle sentait le sang lui monter aux joues et cherchait à détourner son regard. La faible lumière se reflétait sur les plis de sa chemise de nuit au moment où il accomplissait ce geste de ses mains trop petites pour contenir sa poitrine trop pleine. Doucement, il la tâta puis la laissa retomber pour glisser une main sur la partie la plus rebondie de son ventre. Il la laissa là, les doigts écartés. Puis l'autre rejoignit la première pour tirer le tissu vers ses hanches et le maintenir tendu, révélant la marque d'un nombril dilaté. Alors il se pencha et déposa un baiser. Là. Sur ce ventre qu'elle avait cru assez horrible pour le faire fuir.

— Will... Je suis grosse comme une citrouille. Comment peux-tu m'embrasser à cet endroit-là ?

Il se redressa.

— Tu n'es pas grosse, tu es simplement enceinte. Et si je dois t'aider à délivrer l'enfant, il n'est pas mauvais que j'apprenne à le connaître.

— Je croyais avoir épouser un homme calme et timide.

— Je le croyais aussi.

Il sourit, le temps de trois merveilleux battements de cœur, puis se mit à rire. Il se demanda si la vie serait toujours aussi belle et fut d'avis que le lendemain et tous les autres jours il en irait ainsi.

Et il ne se trompait pas. Il n'aurait jamais pu imaginer un bonheur aussi total que celui qu'il vécut durant les journées et les nuits qui suivirent. Quel bonheur, en effet, en pleine nuit, de se tourner vers elle et d'attirer Elly contre lui avant de retrouver le sommeil dans une complète béatitude. Mieux encore, de rouler à l'autre bout du lit et la sentir se rapprocher et se coller tout contre son dos. Passer le bras autour de sa taille, glisser les pieds entre les siens et respirer, le nez au creux de son épaule. De s'éveiller et de la trouver en train de le regarder, une joue contre son coude. Puis de l'embrasser dans la lumière crue du petit matin, sachant très bien qu'il pouvait le faire chaque fois qu'il le voulait. De la quitter sur un baiser et de rentrer à la maison un peu inquiet. De pénétrer dans la cuisine, la trouver debout devant l'évier et apercevoir son regard timide par-dessus son épaule. Puis de traverser la pièce et glisser ses mains dans les poches de son tablier avant de poser son menton sur son épaule. L'embrasser, sur la joue, en attendant le moment béni où elle se retournait et se pendait à son cou dans une étreinte amoureuse. De manger un morceau de gâteau qu'elle lui tendait au bout de sa fourchette, lui remplir sa tasse à café et la regarder broder. De se pencher au-dessus de l'évier et frissonner tandis qu'elle lui lavait les cheveux, puis de se détendre sur une chaise de cuisine pendant qu'elle les séchait, les peignait et les coupait, parfois lui embrassant le lobe de l'oreille ou se moquant de lui quand il s'endormait et qu'elle devait le réveiller d'un baiser sur la bouche. De descendre l'allée la main dans la main avant de faire monter les garçons dans la voiture.

Il n'y eut qu'un problème qui le perturba durant ces journées bénies. Lula Peak. Il n'avait pas fallu beaucoup de temps avant qu'elle n'apprît que Will était devenu gardien de la bibliothèque. Un soir de la semaine où il avait commencé, elle passa par la porte de derrière et trouva Will dans la réserve en train de recoller une chaise brisée.

— Hé! chéri, où t'étais passé?

Will sursauta, surpris par le son de la voix, et se retourna:

— La bibliothèque est fermée, ma'am.

— Ouais, je le sais bien. Le café aussi, parce que je viens juste d'éteindre les lumières. Je suis juste venue te féliciter pour ton nouveau boulot, déclara-t-elle en s'appuyant contre le chambranle de la porte, une main sur sa hanche, et un doigt glissé dans le col blanc de son uniforme. C'est question de rapport de bon voisinage.

— J'apprécie vot' geste, ma'am. Maintenant, si vous voulez bien m'excuser, j'ai du travail à faire.

Lui tournant le dos, il s'accroupit de nouveau pour en revenir à sa réparation. Elle entra dans la pièce et resta debout derrière lui, un genou contre son dos.

— Tu as oublié ce que je t'ai dit, mon mignon? Un type comme toi, ça empêche une fille de dormir la nuit. Peut-être bien que toi aussi tu as du mal à dormir avec ta bonne femme qu'est enceinte. C'est absurde pour nous deux de perdre le sommeil, tu ne crois pas?

Il se releva, fit volte-face, la saisit par les épaules et la fit sortir.

— Je ne cherche pas les ennuis, je vous l'ai déjà dit, il y a quelque temps déjà. Je suis un homme marié et heureux de l'être, mademoiselle Peak. Maintenant, il me faut vous demander de partir car j'ai du travail à faire.

Elle laissa son regard se promener sur lui, des cheveux à la ceinture:

— Mais tu rougis, mon minet, tu te rends compte? Ça veut sans doute dire que tu as chaud... laisse-moi voir.

Elle voulut lui passer la main sur le visage mais il lui saisit fermement le poignet et la repoussa :

— Bon Dieu, Lula, je t'ai dit de foutre le camp !

Furieuse, elle le fixa, les yeux fous :

— Eh ben, y a du progrès. Au moins on en est arrivé au prénom.

— Je ne veux plus que tu reviennes traîner ici.

— Y a des hommes qui savent pas ce qu'ils veulent.

Comme un cobra, elle attaqua, lui mordit les doigts puis recula vivement.

— Aïe, saloperie ! cria-t-il en retirant sa main.

Mais elle l'avait mordu au sang.

— Qu'est-ce qui ne va pas, Parker, hein ? le défia-t-elle depuis le seuil de la porte, les épaules rejetées en arrière, les mains sur les hanches et avec dans les yeux des éclairs de joie démoniaque. Je connais des trucs que ta débile de bonne femme n'est même pas capable d'imaginer. Tu devrais y penser.

Elle tourna les talons et partit en courant.

Il avait l'impression d'avoir été violé. Il était furieux, se sentait coupable et impuissant. Parce qu'elle était une femme et qu'il ne pouvait l'allonger d'un coup de poing comme il l'avait fait avec les hommes qui, en prison, avaient tenté de l'avoir. Ce soir-là, en retrouvant Elly, il garda pour lui ses sentiments, craignant de lui parler de Lula, effrayé à l'idée de mettre en péril leur intimité naissante.

À la bibliothèque, il avait toujours fermé à clef la porte principale. Après l'intrusion de Lula, il en fit autant pour la porte de derrière. Mais elle le coinça un soir, alors qu'il sortait les ordures pour les brûler dans l'incinérateur situé de l'autre côté du bâtiment. Après s'être glissée derrière lui dans le noir, elle lui toucha l'épaule avant qu'il ne se rendît compte de sa présence. Cette fois-ci, il la bouscula violemment, la plaqua contre l'incinérateur, jurant le poing levé, mais parvint à se dominer à temps.

— Vas-y, l'excita-t-elle. Vas-y, Parker.

Il se rendit alors compte qu'elle était ivre et poussée par un besoin pervers qui lui fit peur.

— Je t'ai dit de ne plus croiser mon chemin, Lula, grommela-t-il. Puis il ramassa sa poubelle et prit le large.

Il tenta d'oublier l'événement mais se surprit à regarder par-dessus son épaule chaque fois qu'il sortait de la bibliothèque, chaque fois qu'il refermait la porte à clef en fin de soirée. Cela le rapprocha davantage d'Elly, lui permit de l'apprécier plus que jamais et, grâce à sa gentillesse naturelle, de retrouver la paix intérieure.

Le soir, quand il rentrait à la maison, elle l'attendait, couchée dans son lit, et le regardait se déshabiller avant qu'il vînt se glisser à ses côtés. Elle ouvrait les bras et ils restaient ainsi à s'embrasser et à se murmurer des mots d'amour jusqu'à une heure avancée, parfois même jusqu'à ce que le jour commençât à poindre. Même s'ils étaient mari et femme, leurs étreintes restaient très chastes. Parfois il lui caressait les seins, mais comme son temps approchait, elle avait tendance à se dérober et lui se sentait alors envahi par une sorte de honte.

— Elly, mon amour, je suis désolé. Est-ce que je t'ai choquée ?
— Ils sont toujours un peu fragiles, en cette période.

Après quoi, il l'embrassait et la prenait dans ses bras, mais rien de plus. Elle portait tous les soirs sa longue chemise de nuit parce qu'elle avait un peu honte de montrer son corps déformé. Malgré son envie d'aller plus loin, il se l'interdisait mais s'arrangeait pour qu'ils puissent dormir enlacés, les mains bien éloignées de leurs zones sensibles.

Tout alla bien jusqu'à un soir du début du mois de décembre où, en quittant son travail, il découvrit sur la porte un billet écrit de la main de Lula. C'était vulgaire, obscène : elle lui expliquait crûment comment elle le ferait jouir lorsqu'il finirait par succomber et accepter ses avances. Cette nuit-là, il fit un rêve. Il se trouvait au Texas et traversait à pied une région aride. Le soleil était au zénith et il faisait si chaud que le sable le brûlait à travers ses semelles. Sa bouche avait la texture du parchemin et une douleur sourde l'obligeait à courber l'échine. Il peinait, escaladant un versant rocailleux, haletant, mort de fatigue, lorsque soudain il s'arrêtait, sidéré, devant le spectacle qui s'offrait à lui au-delà de la crête. Une parcelle du ciel avait dû tomber de là-haut tant, sous ses pieds, la vallée brillait de mille feux. Couverte de bleuets du Texas, elle semblait refléter la coupole d'azur qui la dominait. Un ruban chatoyant traversait la prairie dont il foulait le tapis de fleurs de l'épaisseur de ses bottes. Il s'agenouillait pour boire, s'aspergeait le visage et le cou, mouillant le col de sa veste de cuir. Il plongeait à nouveau sa main et au moment où il allait boire, des pieds apparaissaient à quelques centimètres de son nez. Se reflétant à la surface de l'eau, il pouvait apercevoir une jupe jaune éthérée. Il levait la tête et rencontrait des yeux aussi noirs que ceux d'un Apache surmontés d'une chevelure de même couleur.

— Holà! Will! Tu me cherchais?

C'était Carmelita, une des femmes du bordel de La Grange. Elle avait du sang mexicain, assez pour lui donner une peau bistrée et des lèvres d'un rouge prune mûre.

Il s'asseyait sur son séant et s'essuyait lentement la bouche d'un revers de main, les yeux posés sur la fille tandis que, les mains rivées sur les hanches, elle ondulait généreusement de la croupe. Bien campée sur ses deux pieds, elle laissait entrevoir la forme de ses cuisses à travers la transparence de sa jupe. Elle se baissait, paresseusement, se mouillait les bras, et se penchait toujours plus en avant pour qu'il pût apercevoir ses seins frémissants pendre sous sa blouse paysanne.

— Hé! Will Parker, t'as vu ça, hein?

Elle se redressait, les jambes toujours écartées, et relevait lentement sa jupe pour l'exciter, en découvrant un peu de sa peau brune au-dessus de sa toison pubienne. Elle se mettait à rire à gorge déployée. De l'eau jusqu'aux chevilles, elle commençait à lui passer sa robe humide sur le visage. Il glissait ses mains en dessous et s'agrippait à ses hanches nues. Mais au même instant, elle le repoussait et se jetait en arrière dans le courant.

— Tu veux Carmelita... viens, dépêche-toi.

Lui retirait sa veste avant même qu'elle ait achevé sa phrase, se déshabillait puis plongeait dans l'eau froide de la rivière. Elle poussait un cri aigu et tentait de fuir, mais il l'attrapait, la retournait et se laissait tomber avec elle dans le courant. Les vêtements trempés, elle semblait nue. Il lui mordait un sein à travers le tissu de sa blouse et elle poussait un nouveau hurlement, riait aux éclats, se tortillait dans tous les sens, luttant contre le courant, puis finissait par arracher sa jupe qu'elle lui flanquait en pleine figure. Il plongeait à sa poursuite, la plaquait au moment où elle tentait d'escalader la berge et l'embrassait avec volupté cependant que les cheveux de jais se mêlaient à leurs langues. Il avait réussi à glisser un doigt dans son ventre avant que les rides de l'eau n'aient disparu et elle se secouait frénétiquement en poussant de sa voix de contralto des gloussements de plaisir. Le sable collait à leur peau. Lorsqu'ils s'arrêtaient, le souffle court, elle se trouvait au-dessus de lui et l'excitait en ondulant de ses hanches expertes.

— T'aimes ça, hein, *hombre*?

Elle émettait un grognement et prenait la direction des opérations, avec moins de douceur et plus de frénésie. Elle le caressait avec une certaine violence et ses yeux lançaient des éclairs inquiétants.

— Tu vas aimer ça encore plus!

Elle se courbait sans en être priée, ouvrait la bouche et réduisait son univers à un couloir étroit où seul le sexe avait de l'importance.

— Will... réveille-toi, Will!

Désorienté, il ouvrit les yeux pour se retrouver non pas dans un champ de bleuets du Texas, mais dans un lit de fer. Le visage trempé non de l'eau de la rivière, mais de sa propre sueur. Non en compagnie de Carmelita, mais auprès d'Elly. Son corps était gonflé comme un cactus après une pluie de mars et une de ses mains, glissée dans les sous-vêtements de coton d'Elly.

Sidérée, elle le regardait par-dessus son épaule. Il était complètement tendu et trop près de l'orgasme pour pouvoir faire le moindre mouvement.

— Je rêvais, osa-t-il d'une voix rauque.

— Tu es réveillé maintenant?

— Oui.

Il retira sa main, roula sur le dos et se couvrit les yeux de son poignet.

— Je suis désolé, bredouilla-t-il.

— À quoi tu rêvais?

— À rien.

— De moi?

Craignant de la choquer, il garda le silence tout en maudissant Lula, son rêve et son propre corps qui semblait avoir besoin de se libérer.

— Elly, tu avais peur de me laisser te toucher?

— Tu me touches tout le temps.

— Oui, mais pas là.

Il y eut un silence pesant... puis :

— Je ne veux pas que tu me regardes. Les femmes enceintes ne sont pas belles à voir.

— Qui est-ce qui t'a dit ça?

— C'est comme ça.

— Je te regarderai lorsque le bébé sera né.

— Y en a plus pour longtemps. Et ensuite, je ne veux plus ressembler à ça.

Il retira son poignet et fixa le plafond d'un air songeur. *Ce n'est pas naturel, deux personnes couchées l'une à côté de l'autre, mariées depuis tout ce temps et qui ne se sont jamais touchées, volontairement.*

— Elly, je vais éteindre la lampe.

Pas de réponse. Alors, il tendit la main et baissa la mèche. Dans cette obscurité inhabituelle, ils respiraient l'odeur forte de la fumée de pétrole.

— Approche-toi.

Il passa la main par-dessus son épaule et l'attira doucement contre lui.

— Le moment est venu, tu ne crois pas?

— Écoute Will. J'aime quand tu m'embrasses et que tu me prends dans tes bras. Mais je ne peux pas en faire plus.

— Je le sais. Mais j'en crève, moi, toutes les nuits, je comprends pas. Pas toi? demanda-t-il en relevant sa chemise de nuit et posant les deux mains sur son ventre rebondi. Je voudrais que tu saches quelque chose, Elly. Je voudrais que cet enfant soit de moi, avoua-t-il tandis qu'il l'embrassait sur la bouche, le souffle court, sentant son cœur battre à tout rompre.

Il lui tapota la peau comme s'il lisait un texte en braille.

— Oh! Elly... Elly, murmura-t-il d'une voix gutturale.

Alors il lui prit la main, la plaça sur son sexe et sa respiration commença à accélérer. Il vibra de tout son corps et sa semence se déversa dans la main de sa femme. Presque immédiatement. Après quoi il se sentit guéri, ressuscité. Il se tourna de nouveau vers elle et lui tendit la main comme pour la remercier. Mais elle la repoussa, soupira et se pelotonna tout contre lui.

Ils restèrent ainsi, l'un près de l'autre, le temps que son émotion parvînt à se calmer. Il pensa de nouveau à la remercier mais il se sentait incapable de parler dans ce moment trop privilégié pour insister. Alors il l'étreignit, lui caressa le dos, le cou, les cheveux, la serrant toujours plus fort contre lui avec un sentiment de plénitude qui ne demandait qu'à s'exprimer.

Dehors, faisant grincer ses ailes, une bécasse solitaire se fit entendre. Le vent, à la cime des arbres, s'était calmé. Dans le lointain, une chouette poussa son cri lugubre pareil à l'aboiement d'un chien.

Dans la maison, Will et Elly s'étaient endormis dans les bras l'un de l'autre.

Et aucun des deux n'avait pensé à rallumer la lampe.

13

Le quatre décembre, vers midi, Elly fut certaine que le travail commençait. Elle avait un peu souffert du dos durant la matinée et, au moment du repas, eut ses deux premières contractions, à un quart d'heure d'intervalle. La seconde lui fit si mal qu'elle fut obligée de s'appuyer au dossier d'une chaise avant de parvenir à respirer normalement. Lorsque la douleur cessa, elle dut se tenir les reins pour se redresser puis se dirigea vers la porte d'entrée.

Assis en tailleur sur le sol, Will travaillait en sifflotant à la salle de bains. Il avait percé une porte dans le mur de l'entrée, fermé une partie du porche où il avait déjà installé une fenêtre et des tuyaux qui dépassaient de l'espace étroit situé au-dessous. Tout fier de son premier chèque, il avait acheté des éléments de salle de bains, d'occasion, même si ni lui ni Elly n'avaient, dans leur exaltation, ressenti l'urgence d'avoir une telle pièce. Le lavabo et la cuvette des toilettes étaient entreposés ailleurs, mais la baignoire était en place, entre les cloisons squelettiques qui, elles aussi, attendaient d'être achevées après la fin du travail de plomberie.

Elly s'appuya contre le montant de la porte de la salle de bains, les yeux posés sur Will et elle resta un instant à l'écouter siffler *In my abode hacienda* qu'ils avaient entendu chanter récemment à la radio. Une clé anglaise à la main, il faisait face à la cloison du fond, son chapeau de cow-boy repoussé en arrière. De la sciure de bois en souillait les bords et, comme il avait travaillé sur le dos, sa chemise bleue était maculée de poussière. Il faisait tant de fausses notes qu'elle ne put s'empêcher de sourire.

Il donna un dernier tour de clé et, sous l'effort, interrompit son concert. Après avoir laissé bruyamment tomber l'instrument sur le sol, de ses doigts il examina le raccord. Puis il reprit sa sérénade, doucement, entre ses dents. Il se redressa sur un genou et ramassa un joint de cuivre avant de déterminer la hauteur à laquelle il devrait raccorder le tuyau à la baignoire.

— Dis donc, l'appela-t-elle gentiment, avec sur les lèvres un sourire admiratif.

Il se retourna et, pour toute réponse, la gratifia du même large sourire.

— Hello, ma beauté.

Elle se mit à rire et se pencha vers lui.

— Une beauté qui ressemble à un éléphant de mer.

— Viens ici, dit-il en se laissant tomber sur son séant, les jambes étendues, appuyé contre un montant de bois, et lui tendant une main couverte de poussière. Viens ici, dit-il en se frappant sur les cuisses.

Elle abandonna le chambranle de la porte, se fraya un chemin à travers les outils et les morceaux de tuyaux éparpillés sur le sol et se pencha au-dessus de lui.

— Ici, insista-t-il en se frappant de nouveau les cuisses alors qu'elle se tournait de côté.

— Non, pas de cette façon... comme ça, dit-il en lui saisissant une cheville et lui plantant le pied contre sa hanche avec un regard suggestif. Assieds-toi là.

— Will... les enfants, murmura-t-elle en lançant un coup d'œil inquiet par-dessus son épaule.

— Eh bien quoi?

Il lui attrapa les poignets et l'obligea à se mettre à califourchon sur ses genoux, la robe remontée à mi-cuisses.

— Mais ils pourraient nous voir.

— Et alors, ils me verraient en train d'embrasser leur mère. Ça ne peut pas leur faire de mal.

Il la prit par la taille et l'aida à s'asseoir, ventre contre ventre, tandis qu'elle passait les bras autour de son cou.

— Will Parker... C'est toi qui es fou, pas moi.

— T'as sacrément raison ! Fou de toi, oui.

Il releva le menton et l'embrassa longuement, d'un baiser où il lui offrait tout son amour. C'était quelque chose de nouveau pour Eleanor que de se faire des caresses au beau milieu de la journée. Avec Glendon, c'était plutôt rare. Et même plus que rare. Car une pose de ce genre ne leur était jamais venue à l'esprit. Mais avec Will... son Will. Il se montrait insatiable. Elle ne pouvait passer à côté de lui en transportant, par exemple, un panier de linge propre sans qu'il ne l'assaillît ou, du moins, fît semblant. Pour embrasser, il n'avait pas son pareil. Elle, par le passé, n'avait jamais prêté particulièrement attention à la qualité des baisers. Mais assise sur les genoux de Will, les lèvres collées à sa bouche experte dont il explorait chaque centimètre, elle ne se lassait pas de se repaître de tout son art. Car il ne se contentait pas de l'embrasser. Il se donnait avec fougue, s'attardait sans compter, puis lentement se retirait, comme incapable de se lasser d'elle. Parfois il lui murmurait des mots incompréhensibles, souvent enfouissait son nez dans son cou, rendant ainsi plus douce leur séparation.

Et, comme d'habitude, ils eurent du mal à se séparer, le nez de Will égaré dans le col d'Elly, son chapeau renversé sur le sol.

— J'ai les mains sales et tu sais où je les ai salies, n'est-ce pas ?

Les yeux fermés, elle lui tenait la tête entre ses mains et lui massait doucement le cuir chevelu comme il l'aimait.

— Où donc ?

Il lui mordilla le cou, se mit à rire et plaisanta.

— Dans la cuisine. Je me suis fait un sandwich. Je mourais de faim.

En souriant, elle fit semblant de le repousser.

— Toi, tu as toujours faim. Alors pourquoi crois-tu que je sois venue ?

— Pour me dire que c'était l'heure de manger ?

Il se pencha en arrière et plongea son regard dans ses yeux verts où se lisait tout le bonheur du monde.

— Et quoi d'autre ?

— Quoi, tu m'as coincé ici et tu m'as fait perdre tout ce temps alors que j'aurais pu aller à table ?

— Qui oserait penser à manger quand on peut se faire des petits câlins ?

Il prit un air dégoûté, ramassa son chapeau et le riva sur sa tête.

— Et moi qui étais là à penser à mon boulot, à faire une salle de bains. Et puis voilà qu'une femme sort de nulle part et me saute dessus. Quoi ! j'avais en main ma clé anglaise, je raccordais mes tuyaux, je n'embêtais personne et puis...

— Eh, Will ? l'interrompit-elle sur le ton de la plaisanterie. Devine quoi.

— Quoi ?

— Le repas est prêt.

— Eh bien, il était temps !

Il essaya de se lever mais elle resta assise sur ses genoux.

— Devine quoi d'autre.

— J'sais pas.

— Le travail a commencé.

Son visage se figea comme si elle venait de lui asséner un coup sur la pomme d'Adam.

— Elly, pour l'amour du ciel, tu ne devrais pas être où tu es. Mon Dieu, est-ce que je t'ai fait mal en te prenant contre moi ? Tu peux te lever ?

Elle se mit à rire en entendant cette réaction par trop excessive.

— Mais tout va bien. Les douleurs ont commencé. Et je me suis assise ici pour ne plus y penser.

— Elly, tu en es sûre ? Je veux dire : le moment est vraiment venu ?

— Absolument.

— Mais comment ça se fait ? On n'est que le quatre décembre.

— Je t'avais dit que c'était pour décembre.

— Ouais, mais... Eh bien, décembre, c'est un mois drôlement long ! déclara-t-il en plissant le front en la relevant doucement. Je veux dire que je croyais que ça viendrait plus tard. Et que j'aurais le temps de terminer la salle de bains pour que tout soit prêt quand le bébé arriverait.

— Tu as de curieuses idées en ce qui concerne les bébés,

rétorqua-t-elle en lui prenant les mains et le rassurant d'un sourire. Ils n'attendent pas que les choses soient terminées. Ils arrivent lorsqu'ils en ont décidé. Maintenant, écoute-moi bien. J'ai des choses à préparer. Alors, si tu voulais bien servir les assiettes des garçons et la tienne, ça m'aiderait bien.

Will était devenu un véritable paquet de nerfs. Elle n'aurait pas dû trouver ça drôle mais elle ne put s'empêcher de sourire intérieurement. Il se refusait à la perdre de vue, même durant le court laps de temps qu'il lui fallut pour installer les enfants à table devant leurs assiettes. Au lieu de se servir à son tour, il la suivit dans leur chambre où il la trouva en train de défaire le lit.

— Qu'est-ce que tu fais?

— Je prépare le lit.

— Mais ça, je peux le faire! la gourmanda-t-il en pénétrant dans la pièce.

— Mais moi aussi. Will, s'il te plaît... écoute-moi. Il vaut mieux que je bouge, tu comprends? Ça peut durer des heures.

Il l'écarta du coude et se mit à retirer les draps sales du matelas.

— Je ne comprends pas comment tu as pu venir t'asseoir sur mes genoux dans la salle de bains et me laisser plaisanter alors que le travail avait déjà commencé.

— Qu'est-ce que j'aurais dû faire d'autre?

— Ben, je ne sais pas. Bon Dieu, Elly, et moi qui te tirais par les chevilles pour te faire asseoir! Je viens de te dire que j'allais faire le lit! explosa-t-il en interrompant le travail qu'elle entreprenait. Dis-moi seulement ce que tu veux y mettre.

Elle s'exécuta : de vieux journaux sur le matelas, puis des draps de coton absorbant pliés en guise de coussins et enfin le drap de mousseline. Pas question de couvertures. Cela lui semblait si austère et de bien mauvais augure; rien qu'à ce spectacle, sa peur semblait augmenter. Mais tandis qu'il restait là à la regarder, elle lui montra qu'il n'était pas au bout de ses surprises.

— Je voudrais que tu descendes à l'écurie et que tu me rapportes deux lanières.

— Des lanières?

Il écarquilla les yeux.

— Des sangles. Du harnais de Madame.

— Pourquoi faire?

— Et puis il faudrait aussi que tu ailles chercher de l'eau. Pour remplir le chaudron, le réservoir de la cuisinière et la théière. On aura besoin d'avoir sous la main de l'eau chaude et de l'eau froide. Allez, vas-y!

— Mais pourquoi faire? Pourquoi veux-tu que j'aille chercher ces sangles?

— Will... je t'en prie, dit-elle un peu agacée.

Il courut jusqu'à l'écurie en se maudissant de ne pas avoir eu le temps de mettre l'eau courante avant l'événement, de ne pas avoir relié le chauffe-eau à la génératrice éolienne et de ne pas avoir compris que les bébés arrivaient parfois plus tôt que prévu. Il décrocha du mur le harnais de rechange et s'énerva sur les longes de cuir et finit par détacher les sangles. Moins de trois minutes plus tard, il arriva tout haletant à la porte de la chambre pour trouver Elly assise sur une chaise de bois, le dos courbé, les yeux clos et les mains contractées sur les bords de son siège.

— Elly!

Il lâcha les sangles et mit un genou par terre devant elle.

— Ça va mieux, dit-elle avec difficulté, le souffle court et les paupières encore fermées. C'est passé, maintenant.

Tremblant de peur, il lui caressa les genoux.

— Elly, je suis désolé d'avoir crié tout à l'heure. Je ne pensais pas ce que je disais. J'avais peur, c'est tout.

— Mais tout va bien, Will.

La douleur se calma; elle ouvrit les yeux et lentement se redressa sur sa chaise.

Maintenant, écoute-moi : je veux que tu prennes les pièces du harnais, que tu les déposes sur le plancher du porche et que tu les nettoies avec la brosse et le savon. Des deux côtés. Frotte bien autour des boucles et même dans les œillets. Et puis, pendant que tu y es, brosse-toi bien les mains et les ongles. Ensuite, tu rentreras les sangles et tu les feras bouillir dans une bassine. Pendant que ça bouillira dans cette bassine-là, je voudrais que tu en fasses autant dans une autre avec les ciseaux et deux bobines de fil. Tu les trouveras dans la cuisine, dans une tasse à côté du sucrier. Enfin, dès que l'eau sera chaude, apporte-m'en ici, ainsi que le savon, pour que je puisse me laver.

— D'accord, Elly, répondit-il doucement.

Il se leva et sortit d'un pas hésitant.

— Et mets les enfants au lit pour la sieste dès qu'ils auront terminé leurs assiettes.

Il suivit ses instructions à la lettre, s'affairant à tout ce qu'elle lui avait demandé, mais sans pour autant cesser de craindre qu'il n'arrivât quelque chose dans le temps où il ne se trouvait pas à côté d'elle. Lorsqu'il apporta le baquet vide dans la chambre, il la trouva en train de sortir d'un tiroir de la commode du linge blanc pour le bébé, un minuscule kimono de flanelle, un lange, une brassière et une couche. Sans oser bouger, il la regarda les vérifier un à un avec amour et les disposer en pile. Puis ce fut le tour du châle rose qu'elle avait fait elle-même au crochet et d'adorables petits chaussons qui allaient de pair. Elle se retourna et l'aperçut.

Elle arborait un sourire si calme, si détendu, que Will se sentit plus tranquille.

— Tout ce que je sais, c'est que ce sera une fille, dit-elle seulement.

— Je l'espère, moi aussi.

Il regarda Elly tirer le panier à linge de derrière la porte de la chambre, le vider de son contenu et y disposer un coussin sur lequel elle étendit une alaise et des draps de coton. Puis ce fut le tour du châle rose et, pour finir, une couverture de flanelle blanche.

— Voilà !

Elle sourit en regardant le panier avec la fierté qu'une reine aurait manifestée devant un berceau en or garni de coussins de plumes de cygne.

Il posa le baquet sur le plancher sans la quitter des yeux, s'avança et lui toucha doucement le menton.

— Repose-toi, maintenant. Je vais chercher l'eau.

Ses yeux lui sourirent tendrement :

— Je suis tellement heureuse que tu sois ici, Will.

— Et moi, tu sais.

Ce n'était pas tout à fait vrai. Il aurait préféré se trouver dans sa voiture, en route pour aller chercher le médecin, mais il était trop tard pour revenir là-dessus. Il remplit le baquet puis se rendit à la cuisine pour y laver la vaisselle du repas. De retour dans la chambre quelques minutes plus tard, il trouva Elly debout dans son baquet, couverte de savon des pieds à la tête. Comme elle se tenait de trois quarts, il pouvait apercevoir son dos et le profil d'un de ses seins. Il ne l'avait jamais vue toute nue auparavant. Du moins, pas hors de leur lit. Ce tableau l'émut profondément. Elle était mal bâtie, grosse, mais c'était sans doute pourquoi elle possédait une beauté et une féminité différentes de toutes celles dont il avait été le spectateur. Elle passa le gant éponge sous son ventre, entre ses cuisses, purifiant le parcours qu'allait suivre l'enfant qu'elle attendait. Lui continuait de l'observer, nullement intimidé et peu désireux de détourner son regard. Soudain, victime d'une nouvelle contraction, elle dut s'accroupir à demi. Son poing se referma sur le gant et de la mousse tomba dans l'eau. Will traversa la pièce à la vitesse de l'éclair et passa un bras autour de ce corps tout luisant de savon. Il fit son possible pour la soutenir mais, comme il craignait de ne pas y parvenir, il l'aida à se baisser jusqu'à ce que, haletante, elle pût s'asseoir sur le bord du baquet.

Il se sentait impuissant. Affolé, il aurait voulu faire plus ; il avait besoin de faire plus que de la réconforter. Au point de désirer pouvoir souffrir à sa place à la prochaine contraction.

Lorsque la douleur prit fin, elle n'avait plus de forces.

— Celle-ci, elle était vraiment forte. Elles sont plus rapprochées cette fois que pour la naissance de Thomas.

— Allez. Agenouille-toi.

Elle se mit à genoux et il lui rinça le dos, les bras, les seins, soulagé de faire enfin quelque chose de concret. Il lui prit la main pour l'aider à sortir du baquet puis lui essuya le dos.

— Merci, Will. Je vais pouvoir terminer toute seule.

Tandis qu'il remportait le baquet, elle passa une chemise de nuit blanche toute propre et, d'en dessous du lit, elle tira un sac de toile blanche dont elle extirpa plusieurs grandes feuilles séchées.

Elle les emporta avec elle et rejoignit Will dans la cuisine. Pendant quelques instants, elle le regarda vider l'eau du baquet dans l'évier. Avec une louche, il rinça le récipient puis l'essuya avec un torchon. Alors seulement il se retourna et s'aperçut qu'Elly se tenait derrière lui.

— Tu ne devrais pas être ailleurs ?

— Tu ne devrais pas t'en faire à ce point-là, Will. S'il te plaît. Pour moi.

— C'est difficile de t'obéir.

— Je sais.

Elle comprit, à son air contrit, qu'il lui était vraiment difficile de rester lui-même et elle l'en aima d'autant plus.

— Mais maintenant il faut que je te dise à quoi tu dois t'attendre. Et ce que tu devras faire.

— Mais je sais tout ça, dit-il en posant le baquet sur le sol. Je l'ai lu si souvent dans le bouquin que c'est gravé dans ma mémoire. Mais le lire et le faire, ce n'est pas tout à fait la même chose.

Elle s'approcha de lui et lui prit la main.

— Tu t'en tireras merveilleusemen bien, Will.

Sans se départir de son calme, elle prit une bouilloire et y introduisit les feuilles qu'elle recouvrit avec l'eau de la théière. Puis elle les laissa infuser doucement à l'arrière du fourneau.

Will la regardait faire. Son estomac se serrait au fur et à mesure que passaient les minutes.

— Qu'est-ce que c'est que ça ?

— De la consoude.

Il avait presque peur de poser la question. Ça lui prit bien trois inspirations avant que sa gorge acceptât d'émettre le mot.

— Pourquoi ?

— Après, si j'ai une déchirure, tu me feras un cataplasme avec ça et tu le poseras dessus. Ça permet à la peau de se recoller et ça aide à cicatriser. Mais souviens-toi de ce que je t'ai dit : ne perds pas ton temps avec moi jusqu'à ce qu'on ait fini de s'occuper du bébé, compris ?

Si elle avait une déchirure. Ces mots lui firent à nouveau froid dans le dos. Will dut faire un effort surhumain pour se concentrer sur les instructions qui avaient suivi.

— N'utilise que les linges stérilisés que j'ai rangés dans le buffet. Tout ce dont tu pourrais avoir besoin s'y trouve aussi. Les ciseaux, les fils, les compresses, l'alcool et la gaze pour le cordon du bébé et la vaseline que tu mettras sur le coton quand tu la banderas. Tu feras tout ça après lui avoir donné le bain. Assure-toi d'avoir assez d'eau chaude pour ça et une bassine d'eau froide pour les draps parce qu'il faudra les changer quand tout sera fini. Lorsque tu lui donneras le bain, n'utilise pas de savon, mais de la glycérine. Tiens-lui toujours bien la tête, dès qu'elle apparaîtra et pendant tout le temps qu'elle mettra à sortir de mon ventre. Et aussi lorsque tu lui donneras le bain. Mais, Will, dans tout ça, il faut que tu t'en souviennes, le bébé d'abord. Le plus important, c'est de la faire respirer, de la baigner, de l'habiller chaudement pour qu'elle ne prenne pas froid.

— Je sais, je sais! répliqua-t-il un peu énervé par tout ce qu'elle venait de lui dire. Il avait lu toutes les instructions concernant la naissance jusqu'à être capable de les réciter mot pour mot. Et c'étaient justement les images qu'elles engendraient qui lui faisaient perdre son sang-froid.

— Maintenant, marchons ensemble, lui dit-elle calmement.

— Marcher?

— Ça le fera venir plus vite.

S'il en avait eu le choix, il aurait repoussé le moment indéfiniment. Mais tout de suite il se sentit coupable d'avoir eu cette pensée, étant donné la situation, et il fit ce qu'elle lui demandait. Il n'avait jamais, de sa vie, eu l'impression de tenir un rôle essentiel autant que durant les deux heures qui suivirent. Dans tous les sens, il arpenta avec elle les petites pièces de la maison, ne s'arrêtant qu'à chaque nouvelle contraction. Elle se montrait courageuse; l'être moins aurait fait de lui un boulet plutôt qu'un soutien. Alors il lui prit le bras et l'accompagna comme s'ils sortaient faire un tour en ville en pleine saison. Il plaisantait quand elle avait besoin de se détendre. La tranquillisait quand elle avait besoin de réconfort. Parlait quand elle avait besoin qu'il lui parlât. Et puis, apprit enfin ce qu'était une compresse lorsqu'il aperçut une pile de tampons de coton soigneusement empaquetés dans un morceau de gaze.

À deux heures et demie, les garçons s'éveillèrent. Il leur mit leurs manteaux et les envoya jouer dehors, priant le ciel pour qu'ils y restent jusqu'au coucher du soleil.

Peu après trois heures, Elly annonça d'une voix calme :

— Je crois que je vais devoir m'allonger. Chéri, tu peux aller chercher les sangles. Attache-les aux montants du pied de lit, ordonna-t-elle, à peu près à cinquante centimètres l'une de l'autre.

Il sentit son estomac se nouer, sa bouche se mettre à saliver et ses mains devenir moites. Lorsque les sangles de cuir furent en place, suffisamment lâches pour permettre à Elly de remuer les jambes, elles lui faisaient tout à fait l'effet d'une chambre de torture du Moyen Âge. Tout en attendant la contraction suivante, il trouva cela hideux. Lorsqu'elle se manifesta, on eût dit qu'elle les avait affectés tous les deux. Will eut l'impression de ressentir un choc violent et la douleur lui contracta l'aine et les cuisses comme c'était le cas pour Elly. Elle était forte, celle-ci, longue. Elle dura près d'une minute, et fut visiblement plus importante que celles qui l'avaient précédée.

Lorsque cela cessa, Elly reprit son souffle et murmura :

— Va te laver les mains, Will, et coupe-toi soigneusement les ongles. Ça ne devrait plus être long, maintenant.

Se couper les ongles ? Cette fois-ci, il ne demanda pas pourquoi. Il avait trop peur de savoir. Pour le cas où il y aurait des problèmes et qu'il aurait à l'aider... à l'intérieur.

Au bord de la panique, il se frotta les mains à se les faire saigner et se coupa les ongles à ras avec les ciseaux stérilisés. Seigneur, pourquoi n'avait-il pas agi contre le gré d'Elly et pris la voiture pour aller chercher le médecin dès sa première douleur ? Qu'allait-il faire si le cordon entourait le cou du bébé ? Si Elly avait une hémorragie ? Et si les garçons rentraient au beau milieu de tout ça ?

Au moment même où il pensait à eux, le duo entra en fanfare dans la cuisine en appelant sa mère.

Will sortit pour les arrêter et salit ses mains stérilisées en

273

posant l'une d'elles sur la poitrine de Thomas et l'autre sur celle de Donald Wade à l'instant où ils se présentaient devant la porte close de la chambre.

— Halte, on ne passe pas !

Il mit un genou par terre et serra les deux enfants tout contre lui.

— On a quelque chose à montrer à maman ! dit Donald Wade en exhibant fièrement un nid.

— Votre maman se repose.

— Mais, regarde ce qu'on a trouvé !

Donald Wade tenta malgré tout de se glisser vers la porte, mais Will le retint par le bras.

— Vous vous rappelez ce qu'a dit votre maman ? Que le bébé allait un jour sortir et qu'on le mettrait dans le panier ? Eh bien, le bébé va bientôt naître et votre maman ne va pas être très bien quand ça arrivera. C'était la même chose quand vous êtes nés, les gars, alors n'ayez pas peur, d'accord ? Maintenant, je voudrais que tu sois gentil, Donald Wade. Tu prends des biscuits, tu emmènes ton frère dehors avec toi et vous ne revenez pas avant que je vous appelle, compris ?

— Mais...

— Écoute-moi bien. Je n'ai pas le temps de discuter parce que ta maman a besoin de moi. Mais si vous faites ce que j'ai dit, je vous emmènerai un de ces prochains jours au cinéma. Marché conclu ?

Donald Wade hésita ; son regard allait de Will à la porte de la chambre.

— Voir Hopalong Cassidy ?

— Comme tu voudras. Maintenant, allez !

Avec une petite tape dans le dos, Will les reconduisit gentiment vers la cuisine et leur donna une boîte de biscuits. Dès qu'ils furent sortis, il se lava de nouveau les mains, retourna en courant dans la chambre, poussa la porte d'un coup de botte et la referma soigneusement avec une épaule.

— C'étaient les garçons. Je les ai soudoyés avec une séance de cinéma et une poignée de biscuits. Et toi, comment ça va ? demanda-t-il en se dirigeant vers le bord du lit et s'asseyant sur la chaise de bois.

— J'ai mal, répondit-elle avec un petit rire en se tenant le ventre.

Il tendit la main comme pour lui caresser le front.

— Ne me touche pas, Will. Il ne le faut pas.

Déçu, il retira cette main qu'il avait si bien lavée et reprit sa place, malheureux de se sentir inutile.

La contraction suivante la fit se cambrer au milieu du lit et Will se leva de sa chaise. Il se pencha sur elle et vit son visage se tordre de douleur tandis qu'elle écartait les genoux et tendait les bras derrière sa tête pour attraper les montants du lit de fer. Lorsqu'elle retint son souffle, il retint le sien. Lorsqu'elle grimaça, il grimaça à son tour. Lorsqu'elle se mordit les lèvres, il en fit autant. Les soixante secondes que durèrent cette contraction lui parurent plus longues que tout le temps qu'il avait passé en prison.

Finalement la douleur cessa. Elle ouvrit les yeux et tourna la tête.

— C'est le... le moment, Wi... ill, gémit-elle. Nettoie-moi avec de l'alcool, tout... tout de suite, et ai... aide-moi à attraper les san... sangles.

Les mains tremblantes, il se dirigea vers le pied du lit, releva la chemise de nuit et osa un regard. Mon Dieu, comme elle devait souffrir ! Comme elle était enflée, boursouflée, déformée, au-delà de tout ce qu'il aurait pu imaginer. Il pouvait, de ses propres yeux, voir le renflement que formait la tête du bébé juste au-dessus de la naissance des cuisses de sa mère. La vulve portait des marques d'inflammation et supurait, colorant les draps d'une légère tache. Il eut du mal à avaler sa salive. Il était à peine revenu de sa stupeur qu'elle se redressa subitement et le flot d'un liquide transparent s'épancha de son corps, dessinant une large auréole sur le drap. Ce fut alors qu'il réagit. Il comprit ce qui se passait, et cela signifiait que le bébé se préparait à faire son entrée dans le monde.

Soudainement, le sens de sa présence ici lui parut limpide. Et toute la peur qui l'habitait disparut. Son estomac se détendit. Ses mains retrouvèrent leur fermeté. Il venait enfin de réaliser que l'enfant et sa mère avaient besoin de lui. Mais besoin d'un Will en pleine possession de ses moyens.

Avec un tampon de coton imprégné d'alcool, il badigeonna le ventre de sa femme, ses cuisses et ses parties génitales. Ça lui brûlait les doigts, tant il les avait frottés, mais il ne s'en rendait pas compte. Pour faire bonne mesure, il badigeonna aussi les sangles avant de lui soulever les talons et de glisser les lanières derrière ses genoux. Puis il glissa sous elle un autre drap de flanelle plié en quatre.

— W... Wi... Will, gémit-elle alors qu'une autre contraction se déclarait.

— Oui, mon amour, répondit-il calmement, mais il ne bougea pas, les yeux rivés sur ce ventre contracté, le regardant commencer lentement à se bomber, puis à se déformer à mesure qu'augmentait la douleur.

— W-W-Wiiiiill !

Elle émit un cri suraigu tandis que la contraction atteignait son paroxysme. Pour tenter de l'aider à dominer la souffrance, il glissa ses mains sous ses cuisses dont il sentit les muscles se tendre sous ses doigts. Ce fut seulement lorsqu'elle eut retrouvé un peu de calme qu'il osa lever les yeux sur son visage. Sur son front la sueur perlait. Sur ses tempes, ses fins cheveux trempés collaient à sa peau et avaient pris une teinte sombre de vieille soie. Ses lèvres desséchées portaient des marques de crevasses. De sa langue, elle les humectait alors que Will pensait au flacon de vaseline qu'il n'osait pas toucher. Ses lèvres étaient à peine sèches qu'elle eut une nouvelle contraction et, avec elle, apparurent les cheveux noirs du bébé.

— Je la vois ! cria Will. Allez, chérie, encore un petit effort et elle sera là !

Il l'attendait, les mains naïvement ouvertes en signe de bienvenue et, pour tout l'or du monde, n'aurait pas quitté des yeux cette chevelure sombre maintenant parfaitement visible. De nouveau Elly se cambra, ses jambes se contractèrent tout comme ses mains solidement refermées sur les montants de son lit de fer. Une série de hurlements emplit la pièce et Will apprit ce que signifiait le mot périnée en voyant Elly se déchirer. Mais il n'eut pas le temps de s'y arrêter car, au même moment, la tête du bébé sortit, enfin ! – inclinée vers l'intérieur, comme prévu, mais glissante, insaisissable, entre ses mains impatientes. Alors, miraculeusement, elle se tourna sur le côté, comme cela se passait d'habitude, et il la reçut, toute rouge, luisante et si fragile.

— Sa tête est sortie, chérie.

Le petit visage violacé était affreusement déformé et portait les marques d'une naissance difficile. Mais se souvenant des avertissements du livre, Will ne s'énerva pas car il s'y attendait ; l'enfant ne s'étoufferait pas au passage étroit du périnée. *Pas de panique ! N'essaie pas de la tirer !*

— Viens, allez, viens gentiment, ma mignonne, murmura-t-il au bébé. Je vais nettoyer ta petite bouche.

Comme si Dame Nature savait exactement ce qu'elle faisait, elle laissa tout juste le temps à Elly de se détendre et à Will de passer son petit doigt dans la bouche du nouveau-né avant que la jeune femme ne poussât à nouveau. Les épaules de l'enfant apparurent, puis le dos et, enfin, dans un dernier effort, l'ensemble de son petit corps. Aux mains attentives de Will s'offrit une créature rattachée à sa mère par un fin cordon ondulé. Elle était humide, enduite d'une graisse grisâtre. Elle lui remplit cependant le cœur d'une étrange excitation et fit paraître sur son visage une joie qu'il ne demandait qu'à partager.

— Elle est là, Elly, elle est née ! Et tu avais raison, tu sais. C'est bien une fille. Et... oh ! mon Dieu... elle est à peine plus grande que ma main.

Tout en parlant, il posa son précieux fardeau sur le ventre d'Elly alors qu'elle s'efforçait de reprendre son souffle comme toute femme après l'expulsion. Elle lâcha lentement les montants du lit, tendit les mains et caressa la tête du bébé. Elle se redressa avec beaucoup de difficulté et ne put s'empêcher de sourire malgré sa lassitude. Lorsqu'elle se laissa retomber sur l'oreiller, elle se mit à rire tandis que des larmes de joie coulaient le long de ses joues.

— Dis-moi, elle est mignonne ?

— C'est la chose la plus laide que j'aie jamais vue.

Et, pour marquer son soulagement, il éclata de rire. Mais Elly se mit à geindre et à pousser jusqu'à en être prise de tremblements ; son visage tourna au violet. Il posa alors le bébé à côté d'elle et fit tout son possible pour lui venir en aide. Mais malgré tous les efforts, le placenta ne se décidait pas à sortir. Elle se recoucha, haletante, au bord de l'épuisement. Ses paupières papillotaient. Une autre poussée n'eut pas plus d'effet et Will commença à avoir du mal à avaler sa salive car il savait bien ce qu'il avait à faire. Il glissa une main dans la douce cavité du ventre d'Elly, plaçant sa paume contre l'utérus et s'efforça de créer une contraction artificielle. Elle gémit et inconsciemment essaya de repousser cette main. Will avait du mal à se convaincre que, pour être efficace, il allait être obligé de lui faire mal. Ses yeux le brûlaient. Il les essuya contre son épaule en se jurant bien qu'il ne la mettrait jamais enceinte. Il pénétra plus à fond dans la chair pantelante et détacha le placenta tout en lui massant le ventre. Soudain il sentit chez elle comme une métamorphose : le corps semblait reprendre de la vitalité. L'abdomen se contracta et, avec l'aide de Will, le placenta se détacha à l'intérieur et descendit formant une légère enflure sous la toison enchevêtrée du pubis.

— Allez, vas-y, Elly chérie. Encore un petit effort et tu pourras te reposer.

Elle parvint à trouver au fond d'elle-même, la ressource nécessaire pour produire un autre puissant effort et son corps voulut bien rendre le placenta et la délivrer enfin de la vie qu'elle avait portée durant neuf mois.

Les épaules de Will s'affaissèrent. Il ferma les yeux, avala une grande bouffée d'air, se sécha le front d'un revers de manche et se contenta de dire :

— C'est bien, ma chérie. Voilà, c'est fini. Détends-toi maintenant.

Ses mains étaient parfaitement calmes lorsqu'il serra le premier bout de ficelle à cinq centimètres seulement du corps du bébé et qu'il laissa juste l'espace suffisant avec le second pour que les ciseaux puissent faire leur office. Les lames d'argent se refermèrent et le tour fut joué. Le bébé aussi était libre.

Respire ! Respire ! Respire !

Ce mot résonnait dans sa tête lorsqu'il prit le bébé qui, dans ses bras, conservait la position foetale. Dans sa mémoire se bousculaient les différentes façons qui devaient permettre à un nouveau-né de prendre sa première respiration. Une petite claque. De l'eau froide. La respiration artificielle. Mais faire ce genre de chose à une créature aussi minuscule, cela lui paraissait relever du sadisme. Allez, ma fille. *Respire ! Respire !* Quinze secondes passèrent. Puis trente. *Ne m'oblige pas à utiliser de l'eau froide. Et puis, je préférerais me couper une main plutôt que de devoir te frapper.* Il entendit les garçons rentrer et appeler de derrière la porte. Son cœur se mit à battre plus fort. Le désespoir l'envahit. Il secoua l'enfant. *Respire, bon Dieu, respire !* Pris de panique, il la souleva par les pieds et une demi-seconde après, la bouche ouverte, elle eut un hoquet, se mit à battre l'air et commença à brailler de la voix la plus grêle qu'on pût imaginer. C'était modulé – houin, houin, houin – accompagné d'une grimace comique que formaient sa bouche pincée et son nez aplati tandis que ses tout petits poings fendaient l'air. Elle émettait un cri assez doux, mais robuste et qui exprimait merveilleusement sa réprobation d'avoir été traitée de manière si cavalière durant la première minute qui avait suivi son entrée dans le monde.

Will baissa les yeux sur ce petit visage rougeaud, écouta ses doléances et se mit à rire. De soulagement. Il déposa un baiser sur le nez minuscule et dit :

— Comme ça, ça va, fillette. Voilà exactement ce que nous voulions entendre ! Elle respire, elle est belle et me semble aussi vraie qu'un billet d'un dollar, ajouta-t-il en se tournant vers sa femme alors que, brusquement, sa bonne humeur disparaissait – Elly, mais tu trembles.

Durant les minutes où il s'était concentré sur sa tâche, elle s'était sentie envahie par le froid, ce qui, au demeurant, était parfaitement naturel. Elle était maintenant secouée de tremblements, transpirait de tous ses membres. La literie, sous elle, était à changer. Que de travail pour un homme seul : il lui aurait fallu au moins six mains.

— Ça va aller, le rassura Elly. Occupe-toi d'abord d'elle.

Ce n'était pas facile d'obéir, mais il n'avait pas vraiment le choix car les directives d'Elly étaient en plein accord avec ce qu'il avait appris. Jusqu'à présent, tout s'était passé remarquablement bien. Il avait suivi les conseils du livre et espérait que la chance ne tournerait pas. Alors il prit le temps de coucher l'enfant, puis il détacha doucement les lanières des jambes d'Elly, l'aida à les allonger et la recouvrit. Il effleura ses lèvres desséchées d'un petit baiser et lui murmura :

— Je reviens dès que je lui aurai donné son bain. Tu es d'accord?

Elle hocha faiblement la tête et ferma les yeux.

Il prit l'enfant dans ses bras et ouvrit la porte derrière laquelle il trouva Donald Wade et Thomas qui se tenaient la main et pleuraient à fendre l'âme.

— On a entendu maman crier.

— Elle va mieux, maintenant. Tenez, venez voir... Vous avez une petite sœur!

Donald Wade resta bouche bée. Des larmes perlaient aux cils noirs de Baby Thomas. Tous deux restaient sans voix.

Puis avec un ensemble parfait, ils se remirent à hurler.

— Je veux voir maman-an-an!

— Maman-an-an!

— Elle va bien, vous voyez? leur dit Will en entrouvrant la porte pour leur laisser jeter un coup d'œil. Tout ce qu'ils purent voir, ce fut leur mère couchée sur le dos, les yeux fermés. Will referma la porte.

Chuuut! Elle se repose maintenant mais on reviendra tous tout à l'heure, dès qu'on aura donné un bain au bébé. Allez, venez me donner un coup de main.

Comme hypnotisés, ils le suivirent.

— Dans la vraie baignoire?

— Mais non. La vraie n'est pas encore prête.

— Alors dans l'évier?

— Ouais.

Ils traînèrent des chaises à travers la cuisine et grimpèrent dessus, de chaque côté de Will, pendant que celui-ci plongeait leur sœur dans une bassine d'eau tiède. Les pleurs de l'enfant cessèrent immédiatement. Bercée par les grandes mains de Will, elle se détendit, ouvrit des yeux noirs et découvrit enfin le monde. Thomas essaya de la toucher du bout du doigt comme pour se rendre compte qu'elle était bien réelle.

— Oh-oh... il ne faut pas encore la toucher.

Thomas retira son doigt et leva sur Will des yeux remplis d'une certaine crainte.

— D'où elle vient ? demanda Donald Wade.

— Du ventre de ta mère.

Donald le regarda d'un air sceptique.

— C'est pas vrai.

Will se mit à rire et, avec précaution, fit couler un peu d'eau sur la peau de l'enfant.

— Mais si, elle y était. Elle était pelotonnée à l'intérieur comme un petit papillon dans son cocon. Vous avez déjà vu un cocon, n'est-ce pas ?

Et comment ! Avec une mère comme la leur, les garçons avaient pu observer des cocons depuis qu'ils étaient assez grands pour en prononcer le mot.

— Si un papillon peut sortir d'un cocon, pourquoi une petite sœur ne pourrait-elle pas sortir du ventre de sa maman ?

Incapables de répondre, ils le crurent sur parole.

Puis Donald Wade remarqua :

— Elle n'a pas de petit tuyau !

— C'est une fille. Les filles n'ont pas de tuyau.

Donald Wade regarda à nouveau la peau rose de sa sœur puis revint à Will.

— Elle va en avoir un ?

— Non.

Donald Wade se gratta la tête puis pointa un doigt.

— C'est quoi, ça ?

— Ça va être son petit bouton.

— Oh ! Il ne ressemble pas au mien.

— Ça viendra.

— Comment elle s'appelle ?

— Tu vas devoir le demander à ta mère.

Le bébé eut un hoquet et les garçons se mirent à rire puis se tinrent cois pendant que Will la lavait avec du savon à la glycérine. Il étendit la mousse avec mille précautions sur son petit crâne tremblant, puis sur ses petites jambes grêles, entre ses minuscules orteils et ses doigts miniatures qu'il eut beaucoup de mal à écarter. Quelle fragilité et à la fois quelle perfection ! Il n'avait de sa vie senti une peau aussi douce, ni jamais tenu quelque chose de si délicat. Pendant tout le temps que Will avait pris à le baigner pour la première fois, ce délicieux petit être avait pénétré si profondément dans son cœur qu'il y avait fait son nid pour l'éternité. Elle n'était pas de lui ? Quelle importance... Dans son for intérieur, elle l'était devenue. Il l'avait aidée à naître ! Il l'avait obligée à respirer pour la première fois ! Il lui avait donné son premier bain ! Un homme ne pouvait avoir un cœur à ce point comblé et se demander de qui venait la graine qui avait donné la vie à ce qui le remplissait d'une telle joie. Cette petite fille allait avoir un père en Will Parker. Et elle aurait la chance de jouir de l'amour de deux parents.

Il la déposa sur une serviette moelleuse, lui essuya le visage, les oreilles et lui sécha tous les plis et replis, ressentant pour la première fois une émotion croissante qui fit naître sur son visage un grand sourire. Le bébé sembla avoir froid et se mit à pousser des petits cris.

— Allons, mon bébé, le plus mauvais moment est passé, murmura Will. Je vais te réchauffer en une seconde.

Il se surprit à aimer ce premier monologue avec l'enfant. Il était incroyable qu'un être humain pût s'adresser à une petite chose aussi délicieuse, se dit-il.

Will s'occupa du cordon avec énormément de soin, y passa de l'alcool, y appliqua une compresse de coton, puis de la vaseline avant de serrer le bandage et de langer la petite pour la première fois. Elle se contractait comme un ressort chaque fois qu'il tentait de mettre des épingles à nourrice. Les garçons pouffaient de rire. Elle retirait ses bras quand il essayait de les passer dans la minuscule brassière, puis dans le kimono. Leurs rires redoublaient. Lorsque Will tendit la main pour attraper un petit chausson rose, Donald Wade, fièrement, le lui tendit.

— Merci, *kemo sabe*, dit Will, puis il noua le chausson sur la frêle cheville. Et déjà Thomas lui tendait le second.

— Merci Thomas, ajouta-t-il en ébouriffant les cheveux du petit garçon.

Lorsque le bébé put être décemment présenté à sa mère, Will le prit dans ses bras avec toutes les précautions du monde.

— Je crois que maintenant votre mère aimerait la voir. Et vous aussi, mais d'ici un quart d'heure ou plus. Alors, tous les deux, allez vous laver les mains, peignez-vous les cheveux et attendez dans votre chambre. Je vous appellerai dès qu'elle sera prête. D'accord?

Will s'arrêta devant la porte close de la chambre et ne put s'empêcher de contempler ce nouveau-né qui semblait le regarder avec des yeux distraits. Elle était calme, silencieuse, les poings fermés comme de jeunes bourgeons, les cheveux fins comme des fibres de maïs. Il ferma les yeux et l'embrassa sur le front. Il émanait d'elle un parfum à nul autre pareil. Plus savoureux que le pain qui sort du four. Plus pur que le vent frais du matin.

— Je n'ai jamais rien eu de plus précieux que toi, murmura-t-il, le cœur éperdu d'un amour tellement inattendu que ses yeux le brûlaient. J'ai bien l'impression que toi et moi, on va faire une sacrée paire de copains.

Il donna ensuite un petit coup de coude pour ouvrir la porte, pénétra dans la pièce et referma la porte avec l'épaule.

Elly somnolait. Elle semblait épuisée.

— Elly chérie?

Elle ouvrit lentement les yeux. Il se tenait devant elle, le bébé dans les bras, la chemise mouillée, les manches relevées jusqu'aux coudes et les cheveux en désordre, un petit sourire sur les lèvres.

— Will, murmura-t-elle en souriant à son tour.

— La voilà. Elle est plus présentable maintenant.

Il déposa l'enfant dans les bras de sa mère et la regarda écarter doucement la couverture pour mieux le voir. Au fond de lui, il éprouvait toutes sortes de sentiments. De l'amour pour cette femme, de la tendresse pour ce bébé et, dans un recoin de son âme, la tristesse solitaire d'un homme qui se demanderait toujours si sa propre mère l'avait jamais tenu de cette façon, lui avait souri avec cette douceur, avait passé comme cela le bout d'un de ses doigts sur son visage et l'avait embrassé sur le front avec cette vénération dont le spectacle le transportait.

Certainement pas. Il s'agenouilla à côté du lit puis écarta le second pan du lange de flanelle. Certainement pas. Mais il se l'imaginait en voyant Elly prodiguer à sa petite fille l'amour qu'il n'avait jamais connu.

— Oh! Will, n'est-elle pas belle?

— Mais bien sûr. Tout comme toi.

Elly leva les yeux vers lui puis reposa son regard sur le bébé qui venait de serrer son poing autour de son petit doigt.

— Mais je ne suis pas belle, moi.

— Si. Et je l'ai toujours pensé.

L'autre main du bébé se referma sur un des doigts de Will. Liés par lui, les deux époux partagèrent alors un moment rare d'intimité auquel Will dut mettre fin à contrecœur.

— Je ferais mieux de m'occuper de toi, maintenant, tu ne crois pas? Il faut te laver et passer des vêtements propres.

À regret, Elly dut lui abandonner le bébé qu'il coucha dans le panier. Un genou par terre, il ajusta le châle rose autour de la petite, lui caressa les cheveux du bout de son doigt et lui murmura :

— Dors, mon petit amour.

Il se releva et trouva le regard de la jeune femme posé sur lui. Il en éprouva une certaine gêne. Lui qui avait dû apprendre à parler aux garçons, lui qui avait mis des semaines à se sentir à l'aise en leur compagnie... Et voilà qu'au bout d'à peine une heure, il murmurait des mots doux à une petite fille qui ne le comprenait même pas. Il passa ses pouces dans les poches arrière de son pantalon, geste inconscient qui signifiait que Will Parker était complètement dépassé par les événements.

— Je l'ai mise sur le ventre comme tu me l'as dit...

Un sourire plein d'amour illuminait le visage d'Elly tandis qu'il ne savait plus sur quel pied danser.

Je... je vais te chercher le baquet et... et je reviens tout de suite, bafouilla-t-il.

— Je t'aime, Will, répliqua-t-elle simplement.

Elle le connaissait bien, maintenant : cet air calme qu'il prenait pour contenir ses sentiments quand tout semblait trop bien aller. Cette attitude, cet air absent, les pouces dans les poches arrière et muet comme une carpe, il aurait voulu cacher qu'il se passait quelque chose en lui, quelque chose de bon qu'il avait pourtant parfois du mal à croire. C'était alors qu'elle désirait l'avoir tout près d'elle.

— Viens d'abord ici.

Il s'approcha mais resta à une distance respectable comme s'il craignait, en touchant le lit, de lui faire mal.

— Non, ici, juste à côté de moi.

Il s'assit avec précaution sur le bord du matelas. Elly dut étendre le bras pour l'attirer contre elle et lui offrir l'étreinte qu'il espérait.

— Tu as été merveilleux, Will. Si merveilleux.

— Mais je vais te faire mal, Elly, couché comme ça sur toi.

— Jamais de la vie.

Et soudain ils s'étreignirent mutuellement avec fougue. Il lui murmura doucement dans le creux de l'oreille :

— Doux Jésus, qu'elle est belle.

— Je sais. C'est un vrai miracle, pas vrai ?

— Je n'aurais jamais cru qu'on pouvait éprouver ça la première fois que je l'ai prise. Ça n'a aucune importance qu'elle ne soit pas de moi. Et c'est exactement comme si elle l'était.

— Je le sais. Tu pourras l'aimer autant que tu voudras, Will, et on fera comme si elle était de toi. Dans un an, tu verras, elle t'appellera papa.

Il ferma les yeux et déposa un baiser sur la tempe d'Elly, puis il s'obligea à se lever.

— Il vaut mieux que j'aille chercher tout de suite l'eau chaude, petite maman. Les garçons sont impatients de venir te voir.

Avec un chiffon fin et le savon du bébé, il entreprit de nettoyer les jambes fatiguées d'Elly et son ventre douloureux. À base de grande consoude, il confectionna un cataplasme et le posa sur la déchirure de la peau. Il l'aida à passer un soutien-gorge blanc qu'il agrafa avant de lui tendre une autre chemise de nuit dans laquelle il la regarda se glisser. Puis il changea la literie et dut porter Elly pour la recoucher dans les draps tout fraîchement lavés avant d'emporter les sales pour les faire tremper. Enfin il alla chercher les garçons qui attendaient dans leur chambre, empreints du calme mystérieux que le ciel accorde aux enfants dans les moments solennels.

— Vous êtes prêts ?

Ils firent oui de la tête. Will ne put réprimer un sourire : Donald Wade s'était peigné les cheveux, ainsi que ceux de son frère, en les lissant avec de l'eau au point que les deux toisons ressemblaient à un champ de blé mûr aplati.

— Votre maman vous attend.

Chacun une main dans celles de Will, ils s'arrêtèrent sur le pas de la porte de la chambre de leur mère, leurs regards interrogateurs fixés sur lui.

— Allez, avancez. Mais faites attention de ne pas secouer le lit.

Ils s'assirent sur le lit de chaque côté d'Elly, la regardant comme s'il s'agissait d'un des personnages de leurs contes, un être magique et féerique.

— Alors ? dit-elle en les prenant par la main.

Ils n'osaient pas dire un mot.

— Vous avez vu vot' p'tite sœur ?

— On a aidé Wiw pour le bain.

— Et on l'a aidé à l'habiller.

— Je sais. Will me l'a dit. Il m'a dit que vous avez été parfaits. Ça vous ferait plaisir de la voir encore une fois ?

Souriants et tout fiers d'eux, ils hochèrent la tête comme des chevaux qui font sonner leurs clochettes. Elly s'adressa à Will.

— Apporte-la, mon chéri.

L'enfant s'était endormie. Lorsqu'il la déposa dans les bras de sa mère, elle porta son minuscule poing à sa bouche et se mit à le téter avec assez d'avidité pour qu'on l'entendît. Les garçons éclatèrent de rire. Will s'agenouilla près du lit où il appuya ses coudes.

Pendant de longues minutes, ils dévisagèrent le bébé, timides, incapables de parler.

Finalement Elly demanda :

— Comment on va l'appeler ? Il y a un prénom qui te plaît, Will ? Et toi, Donald Wade, comment veux-tu l'appeler ?

Donald Wade n'avait pas plus d'idée que Will.

— Tu as trouvé un nom, Thomas ?

Bien sûr que non. Mais elle lui avait posé la question par délicatesse, pour qu'il n'eût pas l'impresssion d'avoir été oublié. Caressant les cheveux du bébé du revers d'un doigt, Elly poursuivit.

— J'avais pensé à Lizzy. Qu'est-ce que vous pensez de ça ?

— Lizzy ? répéta Donald Wade en se grattant le nez.

— Lizzy le lézard ? ajouta Thomas.

Tout le monde se mit à rire.

— Mais où tu as trouvé ça ?

Donald Wade lui rafraîchit la mémoire.

— Dans une histoire que tu nous as racontée où il y a un petit lézard.

— Oh... Non, elle, ce sera seulement Lizzy. Elizabeth Parker, je pense.

Les yeux de Will croisèrent ceux d'Elly.

— Parker ?

— Eh bien, c'est toi qui t'es occupé de la naissance, n'est-ce pas ? L'homme doit bien y trouver son compte après avoir fait une chose comme celle-là.

Comment était-ce possible ? Encore une minute et il allait éclater. Cette femme lui donnait tout. Tout, absolument tout ! Il étendit la main vers la tête de l'enfant et lui caressa la tempe du bout du doigt. *Lizzy*, pensa-t-il. *Lizzy P. Toi et moi, nous allons être de vrais copains, ma chérie.* Puis, il glissa la main dans la chevelure d'Elly, passa l'autre bras autour de la taille de Donald Wade et effleura la jambe de Thomas assis de l'autre côté du lit. Puis il sourit à Lizzy P. et se dit : *Ce n'est pas rien d'être le mari d'Eleanor Dinsmore.*

14

Le sourire de Will annonça la bonne nouvelle à Mlle Beasley avant même qu'il eût ouvert la bouche.

— C'est une fille !

— Et vous l'avez mise au monde.

Il haussa les épaules et hocha la tête.

— Ce n'était pas si difficile que ça, après tout.

— Ne soyez pas si humble, monsieur Parker. Moi, je m'évanouirais de peur si j'avais à aider à mettre un enfant au monde. Ça s'est bien passé ?

— Sans problème. Ça a commencé hier, vers midi, et tout était fini vers trois heures et demie. On l'a appelée Lizzy.

— Lizzy. C'est très mignon.

— Lizzy P.

— Lizzy P. ? répéta-t-elle en dressant un sourcil.

— Oui, ma'am, répondit-il vivement dans un mouvement d'excitation, ce qui chez lui était plutôt rare.

— Et pourquoi ce P ?

— P comme Parker. Figurez-vous que... qu'elle a donné mon nom à cette petite fille. Celui d'un va-nu-pieds qui ne sait même pas d'où il vient. Attendez de la voir, mademoiselle Beasley, elle a des cheveux noirs comme du charbon et des ongles si petits qu'on a du mal à les distinguer. Je n'avais jamais vu de près un bébé qui venait de naître ! Elle est incroyable !

Mlle Beasley était tout sourire, mais ce n'était qu'une façade qui cachait le regret de l'enfant qu'elle n'avait jamais eu.

— Vous féliciterez Eleanor pour moi et vous lui direz que je n'attends pas Lizzy à la bibliothèque avant son cinquième anniversaire. Les enfants, on ne peut pas les intéresser trop tôt aux livres.

— Je le lui dirai, mademoiselle Beasley.

Immédiatement après la naissance de Lizzy, ils passèrent des journées et des nuits assez peu ordinaires. Will s'éveillait dès qu'il l'entendait commencer à pleurnicher dans son panier et se levait, en même temps qu'Elly, pour la retourner et lui susurrer des paroles qu'elle ne pouvait évidemment pas comprendre. Tous deux se mettaient à rire quand l'air froid la saisissait et que son visage se plissait, prélude à un adorable sanglot qui ne manifestait en rien de la mauvaise humeur. Chaque matin, Will préparait le petit déjeuner des garçons, apportait à Elly son plateau qu'il agrémentait d'un baiser, puis donnait son bain à Lizzy P. avant de laver les couches et de les suspendre pour les faire sécher. Il changeait aussi la petite, à moins qu'Elly ne se battît avec lui pour le faire. Il balayait la maison, époussetait et réinstallait l'oiseau bleu sur sa table de chevet. Il stérilisait les tétines de caoutchouc, préparait le lait coupé d'eau et tenait les biberons prêts durant les jours qui précédèrent celui où Elly eut sa première montée de lait. Il faisait la cuisine, donnait à manger aux garçons et les mettait en pyjama avant de les embrasser, d'embrasser Elly et d'embrasser la petite. Puis il descendait travailler en ville.

Mais à son retour, l'atmosphère n'était plus du tout la même. Après une longue journée, quand il rentrait à la maison, il passait des minutes paresseuses au lit, couché près d'Elly, le bébé entre elle et lui. Ils la regardaient dormir, hoqueter, loucher ou téter son poing. Ils rêvaient de son avenir et du leur, les yeux dans les yeux, en se demandant s'ils en auraient une autre comme elle, et bien à eux, celle-là.

Ils passèrent ainsi trois jours exceptionnels avant que le ciel ne leur tombât sur la tête.

Le dimanche, « Ma Trent » ne diffusait rien, mais Elly, allongée dans son lit écoutait le Columbia Broadcasting System. L'Orchestre philarmonique de New York jouait la Première Symphonie d'un certain Chostakovitch lorsque la voix de John Daly annonça : « Les Japonais ont attaqué Pearl Harbor ! »

De prime abord, Elly ne comprit pas vraiment de quoi il s'agissait. Puis la tension qu'on pouvait deviner dans la voix de Daly s'affirma et la jeune mère se redressa brusquement :

— Will ! Viens, vite !

Pensant que quelque chose n'allait pas chez elle ou le bébé, il se précipita :

— Qu'est-ce qui ne va pas ?

— Ils nous ont bombardés !

— Qui ?

— Les Japonais... Écoute !

Alors ils écoutèrent, comme tout le reste de l'Amérique, durant toute la journée et toute la soirée qui suivit. On parlait de la destruction de cinq navires de guerre U.S. dans le port de la paisible petite île hawaïenne, de celle de 140 avions et de plus de deux mille victimes américaines. Ils entendirent Kate Smith chanter *God bless America* et l'orchestre de l'armée jouer *Star-spangled banner*. On parlait d'état d'alerte tout le long de la côte ouest où l'on redoutait un débarquement japonais et où, par milliers, les volontaires se pressaient pour s'engager dans les forces armées. On rapportait des anecdotes étonnantes, comme celles de ces hommes qui, en plein repas dans un restaurant, se seraient levés de table, sans même terminer leur assiette, et se seraient rendus au bureau de recrutement le plus proche pour rejoindre la file des volontaires qui s'allongeait déjà sur plus de cinq cents mètres, moins d'une heure après la radiodiffusion de l'annonce.

À Whitney, qui ne se trouvait qu'à quelques minutes en avion de la côte est, Will et Elly éteignirent les lumières plus tôt que d'habitude et allèrent se coucher, préoccupés par ce que le lendemain leur réservait.

Il leur réservait un discours du président Roosevelt.

« Hier, 7 décembre 1941 – une date à jamais maudite – les États-Unis d'Amérique ont été subitement et délibérément attaqués par les forces navales et aériennes de l'Empire du Japon. De plus, des bateaux américains ont été torpillés en haute mer entre San Francisco et Honolulu.

Hier, le gouvernement japonais a aussi lancé une attaque contre la Malaisie.

La nuit dernière, les forces japonaises ont attaqué Hong Kong.

La nuit dernière, les forces japonaises ont attaqué Guam.

La nuit dernière, les forces japonaises ont attaqué les Philippines.

La nuit dernière, les forces japonaises ont attaqué l'île de Wake.

Ce matin, les Japonais ont attaqué les îles Midway. Les hostilités sont ouvertes. Il ne fait aucun doute que notre peuple, notre territoire et nos intérêts sont en grave danger.

Confiants en nos forces armées, et avec la détermination sans faille de notre peuple, nous irons vers un triomphe inéluctable. Que Dieu nous vienne en aide !

J'ai demandé au Congrès de déclarer que, depuis le dimanche 7 décembre, jour de l'agression ignoble du Japon, les États-Unis sont en état de guerre contre l'Empire japonais. »

Will et Elly regardaient le poste, incrédules. Puis leurs regards se croisèrent.

Non, pas maintenant, pensa-t-elle, *pas maintenant que tout commence à bien aller.*

Eh bien voilà, pensa-t-il, *je vais devoir partir comme des centaines d'hommes vont le faire.*

Will fut surpris de se sentir, dans une certaine mesure, animé de la même indignation que celle qui bouleversait tout le reste de l'Amérique : pour la première fois il comprenait la justesse des « quatre paix » du président Roosevelt, parce que, justement, pour la première fois il les goûtait. Et être père de famille les lui rendait plus chères encore.

Cette nuit-là, il ne parvint pas à dormir. Elly était nerveuse. Après un très long silence, elle se rapprocha de lui et le serra étroitement.

— Will, tu dois y aller ?

— Hmm.

— Mais tu as une famille, maintenant. Comment peuvent-ils appeler un père qui a un nouveau-né et deux autres enfants à élever.

— J'ai trente ans. Je suis recensé. Le décret de conscription dit de vingt et un à trente-cinq ans.

— Peut-être qu'ils ne vont pas t'appeler.

— On étudiera le problème quand le moment sera venu.

Quelques minutes plus tard, alors qu'ils se tenaient tristement par la main, Will rompit le silence.

— Je vais remettre en état la génératrice, trouver à réparer un réfrigérateur et une machine à laver électrique et voir que tout soit en ordre chez nous.

Elle lui pressa la main et posa son front contre son bras.

— Non, Will... non...

À une heure du matin, Lizzy s'éveilla. Elle avait faim. Will demanda à Elly d'allumer la lampe. Dans la pâle lueur ambrée de la lanterne, il eut alors sous les yeux le charmant spectacle de la jeune mère nourrissant son bébé, des petites mains blanchâtres pressant son sein bleuté, des joues qui se gonflaient, avides, puis se contractaient pour aspirer le lait, et de l'ombre, enfin, des doigts d'Elly tendrement refermés sur la tête fragile de Lizzy.

Mais il pensait en même temps à ceux pour qui il devait vivre. Pour qui il avait à se battre. Tout se résumait à un seul problème, celui, avant de partir, de mettre Elly et les enfants à l'abri du besoin.

Par la suite, on n'éteignit plus jamais la radio. Jour après jour, il n'était question que du manque de préparation de l'Amérique à la guerre. À Washington, des soldats, portant des casques datant de la Première Guerre mondiale et armés de vieux fusils Springfield prenaient position devant les centres névralgiques gouvernementaux. Pendant ce temps, le 8 décembre, les avions japonais bombardaient deux aérodromes militaires U.S. aux Philippines et, le 10, l'infanterie commençait à débarquer à Luzon.

Dans un premier temps, pour Elly, tous ces événements paraissaient bien éloignés. Mais Will rapporta à la maison des journaux empruntés à la bibliothèque et étudia sur des cartes les mouvements des Japonais, ce qui leur rendit le conflit plus présent. Il travaillait à la mairie de la ville où les recruteurs étaient déjà sur la brèche douze heures par jour. Des panneaux placés sur la façade et dans le hall d'entrée demandaient instamment :

VENEZ DÉFENDRE VOTRE PAYS ENGAGEZ-VOUS
DÈS MAINTENANT DANS L'ARMÉE AMÉRICAINE.

À travers tout le pays, il n'était question que de cela. De l'indignation. De la levée. De la frénésie nationale du « Engagez-vous ».

Mais Will était en proie à une autre sorte de frénésie, celle de terminer ce qui était en train.

Il termina la génératrice éolienne et brancha la radio dessus parce que ses piles étaient presque mortes et qu'il était quasiment impossible d'en trouver de nouvelles. Comme l'éolienne ne pouvait produire assez d'électricité pour alimenter d'autres appareils plus essentiels, il installa un moteur à essence sur une vieille machine à laver qu'on faisait autrefois tourner à la main et confectionna de ses mains un chauffe-eau qui marchait au pétrole. Il le plaça contre la cloison de la salle de bains, une sorte de grand échalas monstrueux assorti d'un drôle de museau. Lorsqu'il emplit la baignoire pour la première fois, ils firent la fête. Les garçons prirent ce jour-là leur premier bain ; puis ce fut le tour d'Elly et, enfin, celui de Will. Mais ni lui ni elle ne pouvaient nier que l'enthousiasme dont ils faisaient preuve était tempéré par la diligence muette avec laquelle Will se donnait tant de mal pour tout organiser.

À la surprise générale, Mlle Beasley s'annonça le jour où Lizzy venait d'avoir dix jours. Elle apporta une petite veste et de petits chaussons pour le bébé, et *Timothy Totter's Tatter* pour les garçons – non pas celui de la bibliothèque mais un exemplaire tout neuf qu'ils pourraient garder bien à eux. Eux qui ne comprenaient pas qu'une étrangère pût leur offrir un cadeau. Ni le livre. Ni qu'il pût leur appartenir. Mlle Beasley les laissa regarder les images tout en leur promettant de leur lire le livre à haute voix dès qu'elle aurait vu...

— Alors ça, vous êtes déjà remise, dit-elle à Eleanor.

— Oui. Mais Will me gâte beaucoup trop.

— Une femme le mérite parfois un peu. Maintenant, j'aimerais beaucoup voir votre petite, poursuivit-elle sans une once de chaleur dans la voix.

— Oh... bien sûr. Venez, elle est dans notre chambre.

Elly montra le chemin. Will les suivit, mais il resta derrière elles, les mains dans les poches, tandis que Mlle Beasley se penchait sur le panier et dévisageait l'enfant endormie. Elle croisa les bras sous sa poitrine, se recula et déclara de façon péremptoire :

— Vous avez là un bien beau bébé, Eleanor.

— Merci, mademoiselle Beasley. Et elle dort bien.

— C'est une bénédiction, vraiment.

— Pour ça, oui, c'en est une.

À la grande surprise de Will, Mlle Beasley se pencha vers Elly.

— Monsieur Parker s'est montré très, très heureux que vous ayez donné son nom à l'enfant.

— C'est vrai ?

Elly se tourna vers Will qui sourit en haussant les épaules.

— Je ne vous mens pas.

Un silence s'installa, pesant. Puis Elly proposa :

— Vous ne voulez pas prendre un peu de pain d'épices et du café chaud ?

— Je n'ai jamais pu résister à un morceau de pain d'épices. C'est trop aimable à vous.

Tout le monde retourna dans la cuisine et Will regarda Elly, énervée, servir le café et les gâteaux, perchée sur le bout de sa chaise comme un oiseau prêt à prendre son essor. Si elle avait eu le choix, elle n'aurait probablement pas accepté cette visite. Mais personne n'avait refusé l'entrée de la maison à Mlle Beasley, pas plus que celle de la chambre à coucher. Will observait la bibliothécaire du coin de l'œil, mais elle évitait de croiser son regard. Tout le goûter se déroula dans la froideur un peu pédante avec laquelle Mlle Beasley faisait habituellement visiter la bibliothèque aux enfants. Pour tout dire, il était choqué qu'elle ne se montrât pas plus à l'aise chez eux que ne l'était Elly en la recevant. Alors, pourquoi était-elle venue ? Question de travail parce qu'il travaillait pour elle ?

Par la suite, la discussion porta sur la guerre et la façon dont elle avait engendré le plus grand élan patriotique de l'histoire contemporaine.

— Ils s'engagent comme s'il s'agissait de faire la queue pour une distribution gratuite de crème glacée, dit Mlle Beasley. Cinq aujourd'hui encore rien qu'à Whitney. James Burcham, Milford Dubois, Voncile Potts et deux des fils de Sprague. La pauvre Esther Sprague, d'abord son mari et maintenant deux de ses fils. On murmure que Harley Overmine a reçu son ordre de marche, lui aussi.

Mlle Beasley ne jubilait pas, mais Will avait l'impression qu'elle en mourait d'envie.

— Je suis très inquiète, confia Elly. Et si Will devait partir lui aussi...

— Moi de même. Mais, le moment venu, un homme doit faire son devoir. Et c'est aussi le lot d'une femme.

Était-ce pour cela? pensait Will. Serait-elle donc venue pour préparer Elly parce qu'elle avait deviné qu'il avait pris sa décision? Pour gagner la confiance d'Elly parce qu'elle savait qu'elle aurait besoin d'une amie lorsqu'il serait parti? Son cœur se serra en pensant à cette grosse femme qui mangeait du pain d'épices avec distinction même si une goutte de crème fouettée s'était égarée dans le fin duvet qui ornait sa lèvre supérieure.

À cet instant précis, il comprit qu'il l'aimait énormément et réalisa que la quitter elle aussi rendrait son départ plus difficile encore. Pourtant il fallait tous les quitter, car il était bien entendu qu'être en âge d'incorporation et ne pas s'engager relevait d'incapacité physique ou mentale. Ou devenait un objet de suspicions ou d'insinuations quant à la détermination ou au courage de l'intéressé.

Juste après Noël, décida Will. Il attendrait jusque-là pour aller voir un recruteur avant d'en parler à Elly. Ils méritaient bien de passer un Noël ensemble.

Il se mit alors, pour les fêtes, à tirer des plans sur la comète. Il désirait tout ce qu'exigeait la tradition : le repas, le sapin, les cadeaux, la cérémonie – au cas où il n'aurait plus jamais l'occasion de la vivre. Pour les garçons, il fabriqua une trottinette et leur acheta des sucettes Holloway, des Cracker Jack, des barres de Bunte's Tango et des bandes dessinées du Captain Marvel. Pour

Elly, il pensa à quelque chose de divertissant, le fameux Jeu de dames chinoises. On y jouait à deux et c'est pourquoi il l'acheta, présage de l'espoir de son retour.

Le 22 décembre apporta une nouvelle alarmante : un débarquement japonais avait eu lieu juste au nord de Manille. La veille de Noël ne rassura personne : au sud de cette même ville, une autre attaque avait été déclenchée, ce qui laissait à penser que la cité risquait de tomber aux mains de l'ennemi.

Après ces événements, Will et Elly se jurèrent de ne plus allumer la radio pendant le temps des fêtes et de concentrer leur attention sur les enfants.

Mais elle savait. De toute façon, elle savait.

Tandis qu'ils garnissaient les bas de Noël, Elly leva les yeux et regarda Will y glisser des poignées de cacahuètes grillées, avec presque autant de plaisir que si le bas était le sien au lieu d'être celui de Thomas. Elle sentit des picotements dans ses narines et s'approcha de lui avant que l'évidence ne se lût dans ses yeux. La joue posée contre sa poitrine, elle lui dit simplement :

— Je t'aime, Will.

Il fit jouer un moment ses doigts dans les cheveux de sa femme et répondit sur le même ton.

— Moi aussi je t'aime.

Ne t'en va pas, ne dit-elle pas.

C'est mon devoir, ne répliqua-t-il pas.

Après ces quelques instants précieux, ils retournèrent à leur occupation.

Pour Will, le matin de Noël eut un goût doux-amer. Certes, il se réjouit devant les garçons dont les yeux s'illuminaient à la vue de la trottinette et dont les visages s'épanouissaient tandis qu'ils plongeaient leurs mains dans les bas. Il les prit sur ses genoux pour les aider à déballer les sucreries ou parcourir les illustrés. Lui, c'était la première fois qu'il en lisait. Et il les vivait, tout comme Donald Wade et Thomas, un peu par procuration puisqu'il n'en avait jamais eu étant enfant.

Elly lui avait acheté une chemise, par correspondance, qu'il s'empressa de passer et ils jouèrent aux dames pendant que les garçons s'en donnaient à cœur joie à travers le salon et la cuisine.

Au repas, ils ne mangèrent pas la dinde traditionnelle. Will avait proposé de prendre le vieux fusil à deux coups de Glendon et d'aller tenter d'en tirer une. Mais Elly ne l'entendit pas de cette oreille.

— Un de mes oiseaux ? Tu veux aller chasser une de mes dindes sauvages, Will Parker ? Il n'en est pas question. Nous mangerons du porc.

Et c'est ce qu'ils firent.

Du porc, des galettes de maïs farcies, des fèves d'okra grillées puis une tarte aux coings. Avec comme invitée, Mlle Beasley.

Mlle Beasley, qui avait passé tant de Noëls toute seule, étincelait comme un tube au néon lorsque Will vint la chercher en auto. Mlle Beasley avait réellement forcé la main d'Elly à accueillir une étrangère à sa table pour ce repas. Mlle Beasley, enfin, apportait des cadeaux : pour Elly, un magnifique service à thé en porcelaine de Chine dont les motifs représentaient des oiseaux jaunes et des feuilles de trèfle sur fond brun ; pour Will, une paire de gants en peau ; pour les enfants, des voitures en celluloïde pleines de bonbons multicolores, bombées comme des éléphants, des trompettes, des pistolets et des tortues. Et puis un livre, « *Twas the night before Christmas* », qu'elle leur lut après le déjeuner.

Noël 1941... passa si vite.

Lorsque Will ramena chez elle Mlle Beasley, dans Durbin Street, il portait ses gants tout neufs. Il tint à la raccompagner jusqu'à sa porte.

— Je voudrais vous remercier pour les cadeaux que vous nous avez apportés.

— Mais non, voyons, monsieur Parker. C'est plutôt à moi de vous remercier.

— Ces gants sont... Enfin, ils sont... euh... Et puis zut, je ne sais pas quoi vous dire. Personne ne m'a jamais rien offert de si beau. Je me sens mal à l'aise parce qu'on ne vous a rien donné.

— Vous ne m'avez rien donné ? Monsieur Parker, savez-vous combien de Noëls j'ai passés toute seule depuis que ma mère est morte ? Vingt-trois. J'imagine qu'un homme intelligent comme vous

298

l'êtes peut parfaitement mesurer tout ce qu'Eleanor et vous m'avez offert aujourd'hui.

Elle utilisait souvent des formules de ce style, « un homme intelligent comme vous l'êtes ». Des formules dont personne d'autre ne s'était jamais servi en parlant de Will, des formules qui faisaient qu'on se sentait bien dans sa peau. En pénétrant son regard confus, Will comprit effectivement ce que cette journée avait représenté pour elle, même si elle faisait tout pour ne pas le montrer. Elle tâchait de paraître comme à son habitude. Il se demanda alors quelle serait sa réaction s'il se penchait pour l'embrasser. Sans doute lui donnerait-elle une petite tape sur le haut du crâne.

— Elly, elle ne comprenait pas à quoi ça pourrait servir, ce service à thé. Je ne l'avais jamais vue écarquiller les yeux de cette façon.

— Mais vous, vous savez à quoi il peut servir, n'est-ce pas ?

Il la regarda dans les yeux pendant un long moment. Ils savaient tous les deux que, quand il serait parti, Elly aurait besoin d'une amie. Peut-être quelqu'un avec qui prendre le thé...

— Oui, ma'am, je dois bien l'avouer, répondit-il doucement.

Puis il posa ses mains gantées sur les épaules de Mlle Basley et fit ce que lui dictait son cœur : il lui donna un affectueux baiser sur la joue.

Et elle ne lui administra pas de tape sur le crâne.

Son visage prit une teinte pivoine, ses yeux papillotèrent trois fois, puis elle tourna les talons en oubliant même de lui dire bonsoir.

Dans les cinq semaines qui suivirent Pearl Harbor, la société Bell Aircraft fit construire une immense usine de bombardiers à Marietta. Le dernier véhicule civil venait de sortir des chaînes de montage de Detroit et le Japon s'était emparé de la Malaisie et de l'est des Indes néerlandaises, réduisant ainsi de quatre-vingt-dix pour cent les importations américaines de caoutchouc. Leon Anderson, le *National Price Administrator*, était caricaturé, dans tous les journaux du pays, chevauchant son « *Victory bicycle* », le remplaçant idéal de l'automobile. Les riches désertaient leurs propriétés de

Saint Simon Island alors que les sous-marins allemands commençaient à patrouiller le long des côtes. La population de la Géorgie créa la *Georgia State Guard*, une milice de citoyens composée de ceux qui étaient ou trop jeunes ou trop vieux ou ne répondaient pas aux critères exigés pour être incorporés : leur but, préparer la défense côtière contre un éventuel débarquement allemand. Les détenus de Géorgie étaient réquisitionnés et travaillaient douze heures par jour pour remettre en état les accès au littoral et construire des ponts pour permettre à la milice locale de défendre son territoire.

Un beau jour, là-bas, au moulin, Harley Overmire serra les dents, ferma les yeux et se coupa l'index avec une scie mécanique.

La nouvelle eut sur Will un effet étonnant. Elle le détermina plus que jamais dans ses intentions. Il décida tout à coup que non seulement il s'engagerait, mais qu'il s'engagerait dans le corps le plus dur, celui des *Marines,* de sorte que lorsqu'il reviendrait, des couards comme Overmire n'oseraient plus jamais les regarder de haut, ni lui ni les siens. On aurait pu croire que le jour où il avait pris cette décision était prédestiné, car les services de l'incorporation la rendirent irréversible. La lettre commençait par les mots terribles qui avaient déjà arraché des milliers d'hommes à leurs maisons et à leurs familles :

« CONFORMÉMENT À... »

Will ouvrit son ordre de marche près de la boîte aux lettres, ferma les yeux et respira profondément. Puis, levant la tête, il contempla le ciel de la Géorgie, si bleu, si pur. À pas lent, il gravit le chemin argileux, puis s'assit quelques minutes sous leur arbre roux préféré pour écouter siffler les rouges-gorges et goûter le calme de l'hiver. Il aurait fait n'importe quoi plutôt que d'en parler à Elly. Il serait même parti plutôt que de lui dire qu'il devait partir.

En ouvrant la porte de leur chambre, il la trouva allongée en travers du lit en train d'allaiter sa petite fille. Il s'arrêta sur le seuil et porta tout l'objet de son attention sur ce spectacle délicieux afin d'en imprimer l'image dans sa mémoire en prévision des sinistres temps à venir : sa femme dans une blouse en imprimé délavée, déboutonnée, ses cheveux bruns nonchalamment tressés, un bras replié sous la tête, et qui donnait le sein à son enfant. Will en eut la gorge serrée. Il s'agenouilla près du lit, posa le revers de son index sur la joue rebondie de l'enfant et se mit à caresser doucement la fine peau délicate. Il s'appuya sur un coude pour s'approcher du visage d'Elly sans pour autant quitter le bébé des yeux.

Ne lui dis rien. Pas encore.

— Elle grandit, tu ne trouves pas ?

— Mm-hmm.

— Combien de temps tu vas la nourrir ?

— Jusqu'à ce qu'elle ait des dents.

— Et ce sera quand ?

— Oh, pas avant qu'elle ait sept ou huit mois.

Moi qui voulais être là pour les voir pousser.

Son index glissa de la joue de l'enfant sur le sein de sa femme.

— Voilà comme j'aime te trouver quand je rentre à la maison. Je pourrais te regarder comme ça jusqu'à ce que l'herbe pousse et envahisse le porche et toute la maison sans m'en lasser un instant.

Elle tourna la tête, cherchant son regard, mais les yeux de Will suivaient le mouvement de son doigt sur le sein gonflé de lait.

— Je dois dire que je ne me suis jamais lassée de ton regard, tu sais, lui souffla-t-elle tendrement.

Elly, mon amour, je ne veux pas partir, mais je le dois.

Face à la mort, un homme dit des choses qu'en d'autres circonstances il garderait pour lui.

— Je me suis si souvent demandé si ma mère me prenait, si elle m'allaitait, si ça lui a fait de la peine de m'abandonner. Je me le demande chaque fois que je regarde Lizzy.

— Oh ! Will... fit-elle en lui effleurant la joue.

En cet instant précis ses sentiments pour elle ne lui parurent plus très clairs et il fit un grand effort pour essayer de les comprendre. Elle était sa femme, non sa mère, pourtant il l'aimait comme si elle tenait le rôle des deux. Pour une raison inconnue, il pensait qu'avant de partir, il avait le droit de savoir pourquoi.

— Parfois je pense que je voulais en partie t'épouser parce que tu étais une excellente maman et que moi je n'en avais jamais eu.

Je sais que ça peut paraître étrange, mais je... eh bien, je voulais seulement te le dire.

— Je sais, Will.

Il leva la tête et leurs regards se croisèrent enfin.

— Tu le sais?

Du pouce, elle lui caressa la lèvre inférieure.

— Oui, je l'ai toujours su. Je m'en suis doutée lorsque je t'ai lavé les cheveux pour la première fois. Mais je savais aussi que ce n'était pas le seul motif. Ça aussi je m'en étais doutée.

Il se pencha pour lui offrir un baiser et l'ombre de son épaule enveloppa Lizzy que cela n'empêcha pas de continuer à téter bruyamment. Jamais il ne pourrait oublier ce moment, l'odeur de l'enfant et de la mère, la chaleur de l'une près de son épaule, la douceur des cheveux de l'autre où ses doigts s'étaient égarés. Lorsqu'ils se séparèrent, il plongea son regard dans les yeux verts d'Elly puis, lentement, il s'effondra et resta ainsi, face contre le matelas, sans cesser de les enlacer.

— Will, qu'est-ce qu'il y a?

Il avala sa salive, sans répondre, respirant leur odeur à laquelle se mêlait celle de la poudre pour bébé.

— Tu es allé chercher le courrier, n'est-ce pas?

De son pouce il continuait à lui caresser la nuque. Les larmes lui brûlaient les yeux mais il s'efforçait de les retenir. Un homme ne pleurait pas en ces jours difficiles. Il se dressait et affrontait l'adversité, pour la vaincre.

— Je pensais, poursuivit-elle d'une voix étranglée, que je pourrais préparer une tarte aux coings pour le dîner. Je sais que tu adores la tarte aux coings.

Lui pensait réfectoire de prison et rations de guerre et elle parlait tarte aux coings à croûte légère. Il avait du mal à respirer. *Combien de temps? Combien de temps?* Le bébé cessa de téter et émit un adorable renvoi. Will imagina sa petite bouche glissant doucement le long du sein de sa mère et il tourna la tête. Il ouvrit les yeux : devant lui, à quelques centimètres, se dressait le téton d'Elly, d'une nuance presque violette, un peu déformé, tandis que les petites lèvres humides de Lizzy le cherchaient ailleurs.

— J'ai promis aux garçons de les emmener un de ces jours au cinéma. Il faut que je le fasse.

— Ils aiment bien ça.

Le silence reprit ses droits, lourd, oppressant.

— Je pourrai vous accompagner ? demanda-t-elle.

— Sans toi, le cinéma, ce ne serait pas amusant.

Ils sourirent tous les deux, tristement. Puis, graves, ils écoutèrent leurs respirations, profitant de ces moments d'intimité et de tendresse pour emmagasiner des souvenirs qui leur permettraient de supporter les temps qui les attendaient.

— Il faut que je t'apprenne à conduire la voiture, finit-il par dire.

— Et moi, comme promis, j'organise une fête pour ton anniversaire.

Ils restèrent ainsi de longues minutes sans mot dire. Puis Elly émit un petit bruit de gorge désespéré, tendit la main et saisit le pan de la veste de Will. Elle enfouit son visage dans son oreiller et se mit à pleurer.

Il ne lui montra la lettre que plus tard. Tandis qu'elle la lisait, il lui dit :

— Je suis volontaire pour combattre dans le corps des *Marines*.

— Les *Marines* ! Mais pourquoi ?

— Parce que je pourrais en être un excellent. Parce que j'en ai déjà eu l'entraînement durant toute ma vie. Parce que des salauds comme Overmire se coupent l'index et que je ne veux plus que des mecs comme ça puissent faire des remarques humiliantes sur moi ou sur toi.

— Mais je me fiche de ce que Harley Overmire dit sur nous.

— Pas moi.

Le visage d'Elly se ferma sous le coup : il avait pris cette décision sans lui en parler ; il allait mettre en péril cette vie pour laquelle elle aurait donné la sienne.

— Alors moi, je n'ai pas mon mot à dire quand tu choisis de servir soit dans l'infanterie, soit dans les *Marines* !

Le visage de Will se ferma aussi, plus hermétiquement encore que quand il le cachait sous son chapeau de cow-boy durant ses premiers jours.

— Non ma'am.

Il lui restait neuf jours, neufs jours doux-amers pendant lesquels ils ne prononcèrent jamais le mot « guerre ». Neuf jours pendant lesquels Elly se montra distante, blessée. Il emmena toute la famille au cinéma, comme il l'avait promis, voir un film avec Bud Abbott et Lou Costello. Les garçons n'en finissaient pas de rire. Pendant ce temps, Will tenait la main molle de sa femme et tous deux essayaient d'oublier les actualités qui venaient de diffuser des images de l'attaque de Pearl Harbor et d'autres événements qui avaient eu lieu depuis que les États-Unis étaient entrés en guerre.

Il apprit à Elly à conduire la voiture, mais il ne parvint pas à la convaincre de s'en servir pour descendre en ville en cas d'urgence. Même durant son apprentissage, elle refusa de quitter leurs terres. En d'autres temps et dans d'autres circonstances, les leçons auraient pu présenter un certain caractère d'amusement mais, comme tous deux comptaient les jours, rire était devenu un luxe.

Il dressa de nouveaux stères de bois tout en se demandant combien de mois elle allait devoir rester seule, combien de temps dureraient les provisions et ce qu'elle ferait quand il serait parti.

Elly organisa la petite fête promise, le 29 janvier, trois jours avant celui du départ de Will. Mlle Beasley y fut conviée et ils étrennèrent le service à thé en porcelaine chinoise. Mais la soirée fut empreinte d'une atmosphère un peu morose : la date était arbitraire et cela s'avérait assez pénible pour un homme qui n'avait jamais pu célébrer son anniversaire et qui ne le fêtait en ce jour que parce qu'il s'agissait peut-être pour lui de la dernière occasion.

Puis vint sa dernière soirée à la bibliothèque. Mlle Beasley était là lorsque Will arriva pour travailler. Elle lui remit son dernier chèque de paie avec autant de chaleur que le général MacArthur donnant un ordre.

— Votre travail vous attendra lorsque vous reviendrez, monsieur Parker.

Quels qu'eussent été ses sentiments pour lui, elle ne l'avait jamais appelé par son prénom. Cela ne leur aurait paru correct ni à l'un ni à l'autre.

La gorge serrée, il regarda le chèque.

— Merci, mademoiselle Beasley.

— Je pensais, si vous êtes d'accord, bien sûr, me rendre à la gare demain pour vous dire au revoir.

Il s'efforça de sourire et leurs regards se croisèrent.

— Ce serait gentil de votre part, ma'am. Mais je ne suis pas sûr qu'Elly en fera autant.

— Elle refuse toujours de descendre en ville ?

— Oui, ma'am, répliqua-t-il d'une voix calme.

— Ah ! ça... Il y a des jours où j'aimerais bien lui faire la leçon, dit Mlle Beasley en serrant les poings et commençant à s'agiter frénétiquement.

— Ça ne servirait à rien, ma'am.

— Est-ce qu'elle pense pouvoir se cacher toute sa vie dans ces bois ?

— On dirait bien. Ma'am, il y a quelque chose que je voudrais vous demander. Quelque chose qui me démange depuis bien longtemps, ajouta-t-il en se grattant le nez sans oser la regarder. Le jour où cette femme, Lula, est entrée ici, vous avez entendu – et je le sais – ce qu'elle m'a dit au sujet d'Elly. Que sa famille l'avait séquestrée dans cette maison, là-bas, à l'entrée de la ville et que c'était pour ça que tout le monde la traitait de folle. Je ne me trompe pas ?

— Vous voulez dire qu'elle ne vous en a jamais parlé ?

Levant les yeux, Will secoua lentement la tête.

Mlle Beasley le regarda longuement et lui intima :

— Asseyez-vous, monsieur Parker.

Ils prirent place de part et d'autre d'une table de lecture, dans les odeurs de cire, d'huile et de livres. Au dehors, des bruits réguliers de sabots résonnaient dans la rue. Des marchands fermaient leurs boutiques avant de rentrer dîner chez eux. Une automobile passa en vrombissant et disparut dans la nuit. Pendant ce temps, Mlle Beasley réfléchissait à la question de Will.

— Pourquoi ne vous en a-t-elle pas parlé ?

— Je ne le sais pas au juste, ma'am. Ça doit lui faire mal d'en parler. Elle a un caractère un peu difficile.

— Mais ce devrait être à elle de vous le dire.

— Je le sais, ma'am. Et si elle ne l'a pas encore fait, je ne pense pas qu'elle le fera ce soir. Mais j'aimerais bien le savoir avant mon départ.

Mlle Beasley réfléchit en silence, fixant Will au fond des yeux. Ses lèvres se contractaient et se détendaient dans un mouvement continu.

— Très bien, je vais tout vous dire.

Elle joignit les mains et les posa sur la table avec l'air d'un juge prêt à rendre une sentence.

— Sa mère était une fille d'ici. Elle est tombée enceinte alors qu'elle n'était pas mariée. Ses parents l'ont envoyée accoucher ailleurs. Eleanor est le fruit de cette grossesse. Lorsqu'elle est née, Chloe See – c'était le nom de sa mère – la ramena ici, à Whitney. Par le train, d'après ce qu'on dit. Les grands-parents d'Eleanor sont venus les chercher à la gare et les ont littéralement enlevées. Elles se sont engouffrées dans une voiture aux rideaux noirs soigneusement tirés et furent emmenées directement à la maison, celle que vous avez vue dans les faubourgs de la ville. Lottie See, la grand-mère d'Eleanor, en baissa les stores et ne les releva plus jamais.

Pour tout dire, Albert See et sa femme étaient des gens bizarres. Lui était prédicateur itinérant, alors on peut donc comprendre qu'il leur était bien difficile d'accepter l'enfant illégitime de Chloe. Mais ils ont dépassé les limites de l'entendement en cloîtrant leur fille comme dans un monastère jusqu'au jour où elle est morte. Les gens disent qu'elle y était devenue folle et sa fille a vécu ce calvaire. Naturellement tout le monde a pensé la même chose de la pauvre Eleanor puisqu'elle avait passé toutes ces années dans cette curieuse famille.

Ils auraient pu garder Eleanor enfermée pour toujours, mais la loi les obligeait à la laisser sortir pour aller à l'école. C'est alors que je l'ai rencontrée pour la première fois, quand elle est venue à la bibliothèque avec sa classe.

Les enfants se montraient épouvantables avec elle, et vous

savez bien vous-même combien cruels après ce que cette... cette garce de Lula Peak vous a dégoisé contre elle, dans ce bâtiment même : Si elle avait insisté, je l'aurais giflée, ce jour-là. C'est une... une... Si j'avais à exprimer mon sentiment réel sur Lula Peak, cela m'amènerait à m'exprimer dans le même jargon qu'elle. Alors, je me retiens. Mais voyons, où en étais-je ?

Ah oui !... Eleanor. Elle n'était pas sociable comme les autres enfants. Elle ne savait pas se lier, étant donné la vie de famille qu'elle menait. Elle était rêveuse mais très observatrice. Alors les enfants la traitaient de folle. Comment a-t-elle supporté ces années-là ? Je n'en sais rien. Mais elle était, sous ses dehors évaporés, apparemment intelligente et forte. Elle savait se tirer d'affaire.

Je ne sais pas si c'est vrai, dites-vous bien, mais on raconte qu'Albert See avait une maîtresse... quelque part. Une maîtresse noire dans le lit de laquelle il est mort. Toute la honte en retomba finalement sur sa femme, ce qui la rendit aussi taciturne que sa fille : elle se terrait derrière les volets de sa maison, ne parlait à personne et ne marmonnait plus que des prières. Toute la famille d'Eleanor disparut en moins de trois ans et ce furent leurs décès qui, en fin de compte, lui offrirent sa liberté.

Comment a-t-elle connu Glendon Dinsmore ? Je ne peux que faire des supputations. Il leur livrait la glace, vous savez, et je présume qu'il était l'une des rares personnes à qui on permettait de pénétrer dans cette maison-là. Albert See mourut en 1933, sa femme en 1934 et sa fille en 1935. La mère et la fille sont mortes dans cette demeure qui était devenue leur prison. À peine une semaine après le décès de Chloe, Eleanor épousa Glendon et déménagea dans les murs que vous habitez actuellement. Depuis, la maison de ses grands-parents est restée vide. Malheureusement, elle empêche les gens d'oublier. Parfois il m'arrive de penser qu'il aurait été préférable pour Eleanor qu'on la détruise, conclut Mlle Beasley.

Désormais, il savait. Il avait du mal à le digérer et maudissait des gens qu'il n'avait jamais connus. Et surtout, il restait pantois devant une forme de cruauté trop incroyable pour qu'il la comprît.

— Merci de me l'avoir dit, mademoiselle Beasley.

— Vous savez, je ne vous l'aurais jamais dit s'il n'y avait pas eu cette... cette saleté de guerre.

Depuis le temps qu'il la connaissait, il ne l'avait jamais entendue utiliser un mot grossier. Qu'elle l'eût fait venait de créer une sorte d'intimité, une indicible compréhension si bien que son départ allait briser non pas un, mais deux cœurs. Il lui prit les mains et les serra très fort.

— Vous avez été si bonne pour nous. Je ne l'oublierai jamais.

Elle le laissa faire pendant de longues secondes, puis retira ses mains et se leva, affectant une voix assurée pour cacher son émotion.

— Maintenant, je crois qu'il vous faut partir. Rentrez chez vous. Allez retrouver votre femme. Une bibliothèque n'est pas un endroit où passer la soirée qui précède un départ.

— Mais mon chèque... Je veux dire... vous m'avez payé la soirée d'aujourd'hui et je n'ai pas fait mon travail.

— Alors, vous n'avez donc rien appris depuis le temps que vous travaillez ici ? Je ne supporte pas qu'on me contrarie, monsieur Parker. Quand je dis « partez », cela signifie « partez ».

Un sourire illumina le visage de Will. Il toucha le bord de son chapeau et répondit :

— Bien ma'am.

Il arriva à la maison juste à temps pour aider Elly à mettre les garçons au lit. Pour la dernière fois. La dernière fois. *Je reviens, les enfants, oh Seigneur! je reviens à la maison parce que vous avez besoin de moi, que j'ai besoin de vous et que j'aime trop ça pour y renoncer pour toujours.*

Sans s'être concertés, Will et Elly fermèrent pour la première fois la porte de la chambre des garçons. Ils demeurèrent dans l'entrée comme ils l'avaient fait au jour de leur mariage, tendus, mal à l'aise, sans doute parce qu'elle s'était montrée distante et froide envers lui durant leurs derniers jours ensemble, que la dernière nuit était arrivée et qu'ils n'avaient encore jamais fait l'amour.

Il passa ses pouces dans ses poches arrière et regarda longuement la nuque d'Elly, séparée en deux par la ligne que formaient ses épaisses nattes ébouriffées. Il désirait tant faire cela comme il le fallait.

— J'aime tes cheveux quand tu les tresses, commença-t-il maladroitement se sentant tout à fait incapable de faire la cour à une femme. Si elle avait été une fille légère, ça ne lui aurait pas posé de problèmes. Mais il se dit que ce devait être différent lorsqu'on aimait.

Brusquement elle se retourna et passa ses bras autour du cou de Will.

— Oh! Will, je regrette vraiment d'avoir été si méchante avec toi.

— Tu n'as rien fait de mal.

— Si. Mais j'avais si peur.

— Je sais. Moi aussi.

La serrant dans ses bras, il la renversa en arrière et l'embrassa dans le cou. Son odeur reflétait tout ce qui faisait la vie de la maison : le dîner, le coton, le lait et le bébé. Oh! comme il aimait le parfum de cette femme. Il se redressa et lui prit les joues, lui plaquant ses cheveux sur les tempes.

— Qu'est-ce que tu dirais qu'on prenne un bain ensemble? J'ai toujours voulu faire ça.

— Moi aussi.

— Pourquoi ne me l'as-tu pas dit plus tôt?

— Je ne savais pas si ça se faisait.

Il contempla attentivement chacun de ses traits pour mieux les fixer dans sa mémoire, puis il répliqua avec douceur :

— Je dois bien t'avouer que ça se fait.

— Alors, allons-y, Will!

Elle lui prit la main, se retourna et l'emmena vers la salle de bains. Là, il alluma une lanterne posée sur une étagère tandis qu'elle s'agenouillait pour mettre le bouchon et tourner les robinets. Il poussa la porte et tira le verrou. Puis il s'appuya contre le chambranle et la regarda faire.

— Mets-y un peu de sels, lui dit-il. Je n'ai jamais pris de bain de mousse.

Elle redressa la tête. Toujours appuyé contre la porte, il déboutonna les manchettes de sa chemise, étonné qu'ils puissent être aussi gênés après qu'il l'eut accouchée, eut lavé la petite et se fut occupé d'elle. Mais pour le sexe, c'était tout à fait différent.

Elle attrapa une boîte de carton qui se trouvait entre les tuyaux de cuivre et le pied de la baignoire. Lorsque les sels commencèrent à mousser, elle se releva et, tournant le dos à Will, entreprit de déboutonner sa robe. Lui s'écarta de la porte, la prit par les épaules et l'obligea à lui faire face.

— Laisse-moi faire, Elly. Ça ne m'est jamais arrivé, mais maintenant, je saurai, il suffit d'une fois.

Elle portait une robe verte un peu défraîchie, une robe d'intérieur bien ordinaire, avec des boutons du col à la ceinture. Il les dégrafa, fit glisser le tissu le long des bras et le laissa tomber sur le plancher. Sans hésiter, il lui baissa son jupon, lui prit la main et lui demanda de s'asseoir. Elle obéit et s'assit sur le couvercle fermé de la cuvette des toilettes ; lui s'agenouilla devant elle, lui enleva ses vieilles chaussures marron, ses socquettes, se releva et l'aida à se remettre debout. Ensuite, il glissa ses mains sous les bras pour lui dégrafer son soutien-gorge qu'il laissa tomber. Avant qu'il n'eût atteint le sol, il lui faisait glisser son dernier rempart le long des jambes.

Il resta devant elle à l'admirer pendant un long moment, laissant ses yeux vagabonder sur son corps – sur ses seins lourds, ses aréoles dilatées, son petit ventre rebondi et sa peau laiteuse. S'il avait dû la refaire, il n'aurait pas changé d'un iota ce physique qui lui parlait de maternité, des enfants qu'elle avait eus, de celle qu'elle allaitait. Il aurait tellement voulu que ce soient ses bébés à lui qui lui aient donné ces formes. Mais, si cela avait été, il ne l'en aurait pas aimée davantage pour autant.

— Je veux me souvenir de toi comme ça...

— Tu es un grand fou sentimental, Will. Je suis...

— Chut. Tu es parfaite, Elly... parfaite.

Décidément, elle n'arriverait jamais à s'habituer à l'adoration qu'il lui portait. Elle baissa les yeux, gênée, tandis qu'à côté d'eux l'eau continuait de couler et que les sels se transformaient en de grosses montagnes de savon parfumé.

— Qui va me déshabiller? plaisanta-t-il, espérant ainsi avoir des souvenirs supplémentaires à emporter avec lui. Elly?

— Ta femme, répondit-elle avec calme et elle fit ce qu'elle n'avait jamais fait avec Glendon.

Il avait fallu que Will lui apprît que les hommes aimaient ça. Elle lui ôta sa chemise, son tee-shirt, ses bottes, ses chaussettes, son pantalon. Et enfin son ultime vêtement dont le devant formait une courbe descendante.

Ils se trouvaient à quelques centimètres l'un de l'autre, leurs cœurs battaient la chamade et résonnaient comme des coups de marteau dans la pièce embuée. Les yeux dans les yeux, l'envie imprimait sur leurs joues une teinte rosée. Il se pencha, elle leva la tête et leurs lèvres se joignirent; leurs corps s'effleuraient à peine, tanguant de droite à gauche. Il se redressa, glissa les mains sous ses aisselles et lui demanda de s'accrocher à son cou pour l'aider à se relever. Elle s'agrippa aussi avec les jambes et ils entrèrent dans la baignoire. Lorsqu'il s'assit, l'eau leur parvenait jusqu'aux hanches. Elle passa les mains sous ses bras pour tourner les robinets et lorsqu'elle les eut retirées, il l'étreignit et la garda tout contre lui.

— Où t'en allais-tu? lui murmura-t-il en effleurant ses lèvres.

— Il n'y a pas de place... souffla-t-elle en se faisant plus tendre.

Le premier contact fut très léger et remplit leur attente. Deux bouches, deux langues, timides d'abord, puis passionnées. Les jambes d'Eleanor toujours lovées autour de la taille de Will, leur intimité sous la mousse semblait faire un pied de nez à la pruderie dont ils faisaient preuve au-dessus. Ils continuaient de s'embrasser, se laissant aller à la paresse de leurs baisers joignant leurs bouches, effleurant leurs lèvres, jouant de leurs langues, recherchant nonchalamment un nouvel angle de rencontre. Un petit baiser rapide, un regard, puis une étreinte une fois encore.

Elle le serrait amoureusement, ses mains humides sur le dos musclé de Will pendant qu'il maintenait ses seins contre sa poitrine. Elle était toute douceur, lui toute-puissance. Cette seule différence donna à leur baiser plus de passion. Mais le désir y mit fin et il la maintint contre son cœur, caressant de ses mains avides sa peau

luisante de savon, cette peau de femme, souple, chaude et si différente de la sienne. Il ajusta ses hanches à ses hanches brûlantes, lui
enserra la taille, le dos et sa poitrine renflée qui se dressait légèrement sous ses caresses.

L'eau lécha ses seins lorsqu'elle se pencha pour prendre de la
mousse et lui frotta les épaules jusqu'à ce que cette peau prît, sous
ses douces mains, une teinte satinée. Du bout de ses doigts, elle
trouva le triangle de ses grains de beauté, trois petites protubérances
qu'elle lisait comme du braille. Elle passa délicatement ses mains
sur son torse, ses bras, le plat de ses épaules, s'arrêtant à chaque
mouvement de ses muscles tandis qu'il en faisait autant sur son
corps fragile.

Elle l'enserra entre ses jambes, si fort, de façon si intime qu'ils
ne purent taire leur désir mutuel.

— Elly, est-ce que tu crois que ce soir... hein?
— Oui... oh, oui!
— Est-ce que ça va te faire mal?
— Chut... répondit-elle en étouffant sa question d'un baiser.
Il l'écarta de lui.
— Mais je ne veux pas te faire mal.
— Alors, reviens-moi vivant.

Aucun d'eux n'avait auparavant parlé de cela. Le désespoir
venait soudain de s'insinuer dans leur bonheur. Et pourtant, ils continuèrent de s'effleurer, de se toucher, de se caresser avec passion.
Ils haletaient, puis retrouvaient momentanément leur calme pour
mieux savourer l'instant dont ils se souviendraient à jamais.

— Ohhh, mon Dieu... murmura-t-elle en se renversant en
arrière jusqu'à ce que sa tresse vînt en contact avec la surface de
l'eau.

Il émit un bruit de gorge, laissa glisser ses lèvres sous son
menton et couvrit sa poitrine de baisers. Elle le laissait faire, con-
sentante, et lui ne s'en lassait pas, aimant, étant aimé, contemplant
ses paupières papilloter, sa bouche s'entrouvrir et le bout de sa
langue apparaître entre ses dents tandis qu'elle se sentait plongée
dans une sorte de torpeur. Au bout d'un moment, elle commença à
remuer, imprimant à l'eau un certain mouvement jusqu'à ce que des

vaguelettes atteignent la poitrine de Will. Les caresses se firent plus précises, il serra les dents puis se cambra comme un arc.

L'eau prit une teinte vif-argent. Le lendemain n'était plus qu'illusion. Et ils ne pouvaient plus différer ce qui s'imposait.

— Oh! Elly, il y a si longtemps que je désirais ce moment.

— Pourquoi tu ne l'as pas fait?

— Je voulais que tu me dises que c'était possible.

— Ç'aurait pu l'être depuis quinze jours.

— Alors, pourquoi tu n'as rien dit?

— Je ne sais pas... j'avais peur. J'étais gênée.

— Moi aussi, sans doute. Il ne faut plus qu'on soit gênés.

— Je n'ai jamais fait des choses comme ça avec Glendon.

— Je pourrais t'en montrer d'autres.

Elle enfouit son visage au creux de son épaule.

— Est-ce que je peux te laver?

— Tu en as envie?

— Ce que je veux, c'est être en toi. Oui, c'est ce que je veux.

— Moi aussi. Alors, dépêchons-nous!

Ils se savonnèrent mutuellement. S'offrirent l'un à l'autre. S'agenouillèrent, préférant se servir de leurs mains plutôt que du gant de toilette. Dans la mousse, ils s'embrassaient, s'enlaçaient, se murmurant des mots tendres, s'aimant autant avec leurs mains qu'avec leurs lèvres. Finalement, il la saisit par les bras, la repoussa doucement en arrière et rendit à leurs lèvres leur liberté.

— Maintenant, allons au lit.

Ils restèrent encore un moment dans la pièce embuée à s'essuyer, pleins d'impatience et peu soucieux de se vraiment sécher. Ils se regardaient, se volaient des petits baisers et riaient, tout excités, un peu nerveux, certes, mais déterminés. Il se baissa pour ramasser son pantalon et en tira un préservatif.

— Qu'est-ce que c'est que ça?

Il referma la main et la regarda dans les yeux.

— Je ne veux pas que tu sois enceinte une fois de plus. J'ai préparé tout ce qu'il te fallait pour vivre ici sans la présence d'homme.

— Tu n'as pas besoin de ça.

— Tu ne comprends pas, Elly ? Je ne veux pas te laisser avec un autre bébé.

Elle avança d'un pas sur la serviette mouillée, lui prit le sachet des mains et le posa sur l'étagère.

— Les femmes ne peuvent pas tomber enceintes quand elles allaitent. Tu savais ça, Will ?

Le prenant par le bras, elle essaya de l'emmener hors de la salle de bains, mais il regimba.

— Tu en es certaine ?

— Mais bien sûr. Allez, viens !

Il prit la lampe et ils se rendirent dans leur chambre sur la pointe des pieds. Lorsqu'ils y pénétrèrent, elle se retourna et posa un doigt sur ses lèvres.

— Chut...

Ils saisirent chacun une poignée du panier et emportèrent Lizzy dans le séjour pour qu'elle y passât la nuit.

Dès qu'ils eurent refermé la porte de leur chambre, ils se firent face. Leurs pouls semblèrent se mettre à battre plus rapidement mais aucun des deux ne bougea. Seuls... et soudain hésitants. Jusqu'à ce qu'elle fît le premier pas. Alors ils s'enlacèrent avec tendresse et se couvrirent de baisers, avec à l'esprit le terrible sablier où s'écoulaient les heures. Si peu de temps encore... et tant d'amour...

Fébrile, il passa son bras sous les genoux d'Elly, la souleva et la porta jusqu'à leur lit en murmurant :

— Repousse les couvertures.

Elle se pencha en avant et repoussa le dessus de lit et la couverture. Un genou par terre, les coudes sur le bord du lit, il la déposa puis se laissa aller contre elle, leurs bouches déjà jointes en un baiser passionné, profond, mêlant étroitement leurs bras comme leurs jambes. C'était presque sauvage comme prémices, une soif de désirs inassouvis portée à son paroxysme. Presque animale. Mélange d'avidité et de gourmandise qu'aucun d'eux n'avait jamais goûté.

Cela prit fin, presque subitement, lui au-dessus, elle en dessous, le souffle court.

— Tu as besoin de quelque chose... pour que ce soit plus facile ?

Le tube de vaseline se trouvait sur la commode. Il l'avait regardé une bonne dizaine de fois en pensant à ce moment.

— J'ai besoin de toi, Will... de rien d'autre.

D'un baiser, elle le fit taire en passant son bras autour de son cou et l'attira tout contre elle.

— Je voudrais que tu y prennes plaisir, mes beaux yeux verts.

Et il savait s'y prendre. Il avait été à bonne école, à La Grange. Il la caressa, profondément, doucement, de ses mains, de sa langue, jusqu'à ce qu'elle se pliât comme un roseau dans le vent.

Lorsqu'il s'introduisit délicatement à l'intérieur de son corps, elle ferma les yeux et le revit comme elle l'avait aperçu le premier soir, debout dans la clairière, maigre et affamé, réservé et prudent, se cachant derrière les bords de son chapeau, cachant surtout ses sentiments, sa solitude et ses manques.

Elle fermait les yeux mais elle ouvrait son corps, lui offrant ainsi, tout comme il le faisait, consolation et amour. Pour être honnête, cela lui faisait mal, mais elle le cachait bien, l'étreignant, l'attirant contre elle pour y déposer un baiser fiévreux, afin de mieux y dissimuler un léger gémissement. Bientôt, ce ne fut plus la douleur mais le plaisir qui engendra ce gémissement. Il la fit monter jusqu'à la cime la plus fine d'un arbre où elle restait en équilibre, oiseau gracieux, enfin, qui tremblait au moment de prendre son essor puis s'envolait pour la première fois. Se confondant avec le ciel, elle l'appelait par son nom, tournoyait, remontait, ressuscitée.

Lorsque sa vision eut disparu, elle ouvrit les yeux et vit qu'il suivait la voie qu'elle avait prise, aperçut ses cheveux émaillés d'or collés sur son front, les muscles de ses bras saillants durs comme de la pierre, tandis que des gouttes de sueur perlaient sur son front.

Il frissonna, gémit, se cambra. Il tenta de prononcer son nom, mais ses mâchoires serrées l'en empêchaient. Lorsqu'il vibra au moment de se libérer, elle éprouva une sensation fantastique, une vraie bénédiction. Elle le prit par les épaules, éprouva ses tremblements et pensa que c'était plus merveilleux que le vol d'un aigle.

Lorsque tout fut consommé, il se laissa glisser sur le côté, passa son bras sur le ventre d'Elly et attendit que son souffle s'apaisât. Les yeux fermés, il partit d'un petit rire, satisfait, comblé. Puis il s'approcha à nouveau d'elle et la serra doucement dans ses bras, peau contre peau.

Il tourna la tête avec difficulté et laissa ses yeux se promener sur elle.

— Ça va, Elly ?

Elle sourit et lui caressa le menton.

— Chut... j'essaie de les retenir.

— Quoi ?

— Tout. Toutes les sensations que tu m'as fait éprouver.

— Oh ! Elly...

Il l'embrassa sur le front et elle lui parla contre sa joue.

— J'ai eu trois enfants, Will, mais je n'ai jamais ressenti ça. Je ne savais rien de tout ça... Dire que je ne l'ai découvert que pendant notre dernière nuit. Oh ! Will, pourquoi avons-nous perdu deux semaines ?

Ne trouvant pas de réponse, il ne put que la prendre dans ses bras et lui caresser les cheveux.

— Will, je me suis enfin sentie comme j'en avais toujours eu envie, comme si enfin je m'étais envolée. Comment est-ce possible que ça ne se soit jamais passé avec Glendon ? dit-elle en s'appuyant sur son coude pour le regarder dans les yeux.

Elle était vraiment nature et jamais il n'avait connu une femme aussi directe.

— Peut-être parce que tu avais épousé un brave type qui n'avait jamais fréquenté les maisons de passe.

— Toi aussi tu es un brave homme, Will ; ne me dis pas le contraire. Mais si c'est ce que tu y as appris, je suis heureuse que tu les aies fréquentées.

Elle remonta les couvertures tandis qu'il souriait, époustouflé par son naturel : gênée à un moment, directe l'instant d'après. Il se pelotonna contre elle et trouva encore une raison d'être heureux. Le chemin qui l'avait conduit à elle avait été plus que sinueux. Sans La Grange, sans Josh, sans la prison, il ne se serait jamais retrouvé en Géorgie. Il n'aurait jamais épousé Elly. Mais il n'avait pas envie d'y penser cette nuit.

— Elly, mon amour, ça te dérangerait si on ne parlait pas de ça pour l'instant? Je voudrais parler... des fleurs que tu vas planter pour l'été prochain... savoir comment tu vas cueillir les coings... si les garçons pourront t'aider à ramasser les pacanes et...

— Tu seras revenu bien avant ça, Will. Je le sais.

— Peut-être.

Dans le sablier, le sable semblait couler de plus en plus vite. Elle posa sa main et sa joue sur son torse musclé, contre ce cœur qui battait si fort et pria le ciel pour qu'aucune balle ne vînt jamais l'arrêter.

— Je t'écrirai.

Le sable... les battements de cœur... et deux gorges serrées.

— Moi aussi, je t'écrirai.

— Je me souviendrai toujours de cette nuit. Tu l'as rendue merveilleuse.

— Moi aussi... Je me souviendrai de tant de choses. Je me rappellerai le jour où tu m'as lancé cet œuf. C'est ce jour-là que je me suis aperçu que j'étais amoureux de toi. Je me souviendrai de toi coupant le bacon le matin, de toi penchée au-dessus de la porte du Whippet tandis que les garçons faisaient semblant de conduire pour aller à Atlanta. Et de ce matin où tu avais remonté tes cheveux en natte et que tu les avais attachés avec un ruban jaune. Ta façon de pétrir la pâte d'un gâteau, le récipient serré entre tes cuisses. Ta façon de t'asseoir sur le lit des garçons quand je rentre du travail pendant que tu leur racontes une histoire avant qu'ils aillent se coucher. Et toi quand tu attends sous l'arbre roux que je rentre de la ville en voiture. Je pense que ce sera mon meilleur souvenir. Je t'ai déjà dit à quel point j'aimais m'asseoir avec toi sous cet arbre?

Il l'embrassa sur le front et elle sentit ses yeux la brûler.

— Oh! Will... Tu me reviendras vite pour qu'on puisse recommencer. Tout ça. Cet été... Promets-le-moi.

Il se serra contre elle et la regarda au fond des yeux.

— Si tu veux que je te fasse une promesse, il faudra m'en faire une, toi aussi.

— Qu-quoi? renifla-t-elle.

— Promets-moi que tu descendras en ville, que tu sortiras les garçons. Il faut que tu le fasses, Elly, tu me comprends ? Donald Wade va bientôt avoir sept ans et il va commencer l'école. Mais si tu...

— Je peux lui apprendre ce qu'il...

— Maintenant, tu vas m'écouter. Il faut qu'ils sortent d'ici. Emmène-les à la bibliothèque et prends-leur des livres. Comme ça, quand ils seront assez grands pour aller à l'école, ils sauront à quoi s'attendre. Tu ne veux quand même pas les laisser grandir dans la même ignorance que toi et moi, hein ? On est à peine allés à l'école et tu as vu comme on a dû se battre pour la moindre des choses ? Donne-leur la possibilité d'être plus intelligents et plus forts que nous. Emmène-les là-bas. Qu'ils s'habituent à la ville et aux gens... et à survivre. Parce que la vie est faite pour ça, Elly. Pour survivre. Et toi, vas-y en ville, continue de vendre les œufs et le lait à Purdy. Achète du Dreft au lieu de faire le savon toi-même. Ce sera trop dur pour toi, Elly, de faire tout ça. Le gouvernement va t'envoyer mes chèques. Comme ça, tu auras de l'argent. Tu en placeras la moitié en emprunts de Guerre et tu dépenseras le reste, tu m'entends ? Achète de bonnes chaussures aux garçons et, pour Lizzy, tout ce dont elle aura besoin. Et s'il le faut, engage quelqu'un pour s'occuper de tout par ici. Si je ne suis pas de retour à temps pour le miel, engage aussi quelqu'un pour ouvrir les ruches et vendre le miel. Ça devrait rapporter beaucoup si le sucre se fait rare.

— Mais, Will...

— Tu dois m'écouter, Elly. Il ne me reste pas beaucoup de temps pour te convaincre. Mlle Beasley sera pour toi comme une amie. Tu vas avoir besoin d'une amie. Elle est droite, honnête et intelligente. Si tu as besoin d'aide, va la voir : elle t'aidera ou bien elle trouvera quelqu'un pour le faire. Elly, tu me le promets ?

Il lui avait délicatement posé la main sur le cou et sentait qu'elle avait du mal à avaler sa salive.

— Je te le promets, murmura-t-elle.

Il s'efforça de sourire et plaisanta, sachant qu'elle en avait besoin.

— Vous avez croisé les doigts sous votre couverture, petite madame ?

318

— N-non, balbutia-t-elle en émettant un petit rire qui ressemblait plutôt à un sanglot.

— Très bien. Maintenant, écoute-moi. Je dois te le dire avant de partir. Ce n'était peut-être pas très honnête de ma part de le demander à Mlle Beasley, mais je l'ai fait, et elle m'a tout dit : ta mère qui n'a jamais été mariée, la façon dont on t'a enfermée dans cette maison quand tu étais petite et tout ce qui s'ensuit. Elly, pourquoi ne m'en as-tu jamais parlé ?

Elle baissa les yeux.

Doucement, il lui releva le menton.

— Tu n'es pas pire que tous ces gens d'en bas, tu es meilleure, sans doute. Et n'oublie jamais ça, madame Parker. Tu es intelligente et tu es la mère de deux garçons qui ne le sont pas moins, tu m'entends ? Tu dois descendre là-bas, en ville, et ne pas avoir peur de les montrer.

Il s'aperçut qu'elle était sur le point de fondre en larmes.

— Eh, Elly, mon amour... Cette guerre va changer des tas de choses. Les femmes vont devoir être beaucoup plus indépendantes. Et pour toi, regarder la ville dans les yeux, devrait te stimuler. Souviens-toi seulement de ce que je t'ai dit. Tu es aussi valable que n'importe lequel d'entre eux. Maintenant, il faut que je te demande quelque chose, d'accord ? Cette maison, là-bas, elle t'appartient ?

— Celle qui est en ville ?

— Oui. Celle où tu habitais.

— Oui, mais je ne veux pas y retourner.

— Ce n'est pas ce que je te demande. Mais dis-toi bien une chose : si, en cas d'urgence, tu as besoin d'une grosse somme d'argent pour quoi que ce soit, tu peux la vendre. Mlle Beasley est tout à fait capable de t'aider. Est-ce que tu le feras si les choses se passent mal et que je ne reviens pas ?

— Mais tu reviendras, Will, tu reviendras !

— J'essaierai, ma chérie. Un homme qu'on va attendre avec autant d'impatience se battra de toutes ses forces pour revenir, tu ne crois pas ?

Ils se prirent la main priant pour qu'il en fût ainsi. Que, lorsque Lizzy ferait ses premiers pas, il serait là pour lui tendre les bras afin de la recevoir. Que, lorsque l'été reviendrait et que le miel commencerait à couler, il serait présent pour s'occuper des abeilles. Et qu'au retour de l'automne, lorsque leur arbre roux arborerait ses teintes rouges, il aurait la joie de se tenir avec toute la famille sous ses ombrages.

— Je t'aime, Elly. Plus que tu pourrais le croire. Jamais personne n'a été aussi généreux avec moi. Il faut que tu te souviennes toujours d'une chose essentielle : tu m'as rendu très heureux. Quand je serai parti et que ton moral sera au plus bas, pense à ce que je viens de te dire. Tu m'as rendu follement heureux. D'abord en me préparant des tartes aux coings. Puis en me donnant à aimer trois adorables petits enfants. Enfin en me faisant comprendre que j'étais quelqu'un. Et rappelle-toi surtout que je t'aime, toi, la seule, l'unique que j'ai jamais aimée de toute ma vie, Eleanor Parker.

— Will... Will... Oh ! mon Dieu...

Ils voulurent alors s'embrasser, mais ne purent y parvenir. Les larmes gonflaient leurs paupières ; ils avaient la gorge sèche. Bras et jambes étroitement enlacés, ils avaient la sensation de se protéger contre leur imminente séparation.

Mais elle approchait. Qui allait l'emporter et la laisser seule. Et rien de ce qu'ils pouvaient faire ou dire n'empêcherait le sable inexorable de s'écouler.

15

Ils se dirent adieu sous leur cher arbre roux. Donald Wade descendait le chemin le premier, un genou sur son chariot ; Thomas suivait avec la trottinette. Elly et Will fermaient la marche. Il avait à la main un sac en papier brun ; elle tenait Lizzy P. dans ses bras.

Lorsqu'ils firent halte sous les branchages encore nus, Will posa sa main sur l'épaule de sa femme. Mais, au lieu de la regarder, il leva les yeux vers le ciel.

— Eh ben... on va avoir une belle journée. On sent déjà arriver le printemps.

— Y a pas un nuage dans le ciel.

Pourquoi parlaient-ils du temps lorsqu'il y avait une bonne dizaine de sujets essentiels qui leur brûlaient les lèvres ?

— Donald Wade m'a dit hier qu'il avait vu un nid qui contenait des œufs tachetés.

Will passa sa main dans la chevelure du garçon.

— C'est vrai, *kemo sabe* ?

— Oui, il y en avait trois, là-bas, près de la moto.

— Tu n'y as pas touché, au moins ?

Donald Wade secoua vivement la tête.

— Non, ça non ! Maman veut pas.

Will s'agenouilla et posa son sac sur le chariot de bois.

— Viens ici. Toi aussi, Thomas. Vous ferez toujours ce que votre maman vous dira, d'accord ? Je compte sur vous pour être gentils avec elle.

Ils firent tous les deux de la tête un oui solennel, conscients que le départ de Will était un événement majeur. Mais trop jeunes pour en comprendre la raison.

— Tu vas partir longtemps, Will?

— Un bon bout de temps, je pense.

— Mais combien? insista Donald Wade.

Will détourna soigneusement son regard d'Elly.

— Jusqu'à ce qu'on ait tué tous les Japonais, tu vois?

— Et tu vas avoir un vrai fusil, Will?

Il attira Donald Wade contre sa cuisse.

— Tu sais... Je t'en parlerai quand je reviendrai. Maintenant, tu vas être un gentil garçon et aider ta maman à s'occuper de Lizzy P. et de Thomas, d'accord?

— D'a... d'accord.

Sa voix perdait de son intensité habituelle à mesure qu'approchait le départ de Will. Ils s'embrassèrent. Très fort, avec chaleur, et Will sentit son nez commencer à le picoter.

— Au revoir, *kemo sabe*.

— Au revoir, Will.

— Au revoir, petit.

— Auvoi, Wiw.

Une autre petite bouche, une autre forte étreinte et il les serra tous les deux contre lui, son front contre les leurs, les yeux fermés.

— Je vous aime, mes deux nigauds, vous ne pouvez pas savoir combien.

— Je t'aime, Will.

— Ze t'aime, Wiw.

Il se releva rapidement, craignant ce qu'il pourrait advenir s'il restait accroupi.

— Je voudrais prendre Lizzy P. une dernière fois, tu veux bien? demanda-t-il.

Il tendit les bras et prit ensuite le bébé contre lui, les pieds contre sa poitrine. Lorsqu'il approcha son nez de la petite joue, il sentit son odeur de bain frais et de talc.

— Je reviendrai, Lizzy P., ma belle, ma délicieuse petite chose. Pour voir ces petites dents que tu vas nous faire pousser et pour te regarder un jour prendre le bus scolaire.

Il déposa un petit baiser sur sa petite bouche, très rapide, parce que ça lui était trop pénible.

— Allez, viens, Donald Wade. Prends ta sœur et garde-la dans ton chariot, fiston.

Lorsque Lizzy P. fut installée sur les genoux de son frère, Will se tourna vers Elly et lui prit les mains. Elle pleurait en silence, sans un sanglot, et des larmes roulaient sur ses joues pâles.

— Vous me garderez au chaud une tarte aux coings, ma petite dame, parce que personne ne peut dire à quel moment je reviendrai traîner dans ces parages, affamé comme un loup.

Malgré ses larmes, Elly releva le menton et affecta une attitude décontractée.

— Vous avez toujours été un problème, Will Parker, vous et votre dent creuse.

Il n'avait pas la force de cacher plus longtemps les larmes qu'il avait si bien su retenir devant les enfants. Elles brillaient sur ses cils lorsque Elly et lui se laissèrent tomber dans les bras l'un de l'autre dans une étreinte où se mêlaient l'amour et la tristesse. Il se pencha, elle se dressa sur le bout des pieds et, les yeux dans les yeux, leur fausse gaieté disparut.

— Oh ! Elly... mon Dieu.

— Tu me reviendras, Will Parker, tu m'entends ?

— Oui, oui, je reviendrai. Je te le promets. Tu es la première personne pour laquelle j'aie jamais eu envie de revenir. Comment pourrais-je ne pas revenir ?

Ils s'embrassèrent, se sentant frustrés de toutes les choses qu'ils n'avaient pas eu le temps de faire.

— Envoie-moi une photo de toi dans ton bel uniforme militaire dès que tu en auras une.

— Je te le promets. Et souviens-toi de ce que je t'ai dit... ajouta-t-il en lui prenant le visage entre ses mains. Tu vaux autant que tous les gens de cette ville. Emmène les enfants là-bas et va voir Mlle Beasley si tu as besoin de quelque chose.

Elle acquiesça de la tête, en se mordant la langue, puis elle l'attira contre elle tout en agrippant le dos de sa veste.

— Je... je t'aime... tant, balbutia-t-elle.

— Je t'aime, moi aussi.

Ils s'embrassèrent à nouveau, avec fièvre, tendrement enlacés, tandis que, quelque part, un train se dirigeait vers Whitney qui devait emmener Will loin d'ici. Ils se séparèrent à regret et il lui intima :

— Maintenant, prends Lizzy P. et les garçons et asseyez-vous tous sous l'arbre. Je voudrais vous voir assis là quand je passerai au détour du chemin. Au revoir les garçons ! et soyez gentils.

Il ramassa son sac de papier brun en regardant Elly prendre le bébé. Avant qu'elle se fût relevée, il avait tourné les talons et se dirigeait vers le bas de l'allée. Il cligna des yeux pour y voir plus clair et, d'un revers de la toile rêche de la manche de sa veste, il essuya ses larmes. Jusqu'à l'ultime instant, celui où il savait que la courbe allait définitivement les cacher, il s'obligea à ne pas se retourner. Alors, il prit une profonde respiration... pivota sur lui-même... et leur image s'imprima d'elle-même dans son cœur.

Groupés sous l'arbre roux, les garçons serrés contre leur mère, ils s'étaient assis dans l'herbe maigre de cet hiver tardif. Des salopettes bleues, des chaussures marron, d'épaisses vestes de laine... une couverture rose et verte, un visage minuscule qui semblait regarder dans sa direction... une robe d'intérieur aux couleurs passées, un manteau brun, des jambes nues, des socquettes dans des souliers sans couleur et une longue natte d'un blond roux. Les garçons faisaient des signes de la main. Donald Wade pleurait. Thomas poussait des « Auvoi Wiw ! » « Auvoi Wiw ! » Elly portait la petite haut contre sa joue, et lui tenait la main pour, avec la sienne, lui envoyer un dernier au revoir.

Oh! mon Dieu... mon Dieu...

Will leva la main puis s'obligea à se retourner et à partir la tête haute.

Pense au retour, se répétait-il comme une litanie. *Pense à la chance que tu as de les savoir tous les quatre à t'attendre sous l'arbre roux. Pense à l'endroit charmant que tu viens de quitter et ce que sera le spectacle de ces garçons qui viendront en courant à ta rencontre lorsque tu remonteras cette allée. À ce que ce sera lorsque tu tiendras à nouveau Elly dans tes bras, sachant que tu n'auras plus à la quitter. Aux sourires qui t'illumineront lorsque Lizzy P. t'appellera papa pour la première fois. Pense que tu en auras une un de ces jours exactement comme elle. Qu'avec Elly, tu les verras grandir tous les quatre, se marier et vous donner des petits-enfants. Qu'ils viendront vous voir le dimanche et que tu leur montreras le vieil arbre roux. Dis-toi que tu leur raconteras comment tu es parti pour la guerre, forcé de laisser à la maison leur grand-mère, leur mère et leurs pères qui te faisaient des grands signes pour te dire au revoir.*

Lorsqu'il parvint devant chez Tom Marsh, il se sentait plus calme. Il s'arrêta en bordure de la propriété, leva les yeux vers la maison d'un blanc immaculé, arrêta son regard sur les cordes à linge de la cour, sur la souche; dans la bouilloire, il n'y avait plus de pétunias, mais de la terre. Une nouvelle barrière de bois peinte en blanc clôturait le jardin. Il poussa la grille, la referma derrière lui et s'approcha de la demeure, comme hypnotisé. Un chien jaune à poils longs sortit de dessous le porche en aboyant, une demi-portion de chien plus curieuse que dangereuse qui lui renifla les bottes.

— Bonjour, ma fille... lui dit Will qui se pencha pour lui caresser le cou. Y a personne ici, hein?

Lorsqu'il se redressa, une femme venait d'ouvrir la porte et sortait sur la galerie. La même jeune femme que la dernière fois, vêtue d'une coquette robe rouge à col mandarin blanc et rehaussée d'une veste blanche.

— Hello! cria-t-elle.

Will s'approcha lentement et ôta son chapeau.

— Madame Marsh?

— Oui monsieur.

— Mon nom est Will Parker. J'habite à Rock Creek Road. Je suis le mari d'Eleanor Dinsmore.

Elle descendit deux marches et lui tendit la main. C'était une belle femme, mince, aux longues jambes et aux boucles brunes, avec du rouge aux joues et sur les lèvres, ce qui lui donnait un air agréable, à la différence de Lula Peak.

— Je vous ai vu passer plusieurs fois sur la route.

— Oui, ma'am. Je travaille à la bibliothèque pour Mlle Beasley. Je veux dire, je travaillais. Je suis... Je suis en route pour Parris
Island.

— Le camp des *Marines* ?

— Oui, ma'am.

— Vous avez été appelé ?

— Oui, ma'am.

— Mon mari aussi. Il part à la fin de la semaine.

— Croyez que je le regrette. Je veux dire... c'est une sacrée
saleté, cette guerre.

— Oui, vous avez raison. J'ai un frère. Il a dix-sept ans et il
abandonne ses études. Il s'est déjà engagé dans la Navy. Papa et
maman n'ont pas pu l'en empêcher.

— Dix-sept ans... c'est bien jeune.

— Oui... Je me fais beaucoup de soucis à son sujet, dit-elle,
observant quelques secondes de silence avant de demander : Y a-t-il
quelque chose que je puisse faire pour vous, monsieur Parker ?

— Non, ma'am. Mais moi, j'ai quelque chose pour vous avant
de m'en aller, déclara-t-il alors que, tenant le sac contre sa poitrine,
il y plongea la main et en tira un pot de miel qu'il lui tendit. Il y a
quelques mois, je vous ai volé la même quantité de lait caillé dans
votre puits. Alors voilà. Je ne peux pas vous le rendre, bien sûr.
Mais ça, c'est du miel de chez nous. On élève des abeilles. Je vous
ai pris aussi cette serviette verte sur la corde à linge, un pantalon
et une chemise qui devaient appartenir à votre mari. Ils sont
passablement usés aujourd'hui...

— Eh bien, tant pis, souffla-t-elle en prenant le pot.

— ... mais j'aurais quand même aimé vous les rapporter. Les
temps étaient difficiles, alors. Pourtant, ce n'est pas une excuse. Je
voulais seulement vous demander de me pardonner, madame Marsh.
Ça me trottait dans la tête depuis longtemps, vous savez. Et puis,
ça m'embêtait d'avoir volé des honnêtes gens. Elly m'a dit que vous
étiez des gens très bien. Voilà. Ce n'est pas grand-chose mais... eh
bien... c'est... Toutes mes excuses, ma'am. Croyez-moi, j'espère bien
que votre mari reviendra de cette guerre.

— Une minute, monsieur Parker !

Il s'arrêta près de la grille tandis qu'elle descendait l'allée en courant.

— Laissez-moi une minute pour bien y réfléchir... Vous savez, ce n'est pas bien grave, dit-elle avec un petit rire, comme sous l'effet d'une surprise. Je me suis toujours demandé où ces affaires-là étaient passées.

Will rougit jusqu'aux oreilles alors qu'elle semblait beaucoup s'amuser.

— Je n'ai aucune excuse, ma'am, mais je suis bien désolé. Je vais me sentir plus léger maintenant que j'ai soulagé ma conscience.

— Merci pour le miel. Il va m'être bien utile avec le sucre qui est devenu si cher.

— Ce n'est pas grand-chose.

— C'est beaucoup plus que ce que valaient les vieilles frusques de Tom.

— Je l'espère bien, ma'am.

Il poussa la grille et le petit chien tenta de se glisser au dehors. Elle se baissa et le prit par le collier tandis que Will refermait la grille.

— Je suis vraiment étonnée de votre honnêteté, ajouta-t-elle en se relevant.

Il émit un petit rire timide et baissa les yeux vers la clôture tout en tripotant inconsciemment la pointe d'une de ses lattes.

— À cette époque-là, j'ai bien aimé le lait et j'ai bien apprécié aussi les vêtements.

Ils se dévisagèrent, deux étrangers emportés dans la spirale de la guerre, conscients de la possibilité de la mort et de la solitude, étonnés que ces notions pussent créer un lien entre eux deux. Elle lui tendit la main une fois encore ; il la prit et la garda longuement.

— J'espère avoir le plaisir de vous voir passer à nouveau sur cette route, bientôt.

— Merci, madame Marsh. Si ça arrive, je crierai pour vous dire bonjour.

— Vous le ferez.

Il lui lâcha la main.

— Eh bien... au revoir.

— Dieu vous protège.

Il toucha le bord de son chapeau et se dirigea vers la route. Après avoir fait quelques pas, il se retourna. Elle avait plongé son doigt dans le pot de miel. Lorsqu'elle le porta à sa bouche, elle leva les yeux et l'aperçut qui la regardait en souriant.

— Il est délicieux, dit-elle en souriant à son tour.

— Je réfléchissais, ma'am. Vous m'avez demandé s'il y avait quelque chose que vous pourriez faire et je crois bien que oui.

— N'importe quoi pour un soldat.

— Il s'agit de ma femme, Elly. Elle vient d'avoir un petit bébé qui a tout juste deux mois et elle avait déjà deux garçons; et puis elle ne sort pas beaucoup. Si vous pouviez... eh bien, je voulais dire, si vous avez besoin d'une amie ou si vous aviez envie d'aller faire un tour quelque part... je sais que vous avez vous-même des enfants... peut-être que vous aimeriez monter chez nous et lui dire de temps en temps un petit bonjour. Les enfants pourraient jouer ensemble, et vous, les mamans, vous pourriez prendre le thé ensemble. Vous verrez ça lorsque votre mari sera parti lui aussi.

Elle plissa les yeux, pensive.

— Eleanor... Elly... Votre femme, ce ne serait pas Elly See, par hasard?

— Si, c'est elle. Mais tout ce qu'on a dit d'elle est complètement faux. C'est une fille intelligente et plus brillante que certaines gens qui ont fait courir des bruits sur elle.

Mme Marsh referma le pot de miel et le déposa sur son avant-bras comme une fiancée tient son bouquet de fleurs.

— Alors, je vais aller la remercier pour cet excellent miel, vous ne croyez pas?

Il lui sourit, heureux, et pensa que la beauté de Mme Marsh devait être beaucoup plus profonde que ne le laissaient paraître sa peau, ses cheveux et le rouge de ses joues.

— Savourez bien le miel, lui dit-il en guise d'adieu.

Elle lui répondit par un grand signe de la main.

— Revenez-nous vite.

Lorsqu'il s'en alla, tous deux espéraient vraiment se revoir et ressentaient une vague impression de frustration, comme s'ils avaient pu devenir amis s'ils s'étaient rencontrés en des circonstances où ils auraient eu plus de temps pour en explorer la possibilité.

Ces derniers jours, la gare ferroviaire semblait être devenue l'endroit le plus fréquenté de la ville. Deux jeunes recrues, un Noir et un Blanc, attendaient déjà, leur billet à la main, entourés de leurs familles, dans deux coins différents. Une troupe de Girl Scouts en uniforme s'était divisée en deux groupes – les jeunes Noires pour offrir à la recrue noire un petite boîte blanche, les filles blanches pour agir de même vis-à-vis de la recrue blanche. Un contingent de femmes du DAR local attendait le train avec des jus de fruit et des biscuits à la disposition de tous les hommes qui partaient à la guerre et qui pourraient avoir besoin d'un casse-croûte. Un jeune homme, mince dans un costume trop large pour lui et portant un chapeau de feutre, abrégea les adieux de la famille de la jeune recrue blanche afin d'obtenir une interview de dernière minute pour le journal local. Un pasteur noir aux cheveux blancs crépus se précipita pour mêler ses adieux à ceux de la famille noire.

Et Mlle Beasley se trouvait là, elle aussi, vêtue de son habituel manteau brun rouge, portant des chaussures à talons plats et coiffée d'un affreux chapeau de paille noir à voilette qui ressemblait à une soupière. À la main gauche, elle tenait un sac à main noir et à la droite, un livre.

— Alors, comme ça, Eleanor n'est pas venue, commença-t-elle avant même que Will l'eût rejointe.

— Non, ma'am. Je leur ai dit au revoir, à elle et aux enfants, dans l'allée, là où je voulais avoir un dernier souvenir d'eux.

Mlle Beasley agita un doigt sous le nez de Will.

— Maintenant, vous allez arrêter de parler de façon aussi fataliste, vous m'entendez ? Je ne veux plus de cela, monsieur Parker !

— Oui, ma'am, répliqua Will avec douceur, réconforté malgré tout par l'attitude autoritaire de son interlocutrice.

— J'ai décidé de donner votre travail à un étudiant, Franklin Gilmore, en lui faisant bien comprendre que ce n'était qu'un emploi temporaire jusqu'à votre retour. C'est bien compris ?

Elle donnait l'impression d'être persuadée qu'aucun soldat japonais n'oserait tirer sur Will Parker.

— Oui, ma'am.

— Bon. Alors, prenez ça et mettez-le dans votre barda. C'est un recueil de poèmes écrits par les plus grands auteurs. Je veux que vous me promettiez de les lire et de les relire.

— Des poèmes... bon...

— Un homme, dit-on, peut vivre trois jours sans boire une goutte d'eau, mais pas un seul sans avoir le secours de la poésie.

Il prit le livre et le considéra, le cœur gros.

— Merci beaucoup.

— Pas besoin de remerciements. Il me suffit de la promesse que vous allez les lire.

— Je vous le promets.

— Je sens en vous une certaine réticence. Je parie que vous ne vous êtes jamais pris pour un poète. Pourtant, je vous ai entendu parler des abeilles, des garçons et des arbres : elle est là votre poésie. Ce livre la remplacera... jusqu'à votre retour.

Il prit le livre à deux mains comme s'il voulait prêter serment dessus.

— Jusqu'à mon retour.

— Qu'il en soit ainsi. Maintenant... Avez-vous de l'argent pour prendre votre billet ?

Voilà bien une question qu'une mère aurait posée à son fils et elle alla droit au cœur de Will.

— Le bureau de recrutement m'en a fait parvenir un.

— Ah oui, bien sûr. Mais avez-vous pris de quoi manger pour le voyage ?

— Oui ma'am. C'est ici. Elly m'a préparé quelques sandwiches et un morceau de tarte aux coings, dit-il en soulevant son sac.

— Ah ! évidemment. Que je suis bête de vous poser toutes ces questions.

Ils gardèrent un moment le silence pour tâcher de trouver un sujet susceptible de meubler le vide atroce qui semblait envahi de sentiments indicibles.

— Je lui ai dit d'aller vous voir si elle avait besoin de quoi que

330

ce soit. Elle n'a que vous et j'espère que ça ne vous dérange pas.

— Ce n'est pas la peine de commencer à larmoyer, monsieur Parker. Je me sentirais offensée si elle ne le faisait pas. Je vous écrirai pour vous tenir au courant de ce qu'il se passe à la bibliothèque et en ville.

— Je vous en remercie, ma'am. Moi aussi, je vous écrirai pour vous parler de tous les Japs et les Boches que j'aurai eus.

Dans un nuage de vapeur, le train entra bruyamment en gare. Ils se sentirent à la fois désolés et soulagés que le convoi ait fini par arriver. Il lui serra le bras et se dirigea vers la voiture argentée en compagnie des familles blanche et noire, des Girl Scouts, des dames de la DAR et du journaliste local qui, tous, saluèrent Mlle Beasley avec déférence en l'appelant par son nom.

Le soleil brillait encore dans un ciel azuré parsemé de gros nuages aux teintes un peu plus foncées que la vapeur qui s'échappait de la locomotive. Un vol de pigeons s'abattit sur un chariot à bagages. La famille noire embrassa son fils. La famille blanche en fit autant. Le chauffeur hurla « *En voituuuure !* », mais Will Parker et Gladys Beasley ne bougeaient pas, mal à l'aise. Ils regardaient leurs pieds, leurs mains, le sac à main, le sac en papier brun. Et ils finirent par trouver leurs regards.

— Vous allez me manquer, lui dit-elle sur un ton où, pour une fois, toute dureté avait disparu tandis que les rides sévères de sa bouche s'étaient adoucies.

— De toute ma vie, je n'ai jamais eu personne à regretter, mais aujourd'hui il y en a tant, Elly, les enfants et puis vous. J'ai vraiment de la chance.

— Si j'étais une femme sentimentale, je pourrais le dire, si j'avais un fils et tout le reste...

En voituuuure !

— J'ai bien l'impression que les chauffeurs doivent avoir de drôles de voix, le soir, à hurler de cette façon, hasarda-t-elle. Et, soudain, ils tombèrent dans les bras l'un de l'autre, lui, appuyant son livre contre son dos, elle, laissant son sac à main battre contre le sien. Enivré par son parfum, il ferma les yeux un instant, remerciant le ciel d'avoir eu la chance qu'elle eût fait intrusion dans sa vie.

— Si par malheur vous ne reveniez pas, je ne vous oublierai jamais, monsieur Parker.

— J'en suis sûr. Et, d'ailleurs, moi non plus. Alors au revoir. Et je vous reverrai à mon retour.

Ils se séparèrent sans se quitter des yeux, elle, l'air un peu affecté pour éviter de fondre en larmes, lui, arborant un vague sourire, puis il lui déposa un léger baiser sur les lèvres et pivota pour se diriger vers les marches de la voiture qui n'attendait plus que lui.

16

Le 26 février 1942

Ma chère Elly,

Je suis à Parris Island et le voyage s'est pas trop mal passé. J'ai dû d'abord changer de train à Atlanta et une fois encore, en fin d'après-midi, à Yemassee. On a pris ensuite un bus du corps des *Marines* et roulé sur une cinquantaine de kilomètres jusqu'à la base qui se trouve en dehors de Buford, une ville affreuse où je suis bien content de ne pas avoir eu à vivre. Pour y parvenir, il faut passer un pont et traverser un immense marais. L'herbe est jaune et il y a des oiseaux par centaines. Je suis sûr que tu adorerais voir ça. On a été accueillis par notre sergent instructeur, une méchante armoire à glace nommée Twitchum qui a commencé tout de suite à nous montrer qui il était. Il hurle comme un putois et nous dit qu'on doit commencer et terminer toutes nos phrases par Sir, comme par exemple : Sir, je demande la permission de parler, Sir. Il fiche la frousse à pas mal de jeunots qui osent plus parler. Il y a ici quelques garçons de ferme de l'Iowa et du Dakota qui avaient jamais rien vu que le cul de leurs chevaux et qui ont les yeux comme des ronds de flan. Je sais pas pourquoi ils se sont engagés chez les *Marines*, mais certains pensent que l'armée de terre est ce qu'il y a de pire et préféreraient sans doute se foutre à l'eau plutôt que d'aller au front. Ces gars-là me semblent prêts à faire le mur mais moi, j'en ai vu de toutes les couleurs en prison, alors ce « camp des bottes », ça m'apprend rien de nouveau. Twitchum, il aime leur faire peur à ces garçons de ferme. Il les garde pendant des heures pour leur apprendre à faire leur lit avant de les laisser aller se coucher. Leurs mamans les leur faisaient toujours à la maison si bien qu'ils n'ont jamais appris à les faire. Moi, j'ai fait mon lit pendant cinq ans et j'ai payé bien plus cher qu'ici s'il n'était pas fait comme il faut. Twitchum, il passe, il laisse traîner partout son œil d'aigle et il a vu que mon lit était bien fait. Il s'est arrêté si près de moi que j'ai senti l'odeur de sa moustache et il m'a dit (pour me tester) : Quel est ton nom, mec, et je lui ai dit : Sir-Will-Perker-Lee-Sir, et il m'a dit : nordiste ou sudiste ? Mais j'avais remarqué son manège avant ça et j'avais vu comment il regardait tous ces yankees et qu'il prenait plaisir à les embêter. C'est comme pour les Noirs, il arrête pas de les titiller et de les embêter, eux aussi, alors je lui ai dit : Sir, de l'ouest, Sir. Il a réfléchi une seconde et a hurlé : Corvée de lit, tous les matins, à cinq heures, Parker. Si tu ne leur apprends pas à faire ce boulot de bonne femme, c'est pour ton cul ! Alors, tu vois, on m'a déjà donné des responsabilités. Qu'est-ce que t'en dis ? Mlle Beasley m'a offert un recueil de poèmes en guise de cadeau d'adieu et je l'ai embrassée et ça n'a pas eu l'air de la gêner. Ils nous ont donné des treillis, des couvertures et des affaires de toilette et nous ont conduits au pas jusqu'à nos baraquements. Tu sais, la moitié des gars se sont couchés en regrettant leurs chez-eux. Moi, je savais qu'il y avait des endroits bien pires qu'ici parce que j'y ai été. Mais vraiment, vous me manquez toi, tes yeux verts, les enfants et notre lit. J'ai mangé les sandwiches et la tarte aux coings dans le train et ils étaient drôlement bons. Je te l'ai peut-être jamais dit avant, mais tu fais la meilleure tarte aux coings du monde. Ils viennent d'annoncer l'extinction des feux, alors il faut que je termine maintenant et je suis désolé si c'est pas très clair. J'ai jamais bien su écrire parce que j'aimais pas l'école et que j'ai pas été beaucoup plus loin que ce qu'on m'a appris.

Ton mari qui t'aime,
Will

Le 26 février 1942
Cher Will,
J'avais pas écrit de lettres depuis je sais plus quand, mais il faut

bien que je m'y remette, tu crois pas ? Nous avons dîné sans toi et les garçons étaient gronch grincheux (excuse-moi, je n'ai pas de gomme) et ça me faisait mal de voir ta chaise vide. Je me demandais où tu étais, si tu étais déjà arrivé là-bas, si tu avais mangé et si on t'avait donné un bon lit et tout le reste, si Mlle Beasley était venue à la gare comme elle avait dit qu'elle le ferait. J'arrive pas à écrire et à mettre des idées claires sur le papier, mais pour mes sentiments, c'est autre chose et je peux bien te dire que tu me manques déjà, Will, et pourtant tu es parti seulement aujourd'hui.

Ça m'a pris presque une heure et ça m'a pas paru si long mais demain je vais t'écrire plus.

Je t'aime,
Eleanor

Le 28 février 1942
Cher Will,

J'ai reçu ta lettre et le nom de Parris Island me semble si horrible que j'ai pleuré parce que j'ai eu si mal pour toi, car tu as eu du courage à cause de moi en me disant que ce n'était pas si mal là-bas. J'ai pas pleuré sur moi cette fois-là mais j'ai eu mal pour toi parce que tu es là-bas. J'espère que tu es d'accord pour dire que ce Twitchum est un vrai diable et j'ai relu ce que tu as dit de lui...

Parris Island, Caroline du Sud
Le 28 février 1942
Chère Elly,

... et je t'envoie ma demande pour les emprunts de guerre et les assurances. Mets-les en lieu sûr...

Le 1er mars 1942
Cher Will,

J'étais sûre de recevoir une autre lettre de toi qui me dirait que tu vas bien. Tous les jours quand la poste passe, je descends en courant pour voir s'il y a une lettre, mais y en avait pas. Tu es certain que tout va bien...

Parris Island, Caroline du Sud
Le 2 mars 1942
Chère Eleanor,

Tes yeux verts me manquent beaucoup. J'aurais voulu t'écrire avant, mais ils ne nous laissent pas de temps car on se lève à 04:30 heures (c'est-à-dire 4 heures trente à l'heure de la ville) et Twitchum nous réveille en tapant sur une saloperie de boîte (c'est une poubelle) devant les fenêtres de notre escadron et on se met en route au galop. Ils nous donnent exactement trois minutes pour nous doucher et nous raser et tu sais quoi d'autre s'il le faut. Il est tout le temps là à gueuler comme un malade et c'est une, deux, une, deux, jusqu'à 9 heures et on a ensuite une heure de libre, mais je l'ai pas eue parce que Twitchum est venu et il nous a fait faire de l'exercice ou cirer nos « rangers » (c'est les bottes ici). Alors j'ai pas eu le temps de t'écrire avant maintenant.

J'ai été ce qu'ils appellent ici « arrangé », alors j'ai plus de cheveux sur le crâne et je suis horrible comme un chien galeux, mais ça me fait gagner du temps le matin et tu ne voudrais certainement pas avoir une photo de quelque chose d'aussi horrible. De toute façon, ils ne nous ont pas proposé de faire des photos. Peut-être plus tard. Ils m'ont aussi arrangé les dents et m'ont fait sept piqûres à différents endroits, dont quatre tu sais où. Ouah! leurs aiguilles auraient pu être plus pointues. Ça aurait pu être bien pire. Dans mon lit, la nuit, je pense à toi et aux enfants et à ta bonne cuisine, mais la bouffe ici n'est pas aussi mauvaise que je pensais, en tout cas meilleure qu'en prison, je peux te le dire. Je ne...

Plus le temps. Je mets ça à la poste en passant.

Je t'aime,
Will

Le 4 mars 1942
Chère Elly,

Ta lettre est arrivée par le courrier d'hier après que j'ai envoyé la mienne la veille où je te dis pourquoi je n'avais pas écrit. T'en fais pas pour moi, ça va bien, Twitchum me fout la paix mais je sais qu'il me surveille de près au cas où je ferais une faute, mais t'en fais pas j'en ferai pas, je vais me conduire comme un singe bien dressé. Vous me manquez, toi et les enfants et je suppose que Lizzy P. grandit. J'ai lu tes lettres jusqu'à ce que le papier soit usé, mais t'en fais pas pour moi, je me sens un peu seul, c'est tout. Ici je suis bien nourri et quand on a le ventre plein on peut à peu près tout supporter. Te fais pas de bile pour moi, je vais très bien. Le temps ici passe vite. Aujourd'hui on nous a donné nos fusils calibre 30 et nos baïonnettes et on doit apprendre à connaître les modèles 1903 et 1905. Tous les jours je fais de l'entraînement physique, du maniement de baïonnette et je vais au cours d'histoire militaire. Qui aurait pensé que je retournerais à l'école à mon âge ? Et pourtant j'y retourne et la semaine prochaine, on commence les cours de premiers secours et ceux de justice militaire et bien sûr il y a toujours l'exercice tous les jours pendant des heures et des heures. Tout le monde dit que marcher au pas apprend la discipline et c'est important dans une organisation militaire, mais maintenant je dois dire que j'ai compris pourquoi on appelle ça le « camp des bottes » parce que les bottes, elles marchent au pas tous les jours. Il y a toutes sortes de gens ici, Elly – sûr que j'étais aussi avec toutes sortes de gens à Huntsville mais ici c'est différent parce qu'on est avec eux toute la journée. Il y en a qui puent tellement qu'on a dû tous aller au cours d'hygiène et il y en a même qui ne savent pas lire, alors ils vont en classe de lecture. Les Noirs ont leur baraquement et nous le nôtre, mais tout le monde a son copain à ce que je vois. Le mien est un grand rouquin maigre du Kentucky qui s'appelle Otis Luttrell. On s'entend bien parce que lui et moi, on aime pas trop parler...

Le 13 mars 1942
Cher monsieur Parker,

Désormais, vous devez vous être accoutumé à la vie des *Marines* tandis que nous nous habituons petit à petit à l'idée que notre pays est en guerre. Nous, ici, en ville, sommes de plus en plus soumis à la propagande officielle maintenant que l'Amérique est engagée de façon irréversible. On dirait que, chaque semaine, on nous assène un nouveau slogan, le dernier en date étant une affiche de l'Oncle Sam, un doigt sur les lèvres, qui nous dit : « Un mot de trop peut coûter cher ». On a du mal à croire qu'il y a des espions parmi nous dans une ville de l'importance de Whitney.

Tous les mouvements, des Boy Scouts à la Jane Austin Society, ont, ces jours-ci, organisé un ramassage de ferraille. À mon grand regret, ils ont même enlevé le canon datant de la guerre de sécession de la grand place pour le fondre comme un vulgaire morceau de métal. J'ai élevé une vive protestation auprès du conseil municipal. Après tout, il faut bien défendre les intérêts de la postérité. Mais, évidemment, ils m'ont opposé des arguments du plus pur patriotisme et j'ai été déboutée.

Norris et Nat MacReady se sont portés volontaires pour organiser une patrouille civile et s'occuper de la défense passive. Ils patrouillent chaque soir pour s'assurer que plus personne ne se trouve dans la rue après dix heures et que toutes les lumières sont éteintes. Franchement, après toutes les années qu'ils avaient passées à travailler le bois dans leur atelier, de l'autre côté de la rue, j'avais fini par croire qu'ils n'en étaient jamais sortis !

Je me suis imposé, tous les samedis, d'aller rendre visite à Eleanor tout de suite après avoir fermé la bibliothèque puisque les jours, à cette époque, sont plus longs. Nous avons aussi gagné une heure depuis que « l'Heure de Guerre » est entrée en vigueur pour économiser l'électricité. Votre femme et moi passons des moments très agréables et nous jouons une ou deux parties de dames chinoises. J'apporte des livres aux garçons, ce qui les occupe durant ma visite. Ils sont robustes, en pleine santé et Elizabeth va bien et grandit de semaine en semaine.

J'ai ensemencé un petit *potager de la victoire*, mais je crains de ne pas avoir les pouces verts comme Eleanor. Pourtant, je vais faire tout mon possible et tâcher d'en tirer une tomate ou deux. Eleanor m'a proposé de m'enseigner l'art de préparer les légumes. Je ne voulais pas blesser la bonne volonté de cette chère enfant, mais je pense être restée trop longtemps derrière un bureau pour savoir encore me servir d'ustensiles de cuisine. Cependant, je vais quand même essayer.

La boucherie sert en quelque sorte de dépôt pour la collecte de la graisse. Un panneau y annonce qu'une livre de cette graisse contient suffisamment de glycérine pour préparer une livre de poudre noire. De sorte que nous conservons pour la bonne cause toutes nos couennes de lard.

Un autre panneau a été placé sur la place du village à côté de l'atelier des MacReady. On peut y lire la liste des noms des hommes d'ici qui se sont engagés. Votre nom se trouve dans la colonne de droite entre Okon Robert Merle, de la Marine et Sprague Neal J., de l'Infanterie. Grâce à Dieu, aucun n'a encore d'étoile face à son nom.

Franklin Gilmore se débrouille assez bien à la bibliothèque bien que, parfois, il s'arrange pour ne pas épousseter le haut des étagères car il croit que je ne les vérifie jamais.

J'espère que ma lettre vous trouvera en bonne santé et que vous supportez sans trop de mal les rigueurs de la vie militaire. J'attends avec impatience de recevoir de vos nouvelles, si vous pouvez en prendre le temps qui, si je ne me trompe, vous est compté durant la période d'instruction.

Avec toute mon affection,
Gladys Beasley

Le 15 mars 1942
Cher Will,
Tu ne devineras jamais qui est venu aujourd'hui : cette gentille jeune Lydia Marsh qui habite en dessous de chez nous, sur la route de la ville. Elle est montée quand je plantais mon *potager de la victoire* – Ah! j'ai planté des jardins depuis que je suis en âge de manier la binette et puis, brusquement, ils appellent ça d'un nom quelconque et les gens de la ville en plantent eux aussi, mais là n'est pas la question. Mme Marsh est venue acheter du miel, elle a dit qu'on lui avait dit qu'on en vendait. Elle a amené ses deux enfants, une fille de quatre ans nommée Sally et un garçon de deux ans nommé Lonn. Les garçons se sont bien entendus avec eux et ils ont joué dans le jardin, alors j'ai offert le thé à Mme Marsh et elle est restée un peu avec moi. Quelle femme charmante...

Le 20 mars 1942

Chère mademoiselle Beasley,

Merci pour votre lettre qui contenait des tas de nouvelles. Je ne savais pas tout ce qui se passait là-bas et Elly ne doit pas aller en ville parce qu'elle ne m'en a pas parlé. J'ai lu quelques poèmes et c'était très intéressant. Mon préféré est « When a man turns homeward » de Daniel Whitehead Hicky. J'imagine que ce sera comme ça quand je rentrerai à la maison pour retrouver Elly et les enfants et nous fermerons la porte et nous laisserons le monde à la porte, comme le chat...

Le 25 mars 1942

Chère Elly,

Je viens de passer ma pire journée depuis que j'ai quitté la maison. La compagnie tout entière est vraiment bouleversée. Tu as peut-être entendu à la radio qu'un certain lieutenant Calvin Murphree a emmené bivouaquer une section et l'a obligée à ramper sous des fils barbelés pendant qu'il la mitraillait (c'est-à-dire qu'il tirait des balles au-dessus de leurs têtes) et il est devenu cinglé et il s'est mis à tirer pour tuer et il a tué un gars nommé Kenser ou Kunzor ou quelque chose comme ça et il en a blessé deux autres avant qu'on l'arrête. Un homme s'attend à être tué quand il monte au front mais pas dans un camp d'entraînement par ses propres officiers. Oh Seigneur ! Elly, tu me manques tellement ce soir, mes beaux yeux verts. J'ai sorti le livre de poèmes de Mlle Beasley et j'ai lu mon poème préféré pour me remonter le moral. Ça parle d'un homme qui rentre à la maison à la tombée de la nuit et une femme l'attend une bougie à la main. Encore quatre semaines et un jour et les classes seront finies et je pourrai partir et rentrer à la maison...

Le 25 mars 1942

Cher Will,

Tout va bien ici sauf que tu me manques beaucoup. Mlle Beasley vient tous les samedis après son travail quand la bibliothèque ferme tôt. Elle m'a apporté un livre d'orthographe et elle m'aide à travailler mon écriture et c'est pour ça que mes lettres sont meilleures. Nous jouons aux dames chinoises et devine ce qu'elle a fait d'autre. Elle a fait venir ici le camion de lait pour ramasser notre lait et les prix sont de 11 cents pour un litre et de 30 cents pour une livre de beurre et de 30 cents aussi pour une douzaine d'œufs et le chauffeur me prend tout...

Le 27 mars 1942
Chère Elly,

J'aurais pas dû écrire la dernière lettre car j'étais vraiment de mauvais poil. Je veux pas que tu te fasses du souci pour moi parce que tu as déjà assez à faire avec les enfants et puis maintenant ça va mieux et tout s'est arrangé. J'ai réussi mon examen de secourisme mais je suis de service cette semaine et je n'aime pas beaucoup ça. On fait de l'entraînement au tir tous les jours et tu sais il y a un truc très marrant concernant les péquenots qui ne savent ni lire ni écrire : ils peuvent démonter et remonter un fusil les yeux fermés. Red et moi, (Red, c'est comme ça que j'appelle mon copain) on se débrouille pas mal aussi...

Le 29 mars 1942
Cher Will,

Je me suis demandé ce que tu faisais ce soir. J'ai écouté la radio et on jouait « The white cliffs of Dover » et je me suis demandé si tu allais être envoyé en Angleterre...

Le 11 avril 1942
Chère Elly,

C'est une bonne chose qu'on puisse envoyer notre courrier gratuitement. J'aurais jamais pensé que j'écrirais tant de lettres comme je le fais depuis que je suis ici. On a eu une journée de permission et Red et moi on est sortis avec un groupe qui a pris le bus militaire jusqu'à Buford et on est allés au cinéma. On a vu « *Suspicion* » avec Cary Grant et Joan Fontaine et après ça, presque tout le monde s'est saoulé et a essayé de draguer les filles du coin, sauf moi. Encore 19 jours et j'aurai le droit de rentrer à la maison...

Le 14 avril 1942
Cher Will,
Je n'arrive pas à comprendre pourquoi les journées passent si lentement. Je n'arrête pas de penser à l'instant où tu reviendras et à ce que ça va être. Combien de temps pourras-tu rester? Est-ce que tu vas encore prendre le train? J'ai une surprise pour toi, mais je ne te la dirai pas avant que tu sois ici. Les garçons ont un calendrier et ils ont dessiné une grosse étoile jaune sur le jour où tu es parti et ils mettent un grand X sur chaque jour avant d'aller se coucher...

Le 19 avril 1942
Plus que six jours, mes beaux yeux verts...

Le 19 avril 1942
Cher Will,
Combien veux-tu que je prépare de tartes aux coings?

Le 21 avril 1942
Chère Elly,
Je sais pas comment te dire ça parce que je sais que ça va te briser le cœur. J'aurais préféré faire n'importe quoi plutôt que te dire ça, chérie, mais on vient de recevoir les ordres et j'ai bien l'impression qu'on va pas avoir nos semaines de permission comme prévu. En plus, on est assignés à la base de *Marines* de New River à New River, en Caroline du Nord et on y part tout droit d'ici jeudi prochain. Ils ne veulent pas nous dire pourquoi on a pas nos permissions et il y a des tas de types qui râlent et certains sont sortis sans permission sitôt qu'ils ont appris la nouvelle. Mais, ma chérie, ne t'en fais pas pour moi, je vais bien. J'espère que toi et les enfants vous êtes aussi en bonne santé et que tu comprendras et que tu garderas le moral...

Le 23 avril 1942
Mon bien cher Will,
J'ai fait un gros effort pour ne pas pleurer parce que je sais que c'est toi qui fais le plus dur et j'ai attendu jusqu'à l'heure du coucher

après que ta lettre est arrivée et alors je n'ai pas pu retenir mes larmes plus longtemps...

Le 3 mai 1942
Chère Elly,
Voilà, je suis arrivé à notre nouvelle caserne et tu peux m'envoyer mon courrier au PFC William Lee Parker, 1er Raider Bn., 1er *Marines*, New River Marine Base, New River, Caroline du Nord. J'ai obtenu mon galon doré et j'ai dû payer un buck[1] à Bilinski pour qu'il me le couse parce que je suis drôlement maladroit une aiguille à la main. Bilinski, c'est ce boucher de Detroit qui est dans ma section et qui cherche toujours à se faire un buck. Voilà pourquoi on l'appelle Buck Bilinski. Red et moi, on couche l'un à côté de l'autre maintenant et je suis bien content qu'on nous ait pas séparés...

Le 6 mai 1942
Cher Will,
Mlle Beasley et moi, on a regardé sur une carte et on a trouvé New River et maintenant je t'imagine là-bas où la carte montre cette rivière qui s'enfonce dans les terres en bordure de l'océan...

Le 14 mai 1942
Chère Elly,
Je suis désolé de ne pas t'avoir écrit depuis si longtemps mais on a été terriblement occupés et toute la section se demande ce qu'ils ont l'intention de faire de nous et quand. Mais on ne devrait pas tarder à le savoir et on dirait que ça va pas être pour du beurre le jour où on va partir d'ici parce qu'ils nous font faire un entraînement au combat intensif, même du corps à corps à mains nues. J'ai préparé si souvent mon paquetage que je serais capable de le faire dans le noir les mains dans le dos. Il y en a cinq sortes et on doit savoir ce qu'il faut mettre dans chacune d'elles. Les paquetages de route doivent tout contenir tandis que celui de combat n'a que le strict nécessaire. Ils nous ont pas mal entraînés sur la rivière dans

---

1. Terme populaire pour parler d'une pièce d'un dollar.

des petits canots gonflables. Red et moi, on en parlait l'autre jour et on essayait de deviner pourquoi ils nous faisaient travailler si dur et tout ce qui s'ensuit. Et on pense que ça doit être drôlement important...

Le 17 mai 1942
Cher Will,
Je sais que je devrais être courageuse, mais ça me fait peur de penser que tu vas aller au front. Tu es le genre d'homme fait pour vivre dans un verger à t'occuper des abeilles. Quand je repense au souci que je me suis fait quand tu faisais ça. Maintenant, comparé à ce que tu vas devoir faire, ça me paraît ridicule de m'en être fait au sujet des abeilles. Oh! mon Will chéri, comme je voudrais que tu sois ici parce que le miel coule déjà et comme je voudrais te voir là-bas dans le verger, sous les arbres, remplir les seaux d'eau et retirer ton chapeau pour t'essuyer le front avec ta manche...

Le 4 juin 1942
Chère Elly,
Nous sommes consignés, maintenant, mais on ne nous dit pas où on va aller. Tout ce qu'on sait c'est qu'on doit être prêts à s'embarquer dès que l'ordre tombera...

17

— Bonjour. Bibliothèque municipale Carnegie.

— Allô, mademoiselle Beasley?

— Oui.

— C'est Will à l'appareil.

— Oh! mon Dieu, Will... monsieur Parker, comment allez-vous?

— Très bien, merci. Mais je suis assez pressé. Écoutez, je suis désolé de vous appeler à votre travail mais je n'avais pas d'autre moyen de communiquer avec Elly. Et je vais vous demander de me rendre le plus grand service du monde. Est-ce que vous pourriez aller chez nous lui porter un message ou payer quelqu'un pour le faire? On vient de nous annoncer qu'on embarquait dimanche et qu'on avait une permission de quarante-huit heures, mais si je prends un train pour chez nous, j'aurai juste le temps d'arriver pour m'en retourner immédiatement. Dites-lui que j'aimerais que ce soit elle qui prenne le train et qu'elle vienne me retrouver à Augusta. La seule solution, si on veut se voir, c'est de se retrouver à mi-chemin. Dites-lui que je vais m'en aller d'ici par le prochain train et que je l'attendrai à la gare... à côté des toilettes des dames, comme ça elle saura où me chercher. Est-ce que vous pouvez faire ça pour moi, mademoiselle Beasley?

— Elle aura votre message dans moins d'une heure, je vous le promets. Voulez-vous rappeler pour connaître sa réponse?

— Je n'aurai pas le temps. Mon train part dans quarante-cinq minutes.

— Il y a plus d'une façon d'écorcher son chat, n'est-ce pas, monsieur Parker?

— Comment?

— Si cela ne la fait pas sortir de son trou, rien ni personne ne parviendra à le faire.

Will se mit à rire.

— Je n'avais pas pensé à ça. Dites-lui seulement que je l'aime et que je l'attends.

— Elle va l'avoir votre message, en style télégraphique.

— Merci beaucoup, mademoiselle Beasley.

— Oh! ne soyez pas bête, monsieur Parker.

— Hé, mademoiselle Beasley!

— Oui?

— Je vous aime aussi.

Il y eut un silence puis :

— M. Bell n'a pas inventé cet appareil pour que les *Marines* flirtent avec des femmes qui pourraient être leurs mères! Et au cas où vous n'en auriez pas entendu parler, nous sommes en guerre. Les lignes téléphoniques doivent être libres le plus souvent possible.

Will partit d'un nouveau rire.

— Au revoir, mon cœur.

— Oh! ne soyez pas stupide.

Au bout du fil, ce fut une Gladys Beasley rubiconde qui raccrocha le combiné.

Elly n'avait pris le train qu'une seule fois de sa vie, mais elle était trop jeune pour s'en souvenir. Si quelqu'un lui avait dit quatre mois auparavant qu'elle prendrait un billet et qu'elle traverserait seule la Géorgie, elle se serait esclaffée et l'aurait traité de fou. Si quelqu'un lui avait dit qu'en plus elle ferait cela avec un bébé sur les bras, qu'elle changerait de train à Atlanta pour se rendre dans une ville qu'elle n'avait jamais vue, dans une gare ferroviaire qu'elle ne connaissait pas, elle lui aurait demandé qui, à son avis, était le plus fou des deux.

Avant son départ, Will lui avait dit que les femmes auraient à se débrouiller plus que jamais par elles-mêmes. Et voilà qu'elle se trouvait assise dans un wagon bruyant et bringuebalant, entourée d'uniformes et de tenues barrées d'épaulettes, dans un vacarme infernal, un espace trop étroit jonché d'une semaine de mégots écrasés sur le plancher. Scandaleusement, ces derniers temps, les chemins de fer faisaient de la surréservation si bien que les gens voyageaient debout, assis dans les couloirs ou tassés à trois ou quatre sur des banquettes destinées habituellement à deux personnes. Mais comme elle avait un bébé sur les bras, les gens s'étaient montrés aimables. Et parce que Lizzy P. était un peu grognon, tout le monde avait été serviable. Une femme au rouge à lèvres voyant, chaussée de souliers à talons hauts de même couleur et vêtue d'une robe en imprimé rouge et blanc à motifs tropicaux, proposa de s'occuper de Lizzy pendant un petit moment. Le soldat qui l'accompagnait retira sa plaque d'immatriculation et la fit tourner au-dessus de la tête du bébé pour l'amuser. De l'autre côté de l'allée, assis sur deux banquettes vis-à-vis à deux places, huit soldats jouaient au poker. Tout le monde fumait. L'air avait une couleur d'eau de vaisselle, mais en moins transparent. Lizzy, lassée de la plaque d'immatriculation, se mit à pleurer en se frottant les yeux avec ses petits poings, puis elle se retourna et tendit les bras à sa mère. Lorsque la femme à la robe en imprimé rouge se rendit compte que la petite avait faim et qu'Elly la nourrissait, elle murmura quelques mots à l'oreille de son jeune lieutenant. Celui-ci, en moins de temps qu'il ne fallait pour le dire, alla chercher un employé et le pria de libérer un compartiment où on fit entrer Elly qui disposa ainsi d'une demi-heure de calme pour nourrir Lizzy et lui changer ses couches.

La gare centrale d'Atlanta était pleine de monde, une vraie mêlée où les gens couraient, se bousculaient, s'embrassaient et pleuraient. Le haut-parleur et le vacarme des locomotives effrayaient la petite si bien qu'elle ne cessa de crier durant les quarante minutes d'arrêt, dans les bras d'une Elly au bord des larmes. Des bras qui la faisaient souffrir à force d'essayer de calmer Lizzy. Le bruit lui donnait mal à la tête. Son dos, lui, n'en pouvait plus tant elle était tendue. Dans sa tête, elle retournait des questions qui n'avaient rien pour la rassurer : qu'allait-elle faire si, en arrivant à Augusta, Will ne s'y trouvait pas? Et puis, où allaient-ils passer la nuit? Et qu'allaient-ils faire de Lizzy?

La dernière partie du voyage se fit dans un très vieux train, si sale qu'Elly craignait que sa fille ne touchât à quoi que ce fût, et si bondé qu'elle avait la sensation d'être un poulet qu'on emporte au marché dans un cageot, si bruyant, en outre, que Lizzy, malgré la fatigue, ne parvenait pas à s'endormir. Sur un siège à une place, une femme dormait assise sur les genoux d'un homme et leurs têtes se cognaient au rythme des roues qui hoquetaient sur les rails mal joints. Un groupe de soldats chantait « Paper doll » au son discordant d'une vieille guitare. Ils l'avaient reprise tant de fois qu'Elly avait envie de défoncer à coups de pied le pauvre instrument. D'autres, de leurs voix fortes, racontaient des histoires vécues au camp, les truffant de jurons et simulant des bruits de mitrailleuse. Dans une autre partie du wagon, l'inévitable jeu de poker engendrait des applaudissements ou des hurlements. Sur le siège qui jouxtait celui d'Elly, une grosse dame pourvue d'une moustache ronflait, la bouche ouverte. Une femme au rire aigu en usait sans mesure. Régulièrement le chauffeur, au sortir d'une gare, hurlait le nom de la ville suivante. Quelqu'un dispensait une odeur d'ail. La fumée de cigarette était suffocante. Lizzy cessa soudain de brailler. Elly cessa de la calmer. Mais, en jetant un regard à la ronde, elle se rendit compte qu'elle n'était pas plus mal lotie que des centaines d'autres gens que la guerre déplaçait : comme elle, la plupart d'entre eux se hâtaient vers un bref rendez-vous pathétique, le dernier peut-être, avec la personne qu'ils aimaient.

Elle essuya le petit nez de Lizzy en pensant, *j'arrive, Will, j'arrive*.

La gare d'Augusta, qui desservait les innombrables bases militaires, était pire que tout ce qu'elle avait vu jusque-là. En descendant du train, Elly se sentit submergée par une marée humaine. La valise du grand-père See dans une main et le bébé sur le bras, elle gravit péniblement une série de marches, emportée comme une épave à marée haute, sans même savoir si elle allait dans la bonne direction. Mais elle n'avait pas le choix...

Quelqu'un lui heurta l'épaule et Elly laissa échapper sa valise.

Comme elle se baissait pour la ramasser, Lizzy lui glissa des bras tandis qu'une autre personne les bousculait par-derrière, manquant de les projeter sur le sol.

— Oh ! pardon ! je suis désolé...

L'homme vêtu d'un uniforme vert aida Elly à se relever, ramassa la valise et la lui tendit. Elle le remercia, replaça Lizzy en équilibre et poursuivit son chemin au milieu de la foule vers ce qu'elle pensait être le corps principal de la gare. Au-dessus d'elle, une voix nasillarde et monocorde annonçait : « Le train de cinq heures dix pour Columbia, Charlotte, Raleigh, Richmond et Washington, en voiture au quai numéro trois ». Elle passa sans vraiment s'en rendre compte devant un kiosque à journaux, un restaurant, un marchand de tabac, un cireur de chaussures, des anonymes qui faisaient la queue pour acheter leur billet, deux bonnes sœurs qui sourirent à Lizzy et un si grand nombre de militaires qu'elle se demandait si quelqu'un était déjà parti pour la guerre.

Elle aperçut alors une porte battante qui indiquait « Messieurs » et, un instant plus tard, sa jumelle en mouvement, où elle put lire « Da- »

Dames.

Elle s'arrêta, relut le mot dans son intégralité pour en être bien sûre et jeta un regard circulaire autour d'elle. Il était là qui se dirigeait vers elle en courant.

— Elly ! s'écria-t-il en faisant de grands signes, le sourire aux lèvres, Elly !

— Will !

Elle lâcha sa valise et fit signe à son tour, en sautant à pieds joints pour qu'il la vît. Son cœur battait la chamade, ses yeux étaient remplis de larmes. Il se rapprocha en jouant du coude, bousculant les gens sur son passage. L'instant d'après, ils tombaient dans les bras l'un de l'autre.

— Elly chérie, grâce à Dieu, tu es venue !

Il la souleva du sol et l'embrassa à pleine bouche, la pauvre Lizzy coincée entre ses deux parents. Oui, pensa-t-il, c'est vraiment toi. Tu m'as tellement manqué. Je t'aime. Oh ! Seigneur, il y a si longtemps...

Le sol tremblait quand les trains faisaient mouvement et l'air était enflé de la cacophonie des voix. Dans cette atmosphère, Will et Elly partagèrent un baiser passionné que rien n'aurait pu interrompre, où se mêlaient leurs lèvres, leurs bras enlacés et le sel des larmes d'Elly.

Jusqu'au moment où Lizzy se mit à faire des contorsions et ils durent se séparer en riant, prenant soudain conscience qu'ils étaient en train de l'écraser.

— Lizzy P., ma belle, tu étais là toi aussi... laisse-moi te regarder...

Will la prit et la leva à bout de bras, souriant à ses joues pommelées et à ses yeux dont les cils et l'iris étaient beaucoup plus sombres que la dernière fois qu'il les avait vus. Complètement perdue, Lizzy ne savait plus si elle devait rire ou pleurer.

— Lizzy P., ma beauté, comme tu as grossi ! dit-il en l'embrassant bruyamment et en l'installant sur son bras. Salut mon bébé.

— Je suis désolée, Will, il faut que...

Les lèvres de Will arrêtèrent net l'explication d'Elly. Si les prémices de ce baiser furent radieuses, il se poursuivit empreint d'une chaude sensualité, puis exigea tout l'arsenal de la passion, tandis que la pauvre Lizzy se débattait, mais sans succès, dans son inconfortable posture. Il caressait la nuque d'Elly et lui faisait comprendre sans un mot ce qu'elle pouvait espérer lorsqu'ils se retrouveraient seul à seul. Puis, lentement, il se détacha d'elle sans cesser de la regarder dans les yeux.

Elle l'avait trouvé magnifique dans son uniforme flambant neuf, sous la casquette de son régiment, et si merveilleusement beau qu'elle avait vraiment l'impression de pénétrer dans un monde de rêve.

Lui l'avait trouvée plus mince, plus jolie, peut-être parce qu'elle s'était mis une légère touche de maquillage et que c'était la première fois qu'il la voyait ainsi.

— Mon Dieu, murmura-t-il, je n'arrive pas à croire que tu es là. J'avais si peur que tu ne viennes pas.

— Je ne serais jamais venue sans Mlle Beasley. C'est elle qui m'y a poussée.

Il ne put s'empêcher de rire et l'embrassa de nouveau furtivement, puis il recula d'un pas pour l'admirer des pieds à la tête.

— Où as-tu trouvé cette robe?

C'est qu'il y avait là aussi une certaine originalité : une robe jaune ornée de brandebourgs noirs de pur style militaire, rembourrée aux épaules, brodée sur les hanches et qui s'évasait jusqu'aux genoux pour révéler ses jambes. Qui plus est, elle portait des chaussures ouvertes à talons hauts !

Elly baissa les yeux pleine de confusion.

— Je l'avais faite pour le jour où tu devais revenir à la maison avant ton départ. Souviens-toi, je t'ai dit que j'avais une surprise pour toi.

Il émit un petit sifflement d'admiration et reprit un mot du Capitaine Marvel, une vedette de la radio.

— *Shazaam!*

Elly rougit, tripotant un bouton cousu à la taille et releva timidement les yeux pour fixer le visage qu'elle aimait. C'était bizarre, elle avait presque peur de le regarder, comme si agir de la sorte pouvait hypothéquer son droit à un homme si digne et si attirant.

— Lydia Marsh m'a prêté un patron et j'ai commandé le tissu et les chaussures sur catalogue.

Il se sentait tellement ému qu'il ne savait pas par où commencer : devait-il d'abord la féliciter pour sa nouvelle amie ou pour sa transformation physique? Elle avait relevé ses cheveux assez haut en arrière, comme le faisaient souvent les femmes qui travaillaient dans les usines de munitions sous leurs foulards protecteurs. Une mèche ondulée lui descendait assez bas sur un côté du front; elle s'était légèrement épilé les sourcils et passé un rose pâle sur les lèvres.

— Et tu t'es maquillée, dit-il d'un air approbateur.

— Lydia pensait que je devais essayer. Elle m'a montré comment faire.

— Chérie, tu es si belle que j'en ai le souffle coupé.

— Moi aussi.

Pour s'en imprégner, elle le contempla un long moment dans son uniforme vert : une veste de laine et un pantalon au pli bien marqué, des chaussures étincelantes, une chemise et une cravate kaki et enfin un baudrier Sam Browne qui courait de son épaule droite à sa hanche gauche ; l'emblème rutilant du corps des *Marines* – l'aigle, le globe terrestre et l'ancre – trônait au-dessus de la visière de cuir de sa casquette, ce qui lui donnait l'air d'un étranger d'une certaine importance. Il avait pris du poids, était plus large d'épaules et de poitrine, mais il n'y avait pas de doute, c'était bien lui. Voir son mari dans ce costume bien coupé remplissait le cœur d'Elly d'une grande fierté.

D'une voix douce, elle plaisanta :

— Et où est mon cow-boy ?

— Parti, ma'am, répondit Will avec une pointe d'orgueil. T'as un soldat, maintenant.

— Tu ressembles à ces hommes qui gardaient la grille de la Maison-Blanche.

Il se mit à rire et elle lui demanda :

— Laisse-moi voir cette coupe de cheveux.

— Hé là ! non, tu ne verras pas ça.

— Bien sûr que si, mon première classe Parker à moi.

Et pour plaisanter, elle donna une chiquenaude sur le chevron doré cousu sur sa manche.

— Bon, d'accord, puisque tu le demandes.

Il ôta sa casquette et elle ne put retenir un petit cri de déception en apercevant son cuir chevelu à travers la mince épaisseur de cheveux qu'il avait encore sur la tête. Disparue l'épaisse toison qu'elle avait si souvent lavée, peignée, coupée. *Les Marines devraient changer de coiffeur,* pensa-t-elle. Elle était capable de faire beaucoup mieux avec une simple paire de ciseaux de cuisine. Mais elle se tut et chercha à lui dire quelque chose de gentil.

— Je ne crois pas avoir déjà vu tes oreilles, Will. Tu as de jolies oreilles et, même sans tes cheveux, pour moi tu es toujours très beau.

— Et toi, tu es une belle petite menteuse, madame Parker, dit-il en riant tandis qu'il remettait sa casquette, lui volait un autre baiser et saisissait la valise et son paquetage d'une seule main. Allons-y, lança-t-il. Je ne veux pas te perdre dans cette cohue. Mais Lizzy P., quelle surprise ! Comment ça va, Lizzy ? Tu es fatiguée, mon bébé ? Comment ça s'est passé dans le train ?

— Affreux.

— Pardonne-moi pour la soudaineté de ma décision, mais comme je n'avais qu'une « quarante-huit heures », je n'avais pas le temps de penser aux dispositions à prendre pour les enfants. À dire vrai, ça ne m'aurait pas dérangé si tu les avais tous amenés avec toi, du moment que je pouvais te voir. Mais, où sont les garçons ?

— Chez Lydia Marsh. Ils en ont fait une histoire quand ils ont compris que je partais te retrouver, et emmener celle-là me posait déjà assez de problèmes. Mais je l'ai fait quand même parce que je la nourris encore.

— Je n'y ai pensé qu'après avoir raccroché. Ça n'a pas dû être facile pour toi, n'est-ce pas ? Il y a combien de temps qu'elle a mangé ?

— Environ trois heures.

— Et toi ? Tu as faim ?

— Non. Enfin si, dit-elle en jetant un coup d'œil sur une enseigne lumineuse qui surplombait la devanture d'un café. Euh, un peu. Je veux dire, je n'ai pas envie de perdre de temps dans un restaurant et puis, je ne sais pas combien de temps Lizzy va tenir le coup.

Ils sortirent de la gare dans l'humidité de cette fin d'après-midi d'été.

— J'ai pris une chambre au Oglethorpe. On pourrait acheter quelques hamburgers et les manger là-bas, qu'est-ce que tu en penses ?

Ils se trouvaient au bord du trottoir et leurs yeux se lançaient des regards où se mêlaient la faim et le désir.

— Parfait, s'efforça-t-elle de répondre.

— C'est environ à huit blocs d'ici. Tu crois que tu pourras marcher jusque-là avec ces souliers ?

— C'est un vrai hôtel ?

— Exactement, mes beaux yeux verts. Ce soir, nous coucherons dans un vrai hôtel.

En toute intimité.

Ils se regardaient amoureusement tandis qu'un taxi klaxonnait et que claquaient des portières de voitures. Il sentait son cœur sauter dans sa poitrine. Elle sentait le sien battre à l'unisson. Ils avaient l'envie de s'embrasser mais la réprimaient, retardant leurs effusions à un moment et dans un lieu qui leur permettraient de les savourer pleinement.

— À y bien penser, murmura-t-elle, ça ne me gênerait pas si on laissait tomber les hamburgers.

— Tu devrais quand même manger quelque chose, et puis aussi boire un peu de lait... pour Lizzy.

— Tu crois?

— Ça ne prendra pas beaucoup de temps, dit-il en lui souriant. Et ils se mirent en route le long du trottoir.

Trente-cinq minutes plus tard, ils pénétraient dans leur chambre, précédés « d'une » groom au lieu « d'un » groom. La jeune femme, qui portait une toque rouge, se montra d'une grande amabilité. Pendant que Will posait leur sac de hamburgers en papier marron sur la commode, Elly, sur le seuil de la porte, détaillait le décor. « La » groom posa leurs bagages sur le lit, ouvrit une fenêtre et leur montra du doigt la salle de bains attenante carrelée de noir et de blanc et pourvue d'une baignoire à pieds de lion et d'un lavabo monté sur une colonne. La chambre était petite et ses murs tendus de vert foncé, marron et pêche. Un tapis recouvrait le plancher, des rideaux à motif forestier encadraient les fenêtres devant lesquelles se dressaient une table et deux fauteuils capitonnés. Le cœur de la pièce était occupé par un lit de bois au couvre-lit pêche et flanqué d'une table de nuit que surmontait une lampe bordeaux dont la forme rappelait une vague océane.

Avec beaucoup d'amabilité, Will laissa la jeune femme faire son travail, dominant son envie de la mettre dehors et de refermer à clé la porte derrière elle.

Finalement, il lui donna un pourboire et, à l'instant où la porte se referma, il se tourna vers Elly pour l'embrasser. À peine leurs lèvres s'étaient-elles effleurées que Lizzy se mit à pleurer, les obligeant à s'occuper d'elle avant toute autre chose.

— Tu crois qu'elle va dormir?

— Je l'espère bien. Elle est morte de fatigue.

Leurs regards se croisèrent. *Combien de temps ? Une demi-heure ? Une heure ? J'ai envie de toi, tout de suite.*

— Qu'est-ce qu'on va en faire, Will ? Je veux dire, où est-ce qu'elle va dormir ?

Il jeta un regard circulaire sur la pièce et suggéra :

— Qu'est-ce que tu penses des fauteuils ?

En trois enjambées, il traversa la chambre, saisit les deux sièges et les plaça face à face, créant ainsi un véritable berceau, confortable et sûr.

— Ça devrait aller, tu ne crois pas ?

Elle était tellement soulagée qu'un sourire spontané lui illumina le visage.

— C'est parfait.

Il lui rendit son sourire et entreprit de s'occuper des bagages.

— Tu lui enlèves ses affaires mouillées et je lui prépare des vêtements propres.

Tandis que Will fouillait dans la valise, Elly posa le bébé sur le lit et commença à la changer pour la nuit. Lizzy geignait toujours en se frottant les yeux.

— Elle est crevée, la pauvre chérie, dit Will en s'asseyant à côté de Lizzy. Et il s'appuya sur son coude pour profiter pleinement de sa présence. En quelques minutes, elle se retrouva bien au sec dans un fin kimono.

— Tu peux garder un œil sur elle pendant une minute, d'accord ?

Elly flanqua Lizzy dans les bras de Will et se retourna. Tout en susurrant des petits mots gentils au bébé, il la regarda enlever sa robe jaune, la suspendre dans le placard puis revenir vers lui, pieds nus, en combinaison et soutien-gorge blancs.

Pendant quelques instants, leurs regards ne se quittèrent plus. On n'entendait rien à part le léger geignement de la petite et les battements de leurs deux cœurs. Will baissa les yeux, s'attarda sur la peau nue qu'encadrait la blancheur des deux sous-vêtements pendant qu'elle laissait son regard errer sur cet uniforme sombre qui donnait tant de prestance à son mari. Lorsqu'ils osèrent à nouveau se regarder, Will avait du mal à respirer et les joues d'Elly avaient rougi plus que de raison.

— Mon Dieu, que tu es belle, souffla-t-il, la gorge serrée, d'une voix pointue.

— Toi aussi, murmura-t-elle.

Elle passa les mains dans son dos, dégrafa son soutien-gorge et l'enleva sans cesser de le fixer au fond des yeux. Ses seins étaient lourds, ses larges aréoles rubicondes. Elle ne bougeait pas, encadrée comme un portrait par le chambranle de la porte, faisant l'apprentissage exquis de laisser admirer son corps par les yeux de l'amour. Comme elle se sentait, aujourd'hui, différente du jour où elle l'avait rencontré pour la première fois ! L'amour, c'était là sa plus grande découverte, lui avait enseigné à ne plus désirer cacher quoi que ce fût d'elle-même.

Elle observait Will ; il avait du mal à avaler sa salive. Ses narines se dilataient et sa respiration s'accélérait de façon remarquable. Bien que Lizzy s'agitât encore, Elly traversa la chambre à pas lents, posa un genou sur le matelas et se pencha pour l'embrasser longuement. Il tendit les bras et lui caressa les seins du dos de la main, mais la repoussa doucement du bout des lèvres en murmurant :

— Dépêche-toi.

Elle s'assit dans un des fauteuils avec Lizzy dans le creux de son bras. Will s'allongea sur le ventre et se croisa les poignets sous le menton en regardant sa femme. Elle baissa les yeux, prit un de ses tétons entre deux doigts et le guida vers la bouche ouverte de l'enfant. Les yeux de Will prirent la couleur de l'onyx, son corps fut pris d'un léger tremblement tandis qu'il s'imprégnait de cette image à la fois maternelle et sensuelle. Lorsqu'il n'eut plus la force de la supporter, il se leva et se mit à arpenter la pièce, s'évertuant à détourner son regard. Il posa sa casquette à l'envers sur la commode, retira sa veste et la suspendit dans le placard. Il ouvrit ensuite le sac de nourriture, y jeta un œil distrait et en sortit un hamburger enveloppé dans du papier sulfurisé.

— Tu en veux un pendant que tu la nourris ?

Elle prit le hamburger et commença à le manger tandis qu'il

extirpait la bouteille de lait et en retirait la capsule. Puis il alla chercher un verre dans la salle de bains, le remplit et le déposa sur la table à côté d'elle. Lorsqu'il s'approcha, elle tourna la tête pour ne perdre aucun de ses gestes. Puis elle leva les yeux qui s'arrêtèrent sur son visage, lui permettant ainsi de se rendre compte que son impatience à elle avait atteint le même degré d'insistance que celui qui le dévorait.

Mais le bébé avant tout. À contrecœur, il se détourna.

Elle l'observait avec toute son attention, brusquement sensible aux nuances de gestes qui lui étaient particuliers à lui et non aux autres hommes. Il enleva sa cravate, la plia et la posa à côté de sa casquette, déboutonna ses manchettes et roula les manches de sa chemise jusqu'à mi-bras. À le regarder marcher à travers la pièce et remplir les tâches les plus banales, elle se rendit compte, à sa grande surprise, que ces gestes si simples avaient le don de l'émouvoir et d'éveiller en elle une sensualité qui lui était jusqu'à présent tout à fait étrangère. Elle accueillit avec joie cette sensation, impatiente de pouvoir la laisser s'exprimer avec lui.

Il empila deux oreillers et s'appuya dessus, une jambe allongée sur le lit et un pied sur le plancher. Cette pose accentua sa virilité. Elle se le rappelait dans ses bottes de cow-boy éculées, ses jeans délavés pendant sur ses hanches maigres, sa chemise chiffonnée aux bras tachés de sueur. Mais ce qui la choquait, c'était de s'apercevoir que ce changement de mise accentuait non seulement son apparence masculine, mais le faisait aussi paraître important et plus intelligent. Et c'était cet aspect des choses qui l'affectait plus que n'importe quoi. Elle ressentait comme une douleur aiguë au niveau de la poitrine qui lui faisait battre le cœur à tout rompre. Il porta la main à la poche de sa chemise, en tira un paquet de cigarettes Lucky Strike et il en tassa une méticuleusement contre l'ongle de son pouce. Puis il sortit une boîte d'allumettes, en frotta une et se mit à fumer paresseusement, observant Elly à travers des volutes de fumée blanche. Elle était fascinée par le spectacle de ses mains bien entretenues qui tenaient la cigarette entre l'index et le majeur tandis qu'il ouvrait et refermait la boîte entre chaque bouffée et la fixait à travers ses paupières mi-closes.

— Quand as-tu commencé à fumer?

— Il y a déjà quelque temps.

— Tu ne me l'as jamais écrit dans tes lettres.

— Je pensais que tu n'aimerais pas ça. Tout le monde fume là-bas. Ils nous donnent même des cigarettes gratuites dans nos rations de survie. Et en plus, ça calme les nerfs.

— J'ai l'impression d'avoir affaire à un étranger.

— Si tu n'aimes pas ça, je peux...

— Non, non, ce n'est pas ce que je voulais dire. C'est que... je ne t'avais pas vu depuis si longtemps. Et puis je te retrouve et tu portes des habits comme tu n'en avais jamais eu avant, tu as une coupe de cheveux qui te change énormément et tu as pris de nouvelles habitudes...

Il aspira profondément, puis rejeta la fumée par les narines.

— Oui, mais au fond de moi, je n'ai pas du tout changé.

— Si, tu as changé. Tu es plus fier... Moi aussi, tu sais. Lydia et moi, on en a parlé. Je lui ai dit d'abord que je ne supportais pas ton départ, mais elle m'a répondu que je devrais être fière que tu portes l'uniforme. Et maintenant que je t'ai vu, je suis vraiment fière.

— Tu sais quoi, Elly?

Elle attendit pendant qu'il faisait tourner le mégot de sa cigarette contre le rebord du cendrier de verre pour en faire tomber la cendre. Il finit par lever les yeux sur elle.

— C'est le plus beau costume que j'aie jamais possédé.

En entendant cette remarque, elle comprit, comme elle ne l'avait jamais fait auparavant, l'étendue de ce dont il avait été privé. Et surtout que chez les *Marines,* il était comme tout le monde et non plus du tout un marginal.

— Lorsque je t'ai vu à la gare... eh bien, c'était curieux. Pendant que j'étais dans le train, j'essayais de me souvenir de toi quand tu rentrais à la maison. Et de moi. Et puis je t'ai vu et... eh bien, j'ai ressenti quelque chose... ici, dit-elle en posant la main sur son cœur. Il s'est mis à battre comme un fou, tu sais. Je veux dire, je voulais que tu sois toujours le même, mais j'étais contente que tu ne le sois

pas. Ces vêtements... Oui, tu me fais un de ces effets dans ces vêtements, je n'arrive pas à y croire.

Il s'efforça de sourire et plongea ses yeux dans les siens. Mais,
d'une certaine manière, elle savait qu'ils avaient envie de se poser
ailleurs.

— J'ai eu la même réaction en te retrouvant. Rien qu'en te
voyant assise dans ce fauteuil, ça me reprend.

Pendant que Lizzy continuait de téter, ils se dévisageaient. Le
regard de Will se posa sur les seins nus d'Elly et il tira longuement
sur sa cigarette.

— Tu ne manges pas ton hamburger? demanda-t-elle.

— Pour tout dire, je n'ai pas très faim. Comment il est le tien?

— Délicieux.

Mais elle l'avait posé à côté d'elle, à peine entamé, et ils en
comprenaient tous les deux la raison. Elle avala une gorgée de lait.
Une goutte de condensation tomba du verre glacé sur la joue de
Lizzy et la petite se réveilla en sursaut, abandonna le sein de sa
mère et exprima des poings et du regard qu'elle appréciait fort peu
cette soudaine interruption.

— Chuuut... murmura Elly et elle lui offrit son sein droit.

Will s'attarda un instant sur celui dont Lizzy venait de libérer
la tétine encore humide. Et soudain, il bondit, écrasa sa cigarette et
disparut dans la salle de bains. Elly renversa la tête en arrière,
ferma les yeux et sentit croître son désir.

Oh! Lizzy P., dépêche-toi de terminer, ma chérie...

Dans la salle de bains, elle entendit couler un robinet, un verre
tinter, puis plus rien... un grand silence... avant que Will ne réappa-
rût sur le seuil de la porte en s'essuyant les mains avec une serviette
blanche, les yeux fixés sur elle. Il lança la serviette et enleva sa
chemise pour se retrouver en maillot de corps qui lui moulait le
torse.

Il parla d'une voix basse, tant il avait du mal à se contrôler.

— Je te désire comme je n'ai jamais désiré une femme de ma
vie. Tu comprends, Elly?

— Viens près de moi, Will, murmura-t-elle.

Il posa sa chemise, contourna le fauteuil et passa sur l'épaule

nue une main qu'il laissa glisser sur son sein. Il se pencha en avant;
elle écarta légèrement la tête pour permettre à la sienne d'approcher
la peau de son cou. Elle leva son bras pour le lover autour des
épaules de Will, éprouvant pour la première fois la raideur de sa
chevelure et respirant sa peau dont l'odeur de savon ne lui était pas
familière.

Elle ferma les yeux.

— On a combien de temps devant nous?

— Il faut que je sois de retour à la base à dix-huit heures.

— Ça fait quoi?

— Six heures du soir. Je prends un train à deux heures et
demie. Lizzy a fini de manger. On ne pourrait pas la coucher
maintenant?

Elle lui sourit.

— Tu es toujours comme ça?

— Comme quoi? demanda-t-il d'une voix un peu bourrue.

— À deux doigts de mourir si on te fait attendre une minute de
trop...

La main de Will se referma sur le sein d'Elly... le redressa... le
pétrit. Du pouce, il en caressa le bout encore tout dur.

— Oui, depuis le jour où je me suis retrouvé près du puits avec
un œuf en pleine figure et que je suis tombé amoureux de toi.
Lève-toi.

Elle se leva et regarda Will remettre rapidement les fauteuils
en place, tout en comptant les secondes jusqu'à l'instant où il les
recouvrit du couvre-lit. Lorsqu'elle se pencha pour coucher Lizzy,
il lui effleura doucement l'épaule. Elle se redressa pour se retrouver
face à lui, de l'autre côté des sièges. Les yeux dans les yeux, ils
attendaient, impatients, nerveux, acceptant stoïquement ce dernier
contretemps qui leur avait mis le feu aux tempes. Il tendit la main,
elle y posa la sienne et, de leurs doigts entrelacés, ils échangeaient
déjà un flot de sentiments mutuels.

Il serra plus fort et lui fit faire le tour du berceau improvisé
sans que leurs regards où se lisait leur envie ne se quittent une
seconde.

Lorsqu'ils s'enlacèrent, tout ne fut plus qu'élan et désir, deux

corps qui se mouraient l'un de l'autre, deux langues qu'avaient alté-
rées des mois de séparation. Tout ne fut plus qu'amour et volupté,
réunion de deux êtres faits l'un pour l'autre. Caresses et urgence de
se trouver l'un l'autre, de se toucher partout, de se goûter passion-
nément avant même d'avoir retiré leurs vêtements.

— Oh ! Elly... tu m'as tellement manqué.

Ses mains glissaient sur son corps, toujours plus intimes.

— Notre lit sans toi, c'était si triste, Will !

Du bout des doigts, elle explorait son pantalon en quête de la
boucle de sa ceinture.

Ils laissèrent tomber leurs vêtements comme des voiles qu'on
affale. En se murmurant des mots tendres, ils se laissèrent tomber
sur le lit.

— Laisse-moi te regarder.

Il se recula, permettant à ses yeux et à ses mains de se rassasier
d'elle et l'embrassa partout où il le désirait.

Elle s'allongea sur le dos, les bras tendus, s'offrant comme la
coupe dans laquelle il allait boire. De la même façon, elle se reput
de lui et leur timidité s'évanouit, comme chassée par l'implicite
aveu que ce pouvait être leur dernière chance d'être ensemble.

Enfin physiquement réunis, c'était, entre eux, l'accord parfait.

Ils tissaient une toile prodigieuse sur laquelle ils frémissaient,
plongés dans une sorte de douce béatitude où se perdaient leurs
âmes et leurs corps. Ils repoussaient les spectres de la mort et de la
guerre, ces méprisables intrus, et s'imprégnaient l'un de l'autre,
acceptant le plaisir qu'ils prenaient comme un droit.

— Je t'aime, ne cessaient-ils de répéter dans un murmure un
peu rauque. Je t'aime.

Telle était la nourriture spirituelle qu'ils voulaient emporter
avec eux lorsqu'ils quitteraient cette chambre.

Le soleil se couchait quelque part, sur un horizon qu'ils ne
pouvaient pas voir. Une bouée à cloche retentit dans le lointain.
L'odeur de l'air marin pénétrait par la fenêtre. Un bras lourd et alan-
gui reposait sur l'épaule d'Elly, un genou barrait sa cuisse.

Du bout du doigt, elle lui étira la lèvre inférieure et la laissa revenir à sa place dans un petit claquement.

Il sourit d'un air fatigué, sans pour autant ouvrir les yeux.

— Hé, Will.

— Hmm ?

— Je ne suis pas mécontente d'avoir traversé toute la Géorgie dans leurs trains crasseux.

Il entrouvrit les paupières.

— Moi non plus.

Leurs sourires s'évanouirent mais ils continuèrent de se regarder.

— Tu m'as tellement manqué, Will.

— Toi aussi, mes beaux yeux verts.

— Parfois, je me promène et je regarde les stères de bois. J'attends avec impatience de te voir aller y chercher des bûches.

— J'y retournerai... bientôt.

Ce rappel leur faisait trop penser au lendemain, ils se réfugièrent alors dans l'instant présent, multipliant les caresses, se murmurant des mots doux, s'embrassant sans retenue, heureux de s'aimer comme ils s'aimaient. Ils restèrent couchés front contre front, promenant leurs doigts sur tout leur corps, mêlant leurs pieds et leurs genoux de telle façon qu'il leur semblait qu'ils avaient été faits pour aller de pair. Lorsqu'ils eurent repris leur souffle, ils s'enflammèrent de nouveau et jouirent de leurs seconds ébats à un rythme plus raisonnable, contemplant leurs visages en attendant qu'une fois encore le plaisir transpirât de leurs corps.

Finalement, après qu'ils eurent parlé de la maison et des problèmes matériels – comme des caprices de la génératrice éolienne ou de la mine d'or que représentait la ferraille des carcasses de voitures – il alluma une autre cigarette et s'allongea sur le dos, laissant à son épaule le soin de servir de coussin à la joue d'Elly.

Elle fixa le drap qui recouvrait les pieds de Will et se jeta à l'eau en posant la question qu'elle redoutait.

— Où est-ce qu'ils vous envoient, Will ?

Il prit lentement une longue bouffée avant de répondre.

— Je n'en sais rien.

— Tu veux dire qu'ils ne vous en ont pas encore parlé ?

— On parle comme ça du Pacifique Sud, mais personne ne sait où, pas même le commandant de la base. Le CO utilise le mot de « fer de lance »... et tu sais ce que ça veut dire ?

— Non. Quoi ?

Il prit un cendrier, le posa sur son ventre et tapota sa cigarette.

— Ça veut dire qu'on va lancer une attaque.

— Une attaque ?

— Une invasion, Elly.

— Une invasion ? De quoi ?

Il n'avait pas envie de parler de cela. Qui plus est, il n'était au courant de rien.

— Qui sait ? Les Japonais sont partout dans le Pacifique, ils en contrôlent la plus grande partie. Si on nous envoie là-bas, on peut se retrouver n'importe où, entre Wake et l'Australie.

— Mais comment peuvent-ils vous envoyer quelque part sans même vous dire où vous allez ?

— La surprise fait partie de la stratégie militaire. Si c'est ce qu'ils ont planifié, nous, on obéit aux ordres, c'est tout.

Elle digéra la réponse pendant de longues minutes tandis que le cœur de Will battait la chamade contre son oreille. Finalement, elle demanda calmement :

— Dis-moi, Will, tu as peur ?

Il lui caressa les cheveux.

— Bien sûr que j'ai peur. De temps en temps... Les autres fois, je me dis que je fais partie de l'unité militaire la mieux entraînée de toute l'histoire du monde. Si je dois combattre, je préfère le faire avec les *Marines* qu'avec n'importe qui. Et je veux que tu t'en souviennes quand tu te feras des cheveux pour moi après mon départ. Chez les *Marines*, c'est le groupe qui compte avant tout. Personne ne pense d'abord à soi. Alors, comme tout le monde pense d'abord au groupe, tu as toujours cette sécurité derrière toi. Et tout *Marine* est entraîné à prendre la relève si son CO est blessé au combat. Comme ça, une compagnie a toujours un chef, un escadron a toujours un chef. C'est là-dessus que je dois me concentrer quand je commence à avoir la trouille en pensant à un éventuel départ pour le Pacifique... et c'est aussi à ça que tu dois penser.

Elle essaya bien, mais les images de baïonnettes et de fusils lui revenaient à l'esprit.

Lui aussi les revoyait, celles des actualités, au cinéma, en noir et blanc.

— Allez, t'en fais pas, ma chérie. Parlons d'autre chose.

Et c'est ce qu'ils avaient de mieux à faire. Ils parlèrent des enfants. De Mlle Beasley. Puis de Lydia Marsh. Et de la façon dont Will avait grossi. De celle dont Elly avait appris à se maquiller et à se coiffer. Lorsque la nuit fut tombée, ils prirent un bain ensemble, ponctué de caresses, de plaisanteries et de rires, dans le secret de la salle de bains. Ils firent l'amour appuyés contre la porte et mangèrent les hamburgers froids, il lui parla de la nourriture servie à la base et lui enseigna tout le jargon militaire qu'il avait appris au cours de sa galère. Elle ne put s'empêcher de rire en entendant que les boîtes de lait devenaient des « vaches blindées » ; les œufs, des « baies qui gloussent » ; le tapioca, des « yeux de poissons » ; ou les épinards, des « Popeye ». Vers minuit, ils firent l'amour sur les motifs verts du tapis marron. Il leur arrivait d'éclater de rire, sans doute un peu par désespoir en sentant s'égrener les heures. Il lui parla de son copain Otis Luttrell, le gars aux cheveux roux du Kentucky, et lui confia leur espoir de partir ensemble. Il était fiancé à une jolie jeune femme prénommée Cleo qui travaillait à Lexington dans une usine de grenades. Jamais, ajouta Will, il n'avait eu un ami comme Otis.

La nuit passait très vite. Ils s'assirent sur le rebord de la fenêtre, les yeux perdus dans les ténèbres lointaines où, ils le savaient, des navires se trouvaient à l'ancre. Mais il faisait noir comme dans un four, tout était plongé dans l'obscurité de peur que des sous-marins allemands ne se glissent à travers les défenses de la côte est.

La guerre était là... bien présente... même si on essayait d'en repousser l'idée. Elle était là, insinuée dans chaque pensée qu'ils partageaient, chaque caresse, chaque battement de cœur.

À l'aube, ils dormaient, bien malgré eux, mais ils se caressaient, même en plein sommeil. Puis ils s'éveillèrent pour faire provision de leurs derniers instants ensemble, comme des mendiants recomptent leur monnaie.

Lorsque Lizzy s'éveilla à son tour, peu avant sept heures, ils la prirent avec eux dans leur lit. Et Will, couché sur le côté, la tête appuyée sur son poing, se repaissait de ce spectacle dont il ne se lasserait jamais. Après la tétée, il annonça qu'il voulait donner son bain à Lizzy. Elly le regarda faire, tout émue, un peu triste aussi, à genoux au bord de la grande baignoire, tout heureux de s'occuper du bébé. Il fit tout : la sécha, la langea et lui passa une barboteuse toute propre. Puis il se recoucha sur le lit et joua avec elle, riant à ses gazouillis et à ses airs d'ours en peluche. Mais il levait souvent les yeux vers sa femme, assise de l'autre côté de l'enfant, et un indicible chagrin s'installait alors entre eux.

Ils déjeunèrent dans leur chambre et y restèrent jusqu'à ce qu'« une » groom différente de celle de la veille vînt leur demander s'ils comptaient passer une seconde nuit à l'hôtel. Alors ils firent leurs bagages, puis s'arrêtèrent sur le seuil de la chambre et jetèrent un ultime regard sur cet espace qui venait de leur offrir un havre de paix durant les dix-huit dernières heures. Ils se firent face, tâchant de paraître courageux et leur dernier baiser à l'abri du monde, ils l'échangèrent les lèvres tremblantes, dans un état proche du désespoir.

Ils s'engagèrent dans les rues d'Augusta et marchèrent le long des trottoirs brûlants, jusqu'à ce qu'ils découvrent un jardin public où se dressait un kiosque à musique désert entouré de bancs de fer. Ils s'y installèrent puis étendirent sur l'herbe une couverture où ils laissèrent Lizzy jouer avec la plaque d'identification de Will. Ils contemplaient les arbres, le ciel bleu et clair de la Géorgie ou l'enfant couchée à leurs pieds – mais, le plus souvent, ils se regardaient au fond des yeux. Parfois ils s'embrassaient, du bout des lèvres, sans fermer les paupières, un peu comme si perdre l'autre de vue, ne serait-ce qu'une seconde, leur paraissait impensable. Souvent aussi, ils se laissaient aller à se toucher. Il lui caressait doucement l'épaule ou la main qu'elle avait abandonnée sur sa cuisse et jouait avec la bague qui, comme il fallait s'y attendre, avait laissé au doigt d'Elly un cerne verdâtre.

— Lorsque je reviendrai, je t'achèterai une vraie alliance en or.

— Je ne veux pas d'une vraie alliance en or. Je veux celle que je porte depuis le jour de notre mariage.

Leurs yeux se croisèrent, des yeux tristes, désormais incapables de cacher qu'ils savaient ce que leur réservait un avenir prochain.

— Je t'aime, mes beaux yeux verts. Ne l'oublie jamais.

— Je t'aime, moi aussi, mon petit soldat.

— Je vais essayer de t'écrire le plus souvent possible, mais... enfin, tu sais bien.

— Moi, je t'écrirai tous les jours. Je te le promets.

— Ils vont tout censurer, alors tu ne sauras peut-être pas où je me trouve, même si je te l'écris.

— Ça m'est égal. Tant que je sais que tu es vivant.

À nouveau, pendant quelques minutes, ils ne se quittèrent pas des yeux, puis il appuya son front contre celui d'Elly. Et ils restèrent ainsi, main dans la main, tandis que quelque part, dans le parc, se faisaient entendre les cris d'un couple de goélands argentés. Au loin retentit le sifflet d'un bateau. Tout près d'eux, les petites mains de Lizzy faisaient tinter la chaîne de la plaque de Will. Et, par-dessus tout, il y avait ce parfum de pétunias pourpres qui fleurissaient au pied d'une adorable petite fontaine.

Will sentit sa gorge se serrer. Il avala sa salive et dit à sa femme :

— Je crois qu'il est temps d'y aller.

Brusquement, Elly manifesta une gaieté de circonstance.

— Oh!... oui, bien sûr, il est... dis donc, Lizzy, on ferait mieux d'accompagner papa au train, tu ne crois pas?

Il prit le bébé dans ses bras, elle ramassa les bagages et ils se mirent en marche pour la gare où, perdus au milieu de la foule bruyante, ils restèrent face à face, soudain incapables de parler. Lizzy, fascinée par un des boutons de la veste de Will tentait vainement de l'arracher de sa petite main potelée.

« *Le train de quatorze heures trente pour Columbia, Raleigh, Washington et Philadelphie, en voiture au quai numéro trois* »

— C'est le mien.

— Tu as ton billet? demanda Elly.

— Oui, ma'am.

Leurs regards se rencontrèrent et, de son bras, il la prit par le cou et l'attira tout contre lui.

— Embrasse les garçons pour moi et donne-leur ces barres de chocolat.

— Oui... c'est ça. Et envoie-moi ton adresse dès que tu... dès qu'ils...

Elle ne se sentit pas la force de poursuivre, de peur de laisser échapper les sanglots qui lui comprimaient la poitrine.

Il hocha la tête, le visage marqué par la douleur.

« *Dernier appel pour Columbia, Raleigh...* »

Elly était en larmes et Will, les yeux brillants, n'en menait pas large.

— Oh ! Will...

— Elly...

Ils s'enlacèrent maladroitement, le bébé coincé entre eux deux.

— Reviens-moi vite.

— Pour ça, bon Dieu, tu peux en être sûre.

Leur baiser d'adieu fut à peine supportable : « Au revoir, ne te fatigue pas trop, fais attention à toi ». Ils avaient la bouche sèche tant était grande leur envie de pleurer.

Un coup de sifflet retentit. « *En voituuure !* » Et le train s'ébranla lentement.

Il s'arracha à elle, lui posa le bébé dans les bras, se mit à courir et sauta dans le train en marche. Il attendit, pour se retourner, de ne plus avoir qu'une image floue d'Elly et de Lizzy qui agitaient les bras au milieu d'une foule d'inconnus, dans une gare crasseuse d'une ville surchauffée de Géorgie.

Eleanor Parker ne priait plus depuis longtemps. Et ce fut sans doute plus une imprécation qu'une prière lorsqu'elle murmura en frappant du poing :

— Bon Dieu, pro... protégez-le, c'est bien compris ?

18

Le 18 juin 1942
Chère Elly,

Quelle vie de fous nous menons ! Hier j'étais auprès de toi et aujourd'hui, je suis dans un train qui roule vers la Californie. Red est avec moi, mais ce n'est pas la même chose que si tu étais là. Je n'arrête pas de penser et de repenser au bonheur d'être avec toi, à mon amour pour toi et à la joie que nous avons eue de passer cette journée ensemble. C'était presque le paradis, mes beaux yeux verts...

Le 18 juin 1942
Mon cher Will,

Je t'écris parce que j'en ai absolument besoin. Mon cœur déborde et j'ai l'impression qu'il va éclater si je ne te dis pas ce que je ressens après notre nuit à Augusta. Je ne sais pas quand tu vas recevoir cette lettre parce que je ne sais pas où l'envoyer, mais les sentiments sont les sentiments et les miens ne changeront pas, même si tu ne lis cette lettre que dans un mois d'ici. (Je vais la garder et je te l'enverrai dès que tu m'auras fait parvenir ton adresse.) Tu te rappelles, Will, quand je t'ai rencontré pour la première fois, je t'ai dit que j'aimais toujours Glendon et je pense que c'était vrai. Glendon a été la première personne à se montrer vraiment bonne avec moi depuis ma naissance. Il m'a fait comprendre que j'étais venue au monde pour autre chose que me repentir et accepter qu'on se moque de moi. C'était un homme vraiment gentil, Glendon, et lorsque je l'ai épousé, j'ai vraiment été heureuse pour la première fois de ma vie. Alors j'ai cru que ça voulait dire que je l'aimais follement. Je l'aimais, c'est vrai, mais, ne le prends pas mal, quand Glendon et moi on faisait des choses intimes ensemble, ça n'a jamais été comme c'est entre toi et moi. Je ne te l'avais jamais dit avant, mais la première fois que Glendon et moi on a fait ça, c'était dans les bois et nous avons fait ça parce que son papa venait de mourir et qu'il pleurait. Je me rappelle que j'étais allongée sur le dos, je regardais les branches vertes et je pensais au chant d'un oiseau qui n'arrêtait pas de siffler dans le lointain. Et je me demandais ce que c'était et bien plus tard je me suis rendu compte que c'était une bécassine qui poussait son cri en prenant son essor, un sifflement lugubre qui monte, monte, monte à chaque coup d'ailes. C'est drôle, mais en y repensant aujourd'hui, mon attention était toujours ailleurs quand Glendon et moi on était ensemble. Lui et moi, on a fait trois enfants et ça devrait signifier que nous étions dans notre tête aussi proches qu'un homme et sa femme doivent l'être. Mais, Will, j'ai passé deux nuits avec toi et ce sont les deux seules nuits qui m'ont fait découvrir ce qu'était réellement l'amour. Le cri de la bécassine était à cent lieues de mes pensées quand toi et moi on faisait l'amour, tu sais, Will. Je ne peux pas m'empêcher de penser à ça et à ce que je ressentais rien qu'en te regardant, avant même que tu sois déshabillé. Je te regardais marcher en retirant ta cravate et ta veste et j'avais l'impression qu'une bouffée de chaleur me traversait les entrailles, Will. Je me disais en moi-même : personne ne marche comme lui. Personne ne déboutonne ses manchettes comme lui. Personne n'a des yeux aussi beaux que les siens. Personne n'a plus de chance que moi.

Je reviens en arrière et je relis ce que j'ai écrit et ça ne me semble toujours pas dire ce que je ressens. Mais dire à quoi ressemble l'amour, c'est à peu près comme dire à quoi ressemble le chant d'un oiseau. Tu l'entends, tu le reconnais et il te pénètre tellement que tu es certain que tu pourras le répéter à quelqu'un d'autre. Mais c'est impossible. Je voulais seulement que tu saches que je t'aime d'une autre façon que Glendon. On dit que tout le monde traverse la vie à la recherche de la seconde moitié de lui-même et je sais maintenant que tu es la seconde moitié de moi-même parce que, lorsque je suis avec toi, je me sens très bien...

Le 16 juillet 1942
Cher monsieur Parker,
Eleanor m'a fait lire votre dernière lettre et toutes les deux nous avons pris un Atlas et tenté de nous rendre compte avec précision de l'endroit où vous vous trouvez. Je lui ai apporté des livres sur les îles du Pacifique afin qu'elle puisse voir ce que sont là-bas la faune et la flore, le climat et les caprices de l'océan.

Ici, les choses changent. La ville est presque déserte. Non seulement nos jeunes hommes sont partis, mais les jeunes femmes s'en vont aussi. La dernière affiche représente une femme. Elle a pour slogan : « Quel travail effectuer pour apporter ma pierre à l'édifice de la Victoire ? » Alors, un grand nombre d'entre elles s'en vont pour trouver un travail chez Lockeed à Marietta, les chantiers navals à Mobile, ou chez Packard ou Chrysler plus au nord, là où l'on fabrique des moteurs, des fuselages et des trains d'atterrissage. Quand j'étais jeune, il y avait peu de solutions pour les femmes non mariées. Enseignante, femme de chambre ou bibliothécaire. Même les infirmières étaient regardées de travers. Aujourd'hui, les femmes conduisent les autobus, manient des chalumeaux à l'acétylène et actionnent des grues. Je ne peux m'empêcher de me demander ce qu'il va se passer lorsque les alliés seront vainqueurs et que vous, les hommes, allez revenir. Mais ne vous en faites pas, votre poste vous attend.

Ici, tout se fait rare. Les fruits en conserve (Dieu merci, j'habite en Géorgie où on en aura bientôt dans les vergers), le goudron (les routes sont complètement défoncées), le sucre (qui me manque plus que tout), les pinces à cheveux (les femmes se coupent les cheveux au point de ressembler à des jeunes recrues qui font leurs classes), le tissu (Washington a émis une ordonnance qui stipule que, pendant toute la durée de la guerre, les vêtements pour hommes devront être confectionnés sans manchettes, ni plis, ni poches rapportées) ou les ouvre-boîtes (Dieu merci, j'en ai un). Même la viande et les automobiles. Le seul fait de parler de voiture neuve prête à rire. Le journal d'hier rapporte que M. Edsel Ford lui-même ne peut en acheter une sans qu'un comité de rationnement de Detroit n'étudie sa demande. C'est à peine croyable, surtout lorsqu'on sait que sa famille a produit plus de trente millions de véhicules !

S'il y a une chose que la guerre nous a apportée, c'est l'égalité.

À la bibliothèque, les choses sont en gros ce qu'elles étaient lorsque vous êtes parti, sauf que, depuis que vous vous êtes engagé, Lula Peak ne vient plus rôder par ici, et ça vaut mieux pour elle ! Pardonnez-moi mes plaisanteries, mais Lula, vous le savez bien, est un sujet très pénible. Je crains de perdre l'aide de Franklin Gilmore qui parle de ne pas retourner au lycée pour y faire sa dernière année et de plutôt s'engager. On édite de moins en moins de livres parce que la plupart des entreprises d'abattage fournissent du bois pour fabriquer des caisses d'emballage au lieu d'en faire du papier. Mais un titre est partout en évidence : c'est le *Manuel de premier secours* de la Croix-Rouge.

Je vais, comme toujours, rendre visite à Eleanor et aux enfants tous les samedis, mais je n'ai pas réussi à convaincre votre femme de descendre en ville. En revanche, elle s'est liée d'amitié avec Mme Marsh et parle d'elle avec beaucoup de gentillesse. Je prends sur moi d'envoyer chez vous le directeur de l'école primaire pour faire en sorte que Donald Wade soit inscrit en première année au mois de septembre prochain. Je ne dirai pas à Eleanor que c'est moi qui l'ai envoyé et j'aimerais que vous ne le lui disiez pas non plus. Donald Wade est un garçon intelligent et il lit déjà comme un élève de première année. Il est capable de vous répéter mot pout mot les annonces de nombreuses émissions radiophoniques et c'est déjà une vraie petite vedette de la chanson, ce que vous ne saviez sans doute pas. Thomas et lui m'ont chanté, la dernière fois que je suis allée chez vous, « Cream of wheat », une chanson tirée de « Let's pretend ». C'était vraiment amusant et je les en ai félicités de tout cœur. J'ai ajouté à l'intention de Donald Wade que, lorsqu'il ira à l'école, il chantera tous les jours et j'ai pris sur moi de lui apprendre une chanson dont je me souviens et qui a bercé mon enfance.

Octobre a donné une fête.
Les feuilles sont venues par centaines,
Des frênes, des érables et des chênes
Et de nombreuses autres espèces.
Le soleil en a fait un tapis
Et tout s'en est trouvé grandi.
C'est le Temps qui menait le bal
Et Maître Vent le grand orchestre.

Je crois, cependant, qu'Eleanor aime ce chant autant que Donald Wade, elle qui prend le temps d'explorer et d'apprécier les mystères des forêts et de toutes ses créatures. Elle l'a chanté avec Donald Wade et fredonné en débarrassant la table après le thé. Elle va bien, mais vous lui manquez énormément.

Sur ces belles paroles, il faut que je vous quitte. Je n'insisterai pas sur les vœux de bonne chance que je forme pour vous, vœux qui me paraissent bien dérisoires étant donné les lieux où vous vous trouvez et les services que vous rendez à ceux d'entre nous qui sommes restés chez nous. Je vous dirai donc simplement que je ne vous oublie pas dans mes prières du soir.

Affectueusement,
Gladys Beasley

Le 23 juin 1942
De quelque part dans l'océan Pacifique.
Chère Elly,
Voilà, je suis sur un bateau, mes chers yeux verts, et c'est à peu près tout ce que j'ai le droit de te dire. Surtout pas son nom ni notre destination, car on ne nous en a pas encore parlé. On a pourtant tous notre petite idée, étant donné la direction dans laquelle on navigue. On a pris le train pour San Francisco et embarqué là-bas le 21 juin. La vie à bord d'un transporteur de troupes n'est pas si mauvaise que ça. On est un peu les hôtes de la *Navy*, alors, pour un temps, on mène une vie tranquille et on peut se détendre. La nourriture est bonne. Tout est frais, la viande, les légumes, les patates. La marine fait la police. Tout ce qu'on fait à peu près, chaque jour, c'est suivre des cours pour comprendre le japonais et de la gymnas-

tique sur le pont. Mais demain, on va avoir les grandes manœuvres, c'est-à-dire qu'on va nettoyer nos cabines de fond en comble. La mienne se trouve dans la soute avant, à tribord, ce qui est bien. Pas trop de bruits de moteurs et une navigation assez régulière. Red occupe le pieu en dessous du mien, de vrais berceaux de toile. On joue beaucoup au poker, pas mal de gars lisent des bandes dessinées et se les échangent. Il y en a quelques-uns qui lisent des livres et tout le monde parle de sa fiancée laissée au pays. Mais moi, je ne parle pas de toi, sauf à Red parce que c'est mon pote et que c'est pas un gars à aller raconter tout ce qu'on lui dit. Je ne lui ai pas parlé de toute notre affaire d'Augusta mais je lui ai raconté l'histoire de l'œuf que tu m'as envoyé et ça l'a drôlement amusé. Il aimerait bien te rencontrer quand cette saloperie de guerre sera terminée. Et puis, voilà mon adresse jusqu'à ce que je t'en fasse connaître une autre – Pfc. William Lee Parker, 1er Raider Bn., 1Er *Marines*, So. Pacific. Je vais essayer de t'écrire tous les jours d'ici notre arrivée à l'endroit où on nous envoie parce qu'on n'a pas grand-chose à faire sur un bateau. Je t'ai dit un jour qu'on appelait nos fusils nos chéries, mais quand j'écris ce mot maintenant, je pense à toi. Je t'aime, ma chérie.

Ton Will

Le 28 juin 1942
Mon très cher Will,
Cette attente est épouvantable parce que je ne sais pas où tu es et qu'il n'y a pas moyen de le savoir...

Le 22 juillet 1942
De quelque part dans le Pacifique Sud
Chère Elly,
On est de nouveau à l'ancre au large et, là où on est, il y a le dernier bureau de poste de la Marine et on a des ordres précis. Demain, ce sera notre dernière journée en mer et puis on y sera. Alors ce soir, c'est le dernier soir pour écrire nos lettres et, quand on les aura données à notre vaguemestre pour qu'il les envoie, on ne saura pas quand on aura l'occasion d'écrire de nouveau. On nous

a dit où on allait et pourquoi, mais j'ai pas le droit de te le dire, ma chérie. Tout ce que je peux te dire, c'est que je vais aller dans un sous-marin. Et je veux te dire aussi que tout le monde ici est très calme. C'est drôle, on dirait pas qu'on va au combat, sauf que tout le monde parle plus bas ce soir et brique son fusil, même s'il brille déjà comme l'étoile Polaire. Ça, je peux bien te le dire et j'espère qu'ils ne vont pas me le supprimer : où nous sommes, il n'y a pas d'étoile Polaire. Au lieu de ça, nous voyons la Croix du Sud qu'on a tous appris à reconnaître la nuit dans le ciel. Je suis couché sur mon pieu et, fumant une Lucky Strike, je pense à toi et aux enfants et je réfléchis à toutes les choses que j'ai dans mon cœur et que je pourrais te dire dans cette lettre. Mais tout ce que j'arrive à faire, c'est à sentir une grosse boule dans la gorge et à me dire, nom de Dieu, mon vieux Parker, tu retourneras là-bas, tu entends ? Elly, ce que tu as fait pour moi depuis un an, c'est plus que ce que n'importe qui a fait pour moi pendant toute ma vie. Je t'aime tant, Elly, que ça me fait mal jusqu'au plus profond de mes tripes quand je pense à tout ça. Tu m'as donné un foyer, une famille, l'amour et un endroit où retourner. Et quand je te dis merci, ça m'a l'air tellement petit et si loin de ce que je ressens au fond de mon cœur. Je feuillette le livre de poèmes de Mlle Beasley pour essayer d'en trouver un qui dit ce que je pense mais y a pas de vers là-dedans qui font l'affaire. Je veux seulement que tu saches, mes beaux yeux verts, que tu es la personne la plus précieuse que j'aie jamais rencontrée de toute ma vie et aucune guerre n'y changera quoi que ce soit. Maintenant, il faut que je te quitte parce que je commence à me sentir un peu mélancolique et bien seul, mais ne t'en fais pas pour moi parce que, comme je te l'ai dit avant, je suis avec le meilleur groupe qui soit. Rappelle-toi simplement que je t'aime et que je reviendrai à la maison quand cette saloperie sera finie.

Je t'embrasse,
Will

Le 1ᵉʳ août 1942
Cher Will,
J'ai reçu ce que je crois être ta dernière lettre écrite sur le

bateau et je me suis sentie si triste que j'ai dû aller faire une promenade avec les enfants jusque dans le verger pour éviter de fondre en
larmes. C'est si horrible de ne pas savoir où tu te trouves ni si tu es
vivant...

Le 4 août 1942
Cher Will,
C'est un grand jour, aujourd'hui : Lizzy P. a eu huit mois et je
suis en train de la sevrer. Mes seins sont si lourds de lait qu'on
dirait qu'ils vont éclater...

Le 10 août 1942
Cher Will,
Mlle Beasley m'a apporté les journaux et il y a des gros titres,
aujourd'hui. J'ai toujours peur quand je vois des lettres de cinq
centimètres de haut... cette fois, il s'agit d'une grande bataille dans
les îles Salomon et des dégâts subis par nos navires et j'ai si peur
que tu sois sur l'un d'eux...

Le 11 août 1942
Cher Will,
... Ils ne nous disent rien ici, sauf que l'offensive se poursuit
« malgré une forte résistance de la part de l'ennemi ». On n'est que
lundi, mais Mlle Beasley est venue à la maison car elle pense,
comme moi d'ailleurs, que tu es quelque part, là-bas, dans cet
horrible massacre aux îles Salomon où les Japonais affirment qu'ils
ont coulé vingt-deux navires et en ont endommagé six de plus...

Le 18 août 1942
Cher Will,
... et tu ne peux pas t'imaginer comme il est pénible de lire les
dépêches de guerre dans les journaux et de ne rien savoir encore...

Le *20 août 1942*
Quelque part dans le Pacifique
Ma bien chère Elly,

Je suis bien vivant et indemne mais je suis au combat, maintenant, et je sais ce que ça fait de tuer un être humain. Tu dois seulement te dire que c'est un ennemi et penser que le jour où tu rentreras à la maison, les choses iront beaucoup mieux. Je suis assis dans un trou de renard et je pense aux marches de l'escalier du porche, au jour où j'ai lavé les garçons au puits et où on les a essuyés ensemble. Je ne sais pas ce que je donnerais pour prendre un bain. Où je suis, il n'arrête pas de pleuvoir. Il y a des palmiers et plein d'herbes jaunâtres depuis la plage jusqu'à la jungle. Je ne peux pas dire que j'aime la jungle, mais on y trouve des tas de choses à manger. Nous sommes privés de provisions depuis un bon bout de temps et je peux te dire que ça nous a fichu un sacré coup quand on a regardé vers le large et qu'on a vu nos navires s'en aller. J'ai tellement bu d'eau de coco qu'il m'en sortait par les oreilles qui, au fait, logent des espèces de champignons qui poussent à l'intérieur. Entre ça, les piqûres de moustiques et la pluie, c'est une sacrée saloperie d'endroit, mais je veux pas que tu t'en fasses pour moi car nos chasseurs sont enfin sur place. J'aurais aimé que tu nous voies hurler de joie quand ils sont passés au-dessus de nous avant d'atterrir. C'était le plus beau spectacle que j'aie jamais vu. Non seulement ils nous apportaient des provisions fraîches, mais ils nous ont dit qu'ils allaient emporter le courrier. On sait pas si ça arrivera un jour, mais si c'est le cas, embrasse les enfants pour moi et dis à Mlle Beasley que j'ai dû laisser mon livre de poèmes, mais que j'ai arraché la page où se trouve celui que je préfère et que je la garde dans mon paquetage. Le lire et lire tes lettres sont à peu près les seules choses qui m'aident à tout supporter...

Le 4 septembre 1942
Cher Will,
... et voilà, Donald Wade a pris le bus scolaire pour la première fois aujourd'hui...

Le 3 octobre 1942
Mon très cher Will,
... et aujourd'hui, les garçons ont appris à Lizzy P. à dire papa...

Le 4 octobre 1942
Cher Will,

Ta lettre vient de me parvenir, la première depuis la zone des combats. Je suis si inquiète pour tes oreilles, j'aimerais pouvoir y faire couler de l'huile chaude sucrée, te laver les cheveux et les peigner de la manière dont tu aimais que je le fasse. Mlle Beasley et moi, nous croyons que nous avons découvert où tu te trouves et nous pensons que c'est à Guadalcanal. J'ai atrocement peur en pensant que tu es là-bas parce que j'ai appris que les combats y faisaient rage et que c'était un territoire japonais...

WESTERN UNION
SOMMES AU REGRET DE VOUS INFORMER QUE VOTRE MARI A ÉTÉ GRIÈVEMENT BLESSÉ AU COMBAT LE 25 OCTOBRE DANS LES ÎLES SALOMON – JUSQU'À NOUVEL ORDRE, LUI FAIRE PARVENIR SON COURRIER AU « CAPORAL WILLIAM L. PARKER 37 773 785 HOSPITALISÉ DIRECTION CENTRALE DES POSTES APO0640 AUX SOINS DU RECEVEUR DES POSTES – NEW YORK N.Y. » – NOUVELLE ADRESSE ET AUTRES INFORMATIONS SUIVENT DIRECTEMENT DE L'HÔPITAL. J A ULIO ADJT GÉNÉRAL – 7:10 A.M.

Le 1ᵉʳ novembre 1942
Cher Will,

Je suis si inquiète. Je viens de recevoir un télégramme où on me dit que tu as été grièvement blessé, sans autres détails – ni où tu es, ni comment tu vas, ni autre chose...

Le 2 novembre 1942
Cher Will,

Je n'ai pas dormi une seconde la nuit dernière et j'ai pleuré en me demandant si tu étais encore vivant ou si tu avais perdu un bras, une jambe ou tes beaux yeux bruns...

Le 3 novembre 1942
Cher Will,

... Parfois je me mets en colère parce que tout ce qu'on sait vous dire c'est « Quelque part dans le Pacifique Sud ». Mais Mlle Beasley m'a montré un article sur Mme Roosevelt qui rendait visite aux troupes outre-mer et ça commençait aussi par « Quelque part en Angleterre », alors je présume que si c'est bon pour la femme du Président ça devrait l'être aussi pour moi, mais je me fais beaucoup de souci pour toi...

Le 4 novembre 1942
Cher Will,

Ça m'a fait un choc que le télégramme dise « caporal ». Alors, tu as eu une promotion ! J'ai balayé mes idées noires et j'ai décidé d'être positive parce que c'est la seule chose à faire. Tu es vivant, je sais que je ne dois pas perdre espoir et je t'écrirai tous les jours, que j'aie ou non des nouvelles de toi...

4193 US Navy Hosp. Plant
APO 515
New York, NY
Chère Madame Parker,

Je suis heureux de vous informer que le 1er novembre 1942, l'état de votre mari, le caporal William L. Parker, 37 773 785, s'améliore de façon normale. Diagnostic, blessure à la cuisse gauche.

Thomas M. Simpson
1er Lieut. M.A.O. Registraire

4193 US Navy Hosp. Plant
APO 515
New York, NY
Chère Madame Parker,

Je suis heureux de vous informer que le 6 novembre 1942 votre mari le caporal William L. Parker, 37 773 785, a été évacué dans une zone non combattante et a subi une opération chirurgicale pour une blessure à la cuisse gauche. Son état s'améliore normalement.

Virgil A. Saylor, 1er Lt.,
MAC Registraire

Ministère de la Guerre
Affaires Officielles
Le 20 novembre 1942
Chère madame Parker,

En tant qu'officier commandant de votre mari, le caporal William L. Parker, qui a été blessé au front le 1er novembre 1942 dans l'île de Guadalcanal, je tenais à vous rassurer personnellement que sa vie n'est plus en danger et que l'on peut envisager dans l'avenir une totale guérison. Le 6 novembre, il a été transféré par avion à l'hôpital de la Navy de Melbourne, en Australie, où il a subi avec succès une opération chirurgicale, et attend maintenant son transfert pour les États-Unis.

Le caporal Parker est un exemple pour son régiment et les *Marines* des États-Unis. Il s'est bien battu, sans jamais se plaindre. Le 14 septembre 1942, lors d'un engagement contre l'ennemi à Guadalcanal, le caporal Parker a fait preuve d'une bravoure exceptionnelle en tentant de porter secours au soldat Otis D. Luttrel, et en réussissant à le traîner dans un fossé sous le feu nourri de l'ennemi. Le 25 octobre, le caporal Parker a de nouveau fait preuve d'initiative en mettant à lui seul hors d'état de nuire un abri retranché japonais qui interdisait l'avance de nos troupes. La position ennemie s'avérait une grotte rendue inaccessible par un feu roulant venant de l'intérieur. Le caporal Parker, de son propre chef, rampa jusqu'à la grotte sur son flanc aveugle, essaya de faire un trou dans la voûte et, incapable d'y parvenir, tenta d'enlever à coups de pied les roches qui en obstruaient l'entrée. Par quatre fois, il a lancé des grenades à l'intérieur pour les voir immédiatement renvoyées à l'extérieur par les Japonais. Par la suite, le caporal Parker essaya de garder en main les grenades pendant trois secondes avant de les lancer. Comme celles-ci étaient elles aussi renvoyées, Parker, semble-t-il, en a eu assez et a confectionné une bombe avec de la dynamite et l'a glissée dans l'ouverture, tuant ainsi huit soldats japonais. Mais il fut lui-même atteint par les éclats d'une grenade à fragmentation ennemie qui, au même instant, explosa à l'entrée de la grotte.

Grâce à la détermination et à la bravoure du caporal Parker, le 1er Raider Bn. a remporté une victoire décisive sur les Japonais à l'embouchure de la rivière Ilu, infligeant à l'ennemi la perte de douze chars d'assaut et de quelque six cents hommes de troupe dans le secteur du 1er régiment de *Marines*.

C'est avec une certaine fierté et avec plaisir que, pour acte d'héroïsme, je recommande au Commandant en chef des Forces Armées des États-Unis de remettre au caporal William L. Parker, USMC au 1er Raider Bn., la médaille du courage de l'Ordre du Purple Heart[1].

Col. Merrit A. Edson
Commandant, 1er Marine Raiders
USMC

Balboa Naval Hospital
San Diego, Californie
Chère madame Parker,

J'ai le plaisir de vous informer que le 6 décembre 1942 votre mari, le caporal William L. Parker, 37 773 785, a été transféré au Balboa Naval Hospital, à San Diego, USA, pour y suivre un traitement médical approprié.

Balboa Naval Hospital
San Diego
Le 7 décembre 1942
Chère Elly,

Me voilà de retour au pays et tu n'as plus de raison de t'inquiéter maintenant. Une infirmière de la Croix-Rouge écrit cette lettre à ma place parce que le toubib ne m'a pas encore donné le droit de m'asseoir. J'ai fini par recevoir toutes tes lettres. Elles m'ont rattrapé à l'hôpital de Melbourne. Elly, ma chérie, ça m'a fait tellement de bien de lire tout ce que tu as écrit, que Donald Wade allait à l'école, que Lizzy P. gazouillait ses premiers mots et que les garçons lui apprenaient à dire papa. J'aimerais être auprès de toi en ce moment, mais j'ai l'impression qu'on va devoir encore attendre un bon bout de temps. Ma jambe n'est pas encore bien belle, mais au moins je l'ai toujours et elle est peut-être raide, mais ils disent

---

1. Décoration attribuée aux blessés de guerre.

que je remarcherai. Les toubibs d'ici m'ont dit que j'avais encore un éclat de métal dans cette jambe gauche et que je devrais sans doute subir une autre opération. Mais je m'en fous parce que, au moins, je suis vivant.

Je regrette qu'ils ne t'en aient pas dit plus juste après ma blessure, comme ça, tu ne te serais pas tant inquiétée. Je l'aurais bien fait moi-même, mais je crois que je n'étais pas tellement en état d'écrire. Mais ne t'inquiète plus maintenant. Je vais bien et ce ne sont pas des blagues.

Aujourd'hui, tu sais que j'ai été blessé par une grenade japonaise quand j'essayais de faire sortir huit d'entre eux de leur trou près du terrain d'atterrissage à côté du Canal, car j'ai le droit de te dire maintenant où j'étais, à Guadalcanal. Le Canal, ça a été dur et on y a perdu beaucoup de monde, mais on les a repoussés et la piste d'atterrissage est maintenant entre nos mains. Si on ne l'avait pas prise, le Pacifique serait toujours à eux et je suis sacrément fier de ce qu'on a fait. Mais il faut bien que je te dise maintenant : mon copain Red n'en était pas et c'est tout ce que je peux te dire en ce moment parce que ça me fait mal d'y penser. Tu sais, comme je te le disais, ce n'est pas la mer à boire de se mettre debout avec quelques éclats d'acier dans la jambe. Mais je dois t'avouer une chose : rien ne m'a jamais fait plus plaisir que de voir la bannière étoilée flotter au-dessus de l'hôpital de la Navy, sur notre bon sol américain lorsque j'ai débarqué ici. Bon sang, Elly, j'aimerais pouvoir te rejoindre, mais cette jambe devra d'abord guérir et je vais être obligé de rester ici encore un bon bout de temps mais, tu peux en être sûre, je vais attendre tes lettres avec impatience. On dirait que depuis que je me suis engagé dans les *Marines*, je ne vis qu'en fonction de la poste. Et maintenant que je me trouve à un endroit où tes lettres vont pouvoir me parvenir, écris-moi souvent, d'accord mes beaux yeux verts ? Je t'en prie, ne t'inquiète pas pour moi. Maintenant que je suis de retour, tout va bien aller. Embrasse les enfants pour moi et dis à Mlle Beasley de m'écrire, elle aussi.

Je t'embrasse,
Will

Le 9 décembre 1942
Cher Will,

Oh! Will, te voilà enfin rapatrié. Je viens de recevoir ta lettre et j'ai fondu en larmes en la lisant, tellement j'étais heureuse. Mais ils ne vont pas te renvoyer à la maison, n'est-ce pas? Est-ce que ta jambe va mieux? Je me fais tant de souci pour elle, pour les souffrances que tu dois endurer à cause des opérations. Si tu n'étais pas si loin, je viendrais te voir comme je l'ai fait à Augusta, mais je ne vois pas comment je pourrais me rendre en Californie. Quel bonheur si on pouvait être ensemble pour Noël!...

Le 24 décembre 1942
Chère Elly,

Les infirmières ont mis des ampoules de couleur au pied de nos lits mais, en les regardant, j'ai plutôt la gorge qui se serre. Je peux pas m'empêcher de penser à notre dernière veillée de Noël quand toi et moi on remplissait les bas de laine pour les garçons. Je voudrais tellement être chez nous...

Le 29 janvier 1943
Cher Will,
Joyeux anniversaire...

Le 5 février 1943
Chère Elly,
Ils m'ont fait marcher avec des béquilles...

19

Calvin Purdy déposa Will au bout de l'allée.

— Je ne sais comment vous remercier, monsieur Purdy.

— Y a pas de quoi, Will, surtout de la part d'un GI. Vous êtes certain que vous ne voulez pas que je vous conduise là-haut jusqu'à la maison ?

— Non, monsieur, j'ai toujours eu un faible pour ces rangées d'arbres. Ça fait du bien de marcher seul dans le silence, si vous voyez ce que je veux dire.

— Pour ça oui, fils. Y a pas d'endroit plus merveilleux que la Géorgie au mois de mai. Vous voulez que je vous aide pour les béquilles ?

— Non, monsieur. Je peux me débrouiller tout seul.

Posant les deux pieds à terre simultanément, Will s'extirpa de la Chevrolet de Calvin Purdy tandis que son ami récupérait son paquetage et le lui mettait en bandoulière.

— Ça m'aurait fait vraiment plaisir de vous le porter jusque là-haut, insista Calvin redoublant de gentillesse.

— Je vous remercie, monsieur Purdy, mais je voudrais bien faire la surprise à Elly.

— Vous voulez dire qu'elle ne sait pas que vous arrivez ?

— Pas encore.

— Ouais, alors je comprends maintenant pourquoi vous voulez monter là-haut tout seul... Caporal Parker, continua Purdy en souriant et en serrant le bras de Will, chaque fois que vous aurez besoin qu'on vous emmène quelque part ou que je pourrai vous donner un coup de main, faites-moi signe. Et puis, bienvenue au pays.

Après le départ de Purdy, Will attendit un bon moment, sans bouger, attentif au silence. Plus de coups de canon dans le lointain, plus de balles qui ricochent sur le sol juste à côté de vous, plus de bourdonnements de moustiques et, surtout, plus de hurlements de blessés. Tout n'était que silence, le merveilleux silence du mois de mai. Les bois étaient en feuilles, d'un vert soutenu. Sur le bord de la route, une grosse touffe de chicorée sauvage formait un nuage d'étoiles bleutées. Tout près de là s'étendait un tapis de trèfle. Quelque bête avait dû se repaître de petites fleurs de salsepareille qui enflaient l'air d'un parfum semblable à la *root beer*. Une fauvette jaune virevolta puis se posa sur une branche et entonna ses sept notes claires tout en regardant Will, la tête penchée.

Enfin de retour.

Il se mit à gravir le sentier sous la voûte de branches. Il renversa la tête pour l'admirer, émerveillé de ne pas avoir à tendre l'oreille pour détecter un bruit lointain de moteur ni de jeter des regards inquiets pour identifier la forme d'une aile ou un soleil rouge peint sur un fuselage.

Ne pense plus à tout ça, Parker, tu es de retour maintenant.

L'allée montait en pente douce, l'air était chaud, ses béquilles creusaient des petits trous dans la terre rouge. Il avait sûrement plu récemment. La pluie. Il ne l'avait jamais beaucoup aimée, même dans sa jeunesse alors qu'il passait dehors le plus clair de son temps, et certainement pas sur le Canal où elle ne cessait de tomber, remplissait les fossés, transformait les camps en bourbiers, pourrissait les semelles de leurs solides bottes de cuir et aidait à la prolifération des moustiques, de la malaria et de tout un tas de champignons qui vous poussaient entre les orteils, dans les oreilles et partout où se produisaient des frottements dermiques.

Je t'ai dit de ne plus y penser, Parker!

C'était étrange : bien qu'il eût été rapatrié depuis six mois, il ne parvenait toujours pas à se réadapter. Il ne pouvait s'empêcher de scruter le ciel. D'être attentif à tout mouvement derrière son dos. D'attendre le craquement révélateur de deux tiges de bambou. De sursauter au moindre bruit. Il ferma les yeux et respira profondément. L'air, ici, n'avait pas cette odeur de moisissure. Au contraire, il avait une saveur de tanaisie sauvage qui lui était si familière, si accueillante, si naturelle. Durant ses années de galère, chaque fois qu'il attrapait un rhume, il se faisait une tasse de tanaisie et le jour où il s'était écorché la main sur un fil de fer barbelé rouillé, il s'en était appliqué une compresse, ce qui avait soigné l'infection.

En gravissant son allée au milieu des senteurs de tanaisie et de salsepareille, il s'imprégnait de cette vérité : il était de retour à la maison et, cette fois, pour de bon.

Arrivé à l'arbre roux, il s'arrêta, laissa glisser son sac de toile et posa son pied gauche sur le sol. Un vrai sol, de bonne terre, un peu humide, peut-être, mais américain. Sans danger. Un sol qu'il avait travaillé lui-même avec une mule appelée Madame pendant qu'un petit garçon le regardait faire et que la mère du petit garçon, apportant du nectar, descendait le sentier en tirant son bébé de frère dans un chariot de couleur rouge délavée.

Il résista à l'envie de laisser choir ses béquilles et de se reposer sur le banc parmi les herbes luxuriantes et les ancolies en fleur. Au lieu de cela, il ramassa son sac, le hissa sur ses épaules et reprit sa marche vers l'ouest, vers la clairière qui s'ouvrait devant lui.

En y entrant, il s'arrêta, comme stupéfait. Durant son séjour dans le Pacifique Sud, quand il se figurait la propriété, il la revoyait toujours comme il l'avait vue la première fois, une collection hétéroclite de carcasses de voitures, couvertes comme le sol, de fientes de poules, à côté d'une maison presque en ruines et rafistolée de bric et de broc. Mais ce qu'il voyait aujourd'hui le laissait sans voix et pétrifié d'étonnement.

Des fleurs ! Des fleurs partout... et rien que des fleurs bleues ! Une floraison gaie, anarchique, qui éclatait dans tous les sens, sans la moindre trace d'ordre ou de recherche. Cela ressemblait bien à son Elly de semer au hasard et de laisser au soleil et à la pluie – Will sourit – et à toutes ces années de déjections de poules, le soin de faire le reste. Il inspecta la clairière avec soin. Du bleu. Seigneur Dieu, il n'avait jamais vu autant de bleu ! Des fleurs de toutes tailles et de toutes les teintes de bleu que la nature avait produites. Il avait appris à les reconnaître en étudiant les abeilles.

Tout près de la maison, poussaient à côté du porche, épais, touffus, de longs phlox de Perse bleus auxquels succédaient des campanules dont les teintes s'étageaient de la pourpre royale la plus profonde à un rose violacé très pâle. À leurs pieds s'étendait un riche tapis bleu violet d'héliotropes. Contre le grillage du poulailler, des clématites escaladaient un treillage rudimentaire. Puis on apercevait un autre tapis de centaurées à longues tiges, d'un ton aussi intense que celui du ciel. À l'orée de la clairière, dans l'ombre des arbres, fleurissaient de pâles violettes auxquelles succédaient les teintes éclatantes des myosotis qui s'étendaient en plein soleil et voisinaient avec des verveines bleues. De l'autre côté de la cour, une roue de charrette de bois peinte en blanc servait de toile de fond à de majestueux pieds-d'alouette qui couvraient toute la gamme des bleus, du violet à l'indigo et au Dresde le plus pâle. Devant eux, plus court et plus fragile, un plant de fleurs de lin au bout de longues tiges ondulait dans le vent. Un peu partout, dans cette symphonie de bleus, s'ouvraient des pétunias pourpres. Will les humait en suivant l'allée bordée de plantes grasses. Au bout de cette allée, derrière la maison, on avait élevé une nouvelle pergola couverte de belles-de-jour dont les clochettes se dressaient vers le ciel. Des oiseaux voletaient de toute part et lui offraient une merveilleuse cacophonie. Un colibri à gorge rouge perdu dans les belles-de-jour. Des roitelets qui l'assommaient avec leur musique dans un pommier sauvage et, non loin d'une des calebasses, un couple d'oiseaux bleus. En les apercevant, il sourit car il revoyait Donald Wade placer la figurine sur le rebord de la fenêtre simplement dans le but de les attirer. Eh bien, ils les avaient, maintenant, leurs oiseaux bleus.

Et puis des abeilles... partout. Des abeilles qui récoltaient le nectar et le pollen de cette mer de leur couleur préférée, bourdonnant, déployant leurs ailes fragiles pour se rendre au bouquet suivant et qui joignaient leur musique à celle des oiseaux.

C'est seulement en approchant de la maison que Will aperçut enfin une tache de rouge. À un peu plus d'un mètre de la dernière marche de l'escalier du porche, se trouvait une bassine peinte en blanc, bourrée de fleurs de cannelle si denses qu'elles coulaient en cascade par-dessus bord, dans des couleurs de cramoisi, héliotrope, corail, et rose, si odorantes qu'il en avait la tête qui tournait. Sur les marches du porche, il y en avait un bouquet fané, tout racorni. Il le ramassa, le respira, jeta un regard circulaire dans la clairière avant de le reposer où il l'avait trouvé, avec précaution, comme s'il s'était agi d'un objet de culte.

Il leva les yeux vers la porte grillagée, gravit les marches de l'escalier et ouvrit le grillage, s'attendant à tout moment à entendre Elly ou les garçons demander : « Qui est là ? ».

Mais la cuisine était vide.

— Elly ? demanda-t-il en laissant son paquetage glisser de son épaule sur le sol.

Le silence demeura. Il fixa les rayons de soleil dont la poussière dorée semblait traverser la pièce en diagonale et rebondir sur les plinthes. La pièce sentait bon le pain et les épices. Sur la table se trouvaient un napperon fait au crochet et un broc en faïence qui contenait toutes les sortes de fleurs du jardin ; sur le rebord de la fenêtre, l'oiseau bleu en plâtre. La cuisine était nette, ordonnée, impeccablement propre. Il tourna son regard vers le placard où il aperçut un moule à gâteaux en émail recouvert d'un torchon. Il en souleva un coin – du chocolat, sans glaçage, à moitié cuit. Il y goûta puis passa la tête dans la salle de séjour.

— Elly ?

Pas de réponse. Un silence d'après-midi d'été le pénétra jusqu'au fond de l'âme.

Leur chambre était vide. Il s'arrêta sur le seuil afin d'essayer de retrouver les objets familiers, les napperons en dentelle de Madère, un plat en forme de mule qu'envahissaient des pinces et des épingles à cheveux, une pile de couches bien pliées... et leur lit. Il n'était pas déçu, finit-il par reconnaître, d'arriver dans une maison vide. Il avait eu si peu de temps pour réfléchir. Et les quelques minutes qui lui permettaient de se réacclimater s'insinuaient dans son être jusqu'à la moelle de ses os comme un baume de jouvence.

Il n'y avait personne non plus dans la chambre des garçons. On y avait d'ailleurs déménagé le berceau, remarqua-t-il.

De retour dans la cuisine, il se servit un morceau de gâteau et en prit une bouchée où il reconnut le goût du miel, des noix de pacane, de la girofle et de la cannelle. Mmmm... un vrai délice. Puis il se traîna jusqu'à la porte et sortit.

— Elly? hurla-t-il du haut des escaliers, puis il se tut, attentif. Ellllyyyyyy?

Par-delà l'écurie, une mule se mit à braire, furieuse d'avoir été réveillée. Madame. Il partit dans cette direction et trouva l'animal; mais d'Elly, point. Il alla voir au poulailler : il était propre; à la remise : les portes en étaient closes; au potager, il n'y avait personne; et, pour finir, dans le jardin, derrière la maison, en passant sous la pergola couronnée de belles-de-jour. Personne non plus près des cordes à linge.

Avec toutes ces fleurs et la chaleur ambiante, il ne faisait aucun doute que le miel devait couler. Il irait donc jusqu'au verger pour voir et se réhabituer aux abeilles en attendant Elly.

Le sentier était envahi d'herbes drues mais Will n'eut pas trop de mal à se frayer un chemin, malgré ses béquilles, en suivant la double ornière creusée il y avait bien longtemps par la moto de Glendon Dinsmore. Tout était comme il se le rappelait : les noyers et les chênes étaient aussi verts que des écorces de pastèque, les sauterelles s'enfuyaient dans les hautes herbes à pointes rouges, les branches mortes ressemblaient à des pattes de chiens griffues et, au loin, le magnolia se balançait toujours affublé du chêne qui poussait dans sa fourche. Il dépassa une petite hauteur. Devant lui, sur la colline d'en face, s'étendait le verger, paresseux sous le chaud soleil de mai et qui exhalait à peine une odeur de fruit fermenté datant des années précédentes. Et partout des fleurs des champs et de l'herbe folle qui bordaient les arbres et les bois environnants. Il promena un regard approbateur sur les arbres fruitiers, les pêchers, les pommiers, les poiriers et les cognassiers qui semblaient marcher au pas comme en formation sur le versant oriental. Du côté sud, se trouvaient les ruches, peintes de rouge, de bleu, de jaune et de vert, comme il les avait laissées. Et, à mi-pente... était-ce une... une femme ? Will tendit le cou. En était-ce une ? En pantalon et portant un chapeau d'apiculteur ? Qui remplissait des seaux d'eau certainement salée ? Non, ce n'était pas possible ! Mais si, c'en était une ! Une femme qui travaillait avec d'épais gants jaunes de fermier qui remontaient au-dessus des manchettes d'une de ses vieilles chemises de batiste bleue dont le col soigneusement boutonné remontait sur ses joues. Qui trimbalait deux seaux dans le chariot des garçons. Qui se penchait pour puiser de l'eau avec une louche et la verser dans les bassines peu profondes. Une femme – *sa femme* – qui s'occupait des abeilles.

Il sourit et se sentit submergé par un flux d'amour qui aurait été assez fort pour mettre fin à la guerre s'il avait pu être canalisé dans ce but. Radieux, il leva un bras et l'agita.

« *Elly ?* »

Elle se redressa, regarda autour d'elle, souleva le filet, s'abrita les yeux de la main... et, soudain, reçut un vrai choc.

— Will ! cria-t-elle en laissant tomber la louche et se mettant à courir.

D'un seul élan, ses bras et ses pieds se soulevant comme ceux d'un automate, elle perdit son chapeau qui tomba sur le sol, mais elle n'en continua pas moins de courir, agitant une main gantée de jaune.

— Will ! Will !

Il reprit ses béquilles et se dirigea vers elle, aussi vite que le lui permettait son corps qui se balançait comme une cloche le dimanche matin à l'église. Il souriait. Son cœur battait à tout rompre. Ses yeux se brouillaient. Mais il ne pouvait détacher son regard d'Elly qui venait à lui en courant tandis que les garçons qui avaient émergé du bois la suivaient à distance en hurlant.

— Will est revenu ! Will ! Will !

Ils se rejoignirent près d'un grand pommier avec une telle fougue qu'une des béquilles se retrouva au sol, tout comme Will aurait pu s'y retrouver à son tour si elle n'avait pris soin de le retenir. Leurs bras, leurs bouches et leurs âmes se mêlaient une fois encore, cependant que des abeilles entonnaient un chant de bienvenue et que le soleil déversait ses rayons sur une casquette de soldat égarée parmi les herbes verdoyantes. Des lèvres et des larmes, deux corps qui se languissaient l'un de l'autre. Des baisers passionnés que partageaient deux êtres ardents, pressés, incrédules. Ils se cramponnaient l'un à l'autre, étouffés par l'émotion, respirant profondément leurs odeurs – de crème à raser Velvo et de pétales de cannelle pilés – et mêlaient leurs bouches pour se savourer une fois encore. Oui, pour eux, la guerre était bien finie.

Les garçons arrivèrent à fond de train et Lizzy P. sortit du bois, d'un pas mal assuré, pleurant d'avoir été abandonnée.

— *Kemo sabe* ! Bout de chou !

Un peu raide, Will se pencha pour les étreindre contre ses jambes, passa ses bras autour de leurs épaules, embrassa leurs frimousses chaudes couvertes de taches de rousseur, les serra pour mieux les respirer, eux aussi, ces petits garçons couverts de sueur qui avaient dû jouer longtemps en plein soleil sans se ménager. Elly voulut intervenir.

— Attention à la jambe de Will !

Et l'étreinte se poursuivit à quatre, car Elly avait passé ses bras autour des épaules de Will pendant qu'il embrassait les enfants et tout ce petit monde vacillait parmi les rires et les baisers, tandis qu'un peu plus bas Lizzy, en plein soleil, gémissait en se frottant les yeux.

— Pourquoi tu ne nous as pas dit que tu revenais ?

— Je voulais vous en faire la surprise.

Elly s'essuya les yeux avec ses gants puis les enleva d'un coup.

— Oh ! mais qu'est-ce que je fais encore avec ça ?

— Viens par ici.

Il la prit par la taille, l'embrassa malgré les enfants qui l'empêchaient de bouger et le bombardaient de nouvelles et de questions.

— Tu vas rester à la maison ?

— On a eu des petits chats...

— Oh là là, c'est ton uniforme, ça ?

— Je suis en vacances...

— Dis, tu en as tué des Japonais ?

— Hé ! Will, Will... devine quoi...

Mais pendant ce temps-là, Elly et Will avaient oublié la présence des enfants.

— Oh! Will... murmura Elly, les yeux, plongés dans ceux de son mari, brillants de bonheur, je n'arrive pas à croire que tu es de retour. Au fait comment ça va, ta jambe? Allons, les enfants, écartez-vous et laissez Will s'asseoir. Tu peux t'asseoir dans l'herbe? Ça ira?

— Ça ira, répondit-il en se baissant avec difficulté, puis il aspira à grandes goulées l'air du verger.

Un peu plus bas, Lizzy continuait de geindre. Donald Wade essaya la casquette de Will qui lui tomba sur les yeux et les oreilles.

— Ouah! dit-il d'un air triomphant. Regardez-moi! Je suis un *Marine*!

— Passe-la-moi, répliqua Thomas en tendant la main. Je veux la mettre!

— Non, elle est à moi!

— Elle est à personne. Je la veux aussi!

— Les garçons, allez chercher votre sœur et ramenez-la ici.

Ils partirent en courant, comme des petits chiens après une balle, Donald Wade en avant, la casquette sur la tête, poursuivi par Thomas.

Elly s'agenouilla à côté de Will et passa un bras autour de son cou.

— Que tu es beau comme ça, tout bronzé.

— Beau? Il éclata de rire en lui passant la main sur la hanche.

— Je veux dire plus beau que moi dans ces vêtements sales et ta vieille chemise.

Ils ne pouvaient se retenir de se caresser, de se regarder.

— Pour moi, tu es belle, belle à croquer.

Et il lui mordilla la joue pour la taquiner. Elle pouffa de rire et rentra la tête dans les épaules. Et le ricanement s'évanouit lorsque leurs yeux se rencontrèrent, prémices d'un nouveau baiser, cette fois plus doux, plus patient, moins sensuel. Une célébration, en quelque sorte. Lorsqu'il prit fin, Will respira profondément le parfum de sa femme, les yeux mi-clos.

— Elly... l'implora-t-il en guise de remerciements.

Elle demeura près de lui, les mains posées à plat sur la poitrine de Will afin de savourer l'instant présent.

Au bout d'un certain temps, ils sortirent de leur torpeur.

— Mais, à propos, demanda-t-il, qu'est-ce que tu fais dans ce coin-là ?

— Je m'occupe de tes abeilles.

— Oui, je vois. Y a combien de temps que ça dure ?

— Depuis que tu es parti.

— Pourquoi tu ne m'en as pas parlé dans tes lettres ?

— Parce que je voulais te faire une surprise, moi aussi !

Il y avait des milliers de choses qu'il avait envie de lui dire, comme l'aurait fait un poète. Mais il n'était qu'un homme bien ordinaire, sans bagou ni éloquence. Il ne put donc que lui dire, à mi-voix :

— Toi, tu es vraiment une drôle de femme, on ne te l'a jamais dit ?

Elle sourit et lui passa la main dans les cheveux qui étaient longs maintenant, avec des mèches blondes, et lui retombaient sur le front exactement comme elle les aimait. Elle posa les coudes sur les épaules de son mari, lui prit la tête entre ses bras et la garda ainsi, simplement, lui offrant à nouveau l'odeur de cannelle de sa peau. Lui se contenta d'enfouir son visage au creux de son cou.

— Seigneur, tu sens drôlement bon. On dirait que tu t'es roulée dans les fleurs.

Elle se mit à rire.

— C'est ce que j'ai fait. Je n'aime pas la menthe, mais les brochures disent que les pétales de cannelle agissent aussi bien que si je m'en étais enduite. Et puis, devine quoi, Will ?

Prise de fou rire, elle se recula pour voir son visage, dénouant ses bras d'autour de son cou.

— Quoi ?

— Le miel coule...

Il laissa ses paupières s'abaisser, fit une moue suggestive et referma ses mains sur ses seins.

— Ah, ça oui tu as raison, chérie. Tu as envie ?

Elle sentit son pouls accélérer, son cœur battre plus fort dans sa poitrine et éprouva une sensation merveilleuse tout au fond d'elle-même.

— Plus que tout, murmura-t-elle en lui effleurant les lèvres d'un petit coup de coude. Mais les enfants se trouvaient tout à côté. Alors il se recula et posa ses mains à plat dans l'herbe chaude tandis qu'elle inclinait la tête pour l'embrasser. Il ouvrit la bouche et resta immobile pendant que, de la sienne, elle lui agaçait la langue. Il lui rendit la politesse en couvrant sa bouche avenante de baisers empressés.

— Qu'est-ce que vous faites ?

Donald Wade se tenait à côté d'eux, portant Lizzy P. sur une hanche tandis que Thomas approchait coiffé de la casquette de *Marine*.

Tout en retirant ses mains des épaules de Will, Elly lorgna par-dessus son épaule et répondit :

— On s'embrasse. Vous allez devoir vous y habituer parce que c'est pas fini, dit-elle sans se démonter en se laissant tomber dans l'herbe à côté de son mari et tendant les bras en direction du bébé. Viens ici, mon amour. Viens voir papa. Oh ! mon Dieu, les vilaines larmes ! Tu croyais qu'on allait partir et te laisser toute seule ?

En pouffant de rire, elle colla la joue de la petite contre la sienne, la reposa sur ses genoux et entreprit d'essuyer le pauvre visage de Lizzy tandis que la fillette jetait sur Will un regard soupçonneux. Les garçons se laissèrent tomber bruyamment dans l'herbe et firent ce que font tous les grands frères. Thomas prit la main de sa sœur et la secoua.

— Oh ! oh ! Lizzy...

Donald Wade se baissa pour avoir ses yeux au niveau des siens et lui dit sur un ton enjoué :

— C'est Will, Lizzy. Tu sais dire papa ? Dis papa, Lizzy, demanda-t-il. Elle le dit seulement quand elle veut.

Lizzy ne dit ni papa ni Will. En revanche, lorsque Will la prit, elle s'appuya bras tendus contre sa poitrine et, se contorsionnant pour se retourner vers sa mère, elle se remit à pleurer. Finalement, il fut obligé de la lâcher en se disant qu'elle finirait bien par s'habituer à lui.

— Le verger est magnifique. Est-ce que tu y as fait faire des pulvérisations ?

— Je ne l'ai pas fait faire. Je l'ai fait moi-même.

— Et le jardin ? Ouah, c'est la plus belle chose que j'aie vue depuis des années. C'est toi qui l'as fait ?

— Ouais. Avec les garçons.

— Maman m'a laissé mettre les graines dans les petits trous ! assura Thomas.

— Tu es un grand garçon. Mais qui a fabriqué la voûte pour les belles-de-jour ?

— Maman.

— Moi et Donald Wade, ajouta Elly, n'est-ce pas, chéri ?

— Ouais ! et j'ai enfoncé des clous et puis tout le reste !

Will se mit de la partie et fit preuve à son tour d'enthousiasme.

— C'est vrai ? Toutes mes félicitations !

— Maman a dit que ça te plairait.

— Et c'est vrai, tu sais. Je suis entré dans le jardin et j'ai cru que je m'étais trompé de maison.

— Vraiment ?

Will se mit à rire et appuya du bout du doigt sur le nez de Donald Wade.

Tout le monde se tut pour écouter le bourdonnement des abeilles et le souffle du vent dans les arbres alentour.

— Tu vas rester ici, maintenant, n'est-ce pas ? demanda doucement Elly.

— Oui. Libération pour raison médicale.

Libérant son bras qui tenait la hanche de Lizzy, elle chercha dans l'herbe les doigts de Will et les croisa avec les siens.

— C'est très bien comme ça, dit-elle simplement en caressant les cheveux brûlants de Lizzy sans pour autant quitter des yeux le visage de son mari dont le teint hâlé formait un magnifique contraste avec le col et la cravate de son uniforme. Tu es un héros, Will. Je suis fière de toi.

Il se mordit la lèvre et eut un petit rire gêné.

— Ah, ça, je n'en sais rien.

— Où est ta médaille du Purple Heart?

— À la maison, dans mon paquetage.

— Elle devrait se trouver là, dit-elle en posant sa main sur le revers de la veste de son mari puis la laissant glisser parce qu'elle ressentait en elle un constant besoin de le toucher.

Elle sentit les battements de son cœur, réguliers au bout de ses doigts, et se rappela les souffrances qu'elle avait endurées en l'imaginant, oh! combien de fois, frappé à mort et perdant son sang dans une jungle lointaine. Son cher, son irremplaçable Will.

— Mlle Beasley en a parlé au journal et ils ont publié un article. Aujourd'hui, tout le monde sait que Will Parker est un héros.

Il parut soudain pensif et son regard fixa une ruche installée à quelque distance de là.

— Tout le monde dans cette guerre est un héros. Ils devraient donner la médaille du Purple Heart à tous les G.I. qui sont allés là-bas.

— Tu as tué des gens, Will? s'enquit Donald Wade.

— Écoute, Donald Wade, il ne faut pas...

— Oui, j'en ai tué, mon garçon, et ce n'est vraiment pas amusant.

— Mais c'étaient des méchants, n'est-ce pas?

Les yeux hagards de Will se posèrent sur Elly mais, au lieu de sa femme, il voyait un fossé boueux et ses vingt centimètres d'eau, et son copain Red, puis entendait le sifflement d'une bombe qui tombait du ciel et rougissait tout autour de lui.

— Allons, Donald Wade. Will vient juste d'arriver et vous l'assommez déjà de questions.

— Non, ça n'a pas d'importance, Elly, dit-il. C'étaient des êtres humains, comme vous et moi, ajouta-t-il pour les enfants.

— Ah?

Donald Wade, à ces mots, prit un air plein de gravité. Elly se releva.

— Il faut que je finisse de remplir les bassines. Ça ne sera pas bien long.

Elle déposa un baiser sur le front de Will, remit ses gants et laissa les enfants en sa compagnie tandis qu'elle redescendait travailler. Un instant, elle tourna la tête pour contempler une fois encore son mari, essayant de se persuader qu'il était réellement de retour.

— Je t'aime ! cria-t-elle de derrière un pêcher noueux.

— Je t'aime, moi aussi !

Elle sourit et poursuivit son chemin.

Les enfants firent l'inventaire de l'uniforme de Will : les boutons, les chevrons, les badges. Lizzy se montrait moins peureuse et trottinait dans l'herbe. Le soleil tapait fort ; Will retira sa veste, la posa à côté de lui, puis il s'allongea sur le dos et ferma les yeux à cause de l'intensité de la lumière. Mais le soleil, à travers ses paupières fermées prit une teinte rouge. Rouge sang. Et il revit toute la scène : Red qui traversait en rampant sur le ventre les hautes herbes non loin de la rivière Mataniku. Soudain il se figea, à découvert, tandis que, de la rive opposée, pleuvaient des ogives de calibre 25 ; des pistolets mitrailleurs crépitaient et un lance-grenades propulsait ses engins de mort de plus en plus près de lui. Mais le pauvre Red restait là, allongé, sans défense, face contre terre, tremblant, le nez dans l'herbe, paralysé par une peur incroyable telle qu'aucun *Marine* n'en a jamais connu. Will se revoyait revenir en arrière en rampant sous la mitraille, entendait le sifflement des balles au-dessus de sa tête, puis leur bruit sourd quand elles ricochaient derrière lui, à droite, à gauche... De la poussière se soulevait tandis qu'une grenade explosait à moins de cinq mètres. « Nom de Dieu, mec, je vais te sortir de là ! » Mais Red ne bougeait pas, incapable du moindre mouvement. Will ressentit à nouveau la panique qui l'avait envahi, la poussée d'adrénaline au moment où il empoignait Red et le tirait en arrière dans la boue, à travers les touffes d'herbes pourries, jusqu'au fossé et ses vingt centimètres d'eau croupie. « Reste ici, mon pote. Je vais les avoir ces enfoirés ! » Il se revoyait repasser par-dessus le bord du trou, claquant des dents, rampant sur les coudes, la pointe de sa baïonnette oscillant de droite à gauche. Puis, au-dessus de sa tête, ces avions sortis de nulle part, le sifflement menaçant et, derrière lui, Red dans le fossé où explosait la bombe.

Will frissonna, ouvrit les yeux et se mit sur son séant. À côté de lui, les enfants jouaient toujours. À l'entrée des ruches, les abeilles se posaient, chargées de leur récolte. Elly revenait en traînant le chariot en remorque, les deux seaux de fer vides s'entrechoquaient tandis que les roues bringuebalaient sur le sol accidenté. Il chassa ses souvenirs et regarda sa femme arriver dans ses vêtements d'homme. *Ne pense plus à Red, pense à Elly.* Il ne la quitta pas des yeux jusqu'à ce que son ombre se posât sur lui, puis il lui tendit la main.

— Viens près de moi, lui demanda-t-il calmement.
Lorsqu'elle se laissa tomber sur les genoux, il lui prit la main. Rien de plus. Espérant qu'elle serait assez forte pour l'aider à guérir.

Cette nuit-là, lorsqu'ils firent l'amour, ce fut une véritable féerie.

Mais lorsqu'il se retira, Elly eut la sensation que Will faisait plus que d'abandonner son corps.

— Qu'est-ce qui ne va pas ?
— Hein ?
— Qu'est-ce qui ne va pas ?
— Rien.
— Ta jambe te fait mal ?
— Pas trop.
Elle ne le crut pas car il n'avait pas l'habitude de se plaindre. Il prit son paquet de Lucky Strikes, en alluma une et se mit à fumer dans l'obscurité. Silencieuse, elle regardait rougeoyer l'extrémité de la cigarette et l'écoutait en inhaler la fumée.

— Tu veux qu'on en parle ? finit-elle par dire.
— De quoi ?
— Je ne sais pas, moi... de ta jambe... de la guerre. Je pense que tu as fait exprès d'éviter les mauvaises nouvelles dans tes lettres pour que je ne m'en fasse pas. Tu ne veux peut-être pas en parler en ce moment.

L'arc rougeoyant que dessinait la cigarette quand il la portait à ses lèvres formait une barrière plus infranchissable que des fils barbelés.

— Qu'est-ce que tu entends par « en parler »? Je suis allé à la guerre, pas à une fête paroissiale. Je le savais quand je me suis engagé.

Elle se sentait rejetée, blessée. Mais elle devait lui donner le temps de se livrer et ce ne serait certainement pas pour cette nuit. Alors elle chercha à aborder des sujets susceptibles de le rapprocher d'elle.

— Je parie que Mlle Beasley n'en est pas revenue quand elle t'a vu.

Il eut un petit rire.

— Ouais.

— Est-ce qu'elle t'a montré l'album de coupures de journaux qu'elle a rassemblées sur les opérations menées dans le Pacifique Sud?

— Non, elle ne m'en a pas parlé.

— Elle a découpé seulement celles qui parlaient des endroits où, à son avis, tu pouvais te trouver.

Il continuait de rire dans sa barbe.

— Tu sais quoi?

— Hmm?

— Je pense qu'elle en pince un peu pour toi.

— Allons donc, elle pourrait être ma grand-mère.

— Les grands-mères ont le droit d'avoir des sentiments, elles aussi.

— Seigneur!

— Et tu sais quoi encore? Je crois que tu n'es pas loin de le lui rendre.

Il se sentit rougir dans le noir, se rappelant l'époque où il faisait intentionnellement du plat à la bibliothécaire.

— Elly, tu es folle.

— Ouais, je le sais, mais pour moi, ça n'a pas d'importance. Après tout, tu n'as jamais eu de grand-mère et si tu l'aimes un petit peu, ça ne m'enlève absolument rien.

Il écrasa sa cigarette, attira Elly contre son épaule et lui embrassa les cheveux.

— Toi, tu es impayable.

— Ouais, je sais.

Il se recula pour s'imprégner de son image, oubliant pour un moment les cauchemars qui avaient assailli son esprit. Il se mit à rire ; alors Elly posa sa joue contre sa poitrine et continua de le détendre.

— De toute façon, Mlle Beasley a été formidable pendant que tu étais parti, Will. Je ne sais pas ce que j'aurais fait sans elle... et sans Lydia. Lydia et moi, nous sommes devenues de très bonnes amies. Et tu sais quoi ? Je n'ai jamais eu de vraie amie auparavant... On parle de tout... J'aimerais bien l'inviter elle et ses enfants pour que vous puissiez mieux faire connaissance. Tu serais d'accord, Will ?

Elle attendit sa réponse, mais il ne dit mot.

— Will ?

Rien.

— Will ? insista-t-elle.

— Hein ?

— Tu n'écoutais pas ?

Il tendit le bras et prit une autre cigarette. Elle venait à nouveau de le perdre.

Il n'y avait aucun doute à cela, Will avait changé. Et pas seulement sur le plan physique. Ses attitudes aussi. Et cela se manifesta souvent au cours des jours suivants quand il s'enfermait dans ses pensées et refusait de les partager. Toute discussion devenait un monologue et quand Elly se tournait vers lui, elle le trouvait les yeux perdus, ailleurs, troublé, à des lieues d'ici. Elle se rendit compte aussi d'autres changements. La nuit, il souffrait d'insomnies. Combien de fois il était arrivé à Elly de s'éveiller pour le trouver assis, une cigarette à la main ! Parfois, il rêvait et parlait dans son sommeil, jurait, poussait des cris, agité de tremblements. Et quand elle le réveillait et lui demandait : « Qu'est-ce qu'il y a, Will ? Dis-le-moi ! », il se contentait de répondre : « Rien, j'ai dû rêver. » Alors, il se cramponnait à elle jusqu'au moment où il parvenait à trouver le sommeil et, même alors, il avait les mains moites.

Il avait besoin de s'isoler. Souvent il se rendait au verger et s'asseyait pour regarder les ruches et ruminer ses idées noires.

Le moindre bruit le faisait sursauter. Un jour, Lizzy laissa tomber son verre de lait du haut de sa chaise de bébé. Il se retourna brusquement, poussa un juron et quitta la maison sans même terminer son repas. Il revint une demi-heure plus tard, mortifié, prit Lizzy dans ses bras, l'embrassa comme s'il l'avait frappée et lui offrit en guise d'excuses un petit jouet de bois qu'il avait fabriqué lui-même.

Cet après-midi-là, il passa une bonne heure dans le jardin, avec les trois enfants, à faire tourner un simple morceau de bois attaché au bout d'une longue corde pour imiter le bruit d'un moteur qui s'emballe. Puis, comme d'habitude, après avoir joué avec les enfants, il sembla plus calme.

Durant la nuit, vers trois heures du matin, il y eut un violent orage. Un puissant coup de tonnerre ébranla la maison et Will se leva en sursaut, hurlant comme s'il se trouvait sous un bombardement.

— Red ! Seigneur Dieu, Re-e-e-e-ed !

— Will, qu'est-ce que tu as ?

— Elly, oh ! mon Dieu, ne me laisse pas !

De nouveau, elle redevint sa planche de salut mais, bien que pris de violents tremblements et de suées qui auraient pu faire croire à une crise de paludisme, il garda pour lui ses fantômes.

Physiquement, son état s'améliorait. Moins d'une semaine après son retour, il n'avait plus qu'une hâte, marcher sans béquilles. Et au bout d'à peine un mois, ce fut chose faite. Il adorait la baignoire et prenait de longs bains aux sels d'Epsom qui accéléraient la guérison. En outre, il acceptait sans réserve le concours d'Elly pour lui frotter le dos. Bien que le médecin de la Navy lui eût ordonné de passer une visite médicale tous les quinze jours, il passa outre et reprit l'élevage des abeilles avant même de se débarrasser de ses béquilles. Il retourna travailler à la bibliothèque après seulement six semaines sans pour cela consulter un médecin. Ses horaires étaient les mêmes que par le passé, ce qui lui laissait ses journées entièrement libres. Alors, il rédigea un écriteau qu'il plaça au bout de leur allée : PIÈCES DÉTACHÉES POUR AUTOS ET PNEUS USAGÉS, et se lança dans la ferraille, ce qui lui procura, à sa grande surprise, de sérieux et réguliers revenus. Si on ajoutait à cela son salaire de gardien, le chèque de pension d'invalidité du gouvernement et les profits tirés de la vente des œufs, du lait et du miel, dont la demande ne cessait de croître en raison du rationnement du sucre, leurs rentrées financières atteignaient un niveau que ni Will ni Elly n'auraient pu espérer par le passé.

Ils mettaient de côté la plus grande partie de cet argent car, même si Will rêvait encore d'offrir des bijoux à Elly, la production de la plupart des articles à usage personnel s'était depuis longtemps arrêtée sur ordre du *War Production Board*. Ceux de première nécessité, comme les vêtements, la nourriture ou les appareils ménagers, étaient rationnés de manière très stricte. Ainsi, chez Purdy, leurs valeurs en tickets étaient affichées sur les rayonnages à côté de leurs prix en dollars. Il en allait de même à la station-service, mais comme Will et Elly entraient dans la catégorie des fermiers, ils percevaient plus de bons de rationnement qu'il ne leur en fallait.

Le seul endroit où ils pouvaient jouir de leur argent, c'était au cinéma de Calhoun. Ils s'y rendaient tous les samedis soir bien que Will refusât d'entrer si l'on projetait un film de guerre.

Puis un jour, une lettre arriva de Lexington, une petite ville du Kentucky. Elle était expédiée par une certaine Chloe Atkins. Elly la laissa en évidence sur la table de la cuisine et, lorsque Will rentra, elle la lui désigna du doigt.

— Il y a quelque chose pour toi, dit-elle simplement avant de se retourner.

— Ah ?...

— Il la prit, lut l'adresse de l'expéditeur et répéta à voix basse : « Ah ! »

Au bout d'une minute, elle se tourna vers lui et le regarda dans les yeux.

— Tu ne l'ouvres pas ?

— Si, répondit-il, mais il n'en fit rien, se contentant de passer son pouce sur l'enveloppe, le regard fixe.

— Will, pourquoi ne vas-tu pas dans le verger pour l'ouvrir ?

Il leva la tête. Ses yeux noirs exprimaient une peine infinie. Il avala sa salive et dit d'une voix troublée :

— Ouais, je crois que c'est ce que je vais faire.

Lorsqu'il fut parti, Elly se laissa tomber lourdement sur une des chaises de la cuisine et se cacha le visage dans ses mains, si malheureuse de voir Will dans cet état pitoyable, et surtout incapable d'oublier la mort de son ami. Il lui revint en mémoire l'histoire du seul autre copain qu'il avait jamais eu et qui l'avait pourtant trahi et avait témoigné contre lui. Comme il devait se sentir seul aujourd'hui ! On aurait dit que chaque fois qu'il tendait la main à un autre homme, leur amitié était vouée à la mort. Avant la guerre, elle n'aurait jamais pu réaliser l'importance que revêtait l'existence d'une amie. Mais désormais, elle en avait deux, Mlle Beasley et Lydia. Alors elle comprenait la peine que causait à Will la perte de son copain.

Elle lui laissa une demi-heure avant d'aller le retrouver. Il était assis près d'un vieux pommier tout noueux qui ployait sous les fruits encore verts. La lettre se trouvait par terre à côté de lui. Les bras croisés sur ses genoux, la tête baissée, il était l'image même de la désolation. Elle s'approcha de lui sans faire de bruit, s'agenouilla, prit ses mains dans les siennes et posa sa joue contre son épaule. Il sanglotait convulsivement. Elle passa ses mains dans son dos et le serra amoureusement tandis qu'il soulageait son âme.

— Mon Dieu, Elly, je... je l'ai... tué. Je l'ai traîné jusqu'à ce... ce fossé et je l'ai aban... abandonné là et tout ce... ce que je sais, c'est qu'une... une bombe est... tombée et l'a... tué et que je... je me suis re... retourné et que j'ai v... vu sa chevelure r... rousse voler en m... morceaux et...

— Chut...

— Et j'ai crié, Red !... Re-e-e-d !

Il leva la tête et hurla son nom dans le ciel limpide, un hurlement si long et si terrible que les veines de ses tempes, de son cou et de ses poings serrés ressortirent comme celles d'une statue de marbre.

— Tu ne l'as pas tué, tu essayais de le sauver.

La douleur fit place à la rage.

— *J'ai tué mon meilleur ami et ils m'ont donné cette putain de médaille du Purple Heart pour ça !*

Elle aurait pu lui opposer que cette médaille, on la lui avait décernée à juste titre, pour une blessure reçue dans un autre combat, mais elle se rendait compte que ce n'était pas le moment d'essayer de le raisonner. Il avait besoin d'exprimer sa rage, de l'extirper comme le pus d'une plaie. Elle lui caressa doucement les épaules, ravala ses propres larmes et respecta le silence dont elle avait compris qu'il lui était indispensable.

— Et maintenant sa fiancée qu'il aimait tant m'écrit et me dit : « Ne vous en faites pas, caporal Parker, vous ne devez pas vous culpabiliser. » Quoi ? Elle ne comprend pas que tout est de ma faute ? Il me parlait tout le temps du jour où tous... tous les quatre on... on allait se retrouver, après la guerre, qu'on allait peut-être acheter une voiture et passer des va... des vacances ensemble... quelque part, dans les Smoky Mountains où il... il fait... frais pendant l'été et qu'on... on pourrait pêcher... lui et moi...

— Il se tourna et n'en pouvant plus, se jeta dans les bras d'Elly. Il l'étreignit, enfouit son visage contre sa poitrine, acceptant enfin qu'elle le consolât. Elle le serra du plus fort qu'elle put, le berça doucement, le laissant sécher ses larmes contre son corsage.

— Oh ! Elly... Elly... quelle saloperie, la guerre...

Elle lui caressa les cheveux comme elle l'aurait fait pour Lizzy, ferma les yeux et se mit à pleurer avec lui, pour lui, et redevint une fois encore la femme et la mère dont il avait toujours eu besoin.

Au bout d'un certain temps, la respiration de Will se fit plus régulière et son étreinte se relâcha.

— Red était vraiment un ami.

— Parle-moi de lui.

— Tu veux lire la lettre ?

— Non. J'ai lu assez de lettres depuis que tu es parti. Dis-moi ce qui s'est passé.

Et c'est ce qu'il fit. Calmement, cette fois, sans rien cacher de ce qu'étaient réellement les conditions de vie près du Canal. Il parla des souffrances, de la peur, de la mort et du carnage. Du « Dernier Repas » à bord de l'*Argonaute*, des steaks et des œufs qu'on servait à profusion afin de remplir la panse des hommes avant qu'ils partent pour la grève avec l'espoir de l'atteindre. De la montée à bord des canots pneumatiques sous des vagues déferlantes dont le fracas était si puissant qu'il était impossible d'entendre les ordres qui fusaient au-dessus des têtes ; de l'approche tourmentée des côtes au ras des mortels coraux qui menaçaient à chaque instant de déchirer les boudins de caoutchouc et de noyer les hommes avant qu'ils ne parviennent au rivage infesté de Japonais. De leur débarquement, alors qu'ils étaient trempés jusqu'aux os et condamnés à rester ainsi pendant les trois mois suivants. Du spectacle de leur flotte refoulée par l'ennemi et qui les abandonnait, définitivement coupés de toute espérance de ravitaillement. De l'assaut contre les paillotes, le doigt appuyé sur la détente et de la vision d'êtres humains projetés en arrière et qui s'écroulaient, sans comprendre ce qu'il venait de leur arriver. Des trois types de fourmis comestibles qu'on avait appris à reconnaître et qui allaient devenir leur seule nourriture pendant qu'ils restaient allongés sur le ventre deux jours durant tandis qu'un franc-tireur attendait, perché dans un arbre. De la bataille de Bloody Ridge. Du spectacle atroce d'hommes mutilés gisant sur le sol des jours durant, tandis que des mouches pondaient leurs œufs dans leurs blessures ouvertes. Des noix de coco qu'on mangeait jusqu'à espérer que la malaria vous emporte avant que l'ennemi ne le fasse. Des derniers soubresauts d'un corps humain. Et finalement de Red, du Red qu'il aimait. De Red vivant, non de celui qui était mort.

Et lorsque Will eut soulagé son cœur, qu'il se fut senti délivré, Elly lui prit la main et ils regagnèrent ensemble la maison dans la tiède lumière de cette fin d'après-midi, traversèrent le verger, passèrent sous la pergola couronnée de fleurs afin de s'atteler à cette tâche ingrate qu'on appelle l'oubli.

20

La guerre avait été très dure pour Lula. Elle l'avait privée de tout ce qu'elle préférait au monde : les bas nylon et les glaces au chocolat – et bien évidemment les hommes. Surtout les hommes. Les meilleurs, les jeunes, les costauds, les virils étaient partis. Il ne restait plus que des sales types comme Harvey. Alors, quelle solution avait-elle sinon continuer à obtenir ce dont elle avait besoin de cette grande brute ? Et elle ne pouvait même plus le faire chanter. En premier lieu, il n'y avait pas d'essence pour se rendre à Atlanta faire du lèche-vitrine comme elle en avait l'habitude et même si elle avait pu, il n'y avait plus rien dans les boutiques qui valût la peine qu'elle le fît chanter. Ce damné Roosevelt avait la mainmise sur tout : plus de voitures, plus de pinces à cheveux, plus de séchoirs à cheveux. Et puis plus, absolument plus de chocolat ! Lula ne parvenait pas à comprendre pourquoi les G.I's en Europe recevaient tant de barres de Hershey, qu'en plus ils offraient à d'autres, alors qu'au pays, les gens devaient s'en passer ! Elle s'était accommodée de pas mal de choses, mais cela avait été le bouquet lorsque Roosevelt avait promulgué une loi limitant les parfums des glaces ! Comment diable pouvait-on s'attendre à ce qu'un restaurant fît des affaires sans glaces au chocolat ? Et sans café !

Lula posa un pied sur le couvercle de la cuvette des toilettes et se passa du fond de teint des orteils jusqu'à la cuisse, laissant à nouveau exploser sa colère d'être dans l'obligation de se débrouiller sans bas nylon. De combien diable avaient-ils besoin de parachutes maintenant ? Pourtant, on n'irait pas dire que Lula se laissait aller, quels que fussent les inconvénients dont elle devait s'accommoder. Lorsque le fond de teint fut appliqué, elle dessina avec beaucoup de soin une raie noire sur toute la longueur de sa jambe pour imiter la couture. En culotte et soutien-gorge, elle pénétra en coup de vent dans sa chambre, se jeta sur son lit et se tourna, le dos au miroir de la commode, pour constater l'effet que cela produisait.

Dans son placard elle choisit la robe la plus sensuelle qu'elle possédait, une robe au-dessus du genou, en jersey orange et blanc avec d'énormes épaulettes, un décolleté en forme de diamant, et qui moulait ses hanches splendides. Une fois encore, elle allait essayer. Et si, ce coup-ci, elle n'obtenait pas de résultats, le grand, le puissant Will Parker pourrait se tailler les poches et faire joujou tout seul avec ce dont elle avait envie. Après tout, une femme avait sa fierté.

Elle se glissa dans sa robe en la passant par-dessus sa tête, puis retourna à la salle de bains où elle se démêla les cheveux et remit en forme les boucles de sa coiffure habituelle. Au moins, elle avait de la laque; ses boucles étaient flexibles comme des ressorts et retombaient avec une certaine grâce sur son front.

Toute pimpante, maquillée et parfumée, elle se tapota les cheveux, prit une pose devant son miroir, les poings sur les hanches et les chevilles serrées, à la façon de Bette Grable. Elle s'exerça à faire une petite moue mutine, écarta les lèvres pour inspecter la netteté du rouge qu'elle y avait appliqué et n'eut pas de mal à se persuader que le bonhomme devait être complètement fou pour avoir choisi Elly See la folle au lieu de ce qu'elle voyait là dans la glace!

Elle se lécha les lèvres, souffla sur ses doigts, respira l'odeur de sa poitrine et chercha dans son sac un paquet de Sen-Sen. Maudit Wrigley's – et maudit Roosevelt – qui fournit gratuitement en chewing-gum l'armée américaine tout entière pendant toute la durée de la guerre alors que la population du pays, qui serait toute disposée à le payer, doit se contenter de cet immonde Sen-Sen!

Au moment où elle sortit pour se mettre en quête de sa proie, son haleine était douce, ses jambes sensuelles et sa robe laissait paraître la naissance de ses seins. Décidément, cet homme l'excitait plus que jamais ! Un ancien *Marine*, qui plus est décoré, ce n'était pas rien ! du Purple Heart. Il avait maintenant un léger défaut dans la démarche qui lui donnait un certain charme, ce qui, aux yeux de Lula, le rendait encore plus attirant.

Elle l'avait aperçu depuis la fenêtre du restaurant ce jour de mai où il était revenu de la guerre et elle avait failli s'étouffer avec sa propre salive en le voyant gravir en boitant les escaliers de la bibliothèque pour aller saluer cette vieille bonne femme de Mlle Beasley. Avant qu'il eût atteint la porte, Lula avait appuyé son pubis contre le rebord du comptoir en proie à une certaine frustration et, depuis, elle la ressentait toujours. Au mois d'août, elle ne cessait de regarder sur la place dans l'espoir de simplement l'apercevoir et, quand il n'était pas en ville, tout ce qu'il lui restait à faire, c'était de penser à lui. Seigneur, qu'il était beau dans son uniforme, avec ses béquilles, et ce bronzage, et ces yeux provocants sous la visière de sa casquette de *Marine*. Il était le plus bel homme que cette ville pouvait offrir, et, par Dieu, Lula l'aurait ou, du moins, ferait tout son possible pour y parvenir !

La porte arrière de la bibliothèque n'était pas fermée à clé. Elle en tourna le bouton sans faire de bruit. À l'intérieur, la radio jouait en sourdine et une faible lueur laissait apercevoir l'extrémité de l'étroite entrée. Sur la pointe des pieds, Lula la parcourut sur toute sa longueur puis s'arrêta pour jeter un œil dans la grande salle bien mal éclairée de la bibliothèque. Il n'y avait qu'une lampe allumée et les rideaux étaient tirés. Un coup de chance... et puis ils étaient seuls !

Il lui tournait le dos, accroupi, un genou au sol, et inspectait le dessous d'une table, un tournevis à la main, tout en sifflant « I had the craziest dream ». Lula retira silencieusement ses chaussures, les posa à côté du bureau et traversa la salle à pas de loup.

Elle s'arrêta juste derrière lui au point de sentir l'odeur de sa lotion capillaire. Ses narines en frissonnaient, les muscles de son ventre se contractaient. Comme d'habitude, Lula se laissa pousser par l'instinct de son corps, sans réfléchir. Elle ne pouvait s'empêcher de penser qu'on ne surprenait pas même sous son angle mort un ancien *Marine*, nerveux de surcroît, qui avait combattu à Guadalcanal, dont le temps de réaction était extrêmement rapide, dont les réflexes étaient mortels et qui était entraîné à l'art de la survie. Il était beau, il sentait bon et ça allait lui plaire, pensa-t-elle, tandis que, d'un geste très féminin, elle commençait à glisser ses mains autour de son buste.

Will donna un violent coup de coude en arrière qui atteignit Lula au ventre. Il se releva, pivota sur lui-même, la frappa du pied, lui porta du plat de la main un coup terrible sur le côté du cou, qui l'envoya valser au sol où elle s'écrasa trois mètres plus loin contre le pied d'une table.

— Qu'est-ce que tu fous là ? hurla-t-il.

Elle ne parvenait pas à parler ; elle avait le souffle coupé.

— Lève-toi et fiche-moi le camp d'ici !

Je n'y arrive pas, essayait-elle de dire, mais aucun son ne sortait de sa bouche. Elle se recroquevilla en se tenant l'estomac.

La guerre avait enseigné à Will que la vie était trop précieuse pour être dilapidée de quelque manière que ce fût, surtout en compagnie de gens que l'on aimait pas. Il l'enjamba et la releva sans ménagement.

— Lula, il va falloir que tu te mettes dans le crâne que je suis un homme marié et heureux de l'être et que je ne veux pas de ta marchandise. Alors, fous le camp et laisse-moi tranquille !

Courbée en deux, elle fit quelques pas en vacillant.

— Tu... m'as... frappée... espèce de salaud ! parvint-elle à dire la gorge serrée.

Il la saisit violemment par les cheveux.

— Ne me traite jamais comme ça ! lui dit-il entre ses dents en guise d'avertissement.

— Lâche-moi, espèce de salaud ! hurla-t-elle tandis qu'il la maintenait au-dessus du sol.

Au lieu de cela, il la leva plus haut.

— Putain !

— Ordure !

— Pute !

— Oh ! Aïe ! Lâche-moi !

410

Il ouvrit la main et elle s'écrasa sur le parquet comme une vieille serpillière.

— Sors d'ici et ne reviens plus jamais rôder autour de moi, c'est compris ? J'en ai assez connu des filles comme toi quand j'étais trop stupide pour me rendre compte de ce qu'elles étaient ! Maintenant, j'ai une femme, et une femme bien, tu comprends ?

Il la saisit par le devant de sa robe, la remit sur ses pieds et la poussa durement dans le dos jusqu'à la porte, attrapant au vol ses chaussures. Il les lança dans le passage, comme deux grenades, et la jeta dehors en ajoutant en guise d'adieu :

— Si tu es en chaleur, Lula, va miauler sous les fenêtres de quelqu'un d'autre.

Il claqua la porte et poussa le loquet.

Lula lui jeta un regard féroce et beugla :

— Espèce de pauvre type ! T'as pas de couilles ! Impuissant ! C'est pas avec ça que t'iras tirer un coup quelque part !

Elle donna un violent coup de pied dans la porte et se foula le gros orteil. Elle se prit le pied et hurla encore plus fort :

— Impuissant ! Trou du cul ! Ordure de *Marine* ! Ta queue n'est même pas assez grosse pour boucher le trou de mon oreille !

En pleurs, le mascara lui coulant le long des joues, Lula descendit en boitant les marches de l'escalier, récupéra ses chaussures et disparut.

Elle retourna chez elle, folle de rage, où elle se rendit directement au téléphone.

— Sept-Un-Zéro-Deux, hurla-t-elle, puis elle attendit, bouillant d'impatience, se frappant la poitrine avec le microphone de bakélite noire et appuyant le cornet contre sa boucle d'oreille orange en plume de flamant.

Deux sonneries plus tard, on décrocha.

— Allô ?

— Harley ? C'est Lula.

— Lula, murmura-t-il à voix basse. Je t'ai déjà dit de ne jamais m'appeler à la maison.

— J'en ai absolument rien à foutre de ce que tu me dis ou pas, Harley, alors tais-toi et écoute-moi ! Je me suis fait mettre une branlée plus grosse que tu seras jamais capable de bander et j'ai besoin de toi pour quelque chose, alors réponds ni oui ni non, monte dans ton putain de camion et sois chez moi dans un quart d'heure ou bien je m'amène et je fous tout en l'air sur mon passage, comme un cyclone. Et quand j'aurai envoyé un petit appel amical à ta très chère Mae, elle ne se demandera plus d'où viennent les griffures que tu as sur le ventre. Compris ? Allez, bouge-toi, Harley !

Elle reposa violemment le récepteur sur ses broches et faillit briser les pieds de la table en remettant le téléphone à sa place.

Harley n'avait vraiment pas le choix. Plus il vieillissait, moins il ressentait le besoin de Lula. Mais elle était assez bête et méchante pour tout casser entre Mae et lui. Et puis, il n'avait pas l'intention de perdre Mae pour une putain de seconde zone. Ah, ça non ! Quand il aurait laissé tomber le moulin, les poches pleines, après s'être enrichi grâce à cette guerre lucrative, il avait bien l'intention d'avoir Mae à ses côtés pour lui servir du thé glacé sous le porche et d'aller à la pêche avec ses fils. Et puis il y avait ses filles. Oh, bien sûr, ses filles, elles ne servaient pas à grand-chose, mais elles l'amusaient. Son aînée venait d'avoir seize ans. Encore quelques années et on pourrait la marier et elle lui donnerait des petits-enfants. Cette pensée fit germer une idée dans l'esprit de Harley. Maudite Lula, elle pouvait tout bousiller pour de bon si elle s'y mettait.

Lorsqu'il poussa la porte, il était hors de lui.

— Lula, t'as pas de cervelle ou quoi ? Bon Dieu, où tu es, Lula ?

Lula, vautrée sur son lit, n'avait pas retiré ses chaussures orange à talons hauts ni ses boucles d'oreilles de même couleur et portait quelques marques bleues et noires, souvenirs de Will Parker. Un bâton d'encens brûlait sur la table de chevet et elle avait jeté ses sous-vêtements de fausse dentelle sur l'abat-jour pour tamiser la lumière de la lampe.

— Lula, à quoi tu penses, bordel ! Tu me téléphones et tu me donnes des ordres comme si j'étais un...

Harley franchit le seuil de la chambre et s'arrêta de hurler comme si on venait de lui trancher la langue. Lula se caressait d'une main et tendait l'autre dans sa direction.

Deux mois plus tard, par une morne journée d'octobre, Harley reçut un autre appel de Lula mais, cette fois-là, elle téléphona au moulin.

— Harley, c'est moi.

— Bon Dieu, qu'est-ce qui te prend de m'appeler ici ? Tu veux que tout le monde soit au courant pour nous deux ?

— Faut que je te voie.

— J'ai du travail par-dessus la tête aujourd'hui.

— Il faut que je te voie, je te dis ! J'ai quelque chose de très important à te dire.

— Je ne peux pas ce soir, peut-être jeud...

— Non, ce soir. Ou alors j'appelle Edna Mae Simms et je lui lâche le morceau à l'instant même au central. Tu es là, Edna Mae ? Tu as tout entendu ?

— Bon, ça va ! D'accord !

— À huit heures un quart, chez moi.

— Je ne peux pas m'en aller avant...

Elle avait raccroché.

Lorsqu'il arriva chez Lula, elle était vêtue d'une robe noire brillante à motifs d'orchidées cerise qui avaient la dimension de cymbales. Elle avait soigneusement relevé ses cheveux et portait des souliers à hauts talons de la même couleur que ses orchidées. Elles rappelaient à Harley le jour où sa mère lui avait fait manger des betteraves qu'il avait vomies par la suite. Lula ouvrit la porte, la referma doucement derrière Harley, puis se retourna pour lui faire face, les poings sur les hanches.

— Eh ben voilà, Harley, je suis en cloque et c'est de toi. J'aimerais bien savoir ce que tu vas faire maintenant.

Harley ressemblait à quelqu'un qui aurait entendu une balle siffler tout près de son oreille. Pendant quelques instants, il fut incapable de parler. Lula arpentait le salon, la tête baissée, tout en remettant à sa place une pince à cheveux au sommet de sa coiffure.

Les yeux fous, le souffle court, Harley bégayait.

— Un... un... gosse ?

— Ouais, à toi et à moi, Harleykins. Un polichinelle dans le tiroir, lui lança-t-elle avec un sourire sarcastique, en se tapotant le ventre.

— Mais... mais, Lula, je ne t'ai pas vue depuis deux mois !

— Exactement. Et si tu t'en souviens bien, tu n'avais pas mis de capote.

— Comment j'aurais pu ? J'en avais pas. Ces saloperies de capotes sont aussi rares que les pneus ces temps-ci. C'est même étonnant que Roosevelt ait pas envoyé les Boy Scouts pour faire la collecte des capotes usagées comme ils le font pour tout le reste ! Enceinte... Bon Dieu !

Lula posa son bras sur le dossier d'une chaise et tambourina du bout de ses ongles vernis de rouge.

— Ça a dû se passer ici, au mois de mai dernier.

— Tu as été voir un docteur ?

— Ouais. J'suis allée à Calhoun aujourd'hui.

Harley se leva d'un bond et se mit à faire les cent pas.

— Bon Dieu, Lula, pourquoi tu m'as pas dit qu'il y avait des risques ce soir-là ? Tout ça, c'est de ta faute, pas de la mienne !

Lula se redressa, comme un cobra qu'on aurait dérangé.

— De ma faute ! Espèce de lamentable grippe-sou pleurnichard, tu vas quand même pas tout me faire retomber dessus ! T'as toujours été un grand garçon pour me baiser d'abord et me demander la permission ensuite ! Et tu sais pourquoi ? Parce que tout ce que tu sais faire, c'est penser à l'argent, encore à l'argent, toujours à l'argent ! Là-bas au moulin, tu fais des affaires, tu passes des contrats avec le gouvernement actuellement, et tu fais même des heures supplémentaires, mais t'es trop pingre pour aller à la pharmacie et y dépenser un quart de dollar ! Alors, ne me montre pas du doigt, Harley Overmire ! Tout ce que tu aurais dû faire, ce soir-là, c'était de prendre dix secondes pour en mettre une ! Mais non ! il fallait que monsieur me saute dessus comme un gros matou qui vient de renifler une femelle !

— Attends une minute, Lula. Je suis venu ici et tu étais vautrée comme un sandwich à la tomate à qui il ne manquait plus que le poivre et le sel et tu t'attendais à ce que je m'arrête pour réfléchir ? Tu aurais pu éviter d'écarter les pattes rien qu'une minute, tu sais ?

— Moi, moi, toujours moi ! hurla Lula. Ça fait six ans que tu couches avec moi et combien de fois tu as pensé à en mettre par le passé ? Hein ? Réponds-moi, Harley ! C'était toujours moi qui y pensais. Allez, tu me rends malade ! Juste une fois j'aimerais que tu penses et que tu me traites comme la femme que je suis, que tu prennes d'abord ton temps au lieu de te jeter sur moi et de me sauter comme un verrat !

— Un verrat ! Alors maintenant je suis un verrat !

— Ne change pas de sujet, Harley. Je voudrais savoir ce que tu vas faire maintenant et je veux une réponse claire !

— Une réponse... merde, où tu veux que je trouve une réponse ?

Lula avait sensiblement changé d'avis et en était parvenue à la conclusion que Harley Overmine, c'était mieux que rien. De plus, au lit, il n'était pas si mauvais que cela. Et, au moins, son gosse aurait un père. Elle ferma le poing et considéra son vernis à ongles tout en suggérant :

— Tu pourrais laisser tomber Mae et m'épouser.

— Laisser tomber Mae !

La nonchalance de Lula disparut brusquement et elle fit une moue sinistre.

— Eh alors, qu'est-ce qu'elle représente pour toi ? Tu ne l'as jamais touchée. Tu me l'as dit toi-même !

— Elle est la mère de mes enfants, Lula.

— Ah ! Et moi, qu'est-ce que je suis ?

Harley ne trouvait rien à répondre.

— Qu'est-ce que je suis, dis, Harley ? Y en a un à toi qui pousse là-dedans en ce moment. Mais puisque Mae est la mère de tes enfants, elle aimerait peut-être ajouter celui-là à sa collection, hein ? Qu'est-ce que t'en penses ? Et si j'appelais Mae et que je lui disais « Oh ! à propos, Mae, je vais avoir un petit moutard à face de singe à ajouter à ta nichée l'été prochain ». Qu'est-ce que t'en penses, Harley ? Ça te convient ?

— Lula, sois raisonnable...

— Sois raisonnable ! Sois raisonnable qu'il dit, quand c'est moi qui porte le déshonneur et lui qui se balance sur son fauteuil à bascule sous sa véranda, entouré de Mae et de ses moutards légitimes.

Sois raisonnable ? Je vais t'en donner, moi, du raisonnable, Harley. Dis-moi si ça te paraît raisonnable ? Deux mois. Deux mois et ça va commencer à se voir. Et dans ce laps de temps, de deux choses l'une. Ou bien tu mets ton nom à côté du mien sur une licence de mariage, et comme ça je serai sûre que mon rejeton sera couvert pour le reste de ses jours, ou alors tu déposes une somme de dix mille dollars à la banque, au nom de Lula Peak.

— Dix mille dollars !

Se retournant vers la glace murale biseautée de la salle de séjour, Lula entrouvrit les lèvres et passa un doigt sur chaque commissure. Puis elle se tapota les cheveux et ajouta, comme si cela lui venait après coup :

— Ou je peux encore le donner à Mae pour qu'elle l'élève et ce serait la fin de mes soucis. Pourquoi pas... De toute façon, je n'ai jamais eu beaucoup d'attirance pour les moutards à face de singe.

Pour Harley Overmire, l'automne avait vraiment très mal commencé. Lula ne le lâchait pas. Il gagnait pas mal d'argent avec le moulin, c'était déjà ça, mais il allait geler en enfer avant qu'il ne sorte dix mille dollars pour une salope comme elle. Et elle lui avait presque arraché les yeux lorsqu'il lui avait suggéré d'aller voir un médecin pour avorter. Mais il y eut pire : elle se mit à le harceler chez lui, l'appelant au milieu de la nuit, à l'heure du petit déjeuner, donnant même de faux noms si c'était Mae qui prenait la communication.

Elle se présenta au moulin, un soir, alors qu'il en sortait sur le coup de neuf heures, pour lui rappeler simplement qu'il ne lui restait que quatre semaines pour se décider entre l'argent et le mariage. Comme il s'était écoulé une autre semaine sans aucun progrès tangible, elle appela réellement Mae, se présentant cette fois sous son véritable nom, ce qu'elle avoua après coup à Harley.

— J'ai parlé à Mae, aujourd'hui.

— Tu... quoi ?

— J'ai parlé à Mae, aujourd'hui. Je l'ai appelée au téléphone et je lui ai dit que je faisais une collecte pour la Croix-Rouge et je lui ai demandé si elle avait des choses à donner pour confectionner des colis. Elle m'a répondu qu'elle avait des boutons, du savon, des pastilles et des crayons. Que je pouvais venir les chercher quand je voulais, ce que j'ai fait.

— Tu n'as pas fait ça !

— Mais si, je l'ai fait ! J'y suis allée là-bas, j'ai frappé à la porte, Mae a répondu et on a eu une petite discussion tout à fait agréable.

— Nom de Dieu, Lula...

Lula eut un regard perfide.

— Tu vois, Harley, comme c'est facile, hein ?

Harley finit par développer un ulcère. Les douleurs à l'estomac s'intensifièrent un soir qu'il rentrait chez lui pour trouver dans la boîte aux lettres la note du médecin de Calhoun. Lula ne s'était pas gênée pour lui demander de la lui faire parvenir directement. Comme Mae lui demandait à quoi correspondait cette facture, il lui dit que quelqu'un, au moulin, avait été blessé et que la note avait été envoyée chez eux par erreur.

Et Lula continua de le harceler jour après jour. Harley en vint petit à petit à la détester, et finit par se demander ce qu'il lui avait jamais trouvé. Elle était dure, superficielle, voire stupide jusqu'au bout des ongles. Et dire qu'il avait mis son mariage en péril pour une minette comme ça...

Au travail, Harley n'avait plus le cœur à l'ouvrage. À la maison, il se montrait nerveux. Et partout ailleurs, sur ses gardes. Cette maudite femme se montrait partout, disait n'importe quoi, faisait toutes les bêtises qui lui passaient par la tête.

Le summum, elle l'atteignit le jour où elle arrêta dans la rue son fils aîné, Ned, alors qu'il rentrait de l'école, pour l'inviter à manger un cornet de glace au Café Vickery. Après cela, elle eut le front de dire à Harley ce qu'elle avait fait et d'ajouter d'une voix provocante tandis qu'elle l'agaçait en tripotant ses horribles cheveux jaunâtres : « On te voit plus beaucoup par ici, Harley. T'as vu ton fils, il est de plus en plus beau. Il a perdu son horrible face de singe et puis, il a drôlement grandi. Quel âge il a aujourd'hui, Harley ? Quatorze ans ? Peut-être même quinze ? »

La menace était claire mais là, elle avait dépassé les bornes. Si maintenant elle s'en prenait aux gamins, il était plus que temps de neutraliser définitivement Lula Peak.

Harley organisa tout méticuleusement dans sa tête. Le cadeau de Noël qu'il allait offrir à Lula devait la faire taire pendant quelque temps. Mais son plan, il allait le mettre en œuvre après les fêtes.

Ça devait marcher. Il connaissait Lula, savait ce qu'elle désirait plus que tout, donc ça allait marcher. Il avait été sourd, stupide et aveugle ces dernières années. Les gars, au moulin, faisaient mille réflexions paillardes sur la manière dont Lula poursuivait Parker de ses assiduités, sur sa façon de le reluquer à travers la fenêtre du restaurant et de le poursuivre jusqu'à la bibliothèque. Mais la rumeur affirmait que, si Parker n'avait jamais répondu à ses avances, elle ne s'était jamais résignée à ne pas le posséder.

Parker. Rien que ce nom révulsait Harley. Parker et sa maudite médaille du Purple Heart. Parker, le héros local alors que les gens ricanaient derrière le dos de Harley Overmire et l'accusaient de s'être coupé un doigt dans l'unique but d'éviter la conscription. Mais personne ne se doutait de la dose de courage qu'il fallait pour placer son doigt sous la lame d'une scie circulaire ! Et puis d'ailleurs, il fallait bien « quelqu'un » pour rester à l'arrière et mettre en caisse tous ces fusils et toutes ces munitions.

Alors, tu te prends pour un héros, hein, Parker ! Tu te promènes par la ville en boitillant sur tes béquilles et tu parades sur la place dans ton bel uniforme tandis que le monde tombe à genoux et agite des petits drapeaux. Tu sais, tu ne m'as pas plu la première fois que je t'ai vu, espèce d'assassin, et tu ne me plais pas plus aujourd'hui. Ça n'a pas marché la première fois que j'ai essayé de te faire quitter la ville, mais cette fois-ci, ça va changer. Et c'est la justice qui va s'en charger à ma place.

Il fallut à Harley trois nuits de fouilles dans les poubelles de la bibliothèque avant d'y trouver le garrot idéal : un vieux bout de chiffon couvert de poussière et d'huile de citron tout à fait identifiables.

Une fois qu'il l'eut en sa possession, Harley rédigea avec beaucoup de soin un billet dont il avait découpé les lettres dans un journal, lettres qu'il colla perpendiculairement à la composition habituelle sur une page de petites annonces de l'*Atlanta Constitution*. Pas de papier à lettre qu'on pût identifier, nulle empreinte digitale sur le papier journal crasseux.

VIENS ME RETROUVER À LA PORTE DE DERRIÈRE DE LA BIBLIOTHÈQUE, JEUDI, À ONZE HEURES DU SOIR. W.P.

Il glissa le billet dans l'enveloppe d'une de ses factures d'électricité dont il avait fait disparaître l'adresse en la découpant avec une lame de rasoir et qu'il avait remplacée par des lettres elles aussi découpées dans le journal.

Lorsque Lula reçut le billet, elle le déchira en quatre et se mit à jurer comme un vieux loup de mer. Qu'est-ce que tu crois, Parker, après m'avoir cognée et traitée de pute ? Tu peux aller te tripoter !

Mais Lula était Lula. Bouillante, à n'en pas douter. Et plus elle pensait à Will Parker, plus elle s'échauffait ! Un beau voyou. Un *Marine* coriace. Tout en épaules et en jambes... et renfermé avec ça. Et elle aimait ce genre de caractère, avec ses silences troublants. Elle avait déjà eu un aperçu de son tempérament et s'il s'enflammait comme ça au beau milieu d'une partie de pattes en l'air, oh là là !, ce devait être le genre de truc qu'on était pas près d'oublier ! Et puis elle avait appris une autre chose : les hommes qui avaient de grands lobes d'oreilles avaient un sexe dans les mêmes proportions. Et les lobes de Will Parker n'étaient pas particulièrement minuscules.

À neuf heures du soir, le jeudi en question, Lula recollait les morceaux du billet déchiré. À neuf heures et demie, elle avait l'impression d'avoir un morceau de toile émeri dans la culotte. À dix heures, elle était dans un bain de mousse en train de se préparer.

Harley Overmire était tapi sous la bruine glacée de décembre et il la maudissait. Mais il y avait au moins un point positif : le couvre-feu était toujours en vigueur dans les états côtiers. Les lampadaires étaient éteints. Pas de lumières aux fenêtres. Plus personne dans les rues après dix heures du soir. À moins, bien sûr, d'avoir un permis.

Allons viens, Lula, viens. J'ai froid, je suis trempé et j'ai envie de rentrer me coucher.

La porte arrière de la bibliothèque se trouvait deux mètres au-dessus de sa tête et donnait sur un escalier de béton que longeait une rampe métallique. Silencieux comme un franc-tireur dans un arbre, il avait, environ une demi-heure plus tôt, entendu Parker fermer la porte à clé avant de s'en aller, puis les pas de Will descendre ledit escalier, et enfin sa voiture démarrer et s'éloigner, tous phares allumés.

Maintenant, Harley grelottait dans son imperméable et sous son vieux feutre noir tandis que la pluie lui coulait sur l'épaule par une déchirure. Il se frottait les bras pour se réchauffer, le dos appuyé contre le béton glacé, tout en écoutant l'eau couler des avant-toits de la bibliothèque dans la ruelle située en contrebas. Dans sa main, il tenait le morceau de tissu huileux avec lequel il avait confectionné un solide nœud coulant.

Lorsqu'il entendit les pas de Lula, son cœur se mit à battre comme celui d'une bête aux abois. Des souliers à hauts talons, clic... clic... clic..., probablement ouverts au bout parce qu'elle venait de marcher dans une flaque et avait poussé un juron. Il attendit qu'elle eût atteint la troisième marche puis il fit rapidement le tour de la base de l'escalier et monta derrière elle.

Il avait décidé de faire ça promptement, sans bavures, anonyme. Mais le vieux chiffon était pourri et se déchira. Alors, comme elle se débattait, elle se retourna et reconnut son visage.

— Harley... non... s'il...

Et il fut forcé de terminer le travail à mains nues.

Mais il n'avait pas prévu de voir l'horreur dans ses yeux. Ni le grotesque des affres de l'agonie. Car l'obscurité n'était pas assez totale pour les lui cacher. Qui plus est, Lula se défendait. Plus qu'il n'aurait jamais imaginé qu'une femme de sa taille eût été capable de le faire.

Lorsqu'elle finit par succomber, Harley dévala en titubant les marches de l'escalier et vomit le long du mur nord de la bibliothèque.

21

Un jour de la fin du mois de décembre, Elly était occupée dans la cuisine aux travaux ménagers lorsqu'elle leva les yeux et aperçut Reece Goodloe qui entrait dans le jardin au volant d'une Plymouth noire couverte de poussière, gyrophares allumés, le mot SHÉRIF inscrit sur la portière. Aussi loin qu'Elly pût se souvenir, il était shérif depuis toujours puisque c'était lui qui était venu frapper à la porte d'Albert See pour l'obliger à laisser sa petite fille aller à l'école.

Il n'avait pas minci au cours des années. Son ventre bedonnant ressemblait à une citrouille et il remontait son pantalon en se dirigeant vers la maison. Ses cheveux se faisaient rares au-dessus de son visage rubicond et ses narines étaient plus larges que les traces de sabots dans la boue. Malgré son apparence rebutante, Elly l'aimait bien : c'était lui qui lui avait permis de s'évader de la maison d'en bas.

— Bonjour, monsieur Goodloe, lui lança-t-elle depuis le porche en remettant en place d'un mouvement d'épaules le pull-over qu'elle avait tricoté elle-même.

— Bonjour, ma'am Parker. Vous avez passé un bon Noël ?

— Mais bien sûr. Et vous ?

— Pour ça oui, on a eu un bon Noël.

Goodloe inspecta du regard la clairière, le jardin bien nettoyé pour l'hiver et remarqua que la ferraille avait disparu. Oui, depuis la mort de ce pauvre Glendon Dinsmore, les choses, ici, avaient bien changé.

— C'est bien chez vous.

— Ça! je vous remercie. C'est Will qui a presque tout fait.

Goodloe prit son temps, regarda tout autour de lui et finit par demander :

— Est-ce qu'il est ici, ma'am Parker?

— Il doit être là-bas dans la remise, en train de peindre les toits des ruches pour qu'elles soient prêtes pour le printemps.

Goodloe posa le bout de sa botte sur la première marche de l'escalier.

— Ça vous dérangerait beaucoup d'aller le chercher, m'zelle Parker?

Elly fronça les sourcils.

— Il s'est passé quelque chose, Shérif?

— Il faut simplement que je lui parle d'un petit problème qui s'est produit la nuit dernière.

— Ah!... bon... oui, bien sûr. Je vais aller vous le chercher.

En traversant le jardin, Elly entendit retentir dans sa tête comme un signal d'alarme. Que voulait-il à Will? Il devait s'agir d'une affaire judiciaire, elle en était sûre. Les banalités qu'il sortait devaient à l'évidence couvrir une raison officielle. Mais laquelle? Au moment où elle parvint à la porte de la remise, son inquiétude se lisait à livre ouvert sur son visage.

— Will?

Le pinceau à la main, Will se redressa, puis il se retourna, incapable de cacher son plaisir de la voir.

— Alors, je te manque, hein?

— Will, le shérif est ici. Il veut te voir.

Son sourire se figea puis disparut.

— À quel sujet?

— Je ne sais pas. Il voudrait que tu viennes jusqu'à la maison.

Will resta silencieux pendant dix bonnes secondes, puis il posa le pinceau sur le bord du pot de peinture, ramassa un chiffon et l'imbiba d'essence de térébenthine.

— Allons-y.

Tout en s'essuyant les mains, il la suivit.

À chaque pas, Elly se sentait de plus en plus inquiète.

— Qu'est-ce qu'il peut bien te vouloir, Will ?

— J'en sais rien. Mais on va pas tarder à le savoir.

Pourvu que ce ne soit rien, priait-elle en silence, pourvu que ce ne soit qu'une histoire de carburateur pour sa vieille Plymouth noire. Peut-être Will a-t-il placé sa pancarte sur le territoire du comté ou bien sans doute ont-ils besoin d'emprunter les chaises de la bibliothèque pour un bal. Ce devait être quelque chose de ce genre-là.

Elle jeta un regard à son mari. Il marchait lentement, mais sans aucune hésitation et son visage n'exprimait rien de particulier. Il avait cette expression bien à lui qui disait : ne-leur-laisse-pas-deviner-le-fond-de-ta-pensée qui effrayait Elly plus qu'un froncement de sourcils.

Le shérif Goodloe attendait à côté de sa Plymouth, les bras croisés sur son ventre rebondi, appuyé contre une des ailes avant. Will s'arrêta devant lui, le chiffon à la main.

— Bonjour, Shérif.

Goodloe hocha la tête en s'écartant de la voiture.

— Parker.

— Je peux faire quelque chose pour vous ?

— J'ai quelques questions à vous poser.

— C'est grave ?

Goodloe ne daigna pas répondre.

— Vous avez travaillé à la bibliothèque hier au soir ?

— Oui, m'sieur.

— Jusqu'à quelle heure ?

— Dix heures.

— Qu'est-ce que vous avez fait ensuite ?

— Je suis rentré chez moi et je me suis couché, cette question !

Goodloe lança un coup d'œil à Elly.

— Vous étiez à la maison à ce moment-là, ma'am Parker ?

— Ben évidemment. Nous avons une famille, Shérif. Mais qu'est-ce que tout ça signifie ?

Goodloe ignora leurs réflexions, décroisa les bras et se cala bien sur ses deux pieds avant de décocher à Will la question suivante.

— Vous connaissez une certaine Lula Peak?

Will sentit l'inquiétude le saisir aux chevilles et s'emparer lentement de son être, des picotements aigus mêlés à une bouffée de chaleur. Pour masquer cette inquiétude, il enfouit le chiffon dans sa poche arrière.

— Ouais, je sais qui c'est. Mais je ne peux pas vraiment dire que je la connais.

— Vous l'avez vue, la nuit dernière?

— Non.

— Elle n'est pas venue à la bibliothèque?

— Personne ne vient à la bibliothèque pendant que j'y suis. C'est en dehors des heures d'ouverture.

— Elle n'est jamais venue... en dehors de ces heures d'ouverture?

Will serra les dents et un muscle de sa mâchoire se contracta, mais il continua de regarder Goodloe droit dans les yeux.

— Ça lui est arrivé plusieurs fois.

Elly lança un regard mauvais à son mari. *Plusieurs fois?* Elle crut que son estomac lui remontait dans la gorge tandis que le shérif répétait la réponse comme une litanie obscène.

— Plusieurs fois... et quand ça?

Will croisa les bras et se cala sur ses deux jambes.

— Y a un bout de temps déjà.

— Pourriez-vous être plus précis?

— Un certain nombre de fois avant que je m'engage et une fois depuis que je suis revenu. Au mois d'août ou quelque chose comme ça.

— C'est vous qui lui aviez demandé de venir?

Les mâchoires de Will se contractèrent à nouveau mais il réussit à se dominer et répondit calmement.

— Non, monsieur.

— Alors, qu'est-ce qu'elle était venue faire?

Will avait parfaitement conscience qu'Elly le fixait d'un air étonné. Sa voix s'adoucit et il répondit, gêné :

— Je pense que vous devez vous en douter. Vous êtes un homme.

— Ce n'est pas mon boulot de deviner, Parker. Mon boulot, c'est de poser des questions et d'obtenir des réponses. Qu'est-ce que faisait Lula Peak à la bibliothèque au mois d'août en dehors des heures d'ouverture ?

Will tourna la tête vers sa femme et répondit en la regardant au fond de ses yeux effarés.

— Elle devait avoir envie de se faire sauter, j'imagine.

— Will... s'offusqua Elly, les yeux ronds, consternée.

Parce qu'il s'attendait à ce qu'il lui racontât des mensonges, le shérif se trouva durant quelques instants décontenancé par le calme de son interlocuteur.

— Eh bien... Alors vous l'avouez ?

Will quitta Elly des yeux et répondit :

— J'admets que je savais ce qu'elle recherchait, mais pas qu'elle l'ait obtenu. Bon Dieu, tout le monde à Whitney sait comment elle est ! Cette bonne femme se comporte comme une chienne en chaleur et ne fait aucun effort pour s'en cacher.

— Elle vous a ... couru après, n'est-ce pas ?

Will eut du mal à avaler sa salive mais prit son temps avant de répondre.

— Je pense qu'on peut dire ça.

— Will, répéta Elly à peine surprise, mais profondément bouleversée. Mais tu ne m'en as jamais parlé.

Il plongea de nouveau son regard sombre dans celui d'Elly, n'ayant pour seule défense que la vérité.

— Parce que ça n'avait aucun sens. Demande à Mlle Beasley si j'ai eu un jour des relations avec cette bonne femme. Elle te dira que non.

Le shérif les interrompit.

— Mlle Beasley a vu Lula... disons... vous poursuivre de ses assiduités ?

Le regard de Will se posa de nouveau sur le gros homme en uniforme.

— Est-ce qu'on m'accuse de quelque chose, Shérif ? Parce que si c'est le cas, j'ai le droit de savoir. Et si cette femme a porté des accusations contre moi, ce ne sont que de sales mensonges. J'ai jamais porté la main sur elle.

— Si je me souviens bien, vous avez fait un « séjour » à Huntsville pour homicide. C'est exact ?

Will commençait à en avoir la nausée mais, extérieurement, il resta très stoïque.

— C'est exact. J'ai fait mon temps et j'ai été libéré sur parole.

— Pour avoir tué une prostituée notoire.

Will serra les dents et ne pipa mot.

— Je vous prie de m'excuser, ma'am, poursuivit le shérif en jetant un regard en coin vers Elly, mais je ne peux pas éviter ce genre de questions. Avez-vous déjà eu des relations sexuelles avec Lula Peak ?

Will réprima son envie d'exploser pour répondre :

— Non.

— Saviez-vous qu'elle était enceinte de quatre mois ?

— Non.

— L'enfant qu'elle attendait n'était pas de vous ?

— Non !

Le shérif retourna à sa voiture et en revint avec à la main un sac de cellophane.

— Avez-vous déjà vu ça auparavant ?

Tendu, Will baissa les yeux et examina le contenu du sachet transparent sans y toucher.

— On dirait un chiffon à poussière de la bibliothèque.

— Vous lisez bien un journal habituellement, n'est-ce pas ?

— Un journal. Qu'est-ce que le journal...

— Contentez-vous de répondre à la question.

— Tous les soirs, quand je fais la pause à la bibliothèque. Parfois j'en rapporte à la maison quand la bibliothèque n'en a plus besoin.

— Lequel lisez-vous le plus souvent ?

— Mais bon sang...

— Lequel, Parker ?

Will commençait à s'énerver pour de bon et la colère lui colorait le visage.

— Le *New York Times*?

— Non!

— Alors, lequel?

— Qu'est-ce que ça signifie, Goodloe?

— Contentez-vous de répondre.

— D'accord! L'*Atlanta Constitution*, si je me souviens bien.

— Quand avez-vous vu Lula Peak pour la dernière fois?

— Je ne me rappelle plus.

— Alors, faites un effort.

— Au début de la semaine... non, c'était la semaine dernière, mercredi peut-être, ou mardi. Seigneur, je ne m'en souviens pas, mais c'était quand j'allais travailler. Je l'ai vue fermer le Café Vickery lorsque je me rendais à la bibliothèque.

— Et vous ne l'avez pas revue depuis la semaine dernière, mardi ou mercredi?

— Non.

— Mais vous admettez être allé à votre travail comme d'habitude hier au soir et être rentré chez vous vers dix heures?

— Pas « vers ». « À » dix heures. Je pars toujours à dix heures tapantes.

Goodloe se redressa de toute sa hauteur et regarda fixement Will et Elly dans les yeux, chacun à leur tour.

— Lula Peak a été étranglée la nuit dernière dans l'escalier de derrière de la bibliothèque. Le coroner situe l'heure de la mort entre neuf heures et minuit.

La nouvelle frappa Will comme un coup de poing au plexus solaire. Son sang se figea. En l'espace de quelques secondes, il passa du rouge au blanc le plus pâle. *Non, ce n'est pas moi, pas cette fois-ci. J'ai payé pour mon crime. Bon Dieu, qu'on me laisse tranquille! Qu'on nous laisse en paix, ma famille et moi!* Bien qu'une peur viscérale fût en train de le submerger, il n'en laissa rien voir, se gardant bien de réagir de peur qu'on interprétât mal son geste. Il tremblait intérieurement. Ses mains étaient moites, sa gorge sèche. Dans le court laps de temps où le shérif avait lancé sa bombe, Will revit pêle-mêle, dans sa tête, tout ce qui avait donné une valeur à son existence : Elly, les enfants, la vie qu'il s'était construite, leur belle maison, leur stabilité financière, leur avenir, leur bonheur... À l'idée de perdre tout cela, qui plus est injustement, il sentit le désespoir l'envahir. *Seigneur Jésus, que doit donc faire un homme pour réussir... un jour ?* Il était frappé par l'ironie du sort qui l'avait vu combattre et survivre à cette maudite guerre uniquement pour en arriver là. Il repensa à tout ce qu'il avait enduré. Il avait été orphelin, avait mené une vie misérable pendant des années, connu la prison et par la suite les privations, le mépris et les sarcasmes. Pour en arriver où ? La rage et le désespoir le rendaient malade, lui donnaient l'envie absurde de frapper, de tout casser autour de lui, de maudire le destin inflexible qui, année après année, renversait son pouce et condamnait Will Parker.

Mais rien de ce qu'il pensait ou éprouvait n'était perceptible sur son visage. Impassible, la gorge sèche, il demanda seulement :

— Et vous pensez que c'est moi qui ai fait ça...

Le shérif lui mit sous le nez un second sachet transparent semblable au premier. Celui-ci renfermait les morceaux de papier journal qui formaient le message laconique.

— J'en ai des preuves formelles, Parker. En commençant par celle-ci.

Will porta son regard sur le billet compromettant, puis revint de nouveau à Goodloe avant de tendre lentement la main pour se saisir du sachet afin de lire ce qu'il contenait. Une bouffée de haine l'envahit alors. De haine pour Lula Peak qui ne pourrait plus dire la vérité. De haine pour celui qui avait commis ce meurtre et lui faisait porter le chapeau. De haine pour cet ignoble pot de saindoux qui n'était pas capable de voir plus loin que le bout de son nez.

— Il faut être particulièrement stupide pour envoyer un message aussi clair et oublier de le récupérer.

Plus elle écoutait et plus Elly sentait croître son angoisse. Elle était là comme hypnotisée par un serpent à lunettes qui se dresserait devant elle. Lorsque Will tendit le sachet à Goodloe, elle le prit au passage.

— Laissez-moi voir ça !

VIENS ME RETROUVER À LA PORTE DE DERRIÈRE DE LA BIBLIOTHÈQUE, JEUDI À ONZE HEURES DU SOIR. W.P.

Tandis qu'elle lisait ces mots, la porte de la cuisine s'ouvrit brusquement et Thomas hurla depuis le porche :

— Maman, Lizzy a encore fait pipi dans sa culotte !

Elly n'entendait rien à part les battements frénétiques de son cœur, ne voyait rien sinon le billet et les initiales W.P. Elle était complètement paniquée. *Oh! mon Dieu, non! Pas Will, pas mon Will.*

— Maman, Lizzy a encore fait pipi dans sa culotte !

Elle fixait ses doigts qui serraient les bords du sachet de cellophane, comme pour avoir quelque chose à se raccrocher, comme pour tenter de retenir son univers qui tremblait sur ses bases. Elle entendait encore la voix de Will qui admettait des choses qu'il aurait aimé qu'elle n'entendît jamais... On allait souvent au bordel à La Grange... Moi, je ne faisais pas le difficile, je prenais la première qui était libre... J'ai saisi une bouteille... Elle est tombée comme un arbre mort et elle saignait à peine... Elle est morte sur le coup...

Durant quelques secondes, Elly garda les yeux fermés, suffocant, incapable de faire disparaître la peur qui lui étreignait la gorge. Était-ce possible ? Pouvait-il avoir fait cela une seconde fois ? Elle ouvrit les yeux et regarda ses pouces ; ils étaient blancs à force de serrer. Elle semblait complètement sous le coup de l'émotion.

Will s'en rendait tout à fait compte. Il regardait sa femme lutter pour tenter de se contrôler, perdre un moment ce contrôle avant de le reprendre. Et lorsqu'elle releva la tête, ses yeux étaient vides et son visage blanc comme un linge.

— Will...

Bien qu'elle se fût contentée de prononcer son nom, cela lui fit l'effet d'un coup de couteau en plein cœur.

Non, Elly, Elly, pas toi! Ils pouvaient tous penser ce qu'ils voulaient, mais elle était sa femme, la femme qu'il aimait, celle qui lui avait apporté les raisons de changer, de se battre, de vivre, de faire des projets d'avenir, de devenir meilleur. Elle le croyait donc capable d'un tel acte ?

Après une vie faite de déceptions, Will Parker aurait dû se croire vacciné. Mais rien, jamais rien ne l'avait anéanti comme l'instant présent. Il était incapable de bouger, regrettant de ne pas se trouver avec Red, dans ce fossé gorgé d'eau, regrettant d'avoir jamais pénétré dans cette clairière et d'avoir rencontré la femme qui se tenait là devant lui et qui lui avait donné de faux espoirs.

Sous le porche, la porte claqua et Thomas apparut.

— Maman, s'écria-t-il, qu'est-ce qui se passe?

Mais Elly n'entendait rien.

— Wi... Will, murmura-t-elle encore une fois, les yeux exorbités et la gorge serrée.

Ulcéré, il se retourna.

Le shérif prit dans son dos la paire de menottes accrochée à sa ceinture et dit d'une voix très officielle :

— William Parker, il est de mon devoir de vous informer que vous êtes en état d'arrestation pour le meurtre de Lula Peak.

L'épouvantable réalité frappa Elly de plein fouet. Des larmes jaillirent de ses grands yeux effrayés et elle porta son poing à ses lèvres. Tout s'était passé si vite! Le shérif, l'accusation, les menottes. Ne serait-ce que les voir lui donna à nouveau la nausée.

À cet instant précis, Thomas, dans les jupes de sa mère, demanda :

— Maman, qu'est-ce qu'il fait là le shérif?

Elly resta bouche bée, incapable de répondre.

Mais Will savait ce qu'étaient, dans l'esprit d'un enfant, les souvenirs cruels et il ne voulait pas de cela pour Thomas. Lorsque le shérif lui saisit le poignet gauche sur lequel il referma la menotte, Will ordonna calmement :

— Thomas, va voir ce que fait Lizzy P., mon garçon.

Puis il attendit, impassible, le second clic métallique, humilié intérieurement, en pensant : *Bon Dieu, Goodloe, tu aurais pu au moins attendre que le gosse soit rentré dans la maison.*

Mais Thomas avait vu trop de films de cow-boys pour ne pas comprendre ce qui venait de se produire.

— Maman, est-ce qu'il va emmener Will en prison?

Emmener Will en prison? Elly sortit soudain de sa léthargie, révoltée.

— Vous n'avez pas... pas le droit de faire ça!

— Il restera enfermé à la prison de Calhoun jusqu'à ce qu'on ait versé sa caution.

— Mais que...

— Il aura peut-être besoin d'une veste, ma'am.

Une veste ? Elle parvenait à peine à réfléchir, paralysée par cette pensée lancinante qui, dans sa tête, lui ordonnait, *Il faut absolument que tu l'en empêches ! N'importe comment !* Mais elle ne savait pas comment s'y prendre, ne connaissait pas ses droits ni ceux de Will. Alors elle restait là, l'air stupide, et de grosses larmes coulaient sur ses joues.

— Maman... dit Thomas en se mettant à pleurer, lui aussi. Will, ne t'en va pas ! cria-t-il en se précipitant sur Will.

Le shérif pria l'enfant de le lâcher.

— Allons, petit, tu ferais mieux de rentrer.

Thomas se retourna vers le gros homme et lui martela le ventre de ses poings.

— Tu peux pas emmener Will ! Je te laisserai pas faire ! Laisse-le tranquille !

— Emmenez-le à l'intérieur, ma'am Parker, ordonna le shérif à voix basse.

Thomas se démenait comme un forcené, se contorsionnait, anéantissant ainsi tous les efforts qu'ils déployaient pour tenter de le calmer ou de le ramener à la raison.

— Montez dans la voiture, Parker.

— Juste un instant, Shérif, s'il vous plaît... demanda Will qui se baissa, prenant appui sur un genou, alors que Thomas se jetait dans ses bras.

— Will... Will... il va pas t'emmener, il a pas le droit. T'es un gentil, toi, comme Hopalong.

Will avala sa salive et tourna un regard suppliant vers Goodloe.

— Enlevez-moi ces menottes pendant seulement quelques instants... je vous en prie.

Goodloe, mal à l'aise, prit une profonde inspiration et jeta à Elly un regard penaud. Le voyant hésiter, la colère contenue de Will éclata :

— Je ne vais pas m'enfuir, Goodloe, et vous le savez bien !

Le regard éperdu du shérif se posa sur le garçon qui sanglotait contre l'épaule de Will et l'homme se laissa aller à son penchant naturel en libérant l'un de ses poignets. Le bras de Will se referma autour de Thomas cependant que la menotte laissait entendre un son métallique dans le dos du petit garçon. Les yeux fermés, Will le serra contre lui et, la bouche dans ses cheveux, lui parla doucement.

— Allez, ce n'est rien, bout de chou. Je suis un gentil, comme Hopalong. Tu le sais bien, hein ? Et tu sais aussi que je t'aime. Bon, quand Donald Wade rentrera de l'école, tu lui diras de ma part que je l'aime lui aussi, d'accord ?

Il caressa le dos de l'enfant et passa sa main désentravée sur son visage dégoulinant de larmes.

— Maintenant, fais-moi plaisir et va dans la maison. Tu aideras ta maman à s'occuper de Lizzy. Tu peux bien faire ça pour ton vieux Will, n'est-ce pas ?

Thomas hocha le tête doucement, sans quitter le sol des yeux. Will lui fit faire demi-tour et lui donna une petite tape dans le dos.

— Allez, va.

Thomas, secoué de sanglots, passa en courant à côté de sa mère et, une seconde plus tard, la porte grillagée se referma avec un bruit sec. Elly, à travers ses larmes, regardait l'image floue de son mari. Lui, le visage impassible, mit de lui-même ses mains derrière le dos et laissa le shérif refermer une seconde fois les menottes sur ses poignets.

— Will... Oh ! Will, pourquoi... Oh ! mon Dieu...

Elly finit par se secouer, mais ses paroles et ses gestes étaient saccadés. Elle jetait autour d'elle des regards fous, tendait la main vers eux, tournait comme un animal sauvage qu'on viendrait de mettre en cage, comme si elle ne comprenait pas pourquoi elle ne pouvait changer le cours des événements.

— Shérif... Will... ils... ne v... vont pas... t'em... t'emmener !

Inflexible, il regardait droit devant lui. Puis il dit froidement :

— Allons-y.

— Non, attendez ! hurla Elly à bout de nerfs et dont le regard perdu allait de l'un à l'autre.

— Shérif... vous ne pourriez pas... qu'est-ce qu'il va lui arriver ? Attendez... je vais lui chercher une veste...

Finalement elle rentra dans la maison en courant, ne sachant plus quoi faire, puis ressortit, toujours en proie à la panique, pour trouver les deux hommes déjà installés dans la Plymouth. Elle tenta d'ouvrir la porte arrière, mais elle était verrouillée, les vitres remontées.

— Will ! cria-t-elle en pressant la veste contre la vitre, comprenant enfin la cause de cette froide indifférence, déjà dévorée par le remords, essayant par un geste de lui faire comprendre qu'elle n'avait pas réfléchi mais bien plutôt qu'elle avait mal réagi sans en avoir le dessein.

— Tiens... tiens... je t'ai apporté ta veste ! S'il te plaît, prends-la ! Mais il ne daignait pas jeter sur elle le moindre regard.

— Donnez-la moi, dit alors le shérif.

Et elle passa la veste par la vitre avant gauche tandis que le vieil homme lui tendait en échange le chiffon à peinture avec lequel Will s'essuyait les mains un moment auparavant.

— Si j'ai un conseil à vous donner, ma'am Parker, c'est de prendre un avocat.

— Mais je ne connais pas d'avocats !

— Alors, il en aura un commis d'office.

— Et quand je pourrai aller le voir ?

— Quand vous aurez un avocat !

L'auto démarra, laissant Elly totalement désemparée, les bras tendus, l'air suppliant.

— Will, hurla-t-elle après le départ de la voiture.

Elle la regarda l'emporter, sa tête bien visible par la vitre arrière. Elle crispa ses doigts sur le chiffon sale et s'en couvrit la bouche, le dos courbé, respirant les vapeurs de térébenthine, luttant contre la panique, les yeux hagards devant le vide de l'allée.

La prison se trouvait dans un immeuble de pierre qui avait plutôt l'air d'une maison de style victorien, situé juste derrière le palais de justice où Will s'était marié. Il ne montra aucune émotion ni durant les formalités d'incarcération, ni la fouille, ni la marche le long des couloirs sonores, ni à l'instant où se referma sur lui la lourde porte métallique.

Dans sa cellule aux murs grisâtres et qui sentait l'urine et le désinfectant, il s'allongea sur un matelas défoncé dont l'oreiller puait l'écurie. Il avait de l'encre sur le bout des doigts ; on lui avait confisqué sa ceinture ; son regard était triste et il faisait son possible pour oublier le cadre dans lequel il se trouvait. Il pensa se mettre à pleurer, mais le cœur n'y était pas. Il eut l'idée de demander quelque chose à manger, mais qu'est-ce que la faim quand la vie n'a plus aucune importance ? Sa vie avait perdu tout son sens au moment même où il avait lu le doute dans les yeux de sa femme.

Il pensa se battre contre les accusations qui pesaient sur lui, mais à quoi bon ? Il était fatigué de se battre, tellement fatigué. Il lui semblait qu'il n'avait, de toute sa vie, jamais cessé de se battre, surtout durant les deux dernières années, pour Elly, pour vivre, pour l'estime, pour son pays et pour sa propre dignité. Mais à peine avait-il obtenu tout cela qu'un seul regard interrogateur avait tout détruit. Une fois de plus. Quand apprendrait-il ? Quand arrêterait-il de penser qu'il pourrait un jour compter pour quelqu'un de la façon dont certaines gens comptaient pour lui ? Pauvre fou, imbécile. Stupide bâtard ! Oui, c'était le mot, dans toute son acception, et il s'en pénétrait comme on fait pénétrer du sel dans une blessure et décuplait sa souffrance, de son propre chef, pour quelque obscure raison qu'il ne comprenait pas. Sans doute parce qu'il n'était pas digne d'être aimé et que sa vie tout entière en était la preuve. Oui, il avait l'impression que tous les types de son genre n'avaient été mis sur terre que pour accumuler toutes les souffrances qui, il ne savait par quel miracle, épargnaient ceux qui avaient la chance, d'être aimés. Elly ne l'aimait pas ou alors elle aurait pris sa défense sans réfléchir, comme l'avait fait Thomas. Pourquoi ? Pourquoi ? Qu'est-ce qu'il lui manquait ? Quelles preuves devait-il encore donner ? Parker le bâtard ! Quand vas-tu enfin grandir et comprendre que tu es seul dans ce monde ? Personne ne s'est battu pour toi quand tu es né et personne aujourd'hui ne se battra pour toi. Alors, abandonne ! Reste couché dans cette cellule, dans les odeurs d'urine des autres et dis-toi que tu es un perdant. Et que tu le resteras.

***

Dans une clairière qui faisait face à une maison de Rock Creek Road, Eleanor Parker ne parvenait à oublier le parcours judiciaire qui avait mené son mari en prison et elle fut prise d'une terreur pire que si sa propre vie était en danger. Elle ressentait un désespoir plus douloureux que la souffrance physique et des remords qui la mortifiaient plus que les tourments de l'enfer dont la menaçait son grand-père.

Elle savait, avant même que la voiture ne disparût derrière les arbres, qu'elle venait de commettre une des plus grandes erreurs de sa vie. Ça n'avait duré que quelques secondes, mais cela avait suffi pour figer Will. Elle avait vu et ressenti sa réaction comme une gifle glacée en pleine figure. Mais elle en portait toute la responsabilité. Elle mesurait parfaitement ce qu'il devait souffrir en roulant vers la ville, les mains entravées : le désespoir et la solitude. Et tout cela à cause d'elle.

Mais, bon sang, elle n'était ni une sainte ni un ange ! Elle avait réagi sous le choc. Qui diable ne l'aurait pas fait ? Will Parker n'était pas plus capable de tuer Lula que de tuer Lizzy P. et, ça, Elly le savait.

Le sang bouillonnant d'Albert See se mit brusquement à couler dans ses veines où il croupissait depuis le jour de sa naissance, dans l'attente du moment où il aurait l'occasion de le faire pour une juste cause. Et quelle cause ! L'amour de son mari. Elle avait passé trop de temps à le chercher, avait été trop heureuse de le trouver et, sous son influence, changé en mieux de façon trop radicale pour le perdre maintenant.

Alors elle se redressa de toute sa taille, jura comme un charretier et transforma sa terreur en énergie, son désespoir en détermination et ses remords en promesses.

Je vais te sortir de là, Will. Et lorsque ce sera fait, tu sauras que ce que tu as vu dans mes yeux pendant ce malheureux instant ne signifiait rien. C'était humain. Je suis un être humain. Alors, j'ai fait une faute. Maintenant, tu vas voir, je vais la réparer !

— Thomas, mets ta veste ! hurla Elly en pénétrant dans la maison qu'elle traversa à grandes enjambées. Et prends trois couches pour Lizzy P. Et puis, descends à la cave me chercher six pots de miel... non, huit, au cas où ! Nous descendons en ville !

Elly alla prendre des tickets de rationnement, ramassa un cageot pour y mettre le miel, une boîte de biscuits au miel, un pot qui contenait un reste de soupe, Lizzy (dont la culotte était mouillée et tout le reste...), un passe-partout et un coussin pour lui permettre d'y voir par-dessus le volant. Moins de cinq minutes plus tard, ce volant tressautait dans ses mains dont la peur avait rendu les articulations exsangues. Mais la peur, désormais, ne pouvait plus arrêter Elly.

Elle n'avait conduit que de rares fois, et toujours dans le jardin ou dans les allées du verger. Elle faillit leur briser le cou à tous les trois en démarrant et crut qu'elle se tuerait avec ses deux petits avant d'avoir atteint la route. Mais elle y parvint, effectua un large virage à droite, évita le fossé opposé et redressa sans encombre sa trajectoire. La sueur suintait par tous les pores de la peau, mais elle serra son volant de plus belle et en avant ! Elle faisait cela pour Will, pour elle-même et pour les enfants qui aimaient leur Will plus que le pop-corn, le cinéma ou Hopalong Cassidy. Elle faisait cela parce que Lula Peak était une menteuse, une infâme prostituée et que des femmes comme elle ne devraient pas avoir le droit de s'entremettre entre un mari et sa femme qui avaient passé près de deux années à se prouver mutuellement ce qu'ils représentaient l'un pour l'autre. Elle faisait cela parce que, quelque part à Whitney, il y avait un immonde salaud qui avait descendu Lula et qui n'allait pas l'emporter au paradis d'avoir fait porter le chapeau à son mari à elle ! Il n'en était pas question ! Même s'il lui fallait aller au volant de cette satanée voiture jusqu'à Washington pour avoir gain de cause.

Elle laissa Thomas, Lizzy P., les biscuits et le reste de soupe chez Lydia avec cette simple explication :

— Ils ont arrêté Will pour le meurtre de Lula Peak et je m'en vais trouver un avocat !

Dans son véhicule bringuebalant, elle descendit jusqu'à la ville à une vitesse de près de quatre-vingts kilomètres à l'heure, traversa la grand-place et se dirigea plein sud vers l'école. Là, elle écrasa une bonne dizaine de mètres de pelouse avant de s'arrêter, après que sa roue avant gauche eut littéralement broyé un parterre de rosiers que le professeur de second degré, Mlle Nathalie Pruitt, avait rapportés de chez sa mère pour embellir l'austère entrée de l'école. Elly y laissa un mot pour demander qu'on fît descendre Donald Wade chez Lydia Marsh, puis elle partit en marche arrière jusqu'à la bibliothèque où, par mégarde, elle monta sur le trottoir et y resta stationnée. Bien qu'elle empêchât les piétons de passer, elle se précipita à l'intérieur et annonça la mauvaise nouvelle à Mlle Beasley.

— Ce fouille-merde de Reece Goodloe est monté chez nous et a arrêté Will pour le meurtre de Lula Peak. Pouvez-vous m'aider à trouver un avocat ?

Ce qui suivit allait prouver que si une femme amoureuse pouvait déplacer des montagnes, deux femmes pouvaient détourner des fleuves. Mlle Beasley arracha littéralement leurs livres des mains de deux habitués et décréta :

— La bibliothèque ferme. Il vous faut partir.

Son manteau claquait dans son dos comme un drapeau en plein vent tandis qu'elle emboîtait en courant le pas à Elly, non sans l'avertir :

— Il lui faut le meilleur.

— Oui, mais qui ?

— De toute façon, nous devons aller jusqu'à Calhoun.

— Je suis bien descendue jusqu'à Whitney. Je peux conduire jusqu'à Calhoun.

Mlle Beasley eut un moment de stupeur en apercevant la Ford Model A dont le bouchon du radiateur ne se trouvait qu'à quelques centimètres du mur de brique. Un agent de police dévalait la rue à cet instant précis, brandissant un poing rageur au-dessus de sa tête.

— Mais nom d'un chien, qui est-ce qui a stationné comme ça cette chose-là ?

Mlle Beasley posa ses dix doigts sur la poitrine de l'agent et le poussa en arrière.

— Silence, monsieur Harrington. Laissez-nous passer ou je préviens votre femme que vous louchez sur la nudité des femmes aborigènes en quatrième de couverture du *National Geographic* tous les jeudis après-midi, alors qu'elle croit que vous vous trouvez en bas à étudier les photos des dix ennemis publics les plus recherchés. Allons-y, Eleanor, nous avons déjà perdu assez de temps.

Lorsque à bord de la voiture les deux femmes descendirent du trottoir, Mlle Beasley jeta des regards inquiets autour d'elle et recommanda de sa voix toujours imperturbable :

— Attention à Norris et à Nat, Eleanor, ils ont fait beaucoup pour cette ville, vous savez ?

Lorsqu'elles eurent descendu le trottoir, elles traversèrent la rue, montèrent sur celui d'en face, manquant d'emboutir le couple d'octogénaires assis sur leur banc de bois. Elly reprit à temps le contrôle de la voiture et passa en première. La poitrine de Mlle Beasley tressauta comme les oreilles d'un épagneul au moment où l'auto s'ébranla par à-coups. Elles tournèrent le coin de la rue à cinquante kilomètres à l'heure et firent un arrêt cahotique devant la pompe à essence White Eagle de l'autre côté de la place. Quatre tickets de rationnement plus tard, Elly et Mlle Beasley étaient en route pour Calhoun.

— Il va de soi que M. Parker est innocent, dit Mlle Beasley sur un ton catégorique.

— Bien sûr. Mais cette femme venait à la bibliothèque pour le draguer, vous ne croyez pas ?

— Ça ! J'aurai deux ou trois choses à dire à votre avocat à ce sujet.

— Mais quel avocat allons-nous prendre ?

— Il n'y en a qu'un, si vous voulez gagner. Robert Collins. Il a une réputation de gagnant et, cela, depuis le printemps de ses dix-neuf ans lorsqu'il a rapporté un dindon sauvage pourvu du plus gros ergot et de la plus longue barbe de toute la saison de chasse. Il les a pendus à la vitrine de la pharmacie de Haverty à côté d'une vingtaine d'autres apportés par les plus vieux et les meilleurs chasseurs de Whitney. Si je me souviens bien, ils ont raccompagné Robert sans ménagement jusqu'à la porte, riant jaune à la pensée qu'un gamin pouvait surpasser l'un d'entre eux. Des hâbleurs, tous ces chasseurs de dindons, toujours en train de pousser leurs ignobles glouglous quand une fille passait dans la rue, puis à éclater de rire quand elle sursautait. Eh bien, Robert a gagné cette année-là. Le trophée, si je m'en souviens bien, était un fusil de calibre douze offert par les commerçants locaux. Depuis cette date, il a toujours tout gagné. À Dartmouth d'abord où il a fini premier de sa classe. Puis deux ans plus tard, lorsqu'il a accepté de défendre une cause impopulaire et a obtenu qu'on verse des indemnités à un jeune garçon noir qui avait perdu ses deux jambes parce qu'il avait été poussé sous la roue à aubes d'un moulin durant son travail. Et cela, par le propriétaire du moulin lui-même. Mais le propriétaire était blanc et, il est inutile de le préciser, il ne fut pas aisé de trouver un jury objectif. Or Robert y est parvenu et il s'est fait un nom. Après cela, il a poursuivi une femme de Red Bud qui avait tué son propre fils avec une houe pour l'empêcher d'épouser une femme qui n'était pas baptiste. Évidemment, Robert reçut de tous les baptistes du comté des lettres empoisonnées qui toutes déclaraient qu'il calomniait l'ensemble de la secte. Il avait ainsi sur le dos tous les diacres de cette Église, même le sien – Robert est lui-même baptiste – parce que, comme un fait exprès, la meurtrière était une fervente praticante qui, presque à elle seule, s'était attelée à collecter des fonds auprès de la communauté pour la construction d'une nouvelle église de pierre après que celle de bois eut été détruite par un ouragan. Une âme pieuse, quoi, ajouta Mlle Beasley avec un certain mépris dans la voix. Vous voyez le genre... Quoi qu'il en soit, Robert la poursuivit et gagna. Depuis ce temps-là, il passe pour un homme qui ne cède pas devant les pressions sociales, pour le défenseur de l'opprimé. C'est un homme remarquable, Robert Collins.

Elly le reconnut immédiatement. C'était l'homme qu'elle avait vu sortir du cabinet en grande conversation avec le juge Murdoch le jour de son mariage. Mais elle n'eut pas le temps de se replonger dans ses souvenirs car elle en fut détournée par le surprenant dialogue qui s'engagea entre l'avocat et Mlle Beasley.

— Beasley, m'a dit mon secrétaire. Alors je me suis demandé si ce n'était pas Gladys Beasley.

— C'est elle. Bonjour, Robert.

Il lui prit la main dans les siennes et sourit, découvrant des dents jaunes couronnées d'or dans un visage de lutin tout ridé, surmonté de cheveux ébouriffés.

— Toujours aussi formaliste, n'est-ce pas? À l'école vous étiez la seule fille à m'appeler Robert au lieu de Bob. Est-ce que vous tamponnez toujours des livres à la bibliothèque Carnegie?

— Mais certainement. Et vous, vous chassez toujours le dindon dans Red Bone Ridge?

Il se mit à rire en renversant la tête en arrière sans pour autant lui lâcher la main.

— Absolument. J'ai tué un gros mâle de près de dix kilos à ma dernière battue.

— Avec une barbe de trente centimètres, un ergot de trois et vous les avez accrochés à la vitrine de la pharmacie pour remettre à leur place les vieux de la vieille.

Une fois encore un grand rire ponctua leur dialogue.

— Avec une mémoire comme la vôtre, vous auriez fait un bon avocat.

— Et je vous ai laissé ça, n'est-ce pas? parce qu'à cette époque-là, on ne poussait pas tellement les filles à étudier le droit.

— Voyons, Gladys, ne me dites pas que vous n'avez pas encore accepté qu'on m'ait demandé de faire le discours de fin d'année.

— Mais pas du tout. C'est le meilleur qui a gagné... Trêve de plaisanteries, Robert. Je vous ai amené une cliente qui a énormément besoin de vos conseils éclairés. Je considérerais comme une faveur personnelle que vous acceptiez de la défendre. Enfin, plus exactement son mari. Je vous présente Eleanor Parker. Eleanor, voici Robert Collins.

Tout en lui serrant la main, Elly lui demanda :

— Vous avez une femme, monsieur Collins?

— Non, enfin je n'en ai plus. Elle est morte il y a quelques années.

— Oh! Eh bien alors, ce sera pour vous.

— Pour moi? répéta-t-il, tout sourire, en acceptant le pot de miel qu'il leva haut devant lui.

— Et il y en a encore plein là-bas, et puis du lait, du porc, du poulet, et des œufs pour toute la durée de la guerre, et sans tickets de rationnement. Et en plus de ça, tout l'argent qu'il faudra pour innocenter Will.

Il se mit de nouveau à rire en examinant le miel.

— Est-ce qu'on peut considérer cela comme de la corruption, à votre avis, Gladys ?

— Considérez cela comme vous voudrez, mais essayez-moi ça sur un muffin au son. Vous m'en direz des nouvelles.

Il se retourna et, son pot de miel à la main, se dirigea vers son bureau.

— Donnez-vous la peine d'entrer, mesdames, les invita-t-il, et refermez la porte derrière vous afin que nous puissions parler à notre aise. Madame Parker, en ce qui concerne mes honoraires, nous verrons cela plus tard, après que j'aurai décidé si je peux ou non défendre votre cause.

Assise dans un fauteuil, Elly rassura immédiatement Robert Collins.

— J'ai de l'argent, vous savez, monsieur Collins, ne craignez rien. Et je sais où en trouver encore s'il le faut.

— Chez moi, avança Mlle Beasley.

Surprise, Elly tourna la tête vers elle.

— Chez vous ? répéta-t-elle.

— Eleanor, nous nous égarons et le temps de Robert est précieux, coupa sentencieusement Mlle Beasly. Nous parlerons de cela plus tard. Entre nous.

Il ne fallut pas plus d'un quart d'heure à Robert Collins pour apprendre le peu que savaient les deux femmes et les informer qu'il se rendrait à la prison dès que possible pour y rencontrer Will afin de décider s'il allait se charger de sa défense.

Quelques minutes plus tard, Elly pénétrait dans le bureau du shérif Goodloe, un autre pot de miel à la main. Le shérif était en pleine conversation avec son adjoint, mais il leva les yeux lorsqu'elle entra. Il se redressa.

— Voyons, Elly, je vous ai dit chez vous que vous ne pouviez pas le voir avant d'avoir pris un avocat.

Elle déposa le pot de miel sur le bureau.

— Je viens pour m'excuser, dit-elle en le regardant calmement dans les yeux. Il y a à peine une heure, je vous ai traité de fouille-merde alors qu'en réalité j'ai toujours eu beaucoup de respect pour vous. J'ai toujours eu l'intention de vous remercier pour m'avoir permis de m'échapper de la maison où j'ai grandi et c'est la première occasion qui m'est offerte... poursuivit-elle en désignant le miel de la main. C'est pour ça. Ça n'a rien à voir avec Will, mais il faut que je le voie.

— Elly, je vous ai dit...

— Je sais ce que vous m'avez dit, mais j'ai réfléchi au genre de lois qui vous permettent d'enfermer des gens sans leur laisser le temps d'expliquer ce qui s'est passé en réalité. Je sais ce que c'est pour avoir été enfermée de cette manière-là. Ce n'est pas juste, monsieur Goodloe, et vous le savez. Vous êtes un homme honnête. Vous avez été la seule personne qui se soit jamais manifestée en ma faveur quand on me séquestrait dans cette affreuse maison et qu'on laissait tout le monde croire que j'étais folle à cause de ça. Eh bien, je ne le suis pas. Les fous, c'est ceux qui font les lois qui empêchent une femme de voir son mari quand il est au fond du désespoir, et c'est là que se trouve actuellement mon pauvre Will. Je ne vous demande pas d'ouvrir la porte et de mettre une pièce à notre disposition. Je ne vous demande même pas de nous laisser seuls. Tout ce que je vous demande, c'est ce qui est juste.

Le regard de Goodloe allait d'Elly au pot de miel. Il se laissa lourdement tomber dans son fauteuil et se cacha le visage dans ses mains pour masquer sa gêne.

— Bon Dieu, Elly, il y a un règlement...

— Voyons, laissez-la lui parler, l'interrompit son adjoint en adressant un petit sourire à Elly. Qu'est-ce que ça peut faire ? Elle a raison et vous le savez. Ce n'est pas juste, poursuivit le jeune policier qui, à la grande surprise d'Elly, s'avança vers elle, la main tendue. Tu te souviens de moi ? Jimmy Ray Hess. On était ensemble en cinquième année. En parlant d'honnêteté, j'ai été un de ceux qui ne manquaient pas de t'insulter et si tu es capable de t'excuser, moi aussi je le peux.

Abasourdie, elle lui serra la main.

— Jimmy Ray Hess, répéta-t-elle d'une voix qui reflétait son étonnement. Oui, j'y suis.

— C'est ça! affirma-t-il fièrement, en montrant l'étoile qu'il arborait sur sa poitrine. Et maintenant shérif adjoint du comté de Gordon... Qu'est-ce que vous en dites, Reece... elle peut le voir?

Reece Goodloe se laissa fléchir et frappa d'une main sur le bureau.

— Parfois je me demande qui est le patron ici. Allez, c'est bon. Conduis-la là-bas.

Le visage de l'adjoint s'illumina et il se dirigea vers la porte.

— Suis-moi, Elly, je vais te montrer le chemin.

En accompagnant Jimmy Ray, Elly sentit renaître sa confiance dans le genre humain. Elle fit le compte de ceux qui l'avaient soutenue depuis le début de cette éprouvante journée : Lydia, Mlle Beasley, Robert Collins et maintenant Jimmy Ray Hess.

— Pourquoi fais-tu ça, Jimmy Ray? demanda-t-elle.

— Pour ton mari. Il était chez les *Marines*, n'est-ce pas?

— C'est exact, au First Raiders.

Jimmy Ray lui décocha un sourire de côté dans lequel on pouvait lire une certaine fierté.

— Sergent artilleur Jimmy Ray Hess, Charlie Company, First Marines, à votre service, ma'am, dit-il en effectuant un salut impeccable. La troisième sur votre gauche, expliqua-t-il, en ouvrant la dernière porte qui donnait accès à la prison. Il referma ensuite la porte, la laissant seule dans le couloir sur lequel s'ouvraient de nombreuses cellules.

Jamais par le passé elle n'avait pénétré dans une prison. C'était lugubre et humide. Ça résonnait et ça sentait mauvais. Et ça lui brisait le moral que Jimmy Ray Hess avait un moment remonté.

Avant même d'avoir atteint la cellule de Will, elle sentit le cœur lui manquer. Lorsqu'elle l'aperçut, couché en boule sur son bas flanc, le dos tourné aux barreaux, elle eut l'impression de se revoir à genoux, là-bas, priant pour qu'on lui pardonnât une faute qu'elle n'avait pas commise.

— Bonjour, Will, dit-elle doucement.

Étonné, il regarda par-dessus son épaule, s'efforçant de maîtriser sa réaction, puis il se retourna de nouveau vers le mur.

— Je croyais qu'ils n'avaient pas le droit de te laisser entrer.

Elly crut alors défaillir.

— C'est ce que tu espérais ? Je dois t'avouer que je sais pourquoi.

Will avala sa salive et fixa le mur, une boule dans la gorge.

— Allez, va-t-en. Je ne veux pas que tu me voies ici.

— Moi non plus. Mais maintenant que je suis là, il faut que je te pose quelques questions.

Glacial, il s'adressa au mur.

— Ouais, du genre : est-ce que tu as tué cette chienne ? ou bien, est-ce que tu avais une liaison avec elle ? dit-il avec un rire triste. Eh bien, tu peux continuer à te les poser, ces questions, parce que si c'est toute la confiance que tu as en moi, je n'ai pas besoin d'une femme de ton genre.

Le remords continuait à faire son œuvre. Et, avec lui, des larmes de feu se mirent tout à coup à couler.

— Will, pourquoi ne m'as-tu pas parlé d'elle dès que ça s'est passé, quand elle est venue à la bibliothèque ? Si tu l'avais fait, je n'aurais pas eu aujourd'hui cette réaction de surprise.

Brusquement, il se leva et se tourna vers elle, les poings serrés et les veines du cou gonflées.

— Je ne vois pas pourquoi j'aurais dû te parler de choses que je n'ai pas faites ! Tu devrais savoir, à ma façon d'agir quel genre d'homme je suis ! Mais tout ce que tu as fait, c'est écouter ce shérif pour penser que j'étais coupable, pas vrai ? Je l'ai vu dans tes yeux, Elly, et ça tu ne peux pas le nier.

— Non, murmura-t-elle d'une voix honteuse tandis qu'il se mettait à marcher comme un dément en passant nerveusement une main dans ses cheveux blonds.

— Bon Dieu, tu es ma femme ! Tu sais ce que ça m'a fait lorsque tu m'as regardé de cette façon, comme si j'étais un... un meurtrier ?

Jamais auparavant elle ne l'avait vu en colère, ni même si malheureux. Comme elle aurait voulu le caresser, le rassurer ! Mais il marchait de long en large, hors d'atteinte, d'un mur à l'autre, comme une bête en cage. Elle referma la main sur un des barreaux de fer noirs.

— Will, je suis désolée. Mais je suis un être humain, n'est-ce pas ? Je fais des erreurs comme n'importe qui. Et je suis venue ici pour les réparer et te dire que j'étais désolée que la pensée que tu aies pu faire ça m'ait traversé l'esprit. Mais il n'y avait pas trois minutes qu'on t'avait embarqué que je me disais que ce n'était pas possible. Pas toi, pas mon Will.

Il s'arrêta brusquement et fixa durement Elly de ses yeux noirs. Les cheveux tout ébouriffés. Les poings fermés. Mais, fuyant maintenant son regard, il luttait tout au fond de lui pour ne pas se précipiter vers elle, la toucher, refermer ses mains sur les siennes agrippées aux barreaux de fer, tirer d'elle la subsistance dont il avait besoin pour affronter la nuit, le lendemain, et tout ce qu'il allait arriver par la suite. Mais sa blessure intérieure était encore trop vive. Alors il reprit froidement d'une voix pleine d'amertume :

— Ouais ! Eh bien, tu as pris trois minutes de trop, Elly, et pour ça, je me fous maintenant de ce que tu penses.

C'était un mensonge qui lui faisait aussi mal qu'il la blessait. Il vit sur son visage qu'elle accusait le coup et eut du mal à s'interdire de se précipiter vers elle pour s'excuser, de lui prendre la tête entre ses mains et de l'embrasser à travers les barreaux qui les séparaient.

— Tu ne penses pas ce que tu dis, murmura-t-elle de ses lèvres tremblantes.

— Tu crois ça ? répliqua-t-il, s'obligeant à ne pas regarder les larmes qui faisaient étinceler ses grands yeux verts. Je te conseille de rentrer à la maison et de te demander, comme moi je me le demande dans ce trou, si toi tu pensais ce que j'ai vu !

Durant quelques interminables secondes, tandis que leurs cœurs battaient à tout rompre, ils se dévisagèrent et pouvaient lire dans leurs yeux l'amour, la peur et la souffrance. Puis elle ravala un sanglot, lâcha les barreaux, recula et dit d'une voix calme :

— D'accord, Will, je m'en vais puisque c'est ce que tu veux. Mais réponds d'abord à une question. À ton avis, qui l'a tuée ?

— J'en sais rien.

Il était raide comme un piquet, trop têtu pour faire le pas nécessaire qui mettrait un terme au cauchemar qu'il s'imposait. *Ne pars pas, je ne pensais pas ce que j'ai dit, je ne sais pas pourquoi j'ai dit ça... Oh Elly, mon amour, je t'aime tant.*

— Si tu as envie de me voir, dis-le à Jimmy Ray Hess. Il me fera la commission.

Ce ne fut que lorsqu'elle fut partie qu'il se laissa aller. Les larmes aux yeux, il s'appuya contre le mur, le front plaqué contre ses avant-bras. *Elly, Elly... ce n'est pas vrai! Tu sais bien que je ne me fous pas de ce que tu penses de moi et que j'aurais préféré mourir plutôt que d'être vu par toi dans ce trou.*

Mlle Beasley avait tenu à attendre dans la voiture. Lorsqu'elle revint, Elly était pâle et semblait très choquée.

— Qu'y a-t-il, Eleanor? demanda la vieille dame.

Elly la regarda, impassible, à travers le pare-brise.

— J'ai été injuste envers Will, dit-elle, découragée.

— Vous avez été injuste envers lui? Comment ça? Qu'est-ce que vous me chantez là?

— Quand le shérif est venu et nous a dit que Lula Peak était morte. Vous savez, il m'a traversé l'esprit – rien qu'une minute, d'ailleurs – que Will avait pu faire ça. Je ne le lui ai pas dit, mais il l'a vu dans mes yeux et maintenant il ne veut plus me parler.

Elly serra les lèvres pour empêcher son menton de trembler.

— Il ne veut plus vous parler, mais...

— Il a crié, il m'a hurlé que je l'avais terriblement blessé. Mais il est resté au beau milieu de la cellule et il n'a pas voulu prendre ma main, ni me sourire, ni rien du tout. Il a ajouté qu'il se fichait complètement de ce... de ce que je pensais.

Mlle Beasley, outrée par la dureté dont Will avait fait preuve, prit Elly par l'épaule.

— Maintenant, vous allez m'écouter, ma jeune amie. Vous n'avez rien fait qu'un être normal n'aurait fait.

— Mais j'aurais dû lui faire plus confiance!

— Quoi, vous avez eu un moment de doute. Toute femme aurait agi de la même façon.

— Mais pas vous !

— Ne soyez pas stupide, Eleanor. Bien sûr que si.

Surprise, Elly leva la tête. Comme elle avait les yeux pleins de larmes, elle les essuya d'un revers de manche.

— C'est vrai ?

— Puisque je vous le dis, mentit Gladys. Qui n'aurait pas réagi comme cela ? La moitié de cette ville l'a fait. Voilà pourquoi il va falloir nous battre encore plus pour leur montrer qu'ils se trompent.

On aurait dit que la loyauté de Mlle Beasley avait soudain permis à Elly de retrouver la position verticale. Elle renifla et s'essuya les yeux.

— Mon têtu de mari n'a même pas voulu me dire s'il suspectait quelqu'un... Qui a bien pu faire ça, mademoiselle Beasley ? Il faut que je le découvre coûte que coûte, c'est la seule manière que je connaisse pour regagner mon Will. Mais par qui je pourrais commencer ?

— Que penseriez-vous de vous adresser d'abord à Norris et Nat ? Voilà des années qu'ils sont assis sur le banc du parc à observer Lula Peak arpenter le trottoir en redressant la poitrine au passage de tout ce qui porte un pantalon. Je suis certaine qu'ils savent à la seconde près le temps que ça lui prenait pour suivre M. Parker jusqu'à la bibliothèque chaque fois qu'il m'apportait des œufs... tout comme le temps qu'elle mettait pour en ressortir comme une chatte échaudée.

— Vous croyez qu'ils savent ça ?

— Mais bien sûr.

Elly réfléchit à cette idée, puis il lui en vint une autre à l'esprit.

— Mais, si je ne me trompe, ce sont eux qui sont en charge de la surveillance de la ville, n'est-ce pas ?

Le visage de Mlle Beasley s'illumina.

— Tous les soirs ils parcourent la ville, guettent les bruits de moteurs d'avions, inspectent tout à la jumelle et vérifient que les volets sont bien fermés.

Elly lui jeta un regard où se mêlaient l'espoir et une certaine appréhension.

— Et ils pourchassent ceux qui, dans la rue, violent le couvre-feu ?

— Exactement !

Elly mit le moteur en marche.

— Allons-y.

Elles trouvèrent dans le parc Norris et Nat MacReady qui, assis comme d'habitude sur leur banc, jouissaient des derniers rayons du soleil de cette fin d'après-midi. Chacun d'eux reçut un pot de pur miel doré de Géorgie et en échange ils livrèrent les détails étonnants d'une conversation surprise derrière la bibliothèque, un soir du mois de janvier précédent. Ils avaient vécu ensemble depuis si longtemps qu'ils semblaient n'avoir qu'un seul cerveau qui travaillait pour deux, car ce que l'un commençait, l'autre le terminait.

— Norris et moi, dit Nat, on marchait dans Comfort Street et on a pris la ruelle qui longe l'arrière de la bibliothèque, là où poussent des thuyas, à côté de l'incinérateur...

— ... lorsque je reçus à l'épaule un soulier à haut talon venu d'on sait où. Nat peut en témoigner...

— Parce qu'il en a gardé une marque violette pendant au moins quatre semaines.

— Allons, Nat, le reprit Norris, t'exagérerais pas un peu ? Je ne crois pas que ça ait duré plus de trois semaines.

Nat s'emporta.

— Trois ? T'as la mémoire qui flanche, mon vieux. Ça en a bien duré quatre, parce que, si je m'en souviens bien, j'en faisais la remarque le jour où...

— Messieurs, messieurs ! les interrompit Mlle Beasley. Nous en étions à la conversation que vous avez surprise.

— Ah ! oui, bon. Eh bien, d'abord un soulier a volé...

— Ensuite on a entendu le jeune Parker hurler assez fort pour réveiller tout le quartier...

— Si t'es en chaleur, Lula, va miauler sous les fenêtres de quelqu'un d'autre ! C'est exactement ce qu'il a dit, n'est-ce pas, Nat ?

— Absolument. Puis la porte a claqué et Mlle Lula...

— ... plus en colère que Cooter Brown, se mit à la marteler et à traiter M. Parker d'un nom que vous, mesdames, pourrez lire dans notre registre si vous le voulez, mais que...

— Un registre ?

— Absolument. Mais ni Norris ni moi n'oserions le répéter, n'est-ce pas, Norris ?

— Ah ! ça, certainement pas, du moins pas devant des dames. Raconte-leur ce qui est arrivé après, Nat.

— Eh bien, Mlle Lula s'est mise à hurler que les... disons...

Nat s'éclaircit la gorge tout en cherchant un terme plus courtois. Mais ce fut Norris qui le trouva :

— ...les, euh, parties masculines, susurra-t-il, du jeune Will ne colleraient pas dans l'oreille de Lula, voilà.

D'une seule voix, Mlle Beasley et Elly demandèrent :

— Avez-vous dit cela au shérif ?

— Le shérif ne nous l'a pas demandé, hein, Norris ?

— Non.

C'est alors qu'Elly eut l'idée de mettre une annonce dans le journal. Après tout, mettre une annonce lui avait déjà réussi auparavant. Pourquoi cela ne se reproduirait-il pas ? Mais les chevilles de Mlle Beasley étaient enflées si bien qu'Elly la raccompagna chez elle. Puis elle se rendit aux bureaux du *Whitney Register* pour se défaire d'un autre pot de miel en paiement de l'annonce qui disait simplement qu'E. Parker de Rock Creek Road offrait une récompense pour toute information qui permettrait de lever les charges qui pesaient sur son mari, William L. Parker, pour le meurtre de Lula Peak. À son grand étonnement, le directeur, Michael Hanley, ne sourcilla pas, la remercia pour le miel et lui souhaita bonne chance.

— C'est un gars très bien que vous avez épousé, ma'am Parker. Il s'est engagé lui au moins et il a combattu comme un homme, à la différence de certain ici, en ville, qui a préféré glisser son doigt sous une scie circulaire.

Ces paroles rappelèrent à Elly l'existence de la vieille animosité de Harley Overmire envers Will et elle se demanda un instant s'il était opportun d'en parler à Reece Goodloe ou à Robert Collins. Mais comme elle n'avait pas le temps de s'attarder sur ce problème,

Elly se rendit directement du journal aux bureaux de *Pride Real Estate* où elle déposa sans cérémonie sur le comptoir un lourd passe-partout nickelé ainsi qu'un autre pot de miel. Elle annonça tout de go à Hazel Pride :

— Je veux mettre en vente une propriété.

Le mari de Hazel Pride combattait « quelque part dans le sud de la France » et avait laissé à sa femme la direction du journal pendant son absence. Elle avait composé tous les articles concernant l'héroïsme de Will Parker et sa médaille du Purple Heart. Elle reçut donc Elly avec une grande gentillesse, lui affirmant que l'affaire de M. Parker était une honte et que, si elle pouvait faire quelque chose, elle n'avait qu'à le lui demander. De plus, Will Parker était un vétéran décoré du Purple Heart et aucun vétéran qui avait souffert ce qu'il avait souffert ne devait être traité de la façon dont on l'avait traité. Pour finir, elle demanda à Elly si cela la dérangeait de venir avec elle, dans sa propre voiture visiter la maison.

Elly déclina l'invitation et suivit dans sa vieille Ford l'auto de Hazel. Les belles-de-jour qui autrefois encadraient la porte d'entrée étaient sèches, mêlées à d'autres plantes laissées depuis longtemps à l'abandon. L'herbe avait pris la couleur d'un paillasson.

De tout ce qu'Elly avait vécu ce jour-là, rien ne s'était avéré plus difficile à supporter que d'entrer dans cette lugubre demeure en compagnie de Hazel Pride. De traverser les ombres sinistres créées par les stores verts qu'elle avait tant détestés. De revoir le boudoir où elle avait prié, la chaise de cuisine sur laquelle était morte sa grand-mère, la chambre où sa mère était peu à peu devenue folle. De sentir l'exhalaison âcre des crottes de chauves-souris du grenier à laquelle se mêlaient les odeurs de la poussière, de la moisissure et des mauvais souvenirs. Ce fut très dur, mais Elly ne flancha pas. Non parce qu'elle avait besoin d'argent pour payer Robert Collins, mais parce qu'elle en avait tant vu en une journée qu'elle pensait qu'elle pouvait aller jusqu'au bout. Et puis, elle savait aussi que cela ferait plaisir à Will.

Dans le boudoir, elle releva les stores, les uns après les autres, les laissant s'enrouler sur eux-mêmes et claquer sur leurs ressorts encore étonnamment nerveux. La lumière du crépuscule se répandit dans la pièce, ne révélant rien de plus effrayant que des particules de poussière qui dansaient, dans l'air confiné d'une maison abandonnée, au-dessus de crottes de souris qui jonchaient le plancher recouvert de linoléum.

— Deux mille trois cents, annonça Hazel Pride. C'est le prix maximal, vu les travaux qu'il va falloir effectuer pour la rendre habitable.

Deux mille trois cents dollars, c'était bien plus qu'il n'en fallait pour régler les honoraires de Collins, se dit Elly, et ça lui laisserait de la marge pour les récompenses qu'elle espérait offrir. Elle insista pour signer le contrat sur-le-champ, dans la maison même afin qu'en sortant de là, elle en soit débarrassée pour toujours.

Lorsqu'elle remonta dans la voiture de Will puis traversa jusqu'à la route les herbes hautes du jardin, Elly se sentit soulagée, absoute.

Elle repensa à sa journée, à ses peurs qu'elle avait réduites à néant pour les avoir attaquées de front. Elle avait conduit, pour la première fois, la voiture jusqu'à Calhoun ; affronté une ville qui dorénavant ne lui semblait plus intimidante mais d'un grand secours ; mis en marche la machine judiciaire ; et dissipé les fantômes de son passé.

Elle se sentait fatiguée. Si fatiguée qu'elle eut la tentation d'arrêter sa voiture dans le premier chemin creux et de dormir jusqu'au lendemain matin.

Mais Will était encore en prison et chaque minute devait lui paraître un siècle. Alors elle reprit directement la route de Calhoun pour aller trouver le shérif Goodloe, lui dire ce qu'elle pensait de ses déplorables méthodes d'investigation et lui apprendre l'existence du registre de Norris et Nat MacReady. Elle oublia pourtant de mentionner le nom de Harley Overmire.

22

Will, recroquevillé sur son bas flanc, touchait le fond du désespoir. Du bout du couloir, résonna soudain le grincement de la porte
de fer qui s'ouvrait et se refermait. Il ne bougea pas, les yeux rivés
au mur. Des pas se rapprochaient. D'une personne. Non, de deux.
Des souliers de cuir sur un sol de ciment. Un bruit qu'il connaissait
bien. Qu'il connaissait trop.

— Parker ? dit la voix du shérif adjoint Hess. Votre avocat.

Will tressaillit.

— Mon avocat ?

Aux côtés du jeune Hess se tenait un vieillard au visage buriné
sous une chevelure grise ébouriffée. Il était légèrement voûté et
portait un costume brun sur une chemise blanche froissée et une
cravate mal nouée.

— Votre épouse est venue me voir et m'a demandé d'avoir une
conversation avec vous.

— Ma femme ?

— Et Gladys Beasley, ajouta l'avocat, la main tendue, en pénétrant dans la cellule dont le garde avait déverrouillé la porte. Je
m'appelle Bob Collins.

Il attendit, observant Will de ses yeux gris amusés comme si,
d'habitude, il se présentait de cette façon à ses clients médusés.

— Will Parker.

Will se leva et accepta sa poignée de main en comprenant que,
non seulement Elly était venue à Calhoun, mais en plus elle avait
pris un avocat.

Mais quel avocat ! Son costume semblait avoir été passé à l'es-soreuse ; quant à sa chemise, on aurait dit qu'elle n'avait jamais vu le savon. Sa chevelure ressemblait à une tête-de-loup. Il n'était pas seulement ébouriffé, il se déplaçait aussi avec une lenteur qui amena Will à se demander s'il n'allait pas tout à coup rester bloqué avant de parvenir à se déposer sur sa chaise. Il restait comme sus-pendu, le bas du dos pointé dans la bonne direction pendant que Will comptait les secondes – une, deux, trois. Finalement, le vieux débris réussit à s'asseoir et poussa un long soupir en posant une main osseuse sur son genou. Lorsqu'il parvint à s'exprimer, le ton était jovial et aurait bien convenu à un discours en l'honneur de la présidente sortante d'un club féminin d'horticulture.

— J'étais en classe avec Gladys Beasley. À un moment, s'est posé le problème de savoir qui d'elle ou de moi serait choisi pour faire le discours de fin d'année. J'ai toujours pensé que, cette année-là, ils auraient dû élire deux orateurs, dit-il en riant, un doigt contre sa joue. Gladys... après toutes ces années, il faut le faire... C'était une fille drôlement belle. Et intelligente, avec ça. La seule de la classe qui pouvait parler d'autre chose que de la longueur de ses robes ou de la hauteur de ses talons. Elle était si brillante qu'elle me flanquait une de ces frousses ! J'ai toujours eu envie de lui donner un rancard mais je ne peux pas vous dire pourquoi je ne m'y suis jamais décidé.

Will s'assit, ne sachant plus très bien où il en était. Pourquoi Gladys leur avait-elle conseillé un vieux croûton comme ça ? Il était gâteux, dégageait une horrible odeur de momie et son esprit sem-blait battre la campagne dans tous les sens. Si bien que le pauvre Will se demanda s'il ne ferait pas mieux de se défendre lui-même.

Mais juste à l'instant où Will se faisait cette opinion, Collins lui décocha la flèche du Parthe.

— Alors, monsieur Parker, avez-vous, oui ou non, tué Lula Peak ?

Will planta son regard noir dans les yeux gris délavé de Collins et répondit sans équivoque.

— Non, monsieur.

Collins hocha imperceptiblement la tête trois fois de suite et fixa Will sans dire un mot pendant au moins quinze secondes avant de demander :

— Vous n'avez aucune idée de qui a pu faire cela ?

— Non, monsieur.

À nouveau s'installa un long silence qui donna à Will l'impression que les engrenages du cerveau rouillé de l'avocat avaient grand besoin d'être huilés. Mais lorsqu'il reprit la parole, Will se sentit soulagé.

— Alors, nous avons du pain sur la planche. La lecture de l'acte d'accusation est prévue pour demain.

Collins acceptait donc de défendre sa cause. Il promettait, en outre, de faire pression sur toutes les instances possibles pour tenter de faire passer l'affaire devant le tribunal le plus tôt possible. Il connaissait l'art, lui avait-il dit, de faire pression. Will avait du mal à le croire. Pourtant, malgré son air décati et sa lenteur apparente, il était brillant, consciencieux et ne paraissait pas impressionné par le contenu de l'acte d'accusation. Bien plus, il était certain de pouvoir convaincre le jury en laissant entendre que la justice s'en était prise à Will avant tout parce qu'il avait fait de la prison alors qu'elle aurait dû n'avoir à l'esprit que ses hauts faits de guerre. En outre, il n'ajoutait que peu de foi au billet qui portait les initiales de Will et pensait que cela pouvait au contraire servir de preuve puisqu'il fallait être complètement naïf pour croire que ce n'était pas un coup monté.

L'acte d'accusation, pour lapidaire qu'il fût, était prévisible : la cour refusait à Will sa mise en liberté sous caution à cause de son casier judiciaire. Mais, fidèle à sa parole, Collins s'arrangea pour qu'un Grand Jury[1] l'entendît dans les huit jours. Les témoignages à décharge de Will commencèrent à s'accumuler mais, comme c'est le cas quand il s'agit de grands jurys, le prévenu n'a pas le droit de se présenter dans la salle d'audience avec son défenseur. C'est pourquoi la déposition du Solicitor General[2] avait plus de poids qu'il

---

1. Jury décidant de la mise en accusation.

2. Substitut du procureur.

n'en aurait si on pouvait la réfuter : le grand jury rendit donc un juste verdict.

Will était accablé. On le conduisit de la salle d'audience aux couloirs qui menaient directement à la prison, si bien qu'il n'eut pas la possibilité de savoir si Elly attendait quelque part dans le palais de justice pour connaître la décision du jury. Il avait bêtement espéré l'apercevoir, s'était aussi imaginé qu'elle allait venir à lui les bras ouverts, en lui disant : tout va bien, Will, pardonnons, oublions, tout ça, c'est du passé, maintenant.

Au lieu de cela, il se retrouvait dans sa sinistre cellule à y consumer encore un peu de sa jeunesse, à se demander ce que l'avenir pouvait bien encore lui réserver et si le vieil avocat cacochyme que lui avaient adressé Elly et Mlle Beasley n'était pas tout simplement sénile. L'espace confiné de l'endroit le fit soudain souffrir de claustrophobie. Il s'assit alors de côté sur son bas flanc, le dos en appui contre le mur de ciment glacé, fixa son regard sur les barreaux et se mit à penser au Texas, cet immense pays plat dont l'air sentait la sauge sous un ciel bleu infini qui prenait des teintes rouges, pourpres et jaunes au crépuscule et dont les plaines s'enflammaient juste avant que disparaisse l'astre solaire et que s'illuminent les étoiles, comme des diamants sur fond de satin bleu.

Mais son imagination ne pouvait lui être que d'un secours bien éphémère. Il finit par se coucher sur le côté et ferma les yeux, la gorge serrée. Il avait encore perdu et n'avait pas vu Elly. Mon Dieu, comme il avait besoin de la voir et comme il avait misé sur sa présence ! Il ne savait pas ce qui lui faisait le plus mal, qu'elle n'ait pas été là ou qu'il ait perdu la première manche devant le tribunal. Mais il avait si mal agi envers elle qu'il avait eu peur de lui envoyer un message par l'intermédiaire de l'adjoint Hess, peur de ne plus être digne d'elle, peur surtout qu'elle ne vînt pas même s'il le lui avait demandé.

Mais elle se manifesta tout de même alors qu'il gisait sur son bas flanc, complètement découragé.

— Parker, vous avez de la visite, annonça Hess en ouvrant la porte. Votre femme. Suivez-moi.

Ainsi elle était venue, elle avait attendu son message. Son cœur se mit à battre à tout rompre et il se leva en toute hâte.

— Une minute, Hess !

Il se cala devant le miroir et se passa quelques petits coups de peigne dans les cheveux. La glace lui renvoya l'image d'un homme dont les joues étaient rouges d'impatience. Alors il se retourna et suivit Hess.

Le parloir était une grande salle vide vraiment mal entretenue. Il y avait une fenêtre sans rideaux, une table et trois chaises qui ressemblaient beaucoup à celles de la bibliothèque Carnegie. Lorsque Will entra, Elly était déjà assise à la table, vêtue d'une robe jaune neuve, et serrait son sac à main sur ses genoux. Hess fit signe à Will de s'approcher d'elle puis il alla se mettre en faction près de la porte, les bras croisés, comme s'il pensait que cela allait durer longtemps.

En prenant place sur la chaise qui faisait face à celle d'Elly, Will se demandait si elle sentait le sol trembler au rythme des battements de son cœur.

Ils se regardèrent sans dire un mot pendant de longues secondes.

— Bonjour Will, lui dit Elly, un triste sourire aux lèvres.

— Bonjour.

Leurs paroles, bien que prononcées à voix basse, résonnaient contre les murs de la pièce.

Will avait les mains moites et son cou transpirait, mais il se repaissait de la présence d'Elly tout en se retenant de lui prendre les mains.

— Je suis vraiment désolée de la décision du grand jury. Je pensais... enfin, j'espérais que tu rentrerais aujourd'hui à la maison.

— Moi aussi. Mais Collins m'avait prévenu de ne pas prendre mes désirs pour des réalités, surtout qu'il ne pouvait pas être à nos côtés pour donner notre version.

— Ça ne me semble pas très juste, Will. Je veux dire par là que je ne comprends pas pourquoi ils interdisent à ton avocat l'entrée de la salle d'audience.

— Collins m'a dit que c'était la loi et que notre chance viendrait lors du procès devant un jury d'assises.

— Un jury d'assises? demanda-t-elle en fronçant les sourcils.

— Oui, c'est le plus important. Là on nous permet de donner notre version.

— Ah!

Cette seule pensée les bouleversait tous les deux. Leurs regards se croisèrent, exprimant leur regret des mots durs qu'ils avaient échangés lors de leur dernière rencontre. Elly continuait de serrer son sac à main tandis que Will se séchait les mains sur son pantalon.

— Elly, je...

Dis-lui que tu regrettes, espèce d'idiot. Mais Hess montait la garde, écoutant tout ce qui se disait, et il était déjà assez difficile de présenter ses excuses en privé. La pensée de mettre son cœur à nu devant un tiers semblait paralyser Will. Alors, au lieu de dire ce qu'il ressentait, il se contenta d'affirmer à Elly :

— J'aime bien Collins. À mon avis, c'est un type bien. Merci de l'avoir pris.

— Ne sois pas stupide. Tu croyais que je n'aurais pas pris un avocat pour mon mari?

Les mots se bousculaient dans la gorge de Will et, Hess ou pas Hess, il fallait absolument qu'il les dît.

— Je ne savais plus quoi penser après t'avoir parlé comme je l'ai fait la dernière fois.

Le regard de la jeune femme se déroba.

— J'avais déjà vu l'avocat avant de venir te voir.

— Ah?

À juste titre, Will se sentit piqué au vif. Ses mains, moites quelques minutes auparavant, étaient soudainement glacées. *Mais à quoi t'attendais-tu, Parker, après lui avoir parlé comme tu l'as fait?* À nouveau se manifesta cette douloureuse envie de lui demander de lui pardonner mais que contrecarrait la peur qu'elle n'acceptât pas. Et si c'était le cas, il n'aurait plus aucune raison de se battre pour sortir de là. Alors il s'enferma dans son malheur, le cœur meurtri et la gorge nouée.

— Et toi, ça va ? s'enquit Elly en laissant son regard se promener sur lui. La nourriture est bonne ?

Il avala sa salive et essaya de prendre une voix normale.

— Très bonne. La femme du shérif est un vrai cordon-bleu.

— Eh bien... tu n'as pas l'air trop mal, ajouta-t-elle en lui lançant un sourire crispé.

Il y eut un nouveau silence que rendait plus insupportable encore le temps qui passait sans qu'ils soient parvenus à parler de ce qui, à leurs yeux, représentait l'essentiel.

— Et pourquoi tu es venue ?

Il se sentait obsédé par un besoin irrationnel de savoir tout ce qu'elle avait fait et pensé depuis qu'il se trouvait enfermé ici. De combler tous les vides de ce temps qu'à son avis on lui avait volé. Sa vie lui était devenue si précieuse depuis qu'Elly en était devenue partie intégrante qu'il avait l'impression qu'on l'avait doublement privé de sa liberté.

— Oh ! je suis venue faire un tour, répondit-elle évasivement.

Sans y prendre garde, Elly égratignait de ses ongles le fermoir de son sac et tous deux gardèrent leurs regards rivés sur ses mains jusqu'à ce que leurs yeux commencent à les brûler. Alors elle ouvrit son sac et lui dit :

— Je sais que tu m'as dit de ne pas venir, Will, mais il fallait que je t'apporte ces petits cadeaux de la part des enfants, dit-elle en sortant deux rouleaux de papier qu'elle lui tendit à travers la table.

— Attendez ! leur ordonna sèchement Hess en se précipitant vers eux pour les leur confisquer.

Elly lui jeta un regard furieux.

— Ce ne sont que des dessins des enfants.

Il les examina, les roula et les lui rendit. Puis il retourna à son poste à côté de la porte.

— Tiens, Will, dit Elly en les lui tendant à nouveau.

Il les déroula à son tour et découvrit un dessin rudimentaire fait aux crayons de couleur et qui représentait des fleurs et des bonshommes avec cette légende « *Je t'aime, Will* » fidèlement recopiée dans une écriture quasiment indéchiffrable. Les noms de Donald

Wade et de Thomas y figuraient. Jamais de son existence Will n'avait dû faire autant d'efforts pour retenir ses larmes.

— Seigneur, dit-il seulement d'une voix cassée, les yeux baissés de peur qu'Elly ne s'aperçût qu'il n'était pas loin de craquer.

— Tu leur manques beaucoup, tu sais, lui murmura-t-elle tristement, tout en pensant : *À moi aussi, tu me manques. Je suis si mal sans toi. À la maison, c'est épouvantable. Je n'ai plus le goût de travailler. Ni de vivre.*

Mais elle avait peur de le lui dire, peur qu'il ne la repoussât une fois encore.

— À moi aussi, ils me manquent. Comment vont-ils ? demanda Will qui n'osait pas lever les yeux.

— Ils vont très bien. Aujourd'hui, ils sont chez Lydia, tous les trois. Donald Wade a pris le bus scolaire jusque chez elle. Il adore aller chez Lydia. Sally et lui sont en train de construire un fort.

Will s'éclaircit la gorge et leva les yeux, le cœur toujours emballé. Ah ! comme il aurait voulu qu'elle ne le vît pas dans ce genre de lieux qui réduisent à néant la personnalité d'un homme ! Comme, pour la centième fois, il aurait souhaité ne pas avoir prononcé les dures paroles qu'il lui avait lancées au visage lors de leur dernière rencontre ! Comme il avait besoin de savoir si elle l'aimait encore, si les enfants l'aimaient toujours. *Dis-lui que tu regrettes, Parker ! Allez, lance-toi et ton désespoir s'envolera !*

Il ouvrit la bouche pour s'excuser, mais elle parla la première.

— Mlle Beasley m'a dit que M. Collins était le meilleur.

— J'ai confiance en son jugement. Mais, tu vois, Elly, je ne sais pas où nous allons trouver l'argent pour le payer.

— T'en fais pas pour ça. Nous avons une bonne réserve de miel et pas mal d'argent à la banque. Et puis, Mlle Beasley m'a proposé de nous aider.

— Elle a fait ça ?

Elly hocha la tête.

— Mais je ne pense pas y avoir recours à moins d'y être obligée.

— C'est plus sage, approuva Will.

Le silence oppressant reprit lentement ses droits et, avec lui, le désir grandissant de se toucher du bout des doigts. Mais il avait peur de lui tendre la main et elle craignait de voir Hess se lever à nouveau brusquement. Alors aucun des deux ne fit le moindre geste.

— Bon, écoute, dit-elle en levant les yeux et en le gratifiant d'un large sourire aussi faux que s'il avait été découpé au couteau dans une citrouille. Il faut que j'y aille parce que, ces derniers jours, j'ai laissé les enfants drôlement longtemps chez Lydia et je ne veux pas qu'elle finisse par croire que c'est devenu une habitude.

La panique submergea Will. Il n'avait rien fait de ce qu'il avait prévu de faire, il ne l'avait pas touchée, ne s'était pas excusé, ne lui avait pas fait de compliments sur sa nouvelle robe. Il ne lui avait pas dit qu'il l'aimait ni rien avoué de ce qu'il avait sur le cœur. Mais il valait peut-être mieux la laisser tranquille. Qu'importe ce que disait Collins, les jeux étaient faits d'avance contre lui. Il était né perdant. Innocent ou non, il était destiné à perdre aussi ce procès. Et lorsque ce serait chose faite, on l'enfermerait pour de bon. C'était automatique quand on était condamné pour un second meurtre, cela, il le savait. Et aucune femme n'allait attendre un homme qui aurait soixante ans – ou peut-être soixante-dix – à sa sortie de prison. S'il en sortait.

Elly s'avança légèrement sur sa chaise.

— Voilà...

Elle se leva, mal à l'aise, les mains toujours crispées sur son petit sac noir. Il ne se rappelait pas l'avoir jamais vue par le passé avec un sac à main. Cela lui donna la sensation d'avoir été incarcéré depuis neuf ans au lieu de neuf jours. Un peu comme si elle se métamorphosait de manière subtile quand il n'était pas là pour la voir.

Il se leva, lui aussi, tenant entre ses mains le rouleau de papier pour éviter de les tendre vers elle.

— Merci d'être venue, Elly. Dis bonjour aux enfants de ma part et remercie-les pour le dessin.

— Je te le promets.

— Et n'oublie pas d'embrasser Lizzy P. pour moi.

— Je te le pro... s'interrompit-elle, incapable de terminer sa phrase.

Son menton se mit à trembler et elle serra les dents. Ils restèrent les yeux dans les yeux. Leurs cœurs battaient à tout rompre.

— Elly... murmura-t-il en tendant la main.

Leurs mains s'unirent, aplatissant au passage le rouleau de papier, pour délivrer un message d'une intense mélancolie dans lequel se lisait tout ce qui n'avait pas été dit.

Les larmes apparurent sous les paupières baissées d'Elly.

— Will, je... je dois par-partir... murmura-t-elle en retirant lentement sa main.

Elle recula d'un pas et il vit sa poitrine se soulever comme si, intérieurement, elle sanglotait déjà.

Désespéré, il se retourna brusquement et se dirigea vers la porte.

— Je suis prêt, Hess! dit-il et les mots résonnèrent dans la salle nue tandis que Will sortait pour éviter de voir couler les larmes de sa femme.

Elle ne revint plus. Mais Mlle Beasley se présenta le lendemain, les lèvres plissées comme un pudding de deux jours et un air de reproche sur le visage.

— Mais qu'avez-vous donc fait à cette pauvre enfant? demanda-t-elle avant même que Will se fût assis sur sa chaise.

— Pardon? dit-il, les yeux écarquillés de surprise.

— Qu'avez-vous fait à Eleanor? Elle est venue me voir hier soir, pleurant toutes les larmes de son corps, pour me dire que vous ne l'aimiez plus.

— Il vaut mieux qu'elle croie ça.

— Tête de mule!

Le mot se répercuta contre les murs, laissant Will abasourdi. Il ne pipa mot tandis que Mlle Beasley continuait de vitupérer :

— C'est votre femme, M. Parker! Comment osez-vous la traiter comme vous le faites!

— Si vous êtes venue ici pour m'engueuler, vous pouvez...

— C'est précisément pour cela que je suis ici, espèce de petit arriviste! Et d'abord, je vous interdis de me parler sur ce ton!

Will se laissa tomber de tout son poids sur la chaise et prit une posture qui frisait l'insolence.

— Vous savez, Mlle Beasley, vous êtes exactement ce dont j'avais besoin aujourd'hui.

— Ce qu'il vous faut, jeune homme, c'est un bon savon et vous allez le recevoir. Quoi que vous ayez dit à cette pauvre femme pour la mettre dans un état pareil, c'est insupportable. S'il y avait une période où vous aviez le devoir de ne pas la laisser tomber, c'est bien en ce moment.

— Parce que c'est moi qui l'ai laissée tomber ? Et elle, elle ne m'a pas laissé tomber ?

— Oh ! je présume que vous êtes ici à faire la tête parce que ça lui a pris dix secondes pour réaliser l'accusation de Reece Goodloe avant d'en comprendre l'énormité. C'est bien ça ?

— Réaliser ! Elle a fait bien plus que réaliser ! Elle a pensé que j'avais fait « ça » ! Elle croit réellement que j'ai tué Lula Peak !

— Ah ! vous croyez ça, hein ? Alors, pourquoi met-elle des annonces dans les journaux de Whitney et de Calhoun en offrant une récompense pour tout renseignement qui permettrait de vous innocenter ? Pourquoi a-t-elle, d'elle-même, recueilli une douzaine de témoignages en votre faveur ? Pourquoi a-t-elle appris à conduire une voiture et refusé...

— Conduire une voiture ?

— Et refusé mon aide financière. Et parcouru tout le comté de Gordon en distribuant des pots de miel afin que les gens oublient toutes les méchancetés qu'ils avaient proférées sur son passé. Et harcelé le shérif Goodloe pour qu'il découvre qui était le vrai assassin ? Et pourquoi elle est allée voir Hazel Pride ? Et pourquoi elle l'a emmenée dans cette horrible maison vide où aucune femme qui aurait souffert ce qu'Eleanor y a souffert n'aurait eu le courage de retourner ?

Will finit par pouvoir placer un mot.

— Qui est cette Hazel Pride ?

— Notre agent immobilier local, voilà qui c'est. Eleanor a mis en vente la maison de ses grands-parents pour payer les honoraires de votre avocat. Pour que vous ayez la meilleure défense qu'un homme puisse avoir dans votre situation. Mais pour cela, elle a dû aller revoir cette maison et une ville pleine d'abjects... « culs-ter-reux », passez-moi l'expression, qui ne méritaient même pas qu'on se mette à genoux devant eux. Mais elle s'est agenouillée, et tout cela pour vous, monsieur Parker ! Parce qu'elle vous aime tant que, toujours pour vous, elle affronterait n'importe quoi en ce monde. Et vous la payez de retour en lui refusant de lui pardonner pour une réaction parfaitement naturelle que vous auriez eue si ç'avait été elle qui avait porté le poids d'un casier judiciaire et qu'on l'avait de nouveau accusée !

Mlle Beasley réussit à se dominer puis se recula sur sa chaise, satisfaite d'elle-même, avant de poursuivre :

— Peut-être me suis-je méprise sur le genre d'individu que vous êtes...

Will était tellement sidéré qu'il ne put que répondre des banalités.

— Elle m'a dit qu'elle était venue faire un tour à Calhoun.

— Faire un tour ? Non, mais sans blague ! Dire qu'elle est venue à Calhoun dans cette épouvantable automobile que vous avez rafistolée avec des bouts de ficelle. Et si elle est arrivée saine et sauve jusqu'ici, cela tient véritablement du miracle. Elle a failli tuer Nat et Norris, et je ne parle pas des murs qu'elle a heurtés et des trottoirs qu'elle a escaladés. Qui plus est, il n'y a plus trace du massif de rosiers qui se trouvait sur la pelouse de l'école ! Elle a failli en mourir de peur, mais elle a pourtant repris le volant et elle est partie, figurez-vous ! Tout droit, direction Calhoun, et même deux fois par jour, mais elle est rentrée chez elle persuadée que vous ne l'aimiez plus. Eh bien, vous devriez avoir honte de vous, monsieur Parker ! J'exige maintenant que vous vous rendiez compte du mal que vous lui avez fait alors que vous vous êtes contenté de vous attendrir sur votre sort. Et la prochaine fois qu'elle viendra vous rendre visite, faites amende honorable !

Comme le Grand Jury, Mlle Beasley ne lui laissait pas l'occasion de se défendre. Elle sortit comme elle était entrée, lui laissant seulement l'impression qu'il venait de subir les effets d'un ouragan.

De retour dans sa cellule, Will eut une réaction bizarre, une longue minute d'euphorie. Ainsi Elly... avait conduit une voiture ! Ainsi Elly... avait recueilli des témoignages ! Ainsi Elly... était retournée dans la fameuse maison !

Et tout cela pour lui !

Il avait été profondément ébranlé par ce que Mlle Beasley avait entrepris et la façon inimitable, et qui lui était propre, dont elle avait agi : réussir à lui faire comprendre à quel point sa femme l'aimait. Et ce devait être vrai pour qu'Elly eût réussi à affronter toutes les appréhensions, toutes les craintes qui l'avaient gardée confinée à Rock Creek Road pendant toutes ces années. Qui l'avaient tenue si longtemps éloignée des gens d'en bas et poussée à nier avoir besoin de qui que ce fût.

À la suite de la visite de Mlle Beasley, Will sortit totalement de sa léthargie remplacée par une nervosité qui lui donna des frissons d'espoir. Il se mit alors à faire les cent pas dans sa cellule, faisant craquer ses articulations tout en se demandant quels témoins Elly avait bien pu trouver. Mais il ne pouvait s'empêcher de sourire à la pensée qu'elle les avait amadoués avec du miel... Seigneur, quelle femme ! Il continua d'arpenter le réduit... tout à ses pensées... et remercia sa bonne étoile de lui avoir permis de rencontrer Elly et Gladys Beasley.

Moins d'une heure après le départ de celle-ci, Will prit une décision.

— Hess ! hurla-t-il. Hess, venez voir ! continua-t-il en frappant de sa fourchette contre les barreaux. Hess, je voudrais que vous fassiez parvenir un message à ma femme !

— Calmez-vous, Parker ! répondit une voix éloignée.

— Dépêchez-vous, Hess !

— J'arrive, j'arrive ! Que se passe-t-il ?

— Est-ce que le shérif peut aller chez moi pour dire à Elly que je veux la voir ?

— C'est possible.

— Eh bien, appelez-le à la radio et dites-lui que j'aimerais bien qu'il le fasse dès que possible.

— J'y vais, dit Hess qui fit quelques pas, puis s'arrêta et lança un sourire contrit par-dessus son épaule : cette Mademoiselle Beasley, c'est pas de la tarte, pas vrai ?

— Ouais ! répliqua Will en passant la main dans ses cheveux. Et pas qu'un peu ! Pour dire vrai, j'étais bien content de me retrouver à l'abri derrière ces barreaux.

Hess se mit à rire, fit mine de s'en aller puis se retourna.

— Pourtant, tout le monde en a parlé. Ça m'étonne que vous ne l'ayez pas su.

— Quoi ?

— Pour votre femme. On dit qu'elle a utilisé sa voiture comme s'il n'y avait pas de rationnement sur les pneus, qu'elle a couru partout pour trouver des témoins en votre faveur, exactement comme l'a dit Mlle Beasley. Elly et moi, on était à l'école ensemble et je n'étais pas le dernier à la traiter de folle. Mais les gens disent aujourd'hui qu'elle est plus maligne que le Solicitor General. Qu'elle le rend fou. Et on se demande déjà quels lapins Collins et elle vont sortir de leur chapeau au procès.

Le cœur de Will se mit à battre plus fort.

— Pourriez-vous dire à Collins que je veux le voir, lui aussi ?

— Oui, s'il est en ville.

— Il est parti ? Mais où ?

— Je ne sais pas. Mais votre femme le fait courir comme un renard poursuivi par une meute de chiens. Par contre, je sais une chose.

— Quoi ?

— Il a obtenu que votre procès soit sur le rôle pour la première semaine de février.

— Si tôt que ça ?

— Ne sous-estimez pas ce vieux cheval, surtout pas quand il a demandé à votre femme de travailler avec lui. Il y en a une bonne qu'on raconte par ici, mais ce n'est pas vraiment une blague, c'est... Eh bien, c'est peut-être une marque de considération qui se manifeste enfin avec près de quinze ans de retard. Il paraît qu'il y a des gens qui disent : « Tiens donc, voilà encore Elly Parker qui s'amène avec son miel ! » Personne ne sait si elle a vraiment ou non offert un pot de miel au juge Murdoch, mais la rumeur court que c'est lui qui vous a mariés tous les deux et que c'est lui aussi qu'on a désigné pour présider à votre procès.

Hess fut pris d'un petit ricanement en remontant le couloir et, lorsqu'il ouvrit la porte du fond, il ajouta :

— Je vais faire la commission à votre femme, Parker.

Et la porte se referma.

23

Elly ne retourna pas à la prison. Mais elle fit parvenir à Will, pour le jour de son procès, un costume Calcutta flambant neuf, une cravate club et une chemise blanche avec boutons de manchettes. Sans oublier ses chaussures militaires bien cirées. Elle avait accompagné le tout d'un petit mot qui disait ceci: *Nous allons gagner, Will. Je t'aime. Elly.*

Il s'habilla de bonne heure et se peigna avec beaucoup de soin, estimant ses cheveux un peu trop longs au-dessus des oreilles. Nerveux, il passait et repassait devant la glace pour vérifier du bout des doigts la qualité de son rasage, resserrer son nœud de cravate, ajuster ses manchettes ou boutonner et déboutonner sa veste. À l'idée de la revoir, un regain d'impatience le tenaillait tout au fond de son être. Il marchait de long en large, faisait craquer ses articulations et revenait sans cesse jeter un œil dans le miroir. Pour la énième fois, il passa ses doigts dans ses cheveux pour les repousser derrière ses oreilles et ne s'estima toujours pas satisfait, non pour le jury, mais pour elle.

En se regardant dans les yeux, il se mit à penser aux siens. *Attends, mes beaux yeux verts, ne m'abandonne pas. Je ne suis plus le pauvre imbécile que j'ai été en agissant comme je l'ai fait. Après que nous aurons gagné la partie, je te le prouverai.*

Elly aussi, de son côté, avait pris grand soin de sa mise. Du jaune. Il lui fallait du jaune, sa couleur de prédilection. La couleur du soleil et de la liberté. Elle s'était confectionné une robe de gabardine dont la teinte pâle rappelait le beurre fouetté, avec des épaulettes et des revers de poche boutonnés vers le bas. Elle aussi ne cessait d'interroger nerveusement son miroir : elle s'était coupé les cheveux et elle était certaine que, lorsqu'elle paraîtrait en public, Will n'aurait aucune raison d'avoir honte d'elle. En fixant ses yeux bien soulignés et ses lèvres corail, elle découvrit une femme aussi séduisante que celles des photos de l'*Erma's Beauty Book* ouvert sur la table basse. *Attends un peu, Will, quand tout cela sera terminé, nous serons les deux êtres les plus heureux de la terre.*

Assise dans la salle d'attente du tribunal, elle avait les yeux fixés sur la porte par laquelle elle savait qu'il allait entrer.

Lorsque la porte s'ouvrit, leurs regards se croisèrent et le rythme de leurs cœurs s'accéléra. Elle ne l'avait jamais vu dans un costume civil. Il était splendide. Ses cheveux gominés paraissaient plus sombres que d'habitude. Sa cravate et son visage hâlé faisaient un contraste saisissant avec la blancheur de son col de chemise.

En entrant, il leva les yeux et son col, soudain, lui parut trop serré. Il savait qu'elle serait vêtue de jaune. Il en était certain ! Comme pour le confirmer, le soleil de ce début de matinée avait fait son apparition par une haute fenêtre et donnait directement sur elle. Dieu, comme il l'aimait ! Comme il voulait être libre ! Pour elle. Avec elle. Tandis qu'il traversait la salle au parquet verni, leurs regards ne se quittèrent pas. Ses cheveux ? Qu'avait-elle fait à ses cheveux ? Mais elle avait presque tout coupé ! Bien au-dessus du cou et des oreilles, et elle avait la raie sur le côté ! Cela lui faisait pourtant ressortir le cou d'une façon très séduisante. Il voulait la rejoindre, lui dire qu'il la trouvait belle, la remercier pour le costume, pour le petit mot et surtout pour lui dire qu'il l'aimait. Mais Jimmy Ray Hess se trouvait à ses côtés et il n'avait que le droit d'avancer et de se taire. Elle lui sourit et, de deux doigts, lui fit un signe discret. Le soleil sembla alors vouloir darder sur lui ses chauds rayons. Will ressentait une émotion tout à fait semblable à celle qu'il avait éprouvée dans la gare d'Augusta lorsqu'il l'avait vue approcher à travers la foule. Alors il lui rendit son sourire.

La femme assise à la gauche d'Elly lui donna un petit coup de coude et se pencha vers elle pour lui parler. Pour la première fois, Will se rendit compte qu'il s'agissait de Lydia Marsh. À sa droite se trouvait Mlle Beasley, le visage sévère et posé comme à son habitude. Elle croisa son regard et il hocha la tête, ému comme jamais.

Elle lui rendit discrètement son salut et lui adressa une petite moue. Ce fut alors qu'il put enfin respirer.

C'était cela l'amitié. La véritable amitié. Il aurait voulu leur exprimer toute sa gratitude, mais il n'en avait pas le loisir. Alors il fit à Lydia un petit signe de tête et jeta un dernier regard langoureux vers Elly à l'instant où il parvenait à la table de la défense. Puis il dut leur tourner le dos.

Collins était déjà là, habillé comme un vieux conservateur de musée, dans son antique costume en laine fripé et sa chemise de coton jauni. Il portait une cravate en soie ornée de... flamants roses ! Après avoir relevé ses manches, Collins se leva et serra la main de son client.

— Les choses ne se présentent pas mal. Je vois que vous avez fait venir vos admirateurs.

— Je ne veux pas que ma femme vienne à la barre, Collins, souvenez-vous-en bien.

— Seulement en cas de nécessité, je vous l'ai dit.

— Non ! Ça va la démolir ! On va aller déterrer des tas de saletés et dire qu'elle est folle. Vous pouvez m'y appeler, mais pas elle.

— Ce ne sera pas nécessaire. Vous allez voir.

— Où étiez-vous hier ? Je vous ai fait demander. Il fallait que je vous voie.

— Calmez-vous, Parker, et asseyez-vous. J'étais sorti pour votre bien, sur la piste des témoins que votre femme avait débusqués.

— Vous voulez dire que c'est vrai ? Elle a...

— Veuillez vous lever, je vous prie, annonça sèchement l'huissier. L'audience du tribunal du Comté de Gordon est ouverte, sous la présidence de l'Honorable Aldon P. Murdoch.

Will resta bouche bée lorsque entra Murdoch, tout de noir vêtu, et il résista à l'envie de lorgner par-dessus son épaule pour observer la réaction d'Elly. Le regard de Murdoch parcourut la salle d'audience, s'arrêta un instant sur Will puis se reporta sur l'assemblée. Bien que son visage fût insondable, Will n'eut qu'une pensée : par il ne savait quel miracle, le destin l'avait remis entre les mains d'un homme juste. Sa conviction avait pris corps dans le souvenir de deux petits garçons assis dans un fauteuil pivotant qui se partageaient le contenu d'une boîte à cigares pleine de bonbons.

— Asseyez-vous, je vous prie, ordonna Murdoch.

Tout en prenant place, Will se pencha vers Collins et murmura :

— Elle ne l'a pas soudoyé, lui aussi, n'est-ce pas ?

Collins avait sur le bout du nez une paire de lorgnons. Pardessus ses verres, il fixait les documents qu'il extirpait d'une serviette complètement usée.

— Vous voulez plaisanter ? Il est incorruptible. Il aurait porté plainte contre elle avant même de lui avoir rendu son pot de miel.

Le procès s'ouvrit.

On passa d'entrée aux exposés préliminaires. Celui de Collins fut énoncé avec une lenteur qui faisait penser qu'il n'avait pas assez dormi la nuit précédente.

Edward Slocum, le Solicitor General, présenta le sien avec une réelle maestria qui fut fort appréciée.

Il était deux fois moins âgé que Collins et mesurait près de deux fois sa taille. Dans son splendide costume de serge bleue et sa chemise fraîchement repassée que rehaussait un nœud de cravate impeccable, il offrait un contraste saisissant avec la dégaine de son adversaire. Avec sa voix de baryton et sa haute stature, il donnait l'impression que le pauvre Collins avait déjà un pied dans la tombe. Ses yeux étaient d'un noir intense et la vague brune qui se dressait sur son crâne lui donnait l'air assuré d'un coq qui règne sur sa basse-cour. La voix profonde, le physique imposant, Slocum se promit de démontrer au jury, preuves à l'appui et sans l'ombre d'un doute, que Will Parker avait assassiné Lula Peak de sang-froid et avec préméditation.

Après avoir écouté les deux hommes, Will ne pouvait s'empêcher de penser que, s'il était membre du jury, il croirait tout ce que dirait Slocum et se demanderait si l'avocat de la défense était aussi sénile qu'il le paraissait.

— La poursuite appelle le shérif Reece Goodloe à la barre.

Tandis qu'il questionnait son témoin, Slocum se tenait droit, bien campé sur ses deux pieds. Il avait l'art de jouer de son regard, d'en fusiller son témoin comme si de chacune de ses réponses dépendait l'issue du procès. De porter ensuite son œil d'aigle sur le jury au moment opportun pour souligner les moments du témoignage les plus défavorables à l'accusé.

Du shérif Goodloe, le jury apprit l'existence du casier judiciaire de Will, celles du chiffon à poussière déchiré et du billet qui portait les initiales de l'accusé. Et puis son aveu qu'il lisait souvent l'*Atlanta Constitution*.

Lorsque Bob Collins s'avança en traînant les pieds, la moitié de la salle d'audience réprima un soupir de commisération. Il prenait tant de temps à poser chacune de ses questions que les jurés en montrèrent une certaine irritation. Quand il en eut fini avec son interrogatoire, on eût dit qu'ils allaient pousser un soupir de soulagement. Au lieu de regarder la salle, il fixait sans cesse le sol ou le bout de ses vieilles chaussures éculées. Enfin, sur ses lèvres, il arborait un léger sourire qui donnait à croire qu'il connaissait un petit secret qu'il leur délivrerait le moment venu.

Le contre-interrogatoire du shérif Goodloe mit en lumière que Will Parker avait purgé sa peine de prison, s'était montré un prisonnier modèle et avait été libéré sur parole. Il révéla aussi que le shérif Goodloe lisait chaque jour l'*Atlanta Constitution*.

Une femme portant lunettes et à l'air austère qui répondait au nom de Barbara Murphy et qui se présenta comme linotypiste à l'*Atlanta Constitution*, apporta la preuve irréfutable que le billet avait été confectionné à partir d'un ou plusieurs exemplaires dudit journal. Lors du contre-interrogatoire, Mlle Murphy révéla que le quotidien était tiré à 143 261 d'exemplaires et qu'il n'y avait donc là rien d'étonnant puisque Calhoun était l'un des cent cinquante-huit comtés de l'État et qu'on y vendait chaque jour au moins neuf cents exemplaires.

D'Elliot Mobridge, un coroner du comté au seuil de la retraite et au visage fatigué, le jury apprit l'heure et la cause de la mort de Lula Peak et qu'elle était enceinte de quatre mois au moment de son décès. Le contre-interrogatoire souligna qu'il était impossible d'établir l'identité du père d'un foetus de quatre mois dont la mère était morte.

Le médecin légiste, une femme sèche qui se présenta sous le nom de Leslie MacCooms, certifia que des traces de poussière et d'huile de citron correspondant au chiffon à poussière déchiré avaient été trouvées sur le cou de Lula Peak, ainsi que des ecchymoses faites par les mains d'un être humain, probablement un homme.

La défense ne posa aucune question au témoin, se réservant toutefois le droit de le contre-interroger ultérieurement.

Gladys Beasley, une tigresse dont la réputation au-dessus de tout soupçon n'était plus à faire, reconnut que le chiffon et l'huile de citron (pièce à conviction numéro un) pouvaient provenir de la bibliothèque municipale Carnegie de Whitney où était employé Will Parker et où il travaillait le soir de l'assassinat de Lula Peak. Mlle Beasley admit aussi que la bibliothèque avait en effet souscrit deux abonnements à l'*Atlanta Constitution* et qu'elle avait donné l'autorisation à Will Parker d'emporter chez lui un des deux exemplaires au bout de trois jours ou plus.

C'étaient les dépositions auxquelles Will s'attendait. Et pourtant il était stupéfié par leur caractère incriminant quand elles étaient faites sous serment, depuis la chaise en bois placée sur l'estrade située à côté du juge.

Mais la tournure des choses changea curieusement lorsque Robert Collins contre-interrogea Mlle Beasley.

— Lula Peak venait-elle à la bibliothèque quand Will Parker s'y trouvait ?

— Ça lui est arrivé plus d'une fois.

— Et parlait-elle à M. Parker ?

— Oui.

— Comment le savez-vous ?

— J'entendais leur conversation depuis mon bureau. La bibliothèque est en forme de U et ma table de travail se trouve dans la partie transversale si bien que je peux voir et souvent entendre tout ce qu'il s'y passe. Les plafonds sont hauts et la salle est très sonore.

— Quand avez-vous entendu pour la première fois une conversation entre Peak et Parker ?

— Le 2 septembre 1941.

— Comment pouvez-vous être certaine de la date ?

— Parce que M. Parker m'avait demandé une carte de membre et que j'avais commencé à lui en remplir une avant de m'apercevoir qu'il ne m'avait pas dit où il résidait à Whitney. J'avais rempli la carte à l'encre, c'est pourquoi je ne pouvais pas l'effacer pour la donner à quelqu'un d'autre. Me conformant à ma devise, *Ne rien perdre, ne rien demander,* j'ai mis de côté la carte de M. Parker pour la lui donner lorsqu'il reviendrait avec la preuve de son lieu de résidence, ce dont j'étais certaine. Il se sert toujours de cette carte qui porte la date du 2 septembre.

Mlle Beasley tendit la carte de Will qui fut répertoriée comme pièce à conviction numéro 2.

— Donc, poursuivit Collins, le 2 septembre vous avez surpris une conversation entre Lula Peak et William Parker. Pourriez-vous nous rapporter cette conversation ? Enfin, dans la mesure où vous vous en souvenez.

Mlle Beasley, raide comme la justice, bien au fait de son sujet et faisant preuve d'une précision remarquable, répéta mot pour mot ce qu'elle avait entendu la première fois. Lula était venue s'asseoir en face de Will et avait glissé son pied entre les siens. Elle avait tenté de le piéger contre les rayonnages de la bibliothèque et tout fait pour le séduire. De plus, elle lui avait, par pure méchanceté, affirmé que sa femme était folle depuis sa plus tendre enfance, alors qu'elle-même, à cette époque-là, se souvenait d'une Eleanor See, brillante élève, curieuse et fort douée pour le dessin. Elle insista sur le départ poli mais précipité de Will ce jour-là et les autres jours où Lula le suivait jusqu'à la bibliothèque sous le prétexte fallacieux de « se cultiver » en empruntant des livres qu'elle ne se donnait jamais la peine d'ouvrir.

En écoutant cette déposition, Will était tendu. Après le savon qu'elle lui avait passé, il avait craint qu'elle ne lui manifestât de l'antipathie en se présentant à la barre des témoins. Mais c'était mal la connaître. Il n'avait pas de meilleure amie que Gladys Beasley. Lorsqu'elle regagna sa place, elle passa à côté de lui de son éternelle démarche de sergent instructeur, sans un regard dans sa direction, mais il savait sans l'ombre d'un doute qu'elle lui avait gardé sa confiance.

Mlle Beasley était le dernier témoin de la poursuite. Ensuite, ce fut au tour de Collins.

Il mit bien trente secondes à s'extraire de son fauteuil, laissa errer son regard sur la salle pendant une bonne minute et eut besoin de quinze secondes pour enlever ses lunettes. Il partit d'un petit rire, hocha la tête en fixant ses pieds et appela :

— La défense demande à la barre Mme Lydia Marsh.

Lydia Marsh, belle comme une madone avec sa chevelure noire, dans une robe bleu pâle, prêta serment et précisa qu'elle était femme au foyer, mère de deux enfants, et que son mari combattait « quelque part en Italie ». Un observateur attentif se serait certainement rendu compte, à leur légère moue et à leurs mains croisées sur leur ventre, de l'approbation muette des jurés. Robert Collins, lui, s'en aperçut et entreprit de jouer sur le patriotisme qui habitait tout Américain, donc les membres de ce jury.

— Depuis combien de temps connaissez-vous Will Parker, madame Marsh ?

Il n'y eut ensuite que des questions de routine jusqu'à ce que Collins demandât à Lydia de relater ce qu'il s'était passé le jour où Will Parker partit pour Parris Island afin d'être incorporé dans le corps des *Marines* des États-Unis.

— Il est passé devant chez moi, raconta Lydia, et il m'a appelée depuis la grille. Il était légèrement nerveux et paraissait peut-être un peu embarrassé...

— Objection, votre honneur. Le témoin tire une conclusion.

— Objection accordée.

Lorsque Lydia reprit le cours de son témoignage, ce fut avec la ferme détermination de peindre fidèlement les choses.

— Au début, M. Parker refusait de me regarder dans les yeux et il s'essuyait nerveusement les mains sur ses cuisses. Quand je suis descendue pour lui dire au revoir, il m'a tendu une serviette verte et un pot de confiture rempli de miel. Il m'a dit qu'il me les avait volés environ un an et demi plus tôt alors qu'il était sur la paille et sans le sou. À l'époque où il me l'avait volé, le pot conte- nait du lait caillé – il l'avait pris sur la margelle de notre puits. Quant à la serviette verte, il l'avait prise sur la corde à linge en même temps qu'un ensemble appartenant à mon mari qui, bien sûr, avait déjà pas mal servi. Il s'est excusé puis a ajouté que ça l'avait gêné durant tout ce temps de nous avoir volés et qu'avant de partir pour la guerre, il voulait régler ce problème. Voilà pourquoi il m'apportait ce miel : c'était tout ce qu'il possédait pour nous payer.

— Parce qu'il pensait qu'il n'en aurait peut-être plus l'occasion ? Il craignait sans doute de mourir à la guerre, n'est-ce pas ?

— Non, il n'a pas dit ça. Ce n'était pas son genre. Il était plutôt du genre à savoir qu'il devait aller à la guerre et à partir sans se plaindre, exactement comme mon mari.

— Mais plus récemment, madame Marsh, depuis le retour de William Parker du Pacifique, avez-vous eu vent d'une quelconque querelle de ménage entre lui et sa femme ?

— Non, au contraire. Ils sont très heureux. Je crois que je l'au- rais su s'il avait eu la moindre raison de rechercher la compagnie d'une femme comme Lula Peak.

— Et qu'est-ce qui vous fait croire qu'il ne l'a pas fait ?

Le regard de Lydia croisa celui d'Elly et elle rougit.

— Parce qu'Elly... je veux dire Mme Parker, m'a dit il y a quel- ques jours qu'elle attendait leur premier enfant.

La nouvelle frappa Will de plein fouet. Il se retourna brusque- ment sur sa chaise et ses yeux rencontrèrent ceux d'Elly. Il voulut se lever, mais son avocat le pressa doucement de s'asseoir. Son visage s'illumina de bonheur. Son regard se porta sur le ventre de sa femme puis remonta sur son visage rougissant. *C'est vrai, Elly ?* Ces mots, il ne les prononça pas, mais tout le monde dans la salle d'audience les sentit avec son cœur. Et chacun vit le sourire appro- bateur d'Elly et son très léger signe de tête. Et les douze jurés qui étaient tous pères et mères sentirent vibrer leur corde sensible.

Un murmure traversa l'assistance et ne s'apaisa que lorsque

Collins remercia le témoin et annonça la lecture publique par un huissier du livret militaire de son client. Ledit huissier, un petit homme aux allures efféminées, à la voix de fausset, lut le document, un sourcil relevé. Le dossier fourni par le corps des *Marines* des États-Unis présentait William Lee Parker comme une excellente recrue qui savait aussi bien obéir que commander. Voilà pourquoi il avait eu l'honneur d'être nommé chef de section, tant à l'entraînement qu'au combat, et promu au grade de caporal avant sa libération pour raisons médicales en mai 1943. Le dossier contenait aussi un rapport du Colonel Merritt A. Edson, commandant du First Marine Raiders, qui louait la bravoure de Will au combat. Il y déclinait tous ses actes de courage qui lui avaient valu la médaille du Purple Heart lors de ce que les correspondants de guerre avaient appelé la bataille la plus sanglante de la mer de Corail, la bataille de Bloody Ridge.

Lorsque l'huissier referma le dossier, la salle observa un silence respectueux. Collins avait mis le jury dans sa poche et il le savait. Il l'avait conquis avec la respectabilité, l'honnêteté et la valeur militaire. Maintenant, il allait continuer sur un mode plus léger.

— La défense appelle à la barre Nat MacReady.

Nat se leva de son siège et s'avança rapidement. Bien qu'il eût le dos voûté, il se déplaçait avec une agilité ahurissante pour quelqu'un de son âge. Il était magnifique dans sa veste d'uniforme de la Première Guerre mondiale ornée de ses vieilles étoiles dorées et de ses galons de lieutenant. Il était évident, à le regarder, que Nat était fier d'aider la justice à triompher. Lorsqu'on lui demanda s'il dirait toute la vérité et rien que la vérité, il répondit :

— Qu'est-ce que tu paries, fiston ?

Le juge Murdoch fronça les sourcils mais il ne put empêcher les rires de fuser lorsque Nat, les yeux brillants, s'assit dans le fauteuil sans qu'on l'y invite.

— Comment vous appelez-vous ?

— Nathaniel MacReady.

— Profession ?

— Homme d'affaires à la retraite. J'ai fondé une usine de pains de glace au sud de la ville alors que j'avais vingt-six ans. Avec mon frère Norris.

— Quelle ville?

— Hein? Mais Whitney, bien sûr!

— Vous y avez passé toute votre vie, n'est-ce pas?

— Ça, pour sûr. Sauf pendant ces quatorze mois de 17 et 18 quand l'Oncle Sam m'a offert des vacances gratuites en Europe.

Des rires fusèrent. Collins se recula et laissa l'uniforme parler de lui-même : personne dans la salle ne pouvait se méprendre sur la fierté de Nat de le porter à nouveau.

— Depuis combien d'années vous êtes-vous retiré des affaires?

— Quinze ans.

— Quinze ans... Vous devez vous ennuyer à ne rien faire depuis quinze ans.

— Rien faire? Eh, mon p'tit gars, j'aimerais que vous sachiez que, mon frère et moi, on a organisé la garde civile et qu'on est dans la rue toutes les nuits pour faire respecter le couvre-feu et observer les avions japonais, pas vrai, Norris?

— Et comment! répondit Norris depuis la salle, ce qui fit naître un nouvel éclat de rire que le juge Murdoch dut faire cesser à l'aide de son marteau.

— La défense devrait dire à son témoin d'adresser ses réponses à la cour et non à la salle, insista Murdoch.

— Oui, Votre Honneur, répliqua doucement Collins avant une fois encore de se gratter la tête en attendant que le silence se fît. Maintenant, avant que nous n'en venions à vos fonctions de garde volontaire, j'aimerais que vous jetiez un regard sur quelque chose : Est-ce vous qui avez confectionné cela? demanda Collins en tirant de sa large poche un petit morceau de bois sculpté qu'il tendit à Nat.

Nat le prit et répondit :

— Ça ressemble aux miens... Ouais, c'est bien ça. Y a mes initiales en dessous.

— Dites à la cour de quoi il s'agit.

— C'est un dindon sauvage en bois. Où vous l'avez trouvé?

479

— À la pharmacie de Whitney. Je l'ai eu pour trente-neuf cents au comptoir aux souvenirs.

— Vous avez dit à Haverty de le noter dans son livre pour que je puisse toucher mon pourcentage ?

Le juge frappa quelques petits coups de marteau.

— Mais évidemment, monsieur MacReady, répondit Collins qu'accompagnaient les rires discrets des spectateurs, et il poursuivit en continuant de s'attirer le courroux du sévère Murdoch : Et où l'avez-vous confectionné ?

— Sur la place.

— Quelle place ?

— Ben, la grand-place de Whitney. C'est là que mon frère et moi on passe la plupart de notre temps, assis sur notre banc, sous le magnolia.

— À sculpter le bois ?

— Ben évidemment. Donnez-moi le nom d'un vieux qui n'a rien à faire de ses dix doigts et je vous donne le nom de celui qui fera la une de la rubrique nécrologique de l'année prochaine.

— Et pendant que vous sculptez votre bois, vous voyez presque tout ce qui se passe autour de vous, n'est-ce pas ?

Nat se gratta la tempe.

— Je crois qu'on peut dire qu'on manque pas grand-chose, pas vrai, Norris ?

Il se mit à rire, provoquant le même éclat chez ceux qui, dans la salle, savaient très bien que rien ne leur échappait.

Cette fois-ci, Norris se contenta de sourire, s'efforçant de ne pas répondre.

Collins produisit un couteau de poche et commença à se curer les ongles comme si les questions qui allaient suivre étaient de peu d'importance.

— Vous est-il arrivé d'apercevoir Lula Peak aller et venir sur cette place ?

— À peu près tous les jours. Elle était serveuse au Café Vickery, vous savez, et notre banc est très bien placé. De là, on a une vue idéale sur le restaurant, la bibliothèque et puis sur tout ce qui bouge autour de nous.

— Si bien que durant toutes ces années, vous avez souvent pu suivre les allées et venues de Lula Peak.

— En effet.

— L'avez-vous vue parfois en compagnie d'individus du sexe masculin ?

Nat éclata de rire en se tapant sur les cuisses.

— Oh ! oh ! oh ! elle est bien bonne celle-là, pas vrai Norris ? Et toute la salle croula de rire.

Le juge s'interposa.

— Répondez à la question, monsieur MacReady.

— Elle connaissait plus d'hommes qu'il y en a dans toute la flotte du Pacifique.

La salle explosa de nouveau et le juge Murdoch fut encore obligé d'avoir recours à son marteau.

— Parlez-nous du genre de ceux avec lesquels vous l'avez vue, insista Collins.

— Combien de temps en arrière ?

— Aussi loin que votre mémoire vous le permet.

— Eh bien... Voyons donc, ça fait déjà un bail. Elle a toujours aimé les hommes. Je crois bien que je peux pas dire avec lequel je l'ai vue la première fois. Mais quand elle avait à peine l'âge d'avoir des poils quelque part, il y avait ce forain basané qui s'occupait de la grande roue pendant les Journées de Whitney. Ça devait être en vingt-quatre...

— Vingt-cinq, corrigea Norris depuis la salle.

Slocum se leva brusquement.

— Objection ! cria-t-il juste à l'instant où le juge faisait retentir son marteau. Nous ne faisons pas le procès de Lula Peak ! C'est William Parker que nous jugeons ! ajouta le Solicitor General.

— Votre Honneur, signala calmement Collins, la réputation de la victime est de la plus haute importance dans cette affaire. Mon intention est d'établir que, du fait de ses nombreuses fréquentations, Lula Peak a pu tomber enceinte des œuvres de n'importe lequel des hommes qu'elle fréquentait notoirement.

— En suggérant que son enfant avait été procréé en 1925 !

coupa Slocum fort en colère. Votre Honneur, cet interrogatoire est absolument grotesque !

— J'essaie de montrer qu'il existait une certaine orientation sexuelle dans la vie de la victime, Votre Honneur, si vous n'y voyez pas d'inconvénients.

L'objection fut rejetée. Mais Collins reçut un avertissement pour incapacité à contrôler le penchant de son client à s'adresser à la salle et à en attendre des réponses.

— Avez-vous déjà vu Lula Peak tourner autour de Will Parker ?

— Je l'ai vue essayer. Oh ! pour ça, oui, cette gamine, on peut dire qu'elle a fait plus qu'essayer. Elle a même commencé le jour où il est arrivé en ville et qu'il est entré là où elle travaillait.

— Vous voulez dire, au Café Vickery.

— Oui m'sieur. Et après, chaque fois qu'il descendait en ville et traversait la place, elle s'arrangeait pour être dehors à balayer. Mais comme il ne faisait pas attention à elle, elle le suivait partout où il allait.

— Par exemple... insista Collins.

— Par exemple à la bibliothèque quand il venait emprunter des livres ou vendre du lait et des œufs à Mlle Beasley. En moins de deux Lula ôtait son tablier et cavalait derrière le jeune Parker. Je suis un vieil homme, monsieur Collins, mais je suis pas trop vieux pour reconnaître une femme en chaleur ou une femme qu'un homme a repoussée...

— Objection !

— ... et quand Lula sortait en crachant de la bibliothèque...

— Objection !

— ... on peut pas dire qu'elle avait pas le poil hérissé...

— Objection !

Il fallut une bonne minute avant que le vacarme ne s'apaisât. Bien que le juge eût ordonné que les opinions personnelles de Nat ne figurent pas au dossier, Collins savait qu'elles demeureraient dans la mémoire des jurés. Lula Peak était une moins que rien et avant même qu'il ne l'ait affirmé, tout le monde l'avait compris et la chargeait, elle, plutôt que Will.

— Monsieur MacReady, reprit calmement Collins, ce qui nous

importe ici, ce sont les faits, rien que les faits et non les opinions.

— Oui... bien sûr.

— Donc des faits, monsieur MacReady. Maintenant, pouvez-vous nous rapporter un fait qui prouve que Lula Peak a eu des rapports licencieux avec plus d'un homme de la région de Whitney ?

— Oui, monsieur. Du moins si on peut en croire Orlan Nettles. Il m'a dit un jour qu'il l'avait coincée sous la tribune du stade de base-ball pendant la septième manche du match entre les Hornets de Whitney et les Tigers de Grove City.

— Il l'a coincée. Pourriez-vous être plus explicite ?

— Eh bien, c'est-à-dire qu'il y a des dames dans la salle.

— Est-ce bien le mot « coincée » qu'a utilisé Orlan ?

— Non, monsieur.

— De quel mot s'est-il servi ?

Nat rougit et se tourna vers le juge.

— Faut vraiment que je le dise, Votre Honneur ?

— Vous parlez sous serment, monsieur MacReady.

— Bon, eh bien, d'accord... baisée, Votre Honneur. Orlan a dit qu'il avait baisé Lula Peak sous la tribune de Skeets Hollow Park pendant la septième manche du match entre les Hornets de Whitney et les Tigers de Grove City.

Du fond de la salle, retentit le cri de surprise d'Alma Nettles, la femme d'Orlan. Collins s'aperçut que les regards des jurés s'étaient portés dans cette direction si bien qu'il attendit pour continuer qu'il ait recouvré toute leur attention.

— Et quel jour s'est-il vanté avoir fait cela ?

— Le soir où les Hornets ont gagné sept à six en milieu de neuvième quand Willie Pounds a pris un roulant en plein dans le ventre et qu'il l'a lancé au marbre pour le dernier retrait. Norris et moi, on manque jamais une partie et puis on a gardé la fiche de score, pas vrai Norris ?

Norris fit oui de la tête tandis que Nat tendait à Collins un petit morceau de papier blanc.

— Voilà, l'été dernier, le 11 juillet. Mais je ne vois pas pourquoi il est nécessaire de produire tout ça. La moitié des hommes de

483

Whitney savent la date parce qu'Orlan en a parlé à un tas de gens, pas vrai, Norris ?

— Concluez cette dernière question, ordonna le juge Murdoch tandis qu'Alma, en larmes, quittait la salle appuyée sur le bras d'une femme compatissante.

Dominant les murmures de l'assistance, Collins s'adressa à Nat.

— Avez-vous déjà vu Lula Peak avec un homme dans... disons, une position compromettante ?

— Oui m'sieur, il y avait un ingénieur du L&N Railroad qui habitait à la pension de famille de Mlle Bernadette Werm. Je ne suis pas certain de son nom, mais il avait une barbe rousse fournie et un serpent tatoué sur le bras. Mlle Werm devrait se souvenir de son nom. De toute façon, je les ai surpris un jour en train de faire ce que vous imaginez, du côté de Oak Creek où je pêchais. Nus comme des vers qu'ils étaient et quand je leur suis tombé dessus, Lula, elle a renversé la tête en arrière en riant et elle a dit : « Prenez pas cet air choqué, monsieur MacReady. Pourquoi vous viendriez pas vous joindre à nous ? »

De la salle s'éleva un chœur féminin de Oh! scandalisés.

— Pour être clair, monsieur MacReady, lorsque vous dites qu'ils faisaient ce que nous imaginons, vous voulez dire qu'ils étaient en train de copuler ?

— Oui, monsieur, c'est ce que je veux dire.

Collins prit un temps incroyable à sortir de sa poche un mouchoir tout fripé, dans lequel il se moucha, pour laisser le peu qui avait de l'importance dans la déposition imprégner le cerveau de chacun et surtout ce qui n'en avait pas. Finalement, il remit son mouchoir dans sa poche et s'approcha à nouveau de son témoin.

— Maintenant, revenons, si vous le voulez bien, à votre occupation essentielle, soit celle de membre de la garde civile. Quand vous étiez en patrouille, le soir, au cours des mois et des semaines écoulés, est-il vrai que vous avez remarqué à plusieurs reprises une voiture bien précise stationnée derrière la maison de Lula Peak ?

— Oui, m'sieur.

— Savez-vous à qui appartient cette voiture ?

— Oui, m'sieur. C'est celle de Harley Overmire. Une Ford

noire, immatriculée PV628. Il la gare dans la ruelle, derrière les buissons de genévriers. Je l'y ai vue souvent et plusieurs fois par semaine au cours de l'année dernière. J'ai vu aussi Harley se rendre parfois chez Lula Peak en pleine journée quand elle ne travaillait pas. Il laissait sa voiture sur la place, entrait dans le restaurant comme s'il y allait pour déjeuner puis il sortait en catimini par la porte de derrière et remontait la ruelle jusque chez elle. C'est juste au coin.

— Mais, avez-vous vu Lula Peak avec quelqu'un d'autre ces derniers temps ?

— Oui, m'sieur, effectivement, et, pour être franc, ça me fait mal de dire ça devant tout le monde. Personne n'agirait comme ça avec un garçon de cet âge, mais je crois qu'il était trop jeune pour se rendre compte...

— Dites-nous seulement ce que vous avez vu, monsieur MacReady, coupa Collins.

— Le fils de Harley, Ned.

— Le fils de Harley Overmire, Ned Overmire ?

— Oui, m'sieur.

— Dites-nous. Quel âge vous pensez que Ned Overmire peut bien avoir ?

— Oh, je dirais quatorze ans, environ. Mais pas plus de quinze ans, ça c'est sûr. De toute façon, il est en cinquième année et ça, je le sais, parce que ma nièce Delwyn Jean Potts est son institutrice cette année.

— Et vous dites avoir vu Lula Peak en compagnie de Ned Overmire ?

— Oui, m'sieur. Juste en face du Café Vickery. Elle balayait, comme d'habitude, elle balaie tout le temps quand elle a envie de... eh bien... vous comprenez... s'envoyer un homme, dirions-nous. Bref, le jeune Ned se promenait sur le trottoir, il y a quelques semaines de cela et elle l'a arrêté comme je l'ai vu faire avec des dizaines d'autres. Elle lui a glissé sa main dans sa chemise et a commencé à le chatouiller. Elle lui a dit qu'il faisait chaud, qu'il devait entrer à l'intérieur et qu'elle allait lui offrir une glace. J'ai tout entendu très nettement... et puis zut ! je pense qu'elle voulait que je l'entende. Elle se moquait toujours de moi de cette manière depuis le jour où je l'ai trouvée avec le cheminot. Une glace... ouais !

— Et l'enfant, le garçon, l'a-t-il suivie à l'intérieur ?

— Il est entré. Grâce au ciel, il est ressorti au bout de quelques minutes, une glace à la fraise à la main. Lula l'a suivi jusque sur le pas de la porte et lui a crié : « Hé, reviens ».

— L'a-t-il fait ?

— Pas que je sache, non.

— Dieu merci, marmonna Collins entre ses dents, ce qui occasionna des petits coups de marteau mais valut à l'avocat l'approbation du jury.

— Mais êtes-vous certain que Lula a eu des relations sexuelles avec les autres personnes que vous avez nommées ?

— Oui, m'sieur.

— Et selon vous, Lula Peak a-t-elle réussi à attirer l'attention de Will Parker ?

— Non m'sieur, jamais, enfin, pas que je sache, non.

— Le témoin est à vous, monsieur le Solicitor.

Slocum tenta bien de démontrer que Nat MacReady était sénile, dur d'oreille et à moitié aveugle, mais ce fut en pure perte. Le vieil homme avait une mémoire surprenante et il rehaussa ses souvenirs de tant d'anecdotes qu'il ne pouvait avoir inventées que le contre-interrogatoire se révéla plus fructueux pour la défense que pour l'accusation.

Lorsque Nat quitta la barre des témoins, Collins se leva.

— La défense appelle Norris MacReady.

Norris s'approcha, vêtu, comme son frère, de son vieil uniforme de la Première Guerre mondiale dont le col était désormais trop grand pour son cou décharné. Il avait le front dégarni, rouge à force de le gratter, ce qui en faisait ressortir les taches brunes. Slocum serra les dents et jura à l'abri de sa main, puis il passa une main dans sa chevelure, ce qui eut pour effet de faire disparaître sa crête de coq.

— Quel est votre nom ?

— Norris MacReady.

— Profession ?

— J'ai pris ma retraite de notre usine de glace la même année que Nat.

Il s'ensuivit alors une série de questions concernant la constitution de la garde civile de la ville de Whitney et de ses fonctions avant que Collins n'en vienne à des problèmes plus substantiels.

— Dans la nuit du 17 août 1943, pendant que vous faisiez une ronde pour vérifier que l'on respectait bien le couvre-feu, avez-vous surpris une conversation provenant de la porte de derrière de la bibliothèque municipale Carnegie de Whitney?

— Oui.

— Pourriez-vous, je vous prie, nous la répéter?

Norris écarquilla les yeux et son regard quitta celui de l'avocat pour se porter sur le juge.

— Est-ce qu'il faut que je répète mot pour mot ce qu'a dit Lula?

— Oui, exactement ce que vous avez entendu, répondit le juge.

— Bon, eh ben, d'accord, monsieur le juge... mais les femmes qui sont dans la salle ne vont pas apprécier.

— Vous parlez sous serment, monsieur MacReady.

— Bon, très bien... Est-ce que vous pensez que ça ira si je lis?

Slocum se dressa brusquement pour soulever des objections.

— Permettez-moi, Votre Honneur, d'établir la légitimité de cette lecture, s'empressa de dire Collins.

— Objection rejetée, mais vous n'aurez droit qu'à une seule question, monsieur Collins.

— Très bien. Que voulez-vous nous lire?

— Eh ben, les notes de notre registre. Nat et moi, on tient un registre. Et fidèlement, pas vrai Nat?

— Ben bien sûr, répondit Nat depuis la salle.

Personne n'éleva d'objection cette fois-là. Un silence total s'établit.

— Ainsi vous tenez un registre lorsque vous êtes en patrouille? reprit Collins.

— Mais il le faut. C'est un ordre du gouvernement. On doit enregister chaque passage d'avion et chaque individu qui viole le couvre-feu. Cette guerre est bien différente de la Grande Guerre. À cette époque-là, on avait pas besoin de s'inquiéter de trouver des espions dans notre cour comme maintenant. Et c'est pour ça que nous devons faire des rapports aussi précis.

— Vous pouvez lire votre rapport du 17 août, monsieur Mac-Ready.

De la poche intérieure de son uniforme, Norris tira un cahier dont les bords de la couverture verte semblaient bien fatigués. Il posa sur son nez une paire de lunettes à large monture et prit son temps pour en passer les branches à ressorts derrière ses oreilles. Puis il releva la tête, se lécha l'index et se mit à tourner les pages avec une telle lenteur que des petits rires commencèrent à fuser dans l'assistance avant qu'il ne finisse par trouver le paragraphe qu'il cherchait.

— Le 17 août 1943, dit-il en commençant sa lecture d'une voix enrouée, puis en s'éclaircissant la gorge afin de poursuivre : Nat et moi nous sommes partis en patrouille à neuf heures du soir. Tout est calme, sauf en ce qui concerne Carl et Julie Draith qui revenaient d'une partie de bridge chez les Nelson, leurs voisins d'à côté. Dix heures : en passant dans Comfort Street, avons entendu quelqu'un entrer dans la bibliothèque par la porte de derrière. Je suis resté à l'angle du bâtiment tandis que Norris partait en reconnaissance derrière la haie pour voir qui c'était. Norris m'a fait signe et nous avons attendu. Moins de cinq minutes plus tard, la porte s'est ouverte brusquement et un soulier à haut talon lancé de l'intérieur a frappé Nat à l'épaule lui occasionnant par la suite une bosse violette. Une violente bagarre s'en est suivie entre Will Parker et Lula Peak. Parker l'a poussée hors de la bibliothèque par la porte de derrière et a hurlé : « Si tu es en chaleur, Lula, va miauler sous les fenêtres de quelqu'un d'autre. » Il lui a claqué la porte à la figure et elle l'a martelée ensuite de son poing à plusieurs reprises en le traitant d'impuissant, de trou du cul et d'ordure de *Marine*. Puis elle a crié (assez fort pour réveiller un mort) : « Ta queue n'est même pas assez grosse pour boucher le trou de mon oreille. » Quel langage pour une femme !

Norris rougit, Nat rougit. Will rougit. Collins prit délicatement le registre des MacReady et demanda à ce qu'on le consignât comme pièce à conviction numéro 3, puis il abandonna son témoin au contre-interrogatoire.

Cette fois, Slocum réfléchit un instant et préféra ne pas poser de questions. Une certaine agitation commençait à s'emparer de la salle d'audience. Des murmures s'élevèrent de la galerie et les gens se raidirent sur leurs chaises au moment où Collins appela le témoin suivant.

— La défense voudrait entendre le docteur Justin Kendall.

Kendall s'avança à grands pas dans l'allée centrale, un homme imposant de plus d'un mètre quatre-vingts qui portait un costume bien coupé de serge brune. Son front dégarni brillait, laissant croire qu'il venait de le lustrer et ses lunettes sans montures lui donnaient l'allure d'un écolier. On put constater lorsqu'il leva la main pour prêter serment qu'il avait les doigts longs et fins. Il avait à peine tiré sur les jambes de son pantalon pour s'asseoir, que Collins avait déjà ouvert le feu des questions.

— Vos nom, prénom et profession ?

— Justin Ferris Kendall, docteur en médecine.

— Votre cabinet se trouve à Calhoun, est-ce exact ?

— C'est exact.

— Avez-vous récemment examiné la victime, Lula Peak ?

— Oui, monsieur, le vingt octobre de l'année dernière.

— Avez-vous, à cette époque-là, constaté qu'elle était enceinte d'environ deux mois ?

— Oui, monsieur.

— Employez-vous une infirmière diplômée nommée Miriam Gaultier qui vous sert aussi de secrétaire ?

— C'est exact.

— Merci. Le témoin est à vous, mon cher collègue.

À l'évidence, Slocum ne comprenait pas le sens de cette série de questions et jetait des regards autour de lui, désorienté d'avoir à contre-interroger si vite le témoin de la défense.

Il se leva légèrement de sa chaise.

— Pas de questions, Votre Honneur.

— La défense appelle à la barre Miriam Gaultier.

Les têtes se tournèrent tandis qu'un petit brin de femme aux cheveux gris passait la petite barrière de bois en souriant au docteur Kendall qui la lui tenait ouverte.

— Vos nom, prénom et profession ?

— Miriam Gaultier. Je suis infirmière et secrétaire du docteur Justin Kendall.

— Vous venez d'entendre le docteur Kendall affirmer qu'il avait reçu la visite de la victime, Lula Peak, le vingt octobre de l'année dernière. Est-ce que vous vous trouviez au cabinet du docteur ce jour-là ?

— Oui, j'y étais.

— Et avez-vous parlé avec Lula Peak ?

— Oui, monsieur.

— Et quel était le fond de cette conversation ?

— J'ai demandé son adresse à Mlle Peak pour régler la question des honoraires.

— Vous l'a-t-elle donnée ?

— Non, monsieur.

— Pourquoi cela ?

— Parce qu'elle m'a demandé d'envoyer cette facture à Harley Overmire, de Whitney.

Personne n'entendit Collins abandonner le témoin au Solicitor General Slocum, mais chacun put entendre la sueur couler de tous les pores de la peau de Harley Overmire pendant que l'accusation contre-interrogeait Miriam Gaultier devant un auditoire soudain muet.

— Madame Gaultier, est-ce que les honoraires ont été payés ?

— Oui, monsieur.

— Pouvez-vous affirmer, sans l'ombre d'un doute, que ce n'est pas Mlle Peak qui les a réglés ?

— Eh bien...

— Sans l'ombre d'un doute, madame Gaultier, insista Slocum en la fusillant de son regard sombre.

— C'était payé en liquide.

— En main propre ?

— Non, par la poste.

— Merci, vous pouvez vous retirer, madame Gaultier.

— Et c'était posté dans une enveloppe de...

— Vous pouvez vous retirer, madame Gaultier !

— ...de la compagnie d'électricité, comme si quelqu'un l'envoyait...

Clac ! Clac ! retentit le marteau du juge Murdoch.

— Ce sera tout, madame Gaultier !

Les choses semblaient aller beaucoup mieux que n'aurait pu l'espérer Collins. Il se dépêcha d'appeler son témoin suivant pendant que le courant coulait dans le bon sens.

— La défense rappelle Leslie MacCooms.

On rappela au médecin légiste qu'elle était toujours sous serment et Collins posa sa question sans jouer la comédie.

— Lorsque vous avez examiné le corps de Lula Peak, vous avez découvert que la mort n'a pas été causée par le chiffon à poussière comme vous l'aviez cru initialement, mais par des mains, probablement celles d'un homme. Est-ce exact ?

— Oui.

— Dites-moi, mademoiselle MacCooms, combien y avait-il d'empreintes de doigts sur le cou de Lula Peak ?

— Neuf.

— Et quelle empreinte manquait-il ?

— Celle de l'index de la main droite.

— Merci. Le témoin est à vous, cher collègue.

Will sentait l'espoir renaître en son cœur. Les mains serrées, les pouces écrasés contre ses lèvres, il se disait pourtant que rien n'était encore gagné. Mais il ne put résister à l'envie de tourner la tête pour apercevoir Elly par-dessus son épaule. Le visage rose d'émotion, elle serra le poing qu'elle porta à son cœur et il sentit soudain le sien battre d'un espoir plus grand.

Slocum se leva, manifestement énervé.

— Est-il vrai, mademoiselle MacCooms, qu'un individu qui a dix doigts valides peut étrangler sa victime et laisser moins de dix empreintes ?

— Oui, c'est possible.

— Merci. Ce sera tout.

Le bref espoir de Will s'évanouit, mais son découragement fut de courte durée. L'incroyable Collins sonna la charge, sachant très bien qu'il fallait battre le fer quand il était chaud.

— La défense appelle à la barre Harley Overmire.

Overmire, avec son air de singe affolé, descendit en haletant l'allée centrale, engoncé dans un costume bleu clair dont les manches dépassaient bien de quinze centimètres ses bras courtauds. Des manches qui lui cachaient presque totalement les mains.

L'huissier lui tendit la Bible.

— Levez la main droite, je vous prie.

Harley était pâle comme la mort. Des gouttes de sueur perlaient au-dessus de sa lèvre supérieure et la transpiration lui laissait des traces sombres sous les aisselles.

— Levez la main droite, je vous prie, répéta l'huissier.

Harley n'avait d'autre choix que de faire ce qu'on lui ordonnait. Maladroitement, il leva le bras et, ce faisant, sa manche glissa. Toute l'assistance fixait la main à l'index coupé dont l'ombre se découpait sur le mur blanc cassé.

— Jurez-vous, avec l'aide de Dieu, de dire la vérité, toute la vérité, rien que la vérité ?

La voix de Harley ressemblait au cri d'une souris quand la tapette se referme.

— Je le jure.

Tandis que l'huissier posait la question rituelle, Collins scrutait les jurés dont les yeux étaient fixés sur la main mutilée d'Overmire.

— Vos nom, prénom et profession, je vous prie ?

— Harley Overmire, patron de la scierie de Whitney.

— Vous pouvez vous asseoir.

Collins fit semblant de lire ses notes pendant près de trente secondes. Pendant ce temps, Overmire s'était empressé de s'asseoir et de cacher sa main contre sa cuisse. L'atmosphère était électrique ; les avis étaient partagés. Collins laissa monter la tension tout en regardant de façon significative au-dessus de ses lunettes en direction de la main que dissimulait Harley. Cette main infamante qui lui avait déjà valu dans tout le comté la réputation de tire-au-flanc. Collins retira ses lorgnons, se leva comme s'il n'avait plus de rhumatismes et s'approcha de la barre des témoins. Un doigt sur le menton, il resta un instant muet, l'air pensif, puis retourna vers sa table comme s'il avait oublié quelque chose. À mi-chemin, il fit volte-face et, sans dire un mot, observa Overmire. Il régnait un tel silence dans la salle d'audience qu'on aurait entendu une mouche voler. Collins porta son regard sur chacun des membres du jury avant de s'arrêter sur son président. D'une voix où perçait un monde d'insinuations, il dit seulement :

— Pas de questions.

Il était quatre heures un quart. Les estomacs gargouillaient, mais personne n'avait vraiment faim. Le juge Murdoch ne consultait même pas sa montre. Au contraire, il demanda qu'on en vînt aux réquisitions.

À la grande joie de Collins, la montagne accoucha d'une souris. Comme il le voulait. Devant un jury affamé, un juge et une salle complètement soumis et un témoin qui dégoulinait de sueur.

Le jury sortit à la queue leu leu, laissant derrière lui quelque chose de sans précédent : l'immobilité.

Comme si tout le monde se doutait que cela ne durerait pas longtemps, personne ne bougea. Pas même le juge Murdoch. Dans un silence religieux, malgré la chaleur et la faim. Car pas un ne voulait, pour tout l'or du monde, manquer le premier bruit de pas qui allait marquer le retour des jurés.

Cela se produisit exactement sept minutes plus tard.

Douze paires de souliers traversèrent bruyamment l'estrade de bois où les attendaient douze chaises. Lorsque cessèrent les froissements de vêtements, une question sembla tomber des voûtes de la salle.

— Mesdames et messieurs les jurés, avez-vous rendu votre verdict ?

— Oui, Votre Honneur.

— Voulez-vous, je vous prie, le donner à l'huissier ?

L'huissier prit la petite feuille de papier blanc et la tendit au juge Murdoch qui la déplia, la lut en silence, puis la rendit au président du jury.

— Veuillez lire votre verdict à la cour.

Elly crispa ses mains sur celles de Lydia et de Mlle Beasley. Will retint son souffle.

— Le jury déclare l'accusé Will Lee Parker non coupable.

Un vacarme se déchaîna. Will se retourna. Elly porta ses mains à sa bouche et se mit à pleurer. Mlle Beasley et Lydia tentèrent de la prendre dans leurs bras. Collins voulut le féliciter. Mais ils n'avaient qu'une idée en tête : être dans les bras l'un de l'autre. Pour traverser la foule, ils durent jouer des coudes tandis que des mains se tendaient pour leur taper sur l'épaule, mais ils ne les sentaient pas. Des voix se levaient pour les féliciter, mais ils ne les entendaient pas. On leur souriait, mais ils ne voyaient qu'eux... Will... et Elly... Au milieu de cette cohue, ils finirent par se rejoindre et se cramponnèrent l'un à l'autre. Ils s'embrassèrent avec passion. Elle enfouit son visage au creux de son cou et ils restèrent ainsi, incapables de desserrer leur étreinte.

— Elly... Oh! mon Dieu...

— Will... Will, mon chéri...

Il la sentait qui sanglotait.

Elle sentait qu'il avait du mal à avaler.

Les yeux fermés, ils ondulaient, respiraient leurs odeurs, se retrouvaient, seuls au monde.

— Je t'aime, réussit-il à lui dire la bouche tout contre son oreille. Je n'ai jamais cessé de t'aimer.

— Je le sais, dit-elle en lui effleurant la joue.

— Et je suis tellement désolé de...

— Ça aussi, je le sais.

Elle tenta de rire, mais son rire fut étouffé par un sanglot.

La foule les bousculait. Un journaliste appela Will. Des témoins attendaient pour les féliciter.

— Ne t'éloigne pas, cria Will à l'oreille d'Elly en lui passant le bras autour des épaules. Elle l'étreignit par la taille et se serra tout contre lui tandis qu'il se pliait aux exigences de la situation.

Il serra la main de Collins qui lui donna une grande claque dans le dos.

— Eh bien, jeune homme, ça a été une vraie partie de plaisir.

Will émit un petit rire.

— Pour vous, peut-être...

— Je n'ai pas douté une seconde que vous alliez gagner.

— Que nous allions gagner, vous voulez dire.

Collins posa sa main sur l'épaule d'Elly.

— Oui, je crois que vous avez raison. Nous. Si un jour vous cherchez un travail, chère madame, je connais une bonne demi-douzaine d'avocats qui vous paieraient cher pour utiliser vos talents pour le plus grand bien de leurs clients. Vous avez du nez et un don certain.

Elle se mit à rire et leva la tête pour plonger son regard dans les yeux bruns d'un Will rayonnant.

— Je suis désolé, monsieur Collins, mais j'ai du travail et je ne l'échangerais pour rien au monde.

Will lui embrassa le bout du nez et tous trois empilèrent leurs mains et les secouèrent joyeusement jusqu'à ce que Lydia Marsh, prenant Elly par le cou, interrompît le cours de leurs ébats.

— Oh ! Elly, je suis si heureuse pour toi ! Et pour vous aussi, Will. Se dressant sur la pointe des pieds, elle l'étreignit avec fougue. Le cœur de Will était près d'éclater.

— Je ne sais pas comment vous remercier, madame Marsh.

Elle secoua la tête, luttant contre les larmes, tout à fait incapable d'exprimer sa tendresse autrement qu'en lui caressant la joue, puis elle embrassa de nouveau Elly.

— Je vous verrai tout à l'heure, promit-elle, et elle disparut.

Un autre journaliste les approcha.

— Monsieur Parker, rien qu'une minute.

Mais il y avait là Nat et Norris MacReady, tout sourire, fiers dans leurs uniformes militaires qui fleuraient la naphtaline.

— Nat... Norris... leur dit Will en leur tapant dans la main et en les prenant gentiment par le cou, comme j'ai été heureux de vous avoir tous les deux à mes côtés ! Je ne sais pas quoi dire... Sans vous, je me serais peut-être retrouvé de l'autre côté.

— Y a rien qu'on ne ferait pour un vétéran, rétorqua Nat.

— Dites que vous allez nous mettre de côté quelques pots du miel qui va venir, suggéra Norris.

Tandis que tout le monde éclatait de rire, Mme Gaultier et le docteur Kendall, au passage, donnèrent à Will une petite tape sur l'épaule en souriant.

— Félicitations, monsieur Parker.

Will les remercia d'une solide poignée de main que le journaliste immortalisa.

Se sentant pris comme dans un tourbillon, Will était obligé de se consacrer aussi bien à ses amis qu'à des inconnus tandis que les journalistes continuaient de l'assaillir de questions.

— Monsieur Parker, est-il vrai que vous avez été, un jour, viré de la scierie par Harley Overmire ?

— Oui.

— À cause de votre séjour en prison ?

— Oui.

— Est-il exact qu'il s'est coupé le doigt pour échapper à la conscription ?

— Je ne peux vraiment faire aucun commentaire à ce sujet. Et puis, la journée a été longue et...

Il tenta de se diriger vers la sortie, mais la foule des sympathisants s'agglutinait autour de lui comme des papillons autour d'une lampe.

— Monsieur Parker...

— Félicitations, Will...

— À vous aussi, Eleanor...

— Félicitations, jeune homme. Vous ne me connaissez pas, mais je...

— Hé, monsieur Parker, vous pouvez me signer un autographe ? demanda un jeune garçon coiffé d'une casquette de base-ball.

— Tout va bien, Will...

— Elly, nous sommes si heureux pour vous deux.

— Félicitations, Parker. Vous et votre dame, passez donc au restaurant. C'est moi qui offre le repas...

Will n'avait aucune envie d'être le pôle d'attraction de ce vrai cirque, mais il s'agissait de leurs concitoyens qui les acceptaient enfin, Elly et lui, au sein de leur communauté. Il leur rendait leurs poignées de main et leurs sourires pour leur exprimer toute sa reconnaissance. Jusqu'au moment où il n'eut plus qu'une envie, celle de quitter les lieux pour se retrouver seul avec Elly. En réponse à une plaisanterie de quelqu'un, il serra Elly tout contre lui et la déséquilibra au point que son pied gauche quitta le sol. Alors il pressa ses lèvres contre sa tempe et murmura :

— Fichons le camp d'ici.

Elle passa son bras autour de sa taille et ils se dirigèrent vers la sortie.

Mais là se trouvait Mlle Beasley qui attendait patiemment son tour.

Le journaliste harponna Will et Elly alors qu'ils s'approchaient de la bibliothécaire.

— Monsieur Parker, madame Parker, l'un de vous pourrait-il me dire ce qu'il pense de l'arrestation de Harley Overmire ?

Mais aucun des deux ne daigna répondre.

Mlle Beasley portait une robe d'un vert sinistre et tenait son sac dans ses mains religieusement croisées sous son imposante poitrine. Will poussa Elly devant lui jusqu'à ce qu'ils parviennent à moins d'un mètre de la vieille dame. C'est alors seulement qu'il lâcha l'épaule de sa femme.

Une voix masculine les fit se retourner.

— Monsieur Parker, je suis correspondant de l'*Atlanta Constitution*. Pourriez-vous...

Elly s'interposa.

— Vous voyez bien qu'il est occupé. Pourquoi ne l'attendez-vous pas dehors ?

En effet. Will était occupé. À livrer une bataille perdue d'avance contre son émotion en s'approchant de Gladys Beasley pour la prendre dans ses bras. Il posa sa joue contre ses boucles bleutées et l'étreignit fermement malgré le parfum d'œillet qui l'étouffait, mais qu'il aimait en ces instants précieux.

À son grand étonnement, elle lui donna l'accolade en lui plaquant ses mains dans le dos.

— Vous m'avez fait une de ces peurs, vous savez, dit Will, la voix étranglée d'émotion.

— Vous l'avez bien mérité, espèce de tête de mule.

— Je sais. Mais je croyais à ce moment-là que je vous avais perdues, Elly et vous.

— Oh ! Seigneur, monsieur Parker. Il aurait fallu que vous en fassiez de bien pires pour perdre l'une de nous deux.

Il tenta bien de rire, mais il eut du mal à y parvenir. Ils restèrent quelques secondes enlacés.

— Merci, lui murmura-t-il dans le creux de l'oreille et il l'embrassa.

Elle lui tapota le dos, cligna des yeux, se recula et retrouva son air sévère.

— Je vous attends lundi prochain, comme d'habitude.

Les mains toujours posées sur ses épaules, Will plongea son regard sombre dans celui de la bibliothécaire. Un petit sourire en coin déforma légèrement sa bouche.

— Oui, ma'am, dit-il d'une voix traînante.

Collins les interrompit.

— Allez-vous la tenir comme ça toute la journée ou laisserez-vous quelqu'un d'autre essayer ?

Surpris, Will recula.

— Mais, elle est à vous.

— Ah bon, parce que je pensais l'emmener chez moi pour lui offrir un petit verre de brandy, et voir ce que ça donne. Qu'en dites-vous, Gladys ? Vous savez, quand nous étions à l'école secondaire, j'ai toujours rêvé de vous donner un rendez-vous, mais vous étiez si intelligente que vous me fichiez une sacrée trouille. Vous vous souvenez quand...

Sa voix s'évanouit tandis qu'il la conduisait vers la porte. Elly glissa son bras sous celui de Will et ils regardèrent les deux amis s'en aller.

— On dirait que Mlle Beasley a fini par trouver un admirateur.

— Lui aussi, précisa-t-elle en souriant.

Will posa sa main sur celle d'Elly, la pressa fort contre son bras et laissa son regard s'attarder sur elle.

— Et toi aussi.

— Monsieur Parker, je suis le correspondant de l'*Atlanta Constitution*...

Elly se dressa sur la pointe des pieds et murmura à l'oreille de Will :

— Réponds-lui, je t'en prie, comme ça on en sera débarrassés. Je t'attends dans la voiture.

— Non, sûrement pas ! Tu restes ici à côté de moi.

Ils firent face ensemble aux questions, maudissant chacune des minutes qui les empêchaient de retrouver leur intimité. Ils apprirent cependant qu'un mandat d'arrêt avait déjà été délivré contre Harley Overmire et qu'il se trouvait en prison. Lorsqu'on lui demanda ce qu'il en pensait, Will se contenta de répondre :

— Il aura besoin d'un bon avocat et j'en connais un formidable que je pourrais lui recommander.

Il faisait presque nuit lorsque Will et Elly purent enfin regagner leur voiture. Le soleil rougeoyant illuminait de teintes cuivrées les pierres du bâtiment qu'ils laissaient derrière eux. Dans les jardins du palais de justice, les camélias étaient en fleurs alors que les branches des frênes encore nues dessinaient de fines ombres sur le capot de leur vieille guimbarde qui arborait un pare-chocs avant tordu et une aile bleue sur sa carrosserie noire.

Comme Elly se dirigeait vers la portière du passager, Will la tira par le bras dans la direction opposée.

— C'est toi qui conduis, ordonna-t-il.

— Moi ?

— J'ai entendu dire que tu savais.

— Je ne crois pas que Mlle Beasley serait d'accord avec toi.

Il regarda le pare-chocs et l'aile.

— Tu les as un petit peu esquintés.

— Juste un peu.

— Qui a posé la nouvelle aile ?

— Donald Wade et moi.

Will contempla sa femme avec des yeux brillants.

— Toi, t'es un vrai phénomène, madame Parker.

Une petite lampe s'alluma dans le cœur d'Elly.

— Depuis que je t'ai rencontré, souligna-t-elle calmement.

Ils se regardèrent amoureusement durant quelques instants, puis il dit fermement :

— Allons-y ! Voyons ce que tu sais faire.

Ne lui laissant pas le choix, il s'assit sur le siège du passager. Lorsque le moteur se mit en route, elle saisit le volant, malmena le changement de vitesse récalcitrant et prit une forte respiration.

— Allez... on y va...

Et elle monta directement sur le trottoir. Prise de panique, elle se mit debout sur les freins. La voiture hoqueta et leurs têtes cognèrent le pavillon avant de frapper le pare-brise.

— Bon sang, Will. Elle me fout une peur bleue, cette machine ! Elle ne va jamais où je veux ! dit-elle en donnant un coup de poing sur le volant.

Il éclata de rire tout en se grattant la tête.

— Elle t'a menée jusqu'à Calhoun pour aller prendre un avocat, si je ne me trompe.

Elle se sentit rougir, mais elle voulait montrer qu'elle était compétente et lui prouver qu'en son absence, elle avait fait de grands progrès.

— Te moque pas de moi, Will, surtout quand ce... ce morceau de ferraille est en marche.

Il s'adoucit et laissa de côté ses accents railleurs.

— Mais il t'a transportée jusqu'à Calhoun pour rendre visite à ton mari...

Leurs regards se croisèrent, graves, attendris. Il lui ôta les mains du volant et lui caressa les doigts du bout du pouce.

— Elly... c'est vrai ? Tu attends un enfant ?

Elle fit oui de la tête. Un sourire timide apparut sur ses lèvres tremblantes.

— Nous allons avoir un enfant, Will. Ce sera le nôtre, cette fois-ci.

Les mots lui manquèrent. L'émotion lui nouait la gorge. Il posa une main sur son ventre, de l'autre, il la prit par le cou, l'attira tout contre lui et déposa un long baiser sur son front. Elle ferma les yeux et posa ses mains sur la sienne qui, bien à plat, semblait protéger la vie qu'elle portait en son sein.

— Un bébé, finit-il par murmurer. C'est pas croyable.

Elle se recula pour le regarder dans les yeux. Cela dura de longues secondes, puis ils éclatèrent de rire.

— Un enfant! applaudit-il.

— Oui, un enfant! Avec des cheveux blonds, de grands yeux bruns et une belle bouche comme celle-là!

Elle l'embrassa et Will entrouvrit ses lèvres. Il lui caressa délicatement le ventre et glissa la main un peu plus bas. Elle frissonna.

— Pour sa naissance à celui-là, murmura-t-il tout contre sa bouche, tu appelleras un médecin.

— C'est d'accord, Will, répondit-elle toute douceur.

Il accentua son baiser et ses caresses si bien qu'elle fut obligée de le ramener à la réalité.

— Will, il y a encore des gens par ici.

Il poussa un profond soupir et la laissa se redresser.

— Peut-être bien que je ferais mieux de prendre le volant. Ça ira plus vite.

Il claqua la portière derrière lui, fit le tour du capot tandis qu'elle se glissait sur le siège du passager. Lorsqu'il passa la marche arrière, il avertit :

— Tiens-le bien, ce petit! Il faudrait pas trop le secouer.

Il descendit du trottoir en reculant, les faisant tressauter une seconde fois. Elly referma les mains sur son ventre et ils éclatèrent de rire.

Ils traversèrent la place du palais de justice et prirent la route 53 en direction du sud-est. Dans leur dos, le soleil avait presque disparu. Devant eux, la route quittait la vallée et montait à travers la forêt dont les arbres commençaient à bourgeonner. Will descendit la vitre et respira à pleins poumons l'air hivernal. Il tendit les bras et serra le volant entre ses pouces, les poignets décontractés. Il goûtait enfin la liberté qu'il buvait avec avidité.

Libre. Aimé. Bientôt père. Traité en ami. Accepté – mais aussi admiré – par une ville qui s'était précipitée à son secours. Et tout cela à cause d'une femme.

Il n'en revenait pas. Elle était tellement surprenante.

Brusquement, il quitta la grand-route, pénétra en cahotant dans un chemin de traverse et se dirigea vers un bosquet de saules encore nus. Il coupa le moteur et se tourna vers sa femme.

— Viens, mes yeux verts, murmura-t-il en desserrant le nœud de sa cravate. En un éclair, elle se retrouva entre ses bras. Leurs lèvres se joignirent, puis leurs corps, sans plus aucune retenue. Étroitement enlacés, ils renaissaient à la vie.

Il s'écarta d'elle et lui prit la tête entre ses mains.

— Tu m'as tellement manqué, dit-il en la regardant droit dans les yeux.

— Pas autant que moi.

— Et tu t'es coupé les cheveux.

Il les lui ébouriffa des deux mains et elle détourna son regard de ses yeux amoureux.

— J'ai voulu être à la mode, pour toi.

Il examina son visage, des cheveux au menton et lui demanda à voix haute :

— Mais qu'est-ce que j'ai donc fait pour te mériter ?

— Tu n'as pas à me remercier, Will. Je...

D'un baiser, il l'empêcha de poursuivre. À la longue, le souffle leur manqua, mais ils sentaient qu'ils avaient retrouvé toutes leurs affinités. Finalement, il releva la tête.

— Je sais tout sur ce que tu as fait. Le miel, les annonces, les témoins que tu as recherchés, la voiture que tu as appris à conduire et la ville que tu as osé affronter. Mais pour la maison, Elly. Mon Dieu, tu y es retournée, n'est-ce pas ?

— Qu'est-ce que je pouvais faire d'autre ? Je devais te prouver que c'était faux ce que tu croyais avoir vu sur mon visage le jour où on t'a arrêté. Je ne l'ai jamais pensé, Will... Je...

Elle se mit à pleurer. Du bout des lèvres, il recueillit ses larmes comme si elles lui étaient devenues indispensables pour vivre.

— Tu n'avais rien à me prouver. J'étais inquiet, têtu et j'ai agi comme un imbécile, comme l'a dit Mlle Beasley. Lorsque tu es venue me rendre visite, la première fois, j'étais choqué et je... je voulais te rendre la pareille. Mais je ne pensais pas ce que je disais, Elly, j'ai été moche... Je ne le pensais pas, Elly, je te demande pardon.

— Je sais, Will, je sais.

De nouveau, il lui prit la tête entre ses mains et plongea son regard dans ses yeux clairs.

— Et quand tu es revenue, la seconde fois, je m'étais dit que j'allais m'excuser, mais Hess était là à écouter. Alors, au lieu de ça, j'ai dit des stupidités. Ce que les hommes peuvent être bêtes, parfois.

— Ça n'a plus d'importance, Will, ça n'a plus...

— Je t'aime, dit-il en la serrant dans ses bras.

— Moi aussi, je t'aime.

Au bout de quelques minutes, il s'écarta de nouveau.

— Rentrons à la maison.

La maison. Ils la voyaient déjà, là, devant eux, elle leur faisait signe.

Il prit entre ses doigts une boucle des cheveux de sa femme et la caressa.

— Ah! revoir les enfants, notre maison, et notre lit. C'est fou ce qu'il me manquait, celui-là.

Elle lui caressa le cou.

— Allons-y

Ils reprirent la route dans la lumière pâle du crépuscule, par les collines brunâtres de la Géorgie, passant rivières et pinèdes avant de traverser une petite ville silencieuse où un magnolia balançait ses branches devant le portail d'une bibliothèque. Sur la grand-place, un banc vide attendait deux vieillards et le retour du soleil. Ils longèrent une propriété dont la clôture de bois avait disparu, tout comme les belles-de-jour et les vieux stores verts, et où l'on voyait maintenant une pelouse bien fauchée, un crépi bien gratté et des fenêtres dans lesquelles miroitait un clair de lune naissant. À cet instant, Elly se pelotonna contre Will, un bras lové autour de ses épaules, une main sur sa cuisse.

Il tourna la tête pour apercevoir Elly qui suivait la maison des yeux tandis que la voiture la dépassait.

Elle sentit son regard, leva les yeux et lui sourit.

Tout va bien? semblait-il lui demander.

Tout va bien, lui répondait son sourire.

Il lui embrassa le bout du nez et lui prit la main qui pendait par-dessus son épaule.

Heureux, ils continuèrent leur route à travers la nuit, prirent un petit chemin caillouteux escarpé qui passait devant un arbre roux et menait à une clairière dans laquelle des fleurs bleues allaient bientôt renaître autour d'une maison blanche construite de guingois. Où dormaient trois enfants – qui seraient bientôt quatre. Où attendait un lit... Et les abeilles allaient bientôt donner leur miel.

Récemment parus
dans la même collection

imprimerie gagné ltée